Sóstenes Apolos da Silva

Não Temas

*Mensagens de encorajamento
para o seu dia-a-dia*

3ª impressão

CPAD

Rio de Janeiro
2024

Dedicatória

Costuma-se dizer que "um gesto vale mais do que mil palavras". Você acreditou em mim quando, nos meus 19 anos de idade, cursando ainda o Ensino Médio e servindo ao Exército, além de ser filho de família humilde, não havia realizado nada de concreto na vida. Você apostou sua vida em meu futuro. Para mim, você foi, e ainda é, a encarnação do encorajamento. Por isso, Herô, minha querida esposa, seu nome para mim significa *Não Temas*.

Todos os direitos reservados. Copyright © 2005 para a língua portuguesa da Casa Publicadora das Assembleias de Deus. Aprovado pelo Conselho de Doutrina.

É proibida a duplicação ou reprodução deste volume, no todo ou em parte, sob quaisquer formas ou meios (eletrônico, mecânico, gravação, fotocópia, distribuição na web e outros), sem permissão expressa da Editora.

Preparação dos originais: Luciana Alves
Revisão: Daniele Pereira, Kleber Cruz e Gleice Duque
Capa e projeto gráfico: Flamir Ambrósio
Editoração: Josias Finamore

CDD: 242 - Devocional
ISBN: 978-65-5968-337-6

As citações bíblicas foram extraídas da versão Almeida Revista e Corrigida, edição de 1995 da Sociedade Bíblica do Brasil, salvo indicação em contrário.

Para maiores informações sobre livros, revistas, periódicos e os últimos lançamentos da CPAD, visite nosso site: https://www.cpad.com.br.

SAC — Serviço de Atendimento ao Cliente: 0800-021-7373

Casa Publicadora das Assembleias de Deus
Av. Brasil, 34.401, Bangu, Rio de Janeiro – RJ
CEP 21.852-002

1ª edição
3ª impressão: 2024
Impresso no Brasil
Tiragem:200

Agradecimentos

A todos aqueles que têm sido meus companheiros na empolgante caminhada da vida, muitos dos quais são citados, nominal ou anonimamente, neste livro. Familiares, colegas de escola e de trabalho, pastores e irmãos queridos, componentes das igrejas onde congreguei.

Prefácio

Durante muitos anos, ouvi a frase: "A Bíblia contém a expressão 'não temas' 366 vezes, uma para cada dia do ano, inclusive para o dia 29 de fevereiro". Geralmente, eram pregadores inflamados os que faziam, e ainda fazem, tal afirmação.

Resolvi conferir. Passei a assinalar todos os "não temas" que encontrava em minhas leituras bíblicas. Não encontrei os tais 366. Porém, não fiquei decepcionado. As Escrituras nos abençoam com muitas outras expressões de incentivo. Há, com toda certeza, mais que uma mensagem de encorajamento para cada dia do ano na bendita Palavra de Deus.

Neste livro, apresento 366 mensagens de ânimo, baseadas em passagens da Bíblia. Poderia apresentar mais; 44todavia, selecionei somente estas. Tive o cuidado de extrair pelo menos uma passagem de cada livro da Bíblia.

O leitor observará que os textos estão na seqüência em que aparecem na Bíblia. Houve poucas alterações a esse respeito, apenas para colocar mensagens mais adequadas a determinadas datas comemorativas. Depois de duas passagens do Antigo Testamento, sempre segue uma do Novo. No mês de dezembro, essa seqüência foi quebrada para que os textos ligados ao nascimento de Jesus se enquadrassem na semana do Natal.

Neste tempo em que há no mundo tantas coisas que produzem preocupações e medo, sinto-me privilegiado em poder abençoar as pessoas com palavras de fé, esperança e encorajamento. Eu mesmo me sinto abençoado quando pronuncio ou escrevo estas palavras tão doces: *Não Temas*.

1º de janeiro

Não temas, Abraão, eu sou o teu escudo, o teu grandíssimo galardão.
Gênesis 15.1b

Um dos piores temores que uma pessoa pode sentir é o de Deus não *poder* ou não querer cumprir as promessas que lhe fez. Esse tipo de temor costuma surgir quando as circunstâncias nos são adversas. Foi o que aconteceu com Abraão. O que esse homem mais desejava era ter filhos, e Deus lhe havia prometido que ele seria pai de multidões. No entanto, o tempo foi passando, e nada de filhos, até que sua esposa ficou tão idosa que parecia impossível a promessa de Deus ainda estar de pé.

Qualquer pessoa na condição de Abraão poderia se perguntar: *Não terá sido o meu envolvimento com Deus uma mera ilusão?* Nesse exato momento, vem o terrível medo de que Deus tenha se esquecido de nós. Eis que o Senhor, fiel e poderoso, exclama: "Não temas..."

Deus sabe quando começamos a fraquejar, como aconteceu com Abraão. E Ele diz: *Não tenhas medo. Eu sou o teu escudo. Eu te protejo contra as flechas da dúvida.* O estado de dúvida com respeito à validade das promessas do Senhor pode arruinar uma pessoa. É um medo que destrói. Por isso, o Inimigo de nossas almas procura sempre trazer dúvidas quanto à fidelidade e ao poder de Deus. Todavia, o próprio Deus se encarrega de reafirmar suas promessas para conosco e de nos dar orientações sobre o cumprimento delas, como fez com Abraão. "Eu sou o teu escudo".

Deus disse também a Abraão: "... eu sou... o teu grandíssimo galardão". A maior recompensa de nossa confiança em Deus é ter a sua presença constante ao nosso lado. Ele, o Senhor, é o galardão. Com Deus temos tudo. Sem Ele não temos nada. No entanto, o Senhor só tem compromisso com quem confia nEle. A Bíblia nos diz que "sem fé é impossível agradar a Deus" (Hb 11.6). Ter fé em Deus é confiar nEle. Você manteria uma amizade com alguém que vivesse demonstrando que não confia em você? Deus também não. Entretanto, o Senhor se agrada dos que confiam nEle e galardoa-os com sua maravilhosa presença, que nos provê segurança, conforto, paz, alegria, esperança; enfim, tudo de que a alma humana mais necessita. Não há galardão melhor do que este. Não há antídoto melhor contra o medo.

Certa professora perguntou aos seus alunos: *Onde mora Jesus?* Uma de suas aluninhas respondeu: *No meu coração.* A professora voltou a perguntar: *Mas... e se o Inimigo bater à porta do coração?* A menina replicou: *Eu olho pela fresta da porta, vejo que é o Inimigo, e volto correndo para onde Jesus está e lhe digo: 'Jesus, tem uma pessoa batendo à porta; você pode atender, por favor?' Então, Jesus se levanta com toda a sua majestade e vai atender a porta. Quando o Inimigo vê o meu maravilhoso Senhor, diz: 'Desculpe, foi um engano', e sai correndo apavorado.*

A presença do Senhor é simplesmente isto: o maior galardão. Até porque a certeza de sua presença é a de que todas as suas maravilhosas promessas se cumprirão em nossas vidas. O pastor Virgil Smith, com quase cem anos de idade, ainda costumava cantar: "As promessas do Senhor minhas são". Diga isso você também. Diga a cada dia deste novo ano. Amém.

2 de janeiro

E far-te-ei uma grande nação, e abençoar-te-ei, e engrandecerei o teu nome, e tu serás uma bênção. E abençoarei os que te abençoarem e amaldiçoarei os que te amaldiçoarem; e em ti serão benditas todas as famílias da terra.
Gênesis 12.2,3

Sem dúvida nenhuma, foi a grande misericórdia de Deus que o moveu ao encontro de Abraão, na distante e idólatra Caldéia. O Senhor propõe um pacto a esse homem fundamentado em promessas de valor inestimável.

O item mais importante da aliança de Deus com Abraão é aquele que estabelece a extensão das bênçãos do Senhor a todas as famílias da terra. Hoje, entendemos que isso está associado ao ministério de Jesus, o mais ilustre dos descendentes de Abraão. É em Jesus, descendente de Abraão, que são benditas todas as famílias da terra. Através de Cristo, as promessas de Deus a Abraão recaem sobre nós.

Deus disse a Abraão que aqueles que o abençoassem seriam abençoados e os que o amaldiçoassem seriam malditos. Essa promessa se aplica a todos que estão unidos a Deus pela fé em Jesus Cristo. Pois, se estamos comprometidos com Deus, as pessoas que nos abençoam estão cooperando com os propósitos do Senhor e por isso são abençoadas. Por outro lado, aqueles que nos amaldiçoam estão se opondo ao próprio Deus e sofrem as conseqüências de estarem lutando com o Senhor Todo-poderoso.

Quando lemos na Bíblia as tantas bênçãos que Deus derramou sobre Abraão, apesar de todas as lutas por ele enfrentadas, vemos o quanto Deus é poderoso e fiel. Ele deu a Abraão muitos filhos, o que era humanamente impossível, em virtude da idade de sua mulher, Sara. O Senhor o guardou em dias de grandes calamidades e multiplicou sobremaneira os seus bens. Deus honrou muito Abraão e também abençoou de forma especial os seus descendentes.

O Deus de Abraão é o Pai de nosso Senhor e Salvador Jesus Cristo. É o Deus nosso. Se nos unirmos a Ele, num pacto de fé e obediência, Ele também nos abençoará, muito mais do que podemos imaginar.

É interessante notar que o Senhor disse a Abraão que ele seria mais do que abençoado. Deus declarou: "... tu serás uma bênção". Ser abençoado é ter bênçãos para si. Ser uma bênção é ter bênçãos para si e também para os outros.

Jesus, certa vez, encontrou-se com uma mulher à beira de um poço. Ele sabia que aquela mulher, cheia de problemas, inclusive familiares, tinha uma grande sede em sua alma que não podia ser saciada pela água do poço. Foi então que Cristo lhe disse: "... aquele que beber da água que eu lhe der nunca terá sede, porque a água que eu lhe der se fará nele uma fonte de água a jorrar para a vida eterna" (Jo 4.14). De fato, aquela pobre mulher, após o encontro com Jesus, se tornou uma missionária. Dentro dela brotou uma fonte de água que satisfez muitas pessoas em sua cidade.

Os propósitos de Deus para com Abraão ainda permanecem, e foram estendidos a nós. Deus quer que sejamos mais do que abençoados. Ele quer que sejamos bênçãos a todos aqueles à nossa volta. Portanto, receba as bênçãos de Deus para hoje, para cada dia deste ano, e seja sempre uma bênção. Amém.

3 de janeiro

Por isso, vos digo: não andeis cuidadosos quanto à vossa vida, pelo que haveis de comer ou pelo que haveis de beber; nem quanto ao vosso corpo, pelo que haveis de vestir. Não é a vida mais do que o mantimento, e o corpo, mais do que a vestimenta?
Mateus 6.25

Uma serva de Deus precisou sair e deixou os filhos pequenos sozinhos em casa. Esta era uma família pobre, então quando os meninos tiveram fome, saíram à procura de qualquer coisa para comer, e acabaram comendo veneno de rato pensando ser algo bom. Quando a mulher voltou para casa, encontrou todos os seus filhos mortos, envenenados. As crianças foram levadas para o hospital, contudo não havia mais nada a fazer por elas.

Os médicos pensaram que a mãe ficara louca quando, ao lado dos cadáveres de seus filhos, orava em voz alta: *Jesus, eu quero meus filhos de volta.* Mas ninguém tentou fazer com que ela se calasse, pois todos sabiam que a sua dor era muito grande. Ela passou horas e horas chorando e orando: *Jesus, eu quero meus filhos de volta.* E no meio da madrugada, aquelas crianças começaram a se mexer e a voltar à vida, numa clara demonstração de que o Senhor Jesus, o Autor da vida, havia atendido à sua oração. Agora, todos estavam espantados; um alvoroço tomou conta do hospital, e os gritos de louvor e alegria que ela pronunciava a Deus serviam para aumentar ainda mais o tumulto. As crianças começaram a chorar e o barulho ficou muito maior. Elas estavam chorando de fome. Há muito tempo não comiam nada, a não ser o veneno de rato. *Mamãe, eu estou com fome,* dizia um. *Mamãe, eu quero leite,* dizia o outro. Então, a irmã pediu ajuda aos funcionários do hospital: *Ei, vocês poderiam me arranjar um pouco de leite para eu dar aos meus filhos? Eles estão com fome. Não comeram quase nada hoje.* Sabe o que eles responderam? *Minha senhora, com a fé que a senhora tem, faça uma oração ao seu Deus, pois Ele é capaz de enviar uns trezentos litros de leite para os seus filhos.*

No entanto, é isso mesmo. Se Deus pode nos dar a vida, por que não pode nos dar o alimento?

Costumamos aplaudir e achar muito bom quando algum milagre acontece na vida dos outros. Buscamos algo prodigioso para nós mesmos apenas quando não tem outro jeito. Nesse caso, nos agarramos à possibilidade de milagre com unhas e dentes. Todavia, se pudéssemos, nunca dependeríamos de milagres. Queremos sempre ter o controle da situação, mas isso é uma grande tolice. Sempre dependemos do sobrenatural; dependemos de milagres a cada segundo de nossa existência, porque nossa vida é um milagre. Cada batida do coração é um milagre.

A respiração, o fluxo dos impulsos elétricos no sistema nervoso, as batidas do coração, tudo isso é milagre. Nosso planeta não poderia estar nem mais perto nem mais longe do sol do que está normalmente. Caso contrário, todos morreríamos. E não podemos fazer nada para interferir nisso. Cada nascer do sol é um milagre. Cada estação do ano. Cada molécula de oxigênio. Tudo isso — e mais uma infinidade de outras coisas — está fora de nosso controle. Tudo é milagre.

Deus, que controla cada componente desse imenso sistema que nos mantém vivos, não vai se descuidar de nossa alimentação. Ele, que mantém funcionando essa máquina tão complexa que é o nosso corpo, não vai falhar na hora de suprir a roupa que há de vesti-lo. Creia nisso. O Senhor está cuidando de todas as suas necessidades. Amém.

4 de janeiro

E ouviu Deus a voz do menino, e bradou o Anjo de Deus a Agar desde os céus e disse-lhe: Que tens, Agar? Não temas, porque Deus ouviu a voz do rapaz desde o lugar onde está.
Gênesis 21.17

Abandonada. Injustiçada. Imensamente preocupada, prestes a perder aquilo que mais prezava neste mundo. Era assim que a pobre Agar se encontrava. Ela era menos do que uma escrava. Era uma escrava expulsa de casa. Quem, em qualquer lugar do mundo, se preocuparia com ela?

Agar tinha um filho adolescente, Ismael, seu maior tesouro, e agora estava vendo-o morrer à míngua, de sede. Ela podia ter cometido seus erros; mas o menino, que culpa tinha? Ele era filho de uma pobre escrava, todavia era também filho de um grande homem, Abraão. O pobre Ismaelzinho estava desfalecendo de sede no deserto. Sua mãe o deixara debaixo de uma árvore, a distância, para não vê-lo morrer.

Por ser filho de um homem de Deus, Ismael havia aprendido a orar ao Deus de seu pai. Foi assim que, deixado para morrer debaixo da árvore, não fez outra coisa: clamou a Deus. Talvez fosse mais dolorido para Agar ver seu querido filho chorar e clamar a um Deus que certamente os havia abandonado, e não somente Ele, mas também o próprio Abraão.

Eis que se ouve um clamor desde os céus. É um anjo que está gritando. Chama pelo nome da escrava. Alguém, lá no céu, sabe o nome dela. O nome de uma escrava. Agar! Entretanto, deve ser para punir; para reclamar; para dar o golpe de misericórdia. Mas não. O anjo está trazendo uma mensagem de conforto; de encorajamento: "Não temas..." Ah, que poder tem uma mensagem dessas, pronunciada por um anjo de Deus. *Não tenha medo.* Deus ouviu a voz do rapaz. O Senhor ouviu "desde os céus..." a voz de um adolescente, filho de uma escrava, e ordenou ao mensageiro que dissesse: "Não temas..." Glória a Deus!

O texto relata que Deus abriu os olhos de Agar e ela viu um poço no deserto. Não sabemos se o poço já existia ali e Agar não o estava vendo em conseqüência da grande angústia de sua alma, ou se Deus simplesmente o abriu para socorrer aquelas pobres criaturas. O mais importante não é saber como Deus o fez, e sim o que Ele fez. O Senhor levou Agar àquilo que ela mais necessitava no momento: ao poço.

O Deus que ouviu o clamor de Agar e de seu filho Ismael é o nosso Deus. Em pleno deserto, o Senhor nos leva a um manancial que saciará a nossa sede. Se os poços já existem, Ele nos faz vê-los. Se não, Ele os abre. Louvado seja Deus! E não importa se somos filhos de escrava. Na verdade, todos nascemos escravos do pecado, mas quando buscamos o verdadeiro Deus, por intermédio de Jesus Cristo, Ele nos recebe como filhos. A Bíblia afirma que todos quantos crerem no nome de Jesus, e o receberem como Salvador e Senhor, Deus lhes dá o poder de serem feitos filhos de Deus (Jo 1.12). E o mesmo apóstolo João exclama: "Amados, agora somos filhos de Deus..." (1 Jo 3.2). Antes não éramos; porém agora o somos — após o novo nascimento, depois de recebermos a Cristo como Senhor e Salvador. E quando tudo parece difícil, impossível de ser solucionado, Ele vem ao nosso encontro e nos diz: "Não temas..."

Deus não apenas atendeu às necessidades imediatas de Agar e de seu filho Ismael, mas também prometeu abençoar aquela família de maneira extraordinária. É assim que o Senhor faz. É assim que Ele vai fazer conosco a cada novo dia. Amém.

5 de janeiro

E apareceu-lhe o Senhor naquela mesma noite e disse: Eu sou o Deus de Abraão, teu pai. Não temas, porque eu sou contigo, e abençoar-te-ei, e multiplicarei a tua semente por amor de Abraão, meu servo.
Gênesis 26.24

Isaque, o filho de Abraão, era um homem muito pacífico. Depois da fé, talvez fosse a mansidão a sua maior virtude. O capítulo 26 de Gênesis nos mostra o comportamento daquele homem temente a Deus em uma época de grandes lutas. Isaque estava em terra estranha e sofria ameaças até mesmo contra a integridade de sua família. Sim, este patriarca sofreu muito, mas Deus era com ele.

O texto bíblico que contém a passagem que nos serve de meditação hoje fala-nos de uma grande fome na terra onde Isaque vivia. A fome geralmente era associada à seca. Acrescente-se a isso o fato de que a água, naquela terra, não era tão abundante e fácil de encontrar. A água, mesmo em épocas normais, era escassa e obtida com muita dificuldade. Isaque cavava os poços e com muita facilidade seus adversários os entupiam. Sabe o que ele fazia com os seus aborrecedores? Nada. Saía para cavar outros poços. A serenidade, ou mansidão, daquele homem era decorrente de uma única coisa: sua confiança em Deus. Observe o que está escrito em Salmos 125.1: "Os que confiam no Senhor serão como o monte de Sião, que não se abala, mas permanece para sempre".

Isaque cavou um poço a que deu o nome de Eseque, que significa *contenda*, porque os filisteus o entupiram. Cavou outro, o poço de Sitna, que quer dizer *inimizade*, também entupido pelos adversários. Então, os filisteus se cansaram de proceder de tal forma; e Isaque, muito persistente, cavou mais um e o chamou de Reobote, *alargamento*. Seus inimigos devem ter pensado: *Como um homem pode ter tanta "sorte" assim?* E o mesmo ocorre com o homem ou a mulher que teme a Deus: tem muita "sorte", e mais: não tem "azar". Na verdade, para quem tem comunhão com Deus, azar não existe. As adversidades podem surgir, todavia os que vivem em comunhão com o Deus de Isaque sempre são vitoriosos. Eles são benditos do Senhor.

Há fases da vida em que nos encontramos à beira do poço de Eseque, *contenda*, ou de Sitna, *inimizade*. Não nos deixemos abalar em tais situações. Perseveremos em confiar no Senhor e em fazer a nossa parte. Isaque talvez pudesse dizer: *Para que vou cavar mais poços? Não adianta, os filisteus vão entupir mesmo...* No entanto, Isaque confiava em Deus e fazia a sua parte. Cavar poço não é fácil; contudo, se é necessário, vamos fazê-lo. Até que alcancemos a vitória final.

Como é bom ouvir de outras pessoas que somos abençoados por Deus! E quando a bênção de Deus está sobre nós, até os ímpios reconhecem, mesmo que seja com indignação. Abimeleque teve de afirmar: "Agora, tu és o bendito do Senhor" (v. 29).

Querido amigo, se você já entregou sua vida a Jesus, então se considere um bendito do Senhor. A Bíblia afirma que Deus já "...nos abençoou com todas as bênçãos espirituais nos lugares celestiais em Cristo" (Ef 1.3). Somos benditos do Senhor. Se ainda não entregou sua vida ao Senhor, faça-o agora. Você também será *bendito do Senhor*. Amém.

6 de janeiro

Mas buscai primeiro o Reino de Deus, e a sua justiça,
e todas essas coisas vos serão acrescentadas.
Mateus 6.33

Sei que existem muitas histórias parecidas com esta, mas a que vou narrar é verídica. Conheço a pessoa envolvida nela.

Um certo amigo precisava fazer uma viagem para Brasília, partindo de uma cidade muito distante. Com muito sacrifício conseguiu comprar uma passagem aérea, porém teve de empregar todo o dinheiro que possuía. Apesar de não ter sobrado um centavo sequer, ele ficou satisfeito. Iria viajar de avião pela primeira vez.

Meu amigo acomodou-se na poltrona da aeronave e ficou observando cada detalhe, disposto a não perder nenhum lance do vôo. Sofreu forte emoção na hora da decolagem. Divertiu-se com a expressão dos passageiros que estavam mais assustados que ele. Ficou maravilhado com a serenidade da viagem quando foi atingida a velocidade de cruzeiro. Arregalou os olhos quando viu a comida que era servida aos passageiros a bordo. Então, pensou: *Que pena que eu não tenho dinheiro para pagar a comida.*

Gostaria tanto de experimentar o sabor dela. Quando lhe perguntaram se comeria também, ele recusou educadamente, sem dizer por que.

Meu amigo fez uma longa viagem de avião, sem tomar sequer um refrigerante, porque pensou que teria de pagar. Somente após ter chegado em casa é que soube que tudo aquilo já estava pago.

Jesus nos exorta a buscar o Reino de Deus. E fazer isso é como embarcar num grande avião, rumo a uma eternidade feliz. Não significa que a vida aqui já acabou. Não. A viagem é muito agradável e segura. Às vezes, sofremos emoções muito fortes, contudo a viagem é sempre boa. Quem a idealizou providenciou tudo o que é necessário para que ela transcorra com todo o conforto. Inclusive o serviço de bordo.

Buscar o Reino de Deus é, em primeiro lugar, permitir que Ele governe, isto é, reine, em nossa vida. É permitir que Jesus assuma o controle, o comando de nossa existência. Sim, é preciso deixar Jesus reinar no coração de cada um de nós.

Buscar o Reino de Deus também é nos empenharmos para que o maior número possível de pessoas conheça e se submeta à vontade dEle. Vontade que é sempre boa, agradável e perfeita. Essa deve ser a nossa prioridade máxima. Jesus disse: "Mas buscai, em primeiro lugar, o Reino de Deus, e a sua justiça..."

O Reino de Deus tem as suas próprias leis e a principal delas é esta: Devemos confiar no Senhor, precisamos ter fé nEle. Para que tenhamos a oportunidade de demonstrar que estamos mesmo comprometidos com o seu Reino, e dispostos a cumprir as suas leis, o Senhor permite que nossa fé seja provada. Às vezes, parece que algo não anda funcionando bem e que alguma coisa vai nos faltar. Se nos falta a fé, a confiança em Deus, ficamos inquietos, nervosos, e não conseguimos nos concentrar nas tarefas específicas do Reino; então, temos a tendência de abandonar tudo para prover as nossas próprias necessidades.

Você que está preocupado com a provisão de suas necessidades, ouça: Não se preocupe! O serviço de bordo lhe provê tudo o que você precisa. Desfrute a viagem. Ajude os outros que estão a bordo a ficarem tranqüilos. Empenhe-se para que o maior número possível de pessoas entre nesta aeronave. Faça a sua parte. Busque o Reino de Deus e a sua justiça em primeiro lugar. Deixe as demais coisas com o Dono da companhia aérea. Todas as outras serão acrescentadas. Amém.

7 de Janeiro

E aconteceu que, tendo ela trabalho em seu parto, lhe disse a parteira: Não temas, porque também este filho terás.
Gênesis 35.17

Já ouvi contar muitas vezes a história daquela jovem serva de Deus que foi abordada por malfeitores, à noite, quando voltava sozinha do culto. A reação que a moça teve foi gritar com todas as forças: *Eu não sou deste mundo!* Ao ouvir isso, e ver que havia mesmo algo de diferente naquela moça, os homens saíram correndo, com medo, pensando que encontraram uma assombração.

A narração desse fato é cômica, pode ser verídica ou não, mas a verdade é que os salvos por Jesus Cristo não são mesmo deste mundo. Estamos todos mortos. Colossenses 3.3 diz:"... porque já estais mortos, e a vossa vida está escondida com Cristo em Deus".

A vida de qualquer cristão é uma história de vida e morte. Antes, estávamos mortos para Deus e vivos para o mundo. Agora, estamos mortos para o mundo e vivemos para Deus. Somos vivos-mortos e mortos-vivos.

Aqui chegamos a um ponto muito importante quanto à fé cristã: a questão da morte física. Na verdade, se encararmos bem o nosso estado de mortos para o mundo e vivos para Deus, a morte física não nos causará nenhum impacto. Paulo nos afirma em Romanos 14.8:"Porque, se vivemos, para o Senhor vivemos; se morremos, para o Senhor morremos. De sorte que, ou vivamos ou morramos, somos do Senhor".

Hoje, nossa mensagem de reflexão discorre sobre a morte de Raquel, a querida esposa de Jacó. O que ela mais desejava nesta vida era ter filhos. Houve uma ocasião em que estava tão aflita, que disse a Jacó:"Dá-me filhos, senão morro" (Gn 30.1b). Ocorre que ao ter seu segundo filho, Benjamim, Raquel morreu. Foi triste para seu esposo, e também para o seu primeiro filho, José; porém ela cumpriu o seu maior desejo. Foi por isso que a parteira lhe consolou com tais palavras:"Não temas, porque também este filho terás". Alguém já disse que se não tivermos uma causa pela qual valha a pena morrermos, então não vale a pena viver. Pela fé em Jesus Cristo, vale a pena morrer e vale a pena viver.

Raquel morreu de parto. Se é que existe algum tipo de morte agradável, este não é o caso. E aqui surge uma outra questão. Que dizer da morte trágica que às vezes atinge alguns cristãos? Amigos, o que importa não é a maneira como se morre; o importante é a forma como se vive. Viva aqui na terra para a glória de Deus. Quando morrer, não importa o tipo de morte que tenha, você viverá para sempre com Cristo no céu. Amém.

8 de janeiro

E ele disse: Paz seja convosco, não temais...
Gênesis 43.23a

As palavras acima foram dirigidas aos irmãos de José, que, na ocasião, pensavam estar ele morto. Faz parte de um dos episódios mais ricos da Bíblia. O governador do Egito era o próprio José, não reconhecido por seus irmãos. Cercados de problemas, cheios de preocupações e, ainda por cima, com a consciência pesadíssima em virtude dos erros do passado, aqueles homens estavam sendo testados por José.

O detalhe que estamos focalizando aqui envolve o pagamento de uma compra de cereais que os filhos de Jacó haviam feito. Como José, desconhecido por seus irmãos, sabia que o cereal comprado iria para a casa de seu próprio pai, secretamente devolveu o dinheiro com que a mercadoria foi paga, colocando-o nos próprios sacos dos mantimentos. Ao abrir os sacos, os filhos de Jacó encontraram lá o dinheiro e ficaram espantados, sem entender o que estava acontecendo.

O cúmulo da preocupação ocorreu quando os homens voltaram ao Egito para comprar mais comida e foram levados à casa do governador. Eles ficaram com medo de estarem sendo acusados de roubo. Então, com expressões de pavor procuraram acrescentar argumentos de defesa e declarar a disposição de pagar tudo o que estivessem devendo. Foi quando o mordomo do governador disse: "Paz seja convosco. Não temais..." A conta já estava paga. O próprio governador do Egito era irmão deles, porém não sabiam.

Há, no mundo de hoje, muitas pessoas que estão como os irmãos de José: apavoradas, com medo da cobrança de uma dívida que, de fato, já foi paga. Estamos nos referindo à dívida com Deus, ao débito do pecado. E há muitos insistindo em pagar essa dívida que já está quitada e, além de tudo, é impagável para qualquer ser humano. Querem pagá-la com reencarnação, purgatório, velas, esmolas, penitência e outros tipos de *moedas sem valor*.

Amigo, se você está com medo da execução da dívida do pecado, nossas palavras para você são estas: Paz seja com você, não tema. A dívida já está paga. Jesus, nosso irmão, já pagou por nós, morrendo na cruz. Nós não podíamos pagar, mas Ele pagou. Simplesmente confiemos no que Cristo fez por nós e recebamos a paz com Deus por intermédio do seu sangue.

Se você já entregou sua vida ao Senhor, por intermédio de Jesus Cristo, então não precisa ficar preocupado com os erros que cometeu no passado. Desfrute de todas as bênçãos da vida cristã: perdão, plenitude do Espírito Santo, vitória em todas as lutas. Paz seja com você. Não tema. Tudo já está pago.

Se você, cristão, falhou com Deus, fracassou, sente que seu relacionamento com Ele foi rompido, o pagamento da dívida é o mesmo e já foi efetuado. A Bíblia afirma: "Se confessarmos os nossos pecados, ele é fiel e justo para nos perdoar os pecados e nos purificar de toda a injustiça" (1 Jo 1.9). Faça isso agora mesmo. Que a paz de Deus possa inundar o seu coração. Não tema. Amém.

9 de janeiro

Pedi, e dar-se-vos-á; buscai e encontrareis; batei, e abrir-se-vos-á. Porque aquele que pede recebe; e o que busca encontra; e, ao que bate, se abre.
Mateus 7.7,8

Um menino perguntou à mãe: *Por que é que nós, na oração do Pai Nosso, temos que pedir o pão de cada dia? Por que não pedimos o pão para a semana toda?* Antes que a mãe respondesse, seu irmão, que era muito esperto, atalhou: *Deixe de ser bobo, João, não está vendo que, se a gente pedir pão para a semana toda, o pão fica velho?*

Às vezes, até os próprios adultos se perguntam: *Por que é que temos de pedir as coisas a Deus? Ele não sabe tudo? Não sabe de que necessitamos? Não sabe o que queremos? Então, por que é que temos de pedir?*

Há muitos fatores envolvidos nesta questão de pedir as coisas a Deus, mas o principal deles é este: Ele nos criou dotados de livre-arbítrio. Quis que fôssemos dotados da capacidade de tomar decisões por nós mesmos. Se o Senhor nos desse algo sem que nós o pedíssemos, estaria violando o livre-arbítrio que Ele próprio nos deu. Há necessidades que temos, porém não queremos. Há aquelas que queremos, todavia não precisamos. Deus leva tudo isso em conta.

Há outras leis espirituais envolvidas na área da oração. Um fator muito importante é a existência de outras pessoas no mundo. O que eu peço a Deus pode afetar outras pessoas. E Deus tem de administrar a situação. Os demônios também são afetados pelas nossas orações. Sim, eles reagem às nossas orações, de acordo com os seus interesses.

Alguém ponderará: Ai, meu Deus. Esse negócio de pedir as coisas ao Senhor está ficando muito complicado. Agora vou ter de saber quem é que é afetado pelas minhas orações, vou ter até de saber se elas afetam o inferno, antes de lhe fazer minhas petições?

Voltemos à nossa historinha do princípio, ao menino do pão para a semana toda. Quando o outro irmão disse que é necessário pedir pão para cada dia a fim de que ele não fique velho, tinha razão. O nosso relacionamento com Deus, assim como o de qualquer outra pessoa, pode ser aperfeiçoado. O aperfeiçoamento depende da convivência. Orar é uma das principais maneiras de nos relacionarmos com o Senhor.

Cada oração respondida é uma experiência nova com Deus. É pão fresquinho. Se Ele nos desse tudo de que precisamos, de uma só vez, não adquiriríamos experiências novas. Nosso relacionamento com Ele não se aperfeiçoaria.

Há coisas para as quais já estamos amadurecidos para receber. Precisamos apenas pedir e receber. Outras demoram um pouco mais. Ainda precisamos refletir sobre elas. É preciso mais que pedir; é necessário buscar. "Buscai e encontrareis...", diz-nos o Senhor Jesus.

Há necessidades cujo atendimento depende de uma verdadeira batalha. É necessário pedir, buscar e bater. Bater implica perseverança. Como bater a uma porta até que alguém venha abrir. No entanto, o Senhor nos garante: "Batei, e abrir-se-vos-á..."

O mais importante de tudo é saber que, se o que estamos pedindo é realmente bom para nós, o Senhor tem prazer em nos dar. No verso 11, Ele argumenta: "Se, vós, pois, sendo maus, sabeis dar boas coisas aos vossos filhos, quanto mais vosso Pai, que está nos céus, dará bens aos que lhe pedirem?"

Se você pediu e ainda não recebeu, busque. Se está buscando e ainda não encontrou, bata. Permaneça batendo até a porta se abrir. Você vai receber sua bênção e, com ela, uma nova experiência com Deus. Amém.

10 de janeiro

Eu sou Deus, o Deus de teu pai; não temas descer ao Egito, porque eu te farei ali uma grande nação.
Gênesis 46.3

Medo de ser bom demais para ser verdade. Era isso o que havia no coração do velho Jacó. Durante vinte anos ele lamentara a morte de seu filho mais querido, José. Agora, lhe diziam que José estava vivo e que, além disso, era o governador do maior império da época, o Egito. *José não está morto, está vivo, é muito rico e poderoso e mandou chamá-lo para viver com o maior conforto às expensas dele.* Será verdade?

Quando Jacó vai falar com seu Senhor, a resposta tem a marca inconfundível do Todo-Poderoso: "Eu sou Deus..." Há algo impossível para Deus? E o Senhor diz mais: "Eu sou... o Deus de teu pai..." O interesse do Senhor para com Jacó fazia parte de um plano amplo que tinha raízes no passado e projeções para o futuro. Não há nada acontecendo por acaso, não há nada improvisado, não há nada sem um propósito. No entanto, o mais prazeroso é ouvir Deus consolando: "... não temas..." *Não tenha medo. Eu preparei tudo no passado, sem que você soubesse. Estou lhe dando do bom e do melhor no presente, e tenho muito mais para operar de bom em você e nos seus descendentes; sim, muito mais do que você pode imaginar.* Glória a Deus!

Queridos, Deus não estava alheio às lágrimas que Jacó derramou durante vinte anos. Não estava indiferente às lutas que ele passou naqueles tempos difíceis, atravessando, inclusive, um período de fome na terra em que vivia. Deus estava agindo nos bastidores.

É assim também nos dias de hoje, comigo e com você. Deus não está alheio a nada do que se passa conosco. Ele não está indiferente às lutas que estamos enfrentando. Tudo convergirá para o nosso bem.

O que dá sentido a tudo o que se passa em nossa vida é o nosso irmão Jesus. Ele sofreu muito, deixando seu lugar no céu ao lado do Pai, para vir padecer neste mundo. Ele tomou a forma de servo, e foi "... obediente até à morte e morte de cruz" (Fp 2.8). Mas Cristo não está morto. Ele ressuscitou e está vivo para sempre. Jesus governa tudo.

No pensamento de Jacó, era impossível que José estivesse vivo. Ele já fora dado como morto por mais de vinte anos. Todavia, estava vivo. Assim também foi com Jesus. Ele de fato morreu, mas ressuscitou. Isso era impossível, porém aconteceu. Jesus ressuscitou; Deus o ressuscitou dentre os mortos. Deus é Deus. Não há nada impossível para Ele. E o Senhor o consola neste dia com estas palavras: *Não tenha medo. Eu tenho planos para a sua vida. Tenho tudo de que você precisa. Eu quero que você esteja bem.* Parece ser bom demais para ser verdade, mas é verdade. Não tenha medo de entregar sua vida a Jesus e de confiar inteiramente nEle. Faça como diz o hino da Harpa Cristã: "Solta o cabo da nau, / toma os remos na mão / e navega com fé em Jesus". Amém.

11 de janeiro

> E José lhes disse: Não temais...
> Gênesis 50.19a

Certos equívocos nos fazem sofrer muito. Os irmãos de José, no Egito, estavam muito angustiados e tudo por causa de uma compreensão errada dos fatos.

Muitos anos antes, aqueles dez homens haviam cometido uma maldade inominável contra José, que naquela época ainda era adolescente. Depois de o apanharem sozinho no campo e de discutirem se deviam matá-lo ou não ali mesmo, venderam-no como escravo a um povo estranho. Em seguida, fizeram com que o pai deles, acreditasse que o rapazinho fora devorado por feras. Deus cuidou de José, porém os seus irmãos passaram décadas com a consciência pesada em decorrência do mal que fizeram ao pai e ao irmão.

Muitos anos se passaram, tudo se esclareceu, e José não lhes fez nenhum mal, todavia aqueles homens continuaram sofrendo. Tudo estava bem, a família de Jacó estava bem estabelecida no Egito, mas os irmãos de José tinham uma séria preocupação: *José nos perdoou mesmo ou está apenas esperando a morte de nosso pai para se vingar de nós?*

Então, o velho Jacó morreu, e chegou o que para aqueles homens pareceu ser a hora do acerto final. Contudo, José lhes tranqüilizou: "Não temais; porque, porventura, estou eu em lugar de Deus?" Não havia nada que aqueles homens mais necessitassem ouvir do que isso: *Não tenham medo. Vocês já foram perdoados completamente. Não há mais contas para acertar. Não temam.*

Há muitas pessoas sofrendo hoje em dia por causa da mesma dúvida que havia no coração dos irmãos de José. *Será que Deus me perdoou mesmo? Será que me perdoou de todos os pecados que pratiquei?*

Muitas pessoas estão se preparando para o purgatório. Após a vida aqui, elas pagariam o resto dos pecados nesse lugar. Amigos, isso não existe. Ou você é completamente perdoado nesta vida ou estará perdido para sempre. Tudo depende de você. Jesus, o nosso José, quer perdoá-lo agora. Tudo o que deve fazer é arrepender-se dos seus pecados cometidos, arrepender-se sinceramente, e receber o perdão de Jesus. Nesse exato momento Ele está lhe consolando: *Não tenha medo.*

Há outras pessoas que pensam de maneira diferente. Para elas, Deus vai nos perdoar no futuro, mas teremos de pagar os pecados nesta vida. Isso é outro equívoco. Não há castigo neste mundo que possa compensar toda a ofensa que nossos pecados provocam a Deus. Colhemos as más conseqüências de nossos erros, todavia a ofensa contra Deus permanece. Se Ele não nos perdoar, estamos perdidos. E o caminho é o mesmo: arrependimento e submissão a Deus. Se você já fez isso, desfrute do perdão de Deus, goze paz e esperança, receba forças e viva feliz. Se não o fez, faça-o agora mesmo. Amém.

12 de janeiro

E ele disse-lhes: Por que temeis, homens de pequena fé? Então, levantando-se, repreendeu os ventos e o mar, e seguiu-se uma grande bonança.

Mateus 8.26

Dizem que a necessidade é que faz o sapo pular. Esses répteis ficam horas e horas parados no mesmo lugar, imóveis. Contudo, chega o momento em que o sapo tem de pular. E quando isso acontece, ele tem de pular muito e rápido.

Podemos parafrasear o velho provérbio e dizer: *A necessidade é que faz o crente orar.* Há momentos da vida em que temos de orar rápida e intensamente. De repente, quem nunca orou tem de orar. Quem vivia fazendo umas orações superficiais, de uma hora para outra precisa orar com muita intensidade. E como ora!

Às vezes, a situação fica tão difícil que oramos sem nem imaginar como é que Deus vai nos ajudar. Foi o que aconteceu com os discípulos de Jesus, no mar da Galiléia. Em Mateus 8.24, está registrado que "... no mar, se levantou uma tempestade tão grande, que o barco era coberto pelas ondas..." Imagine o que é estar num barquinho, no meio do mar, em plena tempestade. Só podemos pensar que é o fim.

Para sentir o que os discípulos de Jesus sentiram, não é preciso tomar um barco e ir para o meio do mar. Há muitas situações nesta vida parecidas com aquela. Mesmo em terra firme, dentro de casa, no escritório, no meio da rua, qualquer um de nós pode se sentir como se estivesse sendo ameaçado por grandes ondas do mar. Nesses momentos, parece que vamos nos afogar nas dificuldades.

No mar da Galiléia, enquanto todos no barco estavam desesperados, Jesus dormia tranqüilamente. Ele devia estar muito cansado. Porém, a verdade é que Jesus nunca se desesperava com nada.

Cristo acordou com o grito: "Senhor, salva-nos, que perecemos" (v25). Quais foram as primeiras palavras do Mestre? "Por que temeis?" Se eles tivessem tempo para responder, o que diriam? *Porque o lugar aqui é fundo e não vamos conseguir nadar por muito tempo? Porque as ondas estão muito fortes e vão nos despedaçar? Porque trabalhamos no mar há muito tempo e sabemos como essas situações acabam?* Para Jesus, nenhuma dessas respostas é válida. O sentido da pergunta de Jesus é este: *Vocês não estão vendo que estou aqui? Não sabem que tenho o controle de todas as circunstâncias? Não sabem que tenho poder sobre todas as coisas? Então, por que estão com medo?*

Não vejo repreenda na pergunta de Jesus. Vejo carinho, vejo a intenção de tranqüilizar. A primeira atitude a tomar era acabar com o pânico. Antes de pôr fim à tempestade que havia lá fora, Jesus quis acabar com a tempestade que havia dentro de cada pessoa que estava no barco. Primeiro, Jesus instalou a paz dentro deles; depois, a paz no mar. Jesus ordenou aos ventos e ao mar que se aquietassem e eles lhe obedeceram. Jesus Cristo tem poder!

Há um corinho antigo que diz: *Com Cristo no barco, tudo vai muito bem e passa o temporal*. Jesus está em seu barco? Então, acalme-se, Ele vai cuidar de tudo e a tempestade vai passar. Se Cristo ainda não está em seu barco, convide-o para entrar. Mesmo que sua canoa esteja furada — e muito provavelmente está —, Ele vai aceitar o seu convite, vai consertar a canoa e controlar as tempestades que se abaterem sobre você. Jesus morreu e ressuscitou para ser Senhor de sua vida. Entregue-se a Ele. Confie nEle. Por que temer? Deus o abençoe. Amém.

13 de janeiro

Agora, pois, não temais; eu vos sustentarei a vós e a vossos meninos...
Gênesis 50.21a

Após a morte de Jacó, seus dez filhos mais velhos, aqueles que fizeram um mal terrível a José, vendendo-o como escravo, estavam tremendamente amedrontados, diante da possível vingança do irmão. Havia um outro temor no coração deles que nem sequer chegou a ser registrado. Era o temor de que seus filhos fossem também atingidos na hora em que o furor do irmão prejudicado se derramasse por completo. Sim, porque, em muitas culturas sempre foi comum que a vingança contra alguém alcançasse de igual forma seus descendentes. Os irmãos de José temiam pela sorte deles próprios e pela de seus filhos também. Seriam eles mortos? Seriam vendidos como escravos, do mesmo modo que fizeram com José?

José, porém, lhes disse: "... não temais; eu vos sustentarei a vós e a vossos meninos".

Espontaneamente, José declara que já havia perdoado seus irmãos e que o perdão se estendia aos descendentes dos ofensores.

O ponto principal da reflexão de hoje é este: As bênçãos de Jesus sobre uma pessoa refletem-se em seus descendentes. Não estamos aqui advogando que a salvação em Cristo seja automaticamente transferida a descendentes. Não. Mas reafirmamos que há certos privilégios para os descendentes das pessoas que servem a Deus com fidelidade. A Bíblia nos diz, em 1 Coríntios 7.14, que quando ao menos um dos pais é crente, os filhos são santos. Quando os dois são descrentes, os filhos são imundos. Embora o versículo citado possa suscitar polêmicas, há algo absolutamente claro nele: a fé dos pais beneficia os filhos.

Pais ou mães salvos ministram a Palavra de Deus a seus filhos quando recitam trechos dela em casa, ou colocam quadros com versículos bíblicos na parede, ou, então, cantam louvores ao Senhor, ou simplesmente quando vivem os seus ensinos. Isto é um grande privilégio. Sobretudo, os pais critãos abençoam seus filhos quando oram por eles. Às vezes, os filhos ainda estão na incredulidade, zombando da misericórdia de Deus; outras vezes, blasfemam, mas são guardados constantemente de perigos em virtude das orações de um pai piedoso ou de uma mãe dedicada ao Senhor. Um dia, eles acabam se convertendo. Talvez papai e mamãe já não mais existam neste mundo, porém os efeitos de suas orações se fazem sentir, mesmo depois que eles partiram.

Quantas pessoas estão lendo essas palavras e sabem que, se hoje estão salvas, é graças às orações de seu pai ou de sua mãe? É possível que esta mensagem seja resposta de Deus à oração de alguém para que seu filho ou sua filha fosse despertado ou despertada.

Meu amigo, seja fiel ao Senhor. Não tenha medo, o Deus que tem operado em sua vida está trabalhando e vai agir na vida de seus filhos. Deus os sustentará. Amém.

14 de janeiro

... Não temais; estai quietos e vede o livramento do Senhor, que hoje vos fará; porque aos egípcios, que hoje vistes, nunca mais vereis para sempre.
O Senhor pelejará por vós, e vos calareis.
Êxodo 14.13,14

É um quadro impressionante. O povo de Deus literalmente cercado. Dos lados, os montes. Na frente, o mar Vermelho. Atrás, o bem armado exército de Faraó. Deus então diz ao seu povo o que fazer: *Filhos de Israel, atenção! Não façam nada. Fiquem quietos. Fiquem parados.*

Bem, todavia, eles não podiam fazer nada mesmo! Fazer o quê?

Às vezes é melhor que a situação fique bem difícil. É melhor que as circunstâncias apresentem muitas dificuldades, de modo que não possamos fazer nada. Isto porque se pudermos fazer algo, faremos, nem que seja para atrapalhar tudo. E como atrapalhamos os planos de Deus em nossa vida!

Você já imaginou a confusão que um grupo enorme de pessoas, diante da morte, pode aprontar? São capazes até de se pisotearem e de se matarem uns aos outros. Por isso a primeira ordem de Moisés foi: "Não temais..." Acalmem-se.

Há momentos em que as coisas parecem tão difíceis que imaginamos que nem mesmo Deus pode solucionar. Muitas vezes, avaliamos o poder de Deus com base em nossa própria capacidade. No entanto, o poder de Deus excede em muito a nossa própria imaginação.

Recentemente, ouvimos um missionário contar o que aconteceu com um grupo de irmãos que iam a um seminário bíblico num país da África. Deparando-se com um rio que não tinham como atravessar, os irmãos dobraram seus joelhos e oraram ao Senhor pedindo ajuda. Quando abriram os olhos, estavam do outro lado do rio. Não se sabe exatamente o que foi que Deus fez. Tanto Ele pode ter transportado os seus servos para o outro lado do rio, como pode ter mudado a posição do rio também. Não importa o que tenha acontecido, o Senhor Todo-poderoso batalhou por eles.

Foi o que Moisés disse ao povo: "O Senhor pelejará por vós, e vos calareis". Deus poderia dissolver os montes ou destruir instantaneamente o exército de Faraó. Ele preferiu abrir o mar. Algo inédito: Deus abriu o mar para o seu povo passar!

Para aqueles que agora estão vivendo situações tais que não podem fazer absolutamente nada, nosso conselho é que confiem inteiramente no Senhor. Comecem por entregar a própria vida a Ele, caso ainda não tenham feito.

Confiando no Senhor, não tenham medo. O Senhor vai pelejar por vocês também. Vocês não sabem como, nem eu; mas não importa. Se for necessário, Ele abre até o mar. Amém.

15 de janeiro
...Filho, tem bom ânimo; perdoados te são os pecados.
Mateus 9.2

Seria a fé um substantivo abstrato? Vamos aprender um pouco mais sobre a fé a partir do nosso texto de hoje e tentar responder a pergunta.

O personagem central do episódio bíblico é Jesus. Na verdade, Ele é o personagem central de tudo o que é bom. Em 2 Coríntios 1.20, o apóstolo Paulo escreveu que "... todas quantas promessas há de Deus são nele sim; e por ele o Amém, para a glória de Deus, por nós". Onde Jesus estava, o povo convergia para Ele, pois Ele inspirava a fé. Jesus é o "autor e consumador da [nossa] fé" (Hb 12.2).

Como Jesus inspirava fé nas pessoas? Ministrando-lhes a Palavra de Deus. Marcos, em seu Evangelho, trata do mesmo episódio da cura do paralítico (2.1-12). E ele nos diz que Jesus "... anunciava-lhes a palavra". Ao ministrar as Escrituras, Jesus fazia brotar a fé no coração das pessoas. "De sorte que a fé vem pelo ouvir, e o ouvir pela palavra de Deus" (Rm 10.17).

Quatro pessoas que viram o Autor da fé e ouviram sua palavra foram movidas pela solidariedade da fé. Aqueles homens, sabendo que havia um paralítico na cidade, resolveram levá-lo à presença de quem poderia curá-lo. Aqueles cinco homens chegaram à presença de Jesus, o Autor da fé, movidos pela fé. Eles acreditavam que Cristo era poderoso para realizar tal milagre.

Ao tentarem se aproximar de Jesus, os solidários da fé encontraram um tremendo obstáculo. Marcos nos diz ainda que, na casa onde Jesus estava, "... se ajuntaram tantos, que nem ainda nos lugares junto à porta eles cabiam..." (2.2). Eu chamo isso de *prova da fé*. A fé, para ser fé, tem de ser provada. Se não há obstáculo, se não há dificuldades a serem vencidas, então não há necessidade de fé.

No entanto, a verdadeira fé não se intimida. Quando surge a barreira, a fé prontamente entra em ação. Não existe nada mais criativo do que a fé. E o que ela fez desta vez? Inspirou aqueles homens a subirem no telhado e a fazerem um buraco ali, baixando o necessitado diante do Senhor Jesus.

Todavia, pensar na solução é uma coisa; outra, bem diferente, é colocá-la em prática. Você acha fácil subir com alguém numa cama, sem auxílio de um elevador, em cima do telhado de uma casa? Eles suaram a camisa; além disso, fizeram o tal buraco no telhado. Isso se chama a ação da fé. Quem tem fé, age. Quem tem fé, se esforça.

Então, vêm as surpresas! Quando a genuína fé opera, acontecem mais coisas do que esperávamos. A Bíblia afirma que Deus "é poderoso para fazer tudo muito mais abundantemente além daquilo que pedimos ou pensamos..." (Ef 3.20). Eles queriam apenas a cura da paralisia, mas Jesus fez muito mais do que isso: perdoou os pecados do homem enfermo. Meu Deus, como será que aquele homem se sentia por dentro? Quantas culpas, quantos conflitos, quanta dor na alma! E Jesus lhe perdoou! Jesus curou a alma dele! São surpresas da fé!

Mas alguém por ali não gostou. Considerou que Jesus estava falando bobagem, que Ele não tinha poder para perdoar pecados. Então, o Mestre perguntou: "Pois o que é mais fácil? Dizer ao paralítico: Perdoados te são os teus pecados, ou: Levanta-te e anda?" (Mt 9.5) Qual é mais fácil! Jesus é tremendo! Não perguntou o que era mais difícil de se fazer. Para Ele, não existe nada difícil, ou impossível. E curou também a paralisia do homem. É o triunfo completo da fé. A fé sempre triunfa.

"E a multidão, vendo isso, maravilhou-se, e glorificou a Deus" (v. 8). É o objetivo da fé. A glória de Deus. Quando se deposita genuína fé em Deus, Ele é glorificado. Quem é abençoado, glorifica. Quem toma conhecimento das operações maravilhosas do Senhor, glorifica.

E então? A fé é substantivo concreto ou abstrato? Bem depois de tudo que vimos respeito da fé, isso não é importante. O fundamental não é classificar a fé, mas tê-la. A genuína fé. A fé que age. A fé que triunfa. exercite sua fé. Desfrute as surpresas da fé. Amém.

16 de janeiro

... Não temais, que Deus veio para provar-vos e para que o seu temor esteja diante de vós, para que não pequeis.
Êxodo 20.20

Os judeus estavam com medo de quê? Do próprio Deus. Eles estavam ao pé do monte Sinai quando Moisés subiu para receber os Dez Mandamentos. A presença de Deus ali produziu trovões, relâmpagos e um forte som de buzina. O monte fumegava. O povo ficou apavorado com aquela manifestação tremenda da presença do Senhor do céu e da terra.

Deus é de fato tremendo. Afinal, Ele é o Ser Supremo. NEle "... há uma tremenda majestade" (Jó 37.22). Foi o Senhor quem criou os trovões, os relâmpagos, as ondas tempestuosas do mar, os vulcões e as geadas. Portanto, Ele é superior a tudo isso. Se Ele não fosse assim, não seria Deus.

A presença de Deus se torna insuportável para qualquer ser humano, especialmente por causa do pecado que há em nós. O pecado tornou impossível estarmos diante de um Deus que é santo. A carne, corrompida pelo pecado, não suporta a presença do Deus santíssimo.

No deserto, tudo o que o povo pôde fazer foi afastar-se do monte e registrar na memória a singularidade da manifestação da presença do seu Deus para temê-lo de geração em geração. As palavras de Moisés — "Não temais..." — tiveram este sentido: *Deus não quer destruir vocês. Ele quer apenas que saibam quem Ele é para que o temam, para que lhe dêem a devida consideração.*

O pecado faz com que o ser humano se afaste de Deus, com medo. Isso aconteceu desde o jardim do Éden. No entanto, o Senhor não quer que tenhamos medo dEle. Deus quer que nós o temamos, o que não é a mesma coisa.

Para resolver o problema do pecado, que nos afastava dEle, Deus enviou o seu Filho Jesus ao mundo. Cristo é Deus que se fez carne para se aproximar de nós. Por isso, um de seus nomes é Emanuel, que quer dizer "Deus conosco". Jesus morreu e ressuscitou para derrubar a parede de separação que havia entre Deus e os homens. Tendo ressuscitado, Ele continua conosco e sua presença, em vez de aterrorizar, causa imenso prazer àqueles que o amam. Como conseqüência da obra que Jesus realizou por nós, o Espírito Santo, que também é uma pessoa divina, habita dentro daqueles que têm comunhão com o Senhor. Enfim, em nossos dias, nesta era da Igreja, é possível para cada ser humano manter um verdadeiro relacionamento íntimo com o mesmo Deus que se manifestou no monte Sinai.

Meu amigo, não tenha medo de Deus. Aproxime-se dEle, por intermédio de Jesus Cristo, e conheça a mais extraordinária das pessoas. Ele é amor, é paz, é alegria, é o único que pode preencher as mais profundas necessidades da sua alma. Amém.

17 de janeiro

E a debulha se vos chegará à vindima, e a vindima se chegará à sementeira; e comereis o vosso pão a fartar, e habitareis seguros na vossa terra.
Levítico 26.5

Quando Léia, uma das quatro mulheres de Jacó, teve o seu terceiro filho, pôs nele o nome de Levi, que significa *junto*. Sua intenção era que o marido se juntasse a ela num relacionamento exclusivo, já que as outras mulheres ainda não haviam tido filhos.

O nome de Levi acabou se associando à idéia de união num sentido muito mais profundo do que Léia poderia imaginar.

Os descendentes de Levi constituíram a tribo que ficou encarregada de administrar o culto a Deus no meio do povo de Israel. Ou seja, essa tribo ficou encarregada de promover a união entre o povo e o seu Deus.

Levítico, o terceiro livro da Bíblia, descreve o ofício dos levitas e, por isso, está relacionado com o culto ao Senhor. Eu diria que a mensagem desse livro é: *Cuide de sua união com Deus se você quiser ser feliz.*

Viver unido a Deus, que experiência maravilhosa! É algo que se deve buscar. É algo de que se deve desfrutar.

Naturalmente que a união com o Senhor não se desfruta apenas participando de reuniões de natureza religiosa. Pode ser até que alguém participe de tais encontros e viva separado de Deus. Entretanto, se vivemos em comunhão com o nosso Criador, o culto congregacional nos fará muito bem.

Em nosso culto costumamos entoar louvores a Deus, meditar em sua Palavra e orar. Nosso viver cotidiano deve ser uma extensão do que fazemos nessas reuniões. Ao falar a verdade, praticar a justiça, exercer misericórdia para com o próximo, estaremos honrando a Deus, exaltando o caráter dEle de maneira prática, como se estivéssemos entoando-lhe um louvor. A pregação da Palavra de Deus que ouvimos no culto ecoará em nossa vida se a praticarmos no lar, na rua e no ambiente de trabalho. Uma vida cheia de esperança e fé corresponde a uma oração prolongada que começou no culto e não terminou. Isso é viver em plena comunhão com Deus.

Quem vive com o Senhor tem a sua bênção em tudo o que faz. Quer trabalhe na construção civil, numa enfermaria, na agricultura, em salas de aula, em escritório ou em qualquer outra atividade, terá Deus como seu companheiro de trabalho.

Companheiro de trabalho? E quem é cristão trabalha? Claro que sim. Quem anda com Deus trabalha, e muito. Seus serviços na igreja já lhe exigem um bom tempo e uma boa quantidade de esforços. Mas, dificilmente, seu trabalho se resumirá a isso.

Quem anda com Deus se parece com Ele. Deus é trabalhador, é dinâmico, é criativo. Basta olhar o mundo ao nosso redor para ver o quanto Ele labuta.

Agora, o melhor de se trabalhar em parceria com Deus é saber que o nosso esforço rende. As coisas funcionam. Encontramos prazer em fazer algo que a outras pessoas parece maçante. E quem gosta do que faz, faz bem feito. E prospera, seja qual for a área em que atue. Não teme dias maus. Não tem medo do futuro. É realmente bom andar *junto* com Deus! Amém.

18 de janeiro

Portanto, não os temais, porque nada há encoberto que não haja de revelar-se, nem oculto que não haja de saber-se.
Mateus 10.26

No versículo acima, percebemos que a expressão "não os temais" é antecedida da conjunção conclusiva "portanto" e seguida da explicativa "porque". Como são palavras de Jesus, e Ele sempre tem uma mensagem a transmitir, tais vocábulos são muito importantes.

O *portanto* nos leva ao pensamento do verso anterior, onde Jesus nos lembra que Ele, nosso Mestre, foi perseguido neste mundo. Cristo, apesar de ser muito mais importante que qualquer um de nós, foi perseguido. É claro que nós, seus seguidores, também sofreremos perseguições. Às vezes, são perseguições abertas, declaradas. As pessoas deixam bem claro que não gostam de nós porque somos seguidores de Jesus. Outras vezes, somos perseguidos sem que nos sejam dadas razões ou motivos. Nessas ocasiões, muitas vezes, nós mesmos não nos damos conta de que estamos sendo perseguidos por causa de nossa comunhão com o Senhor. Todavia, é isso mesmo: Jesus foi perseguido por causa de sua obra e de sua maneira de ser. Portanto, de uma maneira ou de outra, nos perseguirão também, pois somos seus seguidores.

Analisemos agora o termo *porque*. Jesus afirma que não devemos temer porque tudo o que está encoberto há de ser revelado. Bem... e essa palavra pode nos ajudar em quê?

O verso 27 declara que seremos os reveladores dos segredos de Deus: "O que vos digo em trevas, dizei-o em luz; e o que escutais ao ouvido, pregai-o sobre os telhados". Há lições muito profundas aqui.

Nosso Deus é Espírito (Jo 4.24). À medida que convivemos com Ele, conforme cultivamos nossa comunhão com Ele, seus mistérios nos são revelados. Além disso, a operação de Deus em nossa vida vai manifestando o seu poder sobrenatural a outras pessoas. As transformações que são operadas em nossas vidas mostram o poder de Deus. A paz que se instala em nosso ser, a alegria genuína que se vê em nós, a maneira como nossas mais profundas necessidades são supridas, tudo isso torna visível o amor de Deus. De maneira consciente ou mesmo inconscientemente, revelamos os mistérios do Senhor ao mundo. O Inimigo de Deus nos persegue por isso mesmo. Em geral, ele utiliza alguém para promover perseguição contra nós. Contudo, o nosso Salvador Jesus nos diz: "Não os temais..." O Senhor nos protege porque Ele quer que seus mistérios continuem a ser revelados através do nosso viver.

Perseguiram a Jesus e perseguirão a nós também. Maltrataram muito o nosso Mestre, mas Ele venceu. Veio para revelar o Pai e assim o fez. Hoje, Cristo continua revelando os mistérios do céu às pessoas. Ele os revela a nós, e nós os transmitimos ao mundo. Ninguém conseguiu nem consegue impedir a obra do Senhor Jesus.

A exemplo do Messias, também somos perseguidos, porém não vencidos. Ninguém consegue impedir o que o Senhor quer realizar através de nossas vidas. Não tenha medo, meu querido irmão. A vitória é nossa. Às vezes, parece que estamos perdendo, como pareceu que Jesus havia perdido a batalha quando morreu na cruz. Mas, depois do Calvário, veio a ressurreição. Depois da luta, vem a vitória. Não tenha medo. Amém.

19 de janeiro

Tão-somente não sejais rebeldes contra o Senhor, e não temais o povo desta terra, porquanto são eles nosso pão; retirou-se deles o seu amparo, e o Senhor é conosco; não os temais.
Números 14.9

Crente medroso é aquele que é desobediente. Entretanto, o que tem a ver medo com desobediência?

Primeiro, Deus ordena aos seus filhos que não tenham medo. Essa ordem é repetida dezenas de vezes na Bíblia. Se Deus determina que não devemos ter medo, e mesmo assim temos; então, estamos lhe desobedecendo.

Segundo, a tendência normal de quem tem medo é a de defender-se a qualquer custo, e por isso, às vezes, acaba procedendo de forma absurda. Geralmente, as pessoas com medo praticam atos de desobediência a Deus.

O episódio narrado em Números 13 e 14 serve bem para ilustrar o que estamos dizendo.

Deus havia prometido a Israel dar-lhe a terra de Canaã. Quando os israelitas já estavam prestes a tomar posse da Terra Prometida, Moisés enviou doze representantes do povo para espiar a terra, a fim de confirmar se de fato era muito boa ou não. Quando aqueles homens voltaram, trouxeram o seguinte relatório: *A terra é, de fato, muito boa. Porém, o povo que vive lá é muito forte e nós jamais conseguiremos expulsá-lo dali.* Quando o povo soube desse relatório infeliz, cometeu aqueles dois tipos de desobediência de que falamos há pouco. Chorou desesperado, como se Deus fosse tão pobre a ponto de prometer-lhes algo que não pudesse cumprir. Em conseqüência do desespero, surgiu a determinação de se eleger um líder que conduzisse o povo de volta à escravidão no Egito. Que coisa terrível!

Felizmente, havia entre os doze homens que foram espiar a terra dois que tinham verdadeira fé em Jeová. Eram dois servos que confiavam em Deus, Josué e Calebe. Eles eram minoria, mas a verdade nem sempre está com a maioria. Uma pessoa, sozinha, com Deus é maioria. E a palavra do Senhor, através daqueles homens, foi esta: *Não tenham medo. Nosso Deus é mais poderoso que todos os nossos inimigos.*

É necessário que se diga isso: Nosso Deus é mais poderoso que toda e qualquer força que se levante contra nós. Se não fosse assim, Ele não seria Deus. Se com a boca dizemos que Ele é Deus, porém com nossas atitudes deixamos claro que não confiamos nEle, então estamos glorificando o Inimigo, em vez de glorificá-lo. Afinal, quem é Deus, o Senhor ou o Inimigo?

É preciso confiar no Senhor e fazer o que Ele nos ordena que façamos, mesmo quando tudo parece difícil. Ainda que para você tudo pareça perdido, ou que as promessas do Senhor não se cumprirão. Portanto, não tenha medo, não seja rebelde, não seja desobediente. Amém.

20 de janeiro

... Não o temas, porque eu to tenho dado na tua mão, a ele, e a todo o seu povo, e a sua terra...
Números 21.34

Às vezes, até um homem como Moisés necessita ouvir de Deus uma palavra de encorajamento. Mesmo os maiores heróis da Bíblia eram pessoas frágeis, constituídas da mesma estrutura que nós. E quanto mais abrangente era o ministério que exerciam, maiores eram os obstáculos que tinham de enfrentar.

Moisés agora estava para enfrentar um gigante chamado Ogue, rei de Basã. Em Deuteronômio 3.11 está escrito que ele dormia em uma cama de ferro de mais de quatro metros de comprimento e dois de largura. Esse mesmo versículo nos afirma que ele era o último dos gigantes a ser enfrentado.

Depois de lutar tanto, após enfrentar tantos gigantes, Moisés devia estar muito cansado, física e psicologicamente.

Muitas pessoas têm perdido tudo ao enfrentar a última batalha de uma guerra. É por isso que o apóstolo Paulo em Efésios 6.13 escreve: "Portanto, tomai toda a armadura de Deus, para que possais resistir no dia mau e, havendo feito tudo, ficar firmes". Há pessoas que fazem tudo, mas depois não ficam firmes. Vencem quase todas as lutas, mas na hora de enfrentar a última batalha, fogem ou perdem a guerra.

Cada servo de Deus tem gigantes para enfrentar. Há sempre quem lute para que os propósitos de Deus em nossas vidas não se cumpram. Há sempre gigantes por perto. E após enfrentarmos todos, sempre fica um! Não importa, pois Deus está conosco! Ogue tem quatro metros de altura? Nosso Senhor é muito maior que ele. Ogue é muito forte? Nosso Deus é o Todo-Poderoso. Ogue tem um exército muito grande? Os exércitos angelicais, postos para guerrear em nosso favor, são muito mais numerosos. É o Senhor quem diz: "Não o temas..."

Quem é o Ogue de sua vida? Um aspecto de sua personalidade que você ainda não conseguiu submeter ao controle do Espírito Santo? Uma ofensa antiga que ainda não conseguiu perdoar? Um vício que não conseguiu abandonar? Um embaraço do qual ainda não conseguiu se desvencilhar? Oposições na família? Dificuldades na obra do Senhor? Quem é o Ogue? Seja lá o que for ou quem for, ouça a voz de Deus: *Não o temas!* Prepare-se para mais uma vitória. Ogue vai cair. Deus declara: "Eu to tenho dado na tua mão..." No entanto, é preciso confiar no Senhor e não na nossa própria força. Simplesmente permita que Deus faça de você um instrumento em suas mãos. Deixe que Ele opere em você e através de você. Deixe que o sangue de Jesus purifique sua vida. Deixe que o Espírito Santo atue no mais profundo do seu ser. Pelo poder do nome de Cristo você vencerá. Na unção do Espírito Santo, você será mais que vencedor. Amém.

21 de janeiro

E não temais os que matam o corpo e não podem matar a alma; temei, antes, aquele que pode fazer perecer no inferno a alma e o corpo.
Mateus 10.28

O aumento da violência urbana tem feito com que qualquer pessoa se sinta mais segura numa selva que no centro das grandes cidades. Os animais que mais ameaçam nossa integridade física e nossa própria sobrevivência não são os leões, nem as serpentes, nem os crocodilos. São os próprios homens.

Em virtude das ameaças de seqüestros, assaltos e assassinatos, as pessoas compram armas, usam coletes à prova de balas, cercam suas casas com grades, contratam serviços de segurança cada vez mais sofisticados e guarda-costas, e ainda assim não se sentem seguras.

Quando eu era menino, gostava de perseguir codornas pelos cerrados. Essas aves têm um poder de camuflagem impressionante. Como sua capacidade de voar é muito pequena, procuram ao máximo tirar proveito de sua habilidade de se esconderem. E se escondem muito bem. Às vezes, nos cansamos de procurar e não achamos uma codorniz que, com toda a certeza, está ali, bem pertinho. Muitas vezes o "truque" dá certo. Porém, há ocasiões em que conseguimos ver onde a avezinha está escondida. Ela permanece bem quietinha. Não sai do lugar. Então, o caçador chega e pode alcançá-la facilmente. A ave morre quando confia demasiadamente em seu sistema de segurança. Para ser mais enfático: Corremos maior perigo no momento em que pensamos ter segurança e não temos.

As pessoas se preocupam tanto com a segurança de seus corpos e são tão negligentes com a segurança de suas almas! O que adianta uma pessoa ter o corpo bem seguro e a alma exposta ao perigo de perecer eternamente? O corpo, mais cedo ou mais tarde, vai se acabar. A alma, não. Esta tem existência eterna. Se ela tiver comunhão com Cristo, terá a vida eterna. No entanto, se entrar na eternidade sem comunhão com Deus, terá morte eterna.

Não se pode proteger a alma com carro blindado, nem com dispositivos eletrônicos, nem em abrigos antiatômicos. A alma só está segura se estiver unida ao Deus que a criou. Essa união se pode obter apenas através de Jesus. Se temos Jesus como Senhor e Salvador de nossas almas, então estamos absolutamente seguros. Se, por qualquer circunstância, perdermos nossa vida física, isso somente apressará nossa ida para estar com o Senhor nas mansões celestiais. Se Jesus já é o seu Senhor e Salvador, você não precisa ter medo de nada. Se Jesus for "qualquer coisa" para você, menos o Senhor de sua vida, então estará você correndo sério perigo. Nesse caso, refugie-se nEle agora mesmo. Convide-o para entrar em seu coração. Tenha certeza: Ele nos proporciona segurança completa. Não tenha medo. Amém.

22 de janeiro

Deus não é o homem, para que minta; nem filho de homem, para que se arrependa; porventura, diria ele e não o faria? Ou falaria e não o confirmaria?
Números 23.19

Há pessoas que, quando têm problemas com alguém — pode ser com o pastor, ou com uma pessoa influente na igreja, ou até mesmo outra pessoa qualquer —, se afastam de Deus. Os outros erram, e Deus leva a culpa. Transferimos para Deus a culpa dos erros dos outros.

Existe outra maneira de querermos associar as fraquezas humanas ao próprio Deus. São nos momentos em que recorremos ao médico, ao advogado, ao político, ao empresário e eles não podem fazer nada por nós. Então concluímos, erradamente, que Deus não pode fazer nada também. Todavia, observe: Deus não é o homem. O poder de Deus não é limitado pelos homens.

Deus é infinitamente superior aos homens. Quando os recursos do mais poderoso dos homens se acabam, os de Deus ainda nem começaram. O homem faz o possível. Deus, o impossível. O Senhor cura o incurável, abre a porta que ninguém pode abrir, lança por terra o mais forte dos homens, confunde a sabedoria dos sábios, tira o pobre do monturo e o faz habitar com os príncipes (Sl 113.7,8). Glória a Deus!

Há quem diga assim: *Os meus pecados são tão grandes que Deus não pode perdoar.* Outros dizem: *Minha vida está tão confusa que nem Deus pode pôr em ordem.* Não meça a capacidade de Deus a partir de sua própria capacidade. Deus não procede como o homem.

Não há pecado que o sangue de Jesus não possa purificar, a não ser aquele do qual o pecador não se arrependa. Jesus não foi um mártir qualquer. Ele é Deus que se fez homem para morrer pelos nossos pecados. O sangue dEle é o sangue de Deus derramado para lavar as culpas do ser humano. Submeta-se ao poder desse sangue, se ainda não o fez, para ser purificado de todo o pecado. Seus pecados são grandes? O poder do sangue de Jesus é maior ainda. Você é um grande pecador? Jesus é o grande Salvador. Entregue-se a Cristo e Ele operará em você a grande e perfeita salvação.

Em 2 Samuel 22.33 está escrito: "Deus é a minha fortaleza e a minha força, e ele perfeitamente desembaraça o meu caminho". Se sua vida está toda embaraçada, entregue essa *confusão* nas mãos do Senhor. Ele sabe onde está o *fio da meada* que você perdeu. Você não consegue resolver os problemas de sua própria vida, mas Deus não é como o homem, Ele vai desembaraçar perfeitamente os seus caminhos. Afinal, "Deus não é o homem, para que minta; nem filho de homem, para que se arrependa". Amém.

23 de janeiro

Pois contra Jacó não vale encantamento, nem adivinhação contra Israel...
Números 23.23

Balaão era um advinho cujos feitos a todos admirava. Se ele desejasse o bem a uma pessoa, ela prosperava. Por outro lado, ai daquele a quem Balaão amaldiçoasse! Desgraças terríveis se abatiam sobre a vítima. Entre os moabitas todos sabiam disso.

Uma consulta com Balaão custava caro. Muitas pessoas ricas utilizavam seus serviços. Certa vez o próprio rei dos moabitas, Balaque, mandou chamar Balaão para realizar um *trabalho*. Homens honrados, da confiança do rei, foram enviados com muito dinheiro para contratarem o famoso vidente.

Balaque queria que Balaão amaldiçoasse Israel, o povo de Deus. Dizia o rei dos moabitas: "Vem, pois, agora, rogo-te, amaldiçoa-me este povo, pois mais poderoso é do que eu; para ver se o poderei ferir e o lançarei fora da terra; porque eu sei que a quem tu abençoares será abençoado e a quem tu amaldiçoares será amaldiçoado" (Nm 22.6).

Amaldiçoar o povo de Deus? Balaão sabia que isso seria impossível. O conflito que se instalou nele foi muito grande. Depois de muita controvérsia com o rei, o adivinho acabou confessando: "Pois contra Jacó não vale encantamento, nem adivinhação contra Israel" (23.23). Essa é uma grande verdade que precisa ser divulgada.

Os poderes do mal existem. Há muitas pessoas, como Balaão, ganhando dinheiro com eles. Há diversas que estão sofrendo as consequências de maldições produzidas por outras pessoas. No meio da confusão que se instalou, muitos estão recorrendo ao próprio mal para proteger-se. Quem procura a proteção das forças do mal com certeza se prejudica ainda mais.

Quem quiser proteção contra o mal, refugie-se no bem, proteja-se em Deus. Mas fique atento, pois a Bíblia afirma que Satanás pode se transformar em anjo de luz. Não procure intermediários. O único Mediador entre Deus e os homens é Jesus. Confira em 1 Timóteo 2.5: "Porque há um só Deus e um só mediador entre Deus e os homens, Jesus Cristo, homem".

Receba Cristo como seu Senhor e Salvador, se ainda não o fez. Uma pessoa que tem Jesus como seu Salvador e Senhor faz parte da Igreja, o próprio Corpo de Cristo. É filho de Deus e parte do povo de Deus. E contra os filhos de Deus não vale encantamentos.

Se você faz parte do povo de Deus, então não precisa ter medo de mau-olhado, macumba, azar, ou qualquer outra coisa dessa natureza. As Escrituras declaram em Colossenses 3.3 que "... a vossa vida está escondida com Cristo em Deus". É um esconderijo indevassável. Nada ou ninguém pode nos atingir.

Existem muitos crentes sofrendo por falta de conhecimento. O Inimigo faz diversas ameaças, mas a verdade é que ele não pode nos tocar. Contudo, às vezes, o Inimigo consegue enganar o crente, fazendo-o acreditar que ele foi atingido. Então, o cristão pouco consciente das coisas, acaba por sair de seu esconderijo, deixando sua comunhão com Deus e recorrendo a outro tipo de proteção. Isto é fatal. Não faça isso. Mantenha-se firme, escondido em Cristo.

"Aquele que habita no esconderijo do Altíssimo, à sombra do Onipotente descansará" (Sl 91.1). Amém.

24 de janeiro

Não temais, pois; mais valeis vós do que muitos passarinhos.
Mateus 10.31

Nos tempos em que Jesus andou neste mundo, e ainda hoje em muitos lugares, se vendiam e se vendem pássaros por uma ninharia. Nosso Mestre nos afirma, em Mateus 10.29, que Deus cuida desses pássaros que são vendidos nas feiras. Não cai um deles por terra sem a permissão de Deus. E quanto a nós? Ainda de acordo com as palavras de Jesus (Mt 10.30), Deus sabe até quantos fios de cabelo há em nossa cabeça. Ou seja, Ele acompanha nossa vida nos mínimos detalhes...

Como Deus pode se preocupar com as coisas mínimas de nossa existência e se esquecer das mais importantes? Certo estadista disse que *guerra é uma coisa importante demais para ficar a cargo de generais.* Parece que queremos aplicar esse mesmo princípio ao próprio Deus, dizendo: *Minha vida é importante demais para ficar a cargo de Deus.* Que tolice! Quem somos nós para dar conta de algo tão complexo como a própria vida? Um simples vírus, uma coisa tão minúscula, pode afetar de forma irreversível nosso corpo. Um pequeno coágulo, a qualquer momento, pode surgir no cérebro e pôr fim à nossa existência na terra. Um prego enferrujado, uma casca de banana e tantas outras coisas aparentemente inofensivas estão fora de nosso controle e podem transformar em nada todos os nossos planos. É melhor parar e ouvir Deus dizer: *Sua vida é algo precioso demais para ser governada por você. Eu estou no controle dela.*

Não tenha medo, nos diz Jesus. Você é muito precioso para Deus. Nada vai lhe acontecer que não seja permitido por Ele. Se você, voluntariamente, permitir que Ele governe sua vida, ou seja, se o tem como seu Senhor, Ele fará com que todas as coisas concorram para o seu bem.

Sabe por que Jesus menciona os fios de cabelo de nossa cabeça ao nos ensinar sobre a importância que temos para Deus? Porque, para nós mesmos, um fio de cabelo não vale nada. A queda de um fio de cabelo aparentemente é algo sem importância. No entanto, aquilo que para nós é de menor importância, para o nosso Pai celestial é relevante. Em outras palavras, Ele se preocupa até com o que não nos preocupa.

O fio de cabelo caiu de sua cabeça e você nem viu. O Senhor viu e anotou. Mandou contabilizar. E no seu prontuário, no céu, esse dado está atualizado. E tantas outras coisas das quais nem mesmo nos apercebemos! Portanto, por que esse temor? Por que essa preocupação? Deus está cuidando de tudo. Não tenha medo! Amém.

25 de janeiro

Não atentareis para pessoa alguma em juízo, ouvireis assim o pequeno como o grande; não temereis a face de ninguém, porque o juízo é de Deus...
Deuteronômio 1.17

Um dos problemas que mais afligem o nosso país, e, por que não dizer, todos os países do mundo, é a injustiça. Como sempre, a razão é uma só: quem julga tem dificuldade de ser imparcial, quando uma das partes sob julgamento tem muito dinheiro ou grande influência na sociedade. Julgar justamente implicaria perder dinheiro ou o emprego.

Muitos servos de Deus estão expostos a essa situação por força da área profissional em que atuam. Mas, na verdade, todos temos de enfrentar esse problema em nossa vida cotidiana em nosso lar e mesmo na igreja. Temos de decidir quem está com a razão, quem tem direito, quem está falando a verdade. Este parece ser um problema pequeno; porém, de fato, não é. O estado de injustiça em que se encontra a nossa sociedade é resultado da soma de todas as injustiças, pequenas e grandes. Além do mais, as causas simples, pequenas, dão-nos oportunidade de treinarmos para o exercício da justiça. Se falhamos nas pequenas coisas, como acertaremos nas grandes?

O texto acima exorta-nos a não temermos, quando tivermos de julgar. Não devemos temer a "face de ninguém", diz o verso bíblico. Talvez a pessoa injustiçada, geralmente a parte mais fraca, não possa fazer nada contra a falta de justiça que sofreu. Entretanto, Deus, por certo, vingará o oprimido.

Nunca é demais dizer que toda história tem três versões: a do acusador, a do acusado e a verdadeira. É necessário ouvir ambas as partes envolvidas na questão, ou filhos, ou irmãos da igreja, ou colegas de trabalho. Não importa quem seja. A quem acusa cabe o ônus da prova. É necessário ouvir testemunhas. O princípio de que apenas uma testemunha é insuficiente para resolver qualquer questão está escrito nas Sagradas Escrituras — em Números 35.30 e em outras passagens paralelas. Felizmente, é um princípio adotado no Direito Universal. É claro que temos de respeitá-lo em nossa vivência de cristãos. Nada se resolve sem provas claras e/ou duas ou mais testemunhas.

Ser justo, muitas vezes, custa um alto preço. Pode custar uma boa amizade, um bom emprego ou uma boa soma de dinheiro. Nada disso, no entanto, compensa a perda da paz consigo mesmo e com Deus.

Ser injusto é concordar com todo tipo de injustiça, inclusive com aquela que sofreu o próprio Filho de Deus, Jesus. Lembremo-nos de que a morte de nosso Salvador ocorreu em conseqüência de um julgamento muito malfeito, com falsas testemunhas, juízes comprados, acusadores mentirosos. No entanto, Ele foi mais do que vencedor quando, ao terceiro dia, ressuscitou. Amém.

26 de janeiro

Eis que o Senhor, teu Deus, te deu esta terra diante de ti; sobe e possui-a como te falou o Senhor, Deus de teus pais; não temas e não te assustes.
Deuteronômio 1.21

Moisés saiu do Egito com a congregação de Israel para tomar posse de uma antiga promessa feita por Deus ao seu povo. Saíram para possuir a bênção. O povo sabia que o Senhor havia prometido e era poderoso para cumprir a promessa; entretanto, o povo estava com medo. O medo era tanto que Moisés teve de dizer várias vezes: "Não temas", ou seja: *Povo de Israel, não tenha medo*. (Veja Nm 14.9; 21.34; Dt 1.21,29; 3.2,22; 7.18,21; 20.1,3; 31.6,8.)

O povo de Israel não apenas temia os habitantes daquela terra, mas também havia perdido a confiança em seu Deus. No entanto, quantos cristãos estão na mesma situação dos israelitas no deserto? Muitos cristãos ainda não tomaram posse de todas as promessas que o Senhor lhes fez. E a razão é a mesma: como o povo de Israel, continuam a pensar: *O Senhor prometeu, mas não é para mim. E se for, não acontecerá agora. Eu ainda não estou preparado para receber.*

Pode ser que alguma promessa realmente não se aplique a uma determinada pessoa. Todavia, há muitas promessas que não admitem nenhuma dúvida: elas são para você mesmo. Você já tomou posse de todas essas promessas?

Tudo bem, há promessas cuja posse exige um preparo especial. Contudo, como vamos saber se temos ou não o preparo, não é buscando a bênção? Apenas olhando de longe, ninguém conseguirá tomar posse da vitória. Muitas vezes, obtém-se o preparo quando se está na luta para obter a bênção.

O lema de cada cristão deve ser este: Se o Senhor prometeu, então vou buscar. Se houver necessidade de algum preparo especial, vou ficar sabendo e também vou me empenhar nele.

As palavras registradas em Deuteronômio 1 foram ditas quando Israel já estava às margens do rio Jordão, bem perto da Terra Prometida. Talvez, àquela altura, o povo estivesse tomado de um medo adicional. Moisés, o líder que vinha conduzindo-os durante décadas, já estava muito idoso. Eles sabiam que o velho legislador não estaria com eles quando as mais ferozes batalhas fossem travadas.

Talvez algumas pessoas estejam pensando: *As promessas contidas na Bíblia são muito antigas. Elas só se aplicavam às pessoas da antigüidade.* É verdade que as promessas da Palavra de Deus foram proferidas há muito tempo; mas quem as fez não envelheceu. O nosso Deus "é o mesmo ontem, hoje e eternamente" (Hb 13.8). O Espírito Santo, quem inspirou a Bíblia, está conosco e estará para sempre. Inspirada pelo Espírito Santo, as Escrituras dizem a respeito de Jesus: "Porque todas quantas promessas há de Deus são nele sim; e por ele o Amém, para a glória de Deus, por nós" (2 Co 1.20).

Não tema. Tome posse das bênçãos de Deus hoje. Amém.

27 de janeiro

Jesus, porém, lhes falou logo, dizendo: Tende bom ânimo, sou eu; não temais.
Mateus 14.27

Todo ser humano tem medo do desconhecido. E exatamente por isso os discípulos de Jesus certo dia tiveram medo dEle: porque não o conheceram. Na verdade, eles o confundiram com um fantasma. A reação não podia ser outra: gritaram com medo. Eram homens experientes, acostumados a trabalhar de noite, no escuro, mas nunca viram aquilo que lhes apareceu naquela madrugada: alguém caminhando por sobre as águas. Eu posso até imaginar a cena: eles com os olhos arregalados, uns tentando se esconder atrás dos outros, os corações disparados. Uns tentando gritar sem poder; outros, procurando onde se esconder; enfim, um quadro de puro terror.

Você pode imaginar o alívio que eles sentiram quando ouviram uma voz muito conhecida dizer: "... sou eu; não temais"?

Os discípulos se apavoraram justamente num momento em que Jesus veio para ajudá-los, numa hora de grande dificuldade. No entanto, eles estavam em alto-mar, lutando com uma tempestade. Jesus, sabendo disso, usou poderes sobrenaturais para chegar a tempo de poder ajudá-los. Como os discípulos nunca tinham visto ninguém, nem mesmo Jesus, andar sobre as águas, se assustaram muito.

O que aconteceu com os discípulos de Jesus no mar da Galiléia pode acontecer com qualquer um de nós. E muitas vezes acontece. Quando as dificuldades da vida nos cercam, quando nos sentimos como se estivéssemos sozinhos enfrentando uma tempestade em alto-mar, coisas estranhas acontecem. Coisas inesperadas, inexplicáveis. Coisas que estão fora de nosso controle. E nós que já estávamos tristes, desesperançados, agora ficamos também com medo. Se antes a situação parecia difícil, agora parece pior. E ficamos com um medo incontrolável. Contudo, depois, entendemos que era Jesus operando em nosso favor.

Se você está presenciando coisas que não pode explicar; se está no meio do mar, enfrentando tempestade e tendo visões fantasmagóricas, ouça a doce voz de Jesus a lhe dizer: *Tenha bom ânimo. Sou eu; não tenha medo.* Ele, Jesus, não se esqueceu de você. Cristo está pertinho de você e tem o controle da situação. Ele permitiu que tudo isso acontecesse para que você tivesse mais experiência com Ele. Para que você experimentasse, de fato, o poder que o Todo-Poderoso tem para caminhar sobre as águas e dominar os ventos. Faça como Pedro que, naquele episódio, aproveitou para enriquecer ainda mais sua experiência com Jesus. Ele aproveitou para andar sobre as águas também. Em vez de se desesperar, aproveite essa crise para crescer ainda mais em sua fé. Amém.

28 de janeiro

Pois o Senhor, teu Deus, te abençoou em toda a obra das tuas mãos; ele sabe que andas por este grande deserto; estes quarenta anos o Senhor, teu Deus, esteve contigo; coisa nenhuma te faltou.
Deuteronômio 2.7

Este pastor teve o privilégio de nascer e ser criado em um lar cristão. Filho de pastor evangélico, morando ao lado de igrejas desde a mais tenra idade, tem tido a oportunidade de examinar o povo de Deus a partir de um ponto de observação privilegiado. São mais de cinqüenta anos vivendo no meio desse povo.

E após décadas de observação, temos uma das mais importantes conclusões: Nunca encontramos uma só pessoa, uma sequer, que, sendo fiel ao Senhor, tenha deixado de prosperar, seja no plano espiritual, seja nas áreas socioeconômica e cultural. Temos visto milhares de pessoas, outrora oprimidas por demônios e vícios, serem libertas; pessoas que eram amarguradas, irritadas, complexadas, violentas, transformadas em homens e mulheres cheios de paz, alegria, mansidão, esperança, transbordantes de amor. Em paralelo a tudo isto, temos visto pessoas que chegaram à vida adulta completamente analfabetas concluírem o ensino Fundamental e Médio, e até um curso de nível superior. Pessoas que vieram das classes mais baixas da escala sócioeconômica tornarem-se donos de imóvel, veículo e até de empresa.

A bênção de Deus está sobre o seu povo. É assim desde a antigüidade. Mesmo nas fases mais difíceis, como foi o caso da peregrinação de Israel no deserto, a bênção do Senhor sempre esteve sobre o seu povo.

Se você ainda não faz parte do povo de Deus, só há uma maneira de ser de fato abençoado: torne-se parte desse povo. E a melhor notícia é que qualquer pessoa pode integrar-se ao povo de Deus. Agora, esteja atento, pois há um só caminho, um meio, de tornar-se realmente povo de Deus: Jesus Cristo. Reconheça que você é pecador; que seus pecados o tornam merecedor do castigo eterno de Deus; arrependa-se de seus pecados; aceite a oferta de perdão que o Senhor lhe dá através da morte e ressurreição de Jesus; convide o Salvador para entrar na sua vida agora; receba a purificação dos pecados pelo sangue de Jesus. Essa é a primeira e a mais importante de todas as bênçãos. A bênção do Senhor o acompanhará no decorrer de todos os seus dias.

Se você já faz parte do povo de Deus, reconheça o quanto o Pai celestial o tem abençoado. Em vez de viver murmurando, se queixando a Deus por causa de eventuais problemas que esteja enfrentando, lembre-se dos muitos livramentos que Ele já operou em sua vida no passado. As lutas vêm e passam. As batalhas são oportunidades para conquistarmos vitórias em nome do Senhor.

Assim como Deus sabia das agruras que Israel passava no deserto e lhe proveu forças físicas, alimento, água e proteção, Ele também sabe quais são os desertos que muitas vezes temos atravessado. Deus sabe. Deus conhece. Ele pode prover livramentos, e vai fazê-lo. Amém.

29 de janeiro

Neste dia, começarei a pôr um terror e um temor de ti diante dos povos que estão debaixo de todo o céu; os que ouvirem a tua fama tremerão diante de ti e se angustiarão.
Deuteronômio 2.25

Existe algo melhor do que não temer os inimigos: é ser temido por eles. Se os inimigos têm medo de mim, por que vou ter medo deles?

Numa avaliação feita com padrões normais, Israel estava em franca desvantagem: os inimigos estavam alojados atrás de muralhas fortíssimas; as armas do povo de Deus pareciam brinquedos diante do arsenal dos adversários, e o porte físico dos soldados de Israel era muito inferior ao daqueles que tinham de enfrentar. No entanto, quando o povo de Deus chegava, os inimigos estavam tremendo. Foi Deus quem fez isso. Sem nenhuma explicação lógica, os adversários perdiam toda a condição psicológica para enfrentar uma guerra. Às vezes, no lugar de enfrentar Israel, seus inimigos começavam a lutar entre si e a se destruírem mutuamente. Israel se equipava, vencia facilmente o inimigo e tomava posse das novas posições.

Você sabia que hoje em dia acontece a mesma coisa? Há forças terríveis que temos de enfrentar. E vale ressaltar que nossos adversários não são de carne nem de osso. São sobrenaturais e andam à velocidade da luz. São inteligentíssimos. Compõem um sistema muito bem estruturado e articulado. São invisíveis e têm um poder destrutivo terrível. São incansáveis. Estão prontos a nos enfrentar a qualquer momento do dia ou da noite. Então, como iremos vencê-los? Aqui está a boa notícia: Nossos adversários sentem um medo tremendo de nós. Sabe por quê? Porque a marca do sangue de Jesus está em nós que o recebemos como Senhor e Salvador. Nossos inimigos têm pavor do sangue de Jesus. Não podemos ver a marca do sangue de Jesus em nossas vidas, com os olhos físicos, porque tal marca é sobrenatural. Mas os nossos inimigos são sobrenaturais e podem vê-la.

Às vezes, os inimigos fingem que não estão com medo. Fazem barulho, *caretas*, e até mesmo ameaças. Isso se chama guerra psicológica. O Inimigo afirma que vai nos prejudicar, destruindo aqueles que nos são queridos; ele declara que de alguma forma irá transtornar nossas vidas. Mentira. Ele está morrendo de medo. Porém, se o cristão ficar impressionado, com medo, acabará fugindo ou até ferido pelo Adversário. Amigos, a Bíblia nos exorta: "Sujeitai-vos, pois, a Deus; resisti ao diabo, e ele fugirá de vós" (Tg 4.7). A receita é esta: Em primeiro lugar, sujeitar-se a Deus. Claro, é Ele quem põe o terror sobre o Inimigo. Em segundo lugar, resistir ao Diabo. Isso quer dizer não ter medo dele; enfrentá-lo. Mas também quer dizer que não podemos ter nenhum tipo de envolvimento com ele. Nenhum compromisso, nenhum acordo com Satanás. E a vitória será sempre nossa, pelo sangue de Jesus.

Aquele terror que Deus pôs sobre os inimigos de Israel Ele pôs sobre os inimigos da Igreja. Jesus já venceu por nós. Venceu a carne. Venceu o mundo. Venceu o Diabo. O inferno sabe disso e tem medo dEle. Quando nos identificamos com Jesus, quando nos unimos a Ele, a sua vitória passa a ser nossa também. Se você já se uniu a Cristo, não tenha medo de Satanás. O Inimigo é quem tem medo de você. Se ainda não se uniu a Cristo, faça isso agora mesmo. Amém.

30 de janeiro

E, aproximando-se Jesus, tocou-lhes e disse: Levantai-vos e não tenhais medo.
Mateus 17.7

Mateus, Marcos e Lucas narram o episódio da transfiguração de Jesus. É algo excepcional no extraordinário ministério de Jesus. Até hoje tentamos entender o que aconteceu naquele alto monte, onde Jesus se dirigiu em companhia apenas de Pedro, Tiago e João. Como o Messias foi glorificado antes mesmo de sua ressurreição? Como foi que Moisés, falecido há mais de mil anos, e Elias, a quem Deus tomara para si muitos séculos antes, apareceram ali para conversar com Jesus? Que coisa tremenda! E a Palavra de Deus nos diz que uma nuvem de glória cobriu as pessoas que ali estavam reunidas e elas ainda ouviram a voz do próprio Deus dando testemunho acerca de Jesus.

É curioso que todos os evangelistas que escreveram acerca da transfiguração contam que, uma semana antes, Jesus anunciou que aquilo iria acontecer. E todos os três dizem que, ao anunciar tal fato, Jesus estava falando das lutas da vida cristã. Estava falando da cruz que cada um dos seus discípulos tem de carregar. Que contraste!

Tempos depois, os discípulos de Jesus haveriam de ver o seu Mestre, todo ensangüentado, carregando uma cruz. Eles próprios haveriam de enfrentar sofrimentos e morte infame. No entanto, nunca esqueceriam o momento da transfiguração. Eles sabiam, tinham certeza de que, após a cruz, viria a glória. E que glória! A glória que viram no monte foi tão intensa que eles se assustaram. Ver Jesus glorificado, sendo envolvido na *Shekinah* de Deus, e ouvir a voz do Todo-Poderoso é uma visão esplendorosa. Foi por isso que Jesus disse-lhes: "... não tenhais medo".

Todo cristão tem sua cruz e também o seu monte da transfiguração. Parecem coisas antagônicas entre si, mas a verdade é que estão intimamente entrelaçadas. Lucas nos diz, em seu Evangelho: "E eis que estavam falando com ele dois varões, que eram Moisés e Elias, os quais apareceram com glória e falavam da sua morte, a qual havia de cumprir-se em Jerusalém" (9.30,31).

Quando Jesus subiu ao outro monte, o do Calvário, apesar da agonia da cruz, Ele via a glória. O escritor aos Hebreus nos diz que Jesus, "... pelo gozo que lhe estava proposto, suportou a cruz, desprezando a afronta..." (12.2)

Nesta vida, quando somos envolvidos pela glória de Deus, - o que muitas vezes acontece, desde que tenhamos comunhão com o Senhor, -, não podemos perder a cruz de vista. A glória que vemos e sentimos aqui é apenas uma amostra daquela em que estaremos envolvidos para sempre. Entretanto, para alcançar esse objetivo, alcançar os céus, temos de continuar carregando a cruz. E quando o peso da cruz nos parecer insuportável, não podemos perder de vista a glória que nos espera. Paulo nos diz, em 2 Coríntios 4.17 que "... a nossa leve e momentânea tribulação produz para nós um peso eterno de glória mui excelente". Observe que o apóstolo Paulo tinha respaldo para falar de tribulação, em virtude das muitas provações por quais passou. Poucos terão sofrido por sua fé tanto quanto ele. Mesmo assim Paulo afirma que a tribulação é "leve e momentânea", e a glória que nos espera tem "um peso eterno" e é excelente. Vale a pena sofrer por Jesus. Quem está com Ele no Calvário também está com Ele na transfiguração. E tudo converge para a glória maior. Amém.

31 de janeiro

Porque, que gente há tão grande, que tenha deuses tão chegados como o Senhor, nosso Deus, todas as vezes que o chamamos?
Deuteronômio 4.7

Nosso Deus é tão maravilhoso, tão grande, tão poderoso e, ao mesmo tempo, tão carinhoso para conosco! Como disse Moisés: "tão [chegado] a nós.

Como são pobres as pessoas que não conhecem o verdadeiro Deus! Elas acreditam que existem vários deuses, cada um deles especializado em algo esplêndido. Acreditam que existe um deus que tem domínio sobre as águas, outro que governa as montanhas, outro que é soberano nos vales. Crêem que há um deus de guerra e outro de paz; um que é bom para cuidar de assuntos amorosos e outro de assuntos financeiros; um que cura enfermidades dos olhos e outro as doenças do coração, e tantos outros. Quanta pobreza espiritual!

O mais triste é que há pessoas que se dizem cristãs, e também acreditam nesses enganos. Elas não afirmam que crêem em outros deuses, porém acreditam em seres a quem chamam de *santos*.

Amigos, não necessitamos de nada disso. Temos um Deus Todo-poderoso. Ele entende *tudo* e tem poder sobre *tudo*: céu, terra e mar; montanhas, vales e rios; guerra e paz; amor e negócios; relacionamentos e saúde, e muito mais. E lembre-se: Ele não é um Deus distante, indiferente. É um Deus *chegado*, atento às nossas orações, sempre que o invocamos. Por que recorrer a outros deuses? Por que burocratizar o céu? Por que complicar algo que é tão simples?

Você está sofrendo por causa de uma doença grave, incurável? Recorra a Ele. Cristo é o Médico dos médicos. E se você estiver com uma *simples* dor de cabeça ou uma gripe comum? Não fique constrangido. Fale com Jesus sobre isso. Ele é suficientemente amoroso para entender o quanto isso o está incomodando e está pronto a agir. Ele é o Deus *chegado*. Cuida de uma necessidade ínfima com o mesmo desvelo com que trabalha pela provisão de toda uma nação. Jesus quer ser nosso confidente com respeito a um longo casamento ou nos assuntos de um namoro que começou ontem. Ele é o Deus *chegado*.

Em uma viagem ao exterior, vi um quadro muito interessante com os seguintes dizeres: *Eu perguntei a Deus: "Senhor, quão grande é o teu amor por mim?" Então Ele disse: "O meu amor por você é desse tamanho assim"*. Então Ele abriu bem os braços e morreu. Esse é o nosso Deus. O Deus *chegado*. O apóstolo Paulo pergunta em Romanos 8.32: "Aquele que nem mesmo a seu próprio Filho poupou, antes, o entregou por todos nós, como nos não dará também com ele todas as coisas?" Recebemos a Jesus e, com Ele, todas as coisas. Você já o recebeu? Se não, você ainda não tem nada; mas pode recebê-lo agora mesmo. Abra o seu coração, convide a Jesus para entrar nele e tenha sempre consigo o Deus *chegado*. O Deus que responde sempre que a Ele recorrermos. Amém.

1º de fevereiro

Porquanto o Senhor, teu Deus, é Deus misericordioso; e não te desamparará, nem te destruirá, nem se esquecerá do concerto que jurou a teus pais.
Deuteronômio 4.31

Quando nosso filho Misael Hermom era bem pequeno, sua mãe e eu tivemos de colocá-lo na escolinha, por força das circunstâncias da vida moderna. Foi então que ele adotou um comportamento muito surpreendente. Todos os dias, ao ser deixado na escola, invariavelmente, ele nos perguntava: *Depois vocês busquem em mim na escola?* Era difícil não ter os olhos cheios de lágrimas, quando ele nos fazia essa pergunta em sua linguagem infantil. Entendíamos perfeitamente o que se passava na alma da criança: o medo de ser abandonada naquele ambiente estranho. Todos os dias, a pergunta era a mesma: *Vocês busquem em mim na escola?*

Muitas pessoas andam com a sensação de que Deus as abandonou neste mundo. Há quem ensine que Deus de fato criou o mundo. Porém, depois de o haver criado, o abandonou à própria sorte. Quem crê numa coisa dessas deve viver de forma muito triste.

Um cristão verdadeiro pode ter momentos de crise. Pode passar por fases em que se sinta abandonado por Deus, e por isso fique com a fé abalada. Israel passou por uma experiência parecida. Enfrentando inimigos ferozes e todas as condições inóspitas do deserto, o povo tinha medo de perecer. Além do mais, existia os problemas da consciência, visto que, por muitas vezes, eles cometeram atos de desobediência. Moisés procurou confortar a nação amedrontada, lembrando-a da misericórdia e da fidelidade de Deus. Ele afirmava com toda a convicção de sua alma: *O Senhor não nos desamparará. O Senhor não nos destruirá.*

O Inimigo de nossas almas é muito covarde. Sempre procura nos enfrentar quando nos sentimos fracos. Muitas vezes, somos enfraquecidos em virtude dos pecados que cometemos. Outras vezes, nos cansamos diante das muitas lutas que surgem. A situação piora quando estamos com a nossa fé debilitada e ao mesmo tempo enfrentando grandes lutas em nosso viver. É a ocasião preferida do Inimigo para tentar minar os nossos pensamentos. Então, o Adversário vem sutilmente com algumas palavras de desânimo: *Não tem mais jeito pra você. Você pecou, agora está perdido. Deus, que já não ligava muito pra você, agora o abandonou de vez. Coitadinho de você. Eu tenho uma pena!* Repreenda em nome de Jesus o Diabo.

Queridos, não somos ajudados pelo Senhor porque mereçamos. Não. Somos ajudados por Deus simplesmente porque Ele é misericordioso e fiel. Mesmo quando falhamos, Ele não nos abandona, se nos arrependermos e buscarmos o seu perdão. Está escrito na Bíblia: "... a um coração quebrantado e contrito não desprezarás, ó Deus" (Sl 51.17).

É verdade que às vezes o Senhor permite que enfrentemos lutas. No entanto, Ele está sempre por perto. Na hora certa, Ele vem ao nosso encontro e nos presta socorro. Ele não nos abandona na luta. Todavia, algumas vezes nos comportamos de maneira arrogante, nos julgando auto-suficientes. Isso cria uma barreira, impedindo que o Senhor nos socorra. Mas se isso está acontecendo com você, há tempo para recorrer ao Senhor. Reconheça sua inteira dependência de Deus e peça-lhe socorro. Ele o ajudará nesse momento de angústia, de luta.

Agora, amigos, a melhor notícia: Haverá um dia em que o Senhor virá pessoalmente nos buscar deste mundo de lutas para nos levar ao lar eterno nos céus. Ele virá nos buscar. Ele nos levará para o nosso verdadeiro lar. Você tem essa esperança? Então, fique firme nela. Você ainda não a tem? Então, receba-a agora. Através da fé em Jesus Cristo e na obra que Ele realizou por nós, morrendo na cruz e ressuscitando, você também pode ter essa confiança, essa certeza, essa esperança. Una-se ao Senhor agora. Ele jamais vai abandonar você. Amém.

2 de fevereiro

Mas o anjo, respondendo, disse às mulheres: Não tenhais medo; pois eu sei que buscai a Jesus, que foi crucificado. Ele não está aqui, porque já ressuscitou, como tinha dito. Vinde e vede o lugar onde o Senhor jazia.
Mateus 28.5,6

Se dependesse de Jesus, as funerárias iriam à falência. Ele chegou adiantado para o enterro da filha de Jairo. A menina acabara de morrer. Ele a ressuscitou e cancelou o enterro. Na cidade de Naim, o Messias chegou no momento em que enterrariam o filho da viúva. Ressuscitou o rapaz e desmanchou o enterro. Para os funerais de Lázaro, Cristo chegou com quatro dias de atraso. Mas simplesmente anulou o enterro ressuscitando o morto.

Quando chegou o dia do seu próprio enterro, Jesus não pôde fazer nada. Ninguém cancelou, anulou ou revogou o seu enterro. Completamente morto, Ele foi tirado da cruz, envolto em um lençol que serviu de caixão e levado ao túmulo como qualquer outro ser humano. Foi um enterro triste, muito triste.

O Salvador foi enterrado na sexta-feira, à tarde, e seus amigos voltaram para casa. No sábado, era proibido visitar o cemitério. No domingo, bem cedinho, Maria Madalena e outras mulheres que haviam participado do enterro de Jesus foram visitar o túmulo. Numa situação dessas, a pessoa já imagina o cenário que espera encontrar. A posição em que o morto deve estar, sua fisionomia, a roupa que o envolve, tudo está bem desenhado na mente.

Que susto! Tudo está totalmente diferente do que as mulheres esperavam. O sepulcro devia estar fechado, mas está aberto. Há alguém estranho, e bem vivo... E que aparência aterrorizante tem essa pessoa! *Meu Deus, o que está havendo?* pensam elas. Mas trata-se de um anjo. E o anjo é amigo. Suas palavras são de conforto. Ele tem a mensagem mais confortante que aquelas mulheres poderiam ouvir naquele momento. É a mensagem mais importante dentre todas as que já se tinha ouvido neste mundo. É também a mais poderosa que alguém poderia dar. Jesus não está morto! Ele ressuscitou!

"Não tenhais medo...", diz o anjo. Os seguidores de Jesus não precisavam temer o exército romano. Um poder infinitamente maior que o de todos os impérios humanos juntos havia se manifestado naquele cemitério, imobilizado guardas, aberto o túmulo e comprovado que nenhum outro poder seria capaz de detê-lo. Não deveriam temer os religiosos, adversários da mensagem de Cristo, porque, embora tenham podido matá-lo, não puderam impedir sua ressurreição e, tampouco, poderiam deter a expansão de sua obra. Não precisavam temer os próprios anjos, uma vez que a morte e ressurreição de Jesus propiciaram a pacificação entre a terra e os céus. Não, não é tempo de temor; é tempo de alegria, é o momento do renascimento das esperanças. Tempo de esquecer as tristezas e dores do passado e encher o coração de regozijo, fé e paz.

O "Não tenhais medo..." proferido pelo anjo naquela linda manhã de domingo traspassou os séculos, percorreu todos os continentes e chegou até nós. O sepulcro vazio é garantia de vitória para todos os que confiarem suas vidas ao Senhor Jesus, aquEle que triunfou sobre a morte. Sim, Cristo, o nosso Mestre, defensor e precursor, está vivo para sempre! Não precisamos temer nada, nem ninguém. Quem venceu a própria morte vence todas as coisas. Confie nEle. Não tenha medo. Amém.

3 de fevereiro

E continuarão os oficiais a falar ao povo, dizendo: Qual é o homem medroso e de coração tímido? Vá, e torne-se à sua casa, para que o coração de seus irmãos se não derreta como o seu coração.
Deuteronômio 20.8

O medo é um sentimento contagiante, sabia? Por isso as leis de guerra de Israel incluíam algo que, à primeira vista, parece estranho. Os oficiais do exército convidavam os medrosos a se retirarem das fileiras. Já pensou, uma pessoa declarar para todos que é medrosa? Pois é. Era uma questão de honestidade. Questão de verdadeiro companheirismo. Você é medroso? Tudo bem. Mas não atrapalhe os outros. Vá embora e deixe quem tem coragem para batalhar. Se não pode ajudar, também não atrapalhe.

O primeiro passo para ficar livre dessa inquietação triste chamada medo é saber o quanto ela é prejudicial. Este sentimento prejudica o raciocínio, os reflexos, a visão, a saúde do corpo, a coordenação motora; enfim, tudo. O medo rouba as forças, rouba o ânimo. E, como se tudo isso fosse pouco, o medo é contagiante. Como declara o texto bíblico, faz com que o coração dos outros se derreta.

Uma área em que se pode contemplar nitidamente o contágio do medo é nos empreendimentos de uma igreja local. Sempre há servos de Deus dispostos, prontos para qualquer trabalho. No entanto, há também aqueles que adoram um corinho cuja letra diz: *Não vai dar certo. Não vai dar certo. Não vai dar certo.* Esses crentes sabem somente medir dificuldades, apontar obstáculos, descobrir possibilidades de falhas. Parece que sentem prazer quando algo de errado acontece, pois dessa forma têm respaldo para se engrandecerem, afirmando: *Eu não disse?* Não importa se o Reino de Deus vai perder, se a obra do Senhor vai deixar de conquistar um espaço importante. O que importa é que a profecia deles se cumpra. E a profecia é sempre a mesma: *Não vai dar certo.* A questão desagradável é que esses *profetas do fracasso* têm um enorme poder de contagiar. Bem que os pastores e demais líderes cristãos podiam fazer a mesma proclamação que os oficiais do exército de Israel: *Quem é medroso, volte para casa, para que o coração de seus irmãos não se derreta também.*

Entretanto, temos uma boa notícia: Medo tem remédio. E uma outra notícia melhor ainda: Já existe vacina anti-medo. O remédio e a vacina vêm da mesma fonte: a Palavra de Deus. Considerando que o medo é o sentimento que faz com que as pessoas evitem situações que lhes pareçam de iminente perigo, o antídoto contra isso é não valorizar nada acima do nosso compromisso com Deus, nem mesmo a própria vida. É por isso que o hino 340 da Harpa Cristã diz: *Eis que surge um povo forte, revestido de poder; / e não teme nem a morte quem a ele pertencer.*

Quanto aos empreendimentos que fazemos na obra do Senhor, é bom lembrar que "... Deus é o que opera em [nós] tanto o querer como o efetuar..." (Fp 2.13) O Senhor nos dá capacidade para realizar aquilo que for importante para a sua obra. Os obstáculos surgem, mas os vencemos em nome do Senhor. E se tudo não sair exatamente como queríamos, continuaremos lutando até obter a vitória. Faz bem enfrentar desafios. A verdade é que as pessoas que de fato fazem o mundo se mover são as que se dispõem a enfrentar desafios. Se não há riscos, se não há obstáculos, então não há desafios. Vitória sem luta é vitória sem glória. Receba, através da Bíblia, o maravilhoso remédio e não seja medroso. Não faça mal a você nem prejudique os outros com esse sentimento danoso. Coragem! Amém.

4 de fevereiro

O amado do Senhor habitará seguro com ele; todo o dia o Senhor o protegerá, e ele morará entre os seus ombros.
Deuteronômio 33.12

As crianças gostam de ser carregadas nos ombros por seus pais, irmãos mais velhos, outros parentes ou amigos. No ambiente pacífico e alegre de um lar, é muito comum se ver alguém andando pela casa, carregando uma criança nas costas.

Carregar uma pessoa nos ombros é também a maneira mais prática de transportá-la através de um rio, de uma montanha ou de um caminho longo, quando isso é necessário e a pessoa a ser transportada consegue manter-se ereta ao longo do trajeto.

Pois bem. É exatamente isso que Deus faz: Ele sempre nos carrega em seus ombros. E não é apenas em momentos de lazer. Não. Ele também nos transporta nos momentos de dificuldades. Moisés disse que a tribo de Benjamim moraria entre os ombros de Deus. Mas esse privilégio não pertence apenas à tribo de Benjamim. É um privilégio de todos os amados do Senhor. E somos amados dEle. Jesus nos afirma em João 16.27: "... o mesmo Pai vos ama..." Aos olhos de Deus, somos como crianças. Então, Ele faz festa conosco; brinca conosco como um pai carinhoso faz com seus filhos pequenos. É importante que cada cristão tenha essa experiência. A vivência de um relacionamento descontraído com Deus. O Senhor não é apenas um protetor e provedor. Ele é o nosso Pai.

Para alguém pode parecer estranha a idéia de Deus como um pai amoroso que brinca com seus filhos. Entretanto, em Isaías 56.7, o Senhor nos diz: "... também os levarei ao meu santo monte e os festejarei na minha Casa de Oração..." Aproveite: Peça ao Senhor para dar umas voltinhas com você nas costas, só de brincadeirinha.

É claro que se moramos entre os ombros de Deus, então podemos contar com a ajuda dEle quando estamos feridos ou a jornada está tão difícil que não conseguimos caminhar com os próprios pés. Certa vez, estava passando uns dias com minha família em uma fazenda. Meus filhos ainda eram muito pequenos. Havia ali lindas montanhas e cachoeiras incríveis. Como queria que meu filho mais velho conhecesse de perto aquelas montanhas e cachoeiras, tive de carregá-lo o tempo todo nos ombros, já que ele jamais poderia andar por aqueles lugares com as pernas tão curtas e os pés tão frágeis.

Em uma de minhas viagens de supervisão a igrejas, contaram-me um episódio muito interessante. Um grupo de obreiros estava viajando de carro por uma estrada cujos lados ardiam em chamas. De repente, ouviram latidos de um animal que parecia estar em grandes apuros. Os obreiros desceram do veículo e caminharam na direção de onde vinham os latidos. Qual não foi a surpresa e a emoção de encontrar uma cadela lutando desesperada para salvar seus tenros filhotes do fogo! Imediatamente aqueles obreiros trataram de colocar os cãezinhos a salvo do incêndio, para alívio da mãe que nada podia fazer senão latir, pedindo socorro.

Seres humanos diversas vezes também têm dificuldades para proteger aqueles que lhes são queridos. Uma senhora, da família de minha esposa, morreu afogada tentando salvar seus filhos. Que bom saber que Deus, além de querer proteger-nos, transportar-nos nos próprios ombros, nunca encontrará situação tão difícil da qual não nos possa amparar. Tal como fez com seu povo na antiguidade, Ele permite-nos desfrutar de sua companhia e proteção nos dias atuais. Se você está afastado desse Pai maravilhoso, aproxime-se dEle agora mesmo, confiando na obra que Jesus fez por nós na cruz do Calvário. Você também será transportado, nos ombros, pelo Deus Todo-poderoso. Amém.

5 de fevereiro

Então, Jesus disse-lhes: Não temais; ide dizer a meus irmãos que vão a Galiléia e lá me verão.
Mateus 28.10

Para vir a este mundo e identificar-se conosco, Jesus teve de abrir mão de suas prerrogativas divinas. Paulo afirma que Ele "aniquilou-se a si mesmo, tomando a forma de servo, fazendo-se semelhante aos homens" (Fp 2.7). Precisava ser assim para que Ele pudesse habitar entre nós e morrer numa cruz. Mas, ao ressuscitar, Cristo recuperou tudo aquilo de que se havia despojado. Jesus ressuscitado é Jesus glorificado. É o Senhor Todo-poderoso em toda a plenitude de seu ser.

Era necessário que Jesus, depois de ressurreto, se apresentasse aos seus seguidores para que eles pudessem testemunhar esse fato fundamental para o cristianismo. Todavia, como Jesus se manifestaria aos seus discípulos? Eles não suportariam a glória de sua presença.

Ao ressuscitar, Jesus se apresenta, primeiro, às mulheres, pessoas muito emotivas por natureza. Então, o que faz Jesus, nosso sábio Mestre? Ao mesmo tempo em que Cristo se apresenta às mulheres, Ele também fala com elas. Creio que o Salvador colocou toda a doçura, toda a brandura em sua voz. Ele as saudou de maneira bem familiar, deixando-as bem à vontade, e as encorajou: *Não tenham medo*. Ao mencionar os outros discípulos, Ele se refere a eles como "meus irmãos". O maravilhoso Messias está transformado, glorificado, cheio de poder e autoridade, mas os que o amam são, para Ele, seus irmãos. Eles foram medrosos, ingratos, incrédulos, porém ainda continuam sendo seus irmãos queridos. E Jesus declara o seu desejo de vê-los muito em breve.

AquEle Jesus ressuscitado, glorificado, é o nosso Jesus. É o Messias que recebemos como Senhor e Salvador. É o Cristo que temos dentro dos nossos corações. É o Jesus com quem falamos todos os dias. É aquEle que nos guia a cada momento. É o nosso Deus e também nosso irmão.

Muitas pessoas se referem a Jesus como *o homem lá de cima*. Vêem-no como uma pessoa distante. Sentem medo dEle. Mesmo pessoas que se dizem cristãs. É verdade que devemos reverenciá-lo e adorá-lo. É verdade que devemos obedecer-lhe em tudo. Sim, Ele é o Senhor da glória, é o Rei dos reis, é o Senhor dos senhores; mas é também o nosso grande Amigo, nosso Bom Pastor, o Amado de nossas almas. Podemos nos sentir muito à vontade na presença dEle, absolutamente confortáveis; pois Cristo é quem nos faz ficar assim. É Ele que, ainda hoje, nos diz: *Não temas*. É Ele que nos chama de irmãos e declara gostar de estar conosco.

Como está você? Com a consciência pesada por não estar andando em fidelidade diante de Jesus? Você está com vergonha porque foi incrédulo quando deveria confiar mais nas palavras do Senhor? Saiba que Ele o ama e está disposto a perdoá-lo. Achegue-se a Ele. Não tenha medo. Peça-lhe perdão, pois Ele o perdoará. O Senhor o acolherá. Vai chamá-lo de irmão, e fazer de você uma testemunha desse amor e da paz que há nEle. Deixe o passado para trás. Vamos caminhar para frente e dizer que Jesus Cristo está vivo e é bom, e deseja muito abençoar todas as criaturas humanas. Foi para isso que Ele veio a este mundo: para dar sentido à vida dos homens que se encontravam perdidos. Sim, receba em sua vida o poder da ressurreição de Cristo e abençoe outras pessoas. Amém.

6 de fevereiro

Não há outro, ó Jesurum, semelhante a Deus, que cavalga sobre os céus para a tua ajuda e, com a sua alteza, sobre as mais altas nuvens!
Deuteronômio 33.26

Você sabia que o nome *Jesurum* significa *amado* ou *reto*? É uma palavra que ocorre pouquíssimas vezes na Bíblia e sempre se refere a Israel. É um nome especial, um apelido carinhoso que Deus colocou em seu povo. Não é assim que fazemos com as pessoas com quem temos intimidade? Pois é, Deus fez da mesma forma; pôs um apelido carinhoso em Israel: *Jesurum*.

Entretanto, espere um momento, o nome Jesurum, como já dissemos, além de significar *amado*, significa também *reto*. Que Israel fosse amado por Deus, tudo bem. Mas... e quanto a ser chamado de reto? Israel ser chamado de reto, só se for uma ironia. Todavia, por incrível que pareça, não era ironia. Na verdade, os dois significados do nome estão relacionados entre si.

O que aconteceu com Israel teve paralelo na experiência de certo soldado de Napoleão. Contam que certa vez a montaria em que Napoleão Bonaparte se deslocava assustou-se e pôs-se a correr loucamente. Um bravo e simples soldadinho, arriscando sua integridade física e, quem sabe, a própria vida, dominou o animal enlouquecido e salvou a vida do imperador. Quando tudo terminou, Napoleão se virou para o soldadinho e disse-lhe: *Muito obrigado, general*. Foi assim que alguém foi promovido de soldado a general em poucos minutos. Para os outros, o rapaz era um simples soldado; mas para quem tinha toda a autoridade, ele já era general.

Deus amava tanto Israel que já podia vê-lo como um povo reto, justo, embora faltasse muito para isso. Entretanto, há duas observações importantes: Primeira, Deus é onisciente. Logo, Ele vê o futuro como se fosse presente. Segunda, o próprio Deus, em virtude de seu amor para com Israel, trabalharia para aperfeiçoar aquele povo. E Deus sabe como trabalhar. O Senhor é o grande Oleiro que sabe fazer bons vasos, mesmo quando o barro não é bom (Jr 18.6). Ele sabe moldar o barro para fazer dele o vaso que quiser.

Amigos, Deus é assim conosco também. Ele nos chama de amados e retos. Chama-nos de Jesurum. Mesmo quando fazemos algo que lhe entristece. Está escrito em Deuteronômio 32.15: "E, engordando-se Jesurum, deu coices..." É importante esse amor de Deus.

Em Romanos 5.8, está escrito que "Deus prova o seu amor para conosco em que Cristo morreu por nós, sendo nós ainda pecadores". Ele nos ama e nos vê, não como somos agora, mas como seremos no futuro, e com a sua prórpia ajuda. Deus nos apanha, como uma pedra bruta, e nos lapida até nos transformar na jóia preciosa que Ele quer. É por isso que o Senhor nos chama de santos. Os cristãos, na própria Bíblia, são chamados de santos. Mesmo os crentes da igreja de Corinto, cujas enormes falhas são claramente listadas nas epístolas que lhes foram enviadas.

O Espírito Santo nos transforma de glória em glória (2 Co 3.18). A Palavra de Deus também opera em nós, de maneira contínua, santificando-nos. E assim o Senhor nos está moldando. As experiências que vivemos, nem sempre muito agradáveis, também contribuem para o nosso aperfeiçoamento. E Deus está nos vendo como seremos no futuro.

Agora, o mais importante de tudo é que um dia o nosso próprio corpo será transformado. Receberemos corpos gloriosos semelhantes ao que Jesus tem hoje. Seremos glorificados. Não sabemos quanto tempo falta para que isto aconteça, mas Deus vê como se já estivesse acontecendo. Não é glorioso? Você tem essa esperança? Não importa quem você seja. Deus também o ama. O Todo-Poderoso espera apenas que você se renda ao grande amor dEle para fazer parte do povo que chama de Jesurum. Não é tão importante o que você já foi no passado ou mesmo o que tem sido até agora. O que mais importa é o que o Senhor vai fazer na sua vida agora. Amém.

7 de fevereiro

Não to mandei eu? Esforça-te e tem bom ânimo; não pasmes, nem te espantes, porque o Senhor, teu Deus, é contigo, por onde quer que andares.
Josué 1.9

Josué era um homem muito corajoso. Isso foi evidenciado no episódio da guerra contra os amalequitas e, principalmente, quando foi enviado a espiar a Terra Prometida, com mais onze companheiros; quase todos se acovardaram, menos ele e Calebe. No entanto, temos metade de um capítulo da Bíblia, nada menos que nove versículos, escritos apenas para encorajar aquele grande guerreiro. Se ele está sendo encorajado é porque, no mínimo, está muito preocupado.

Josué sempre foi um servidor de Moisés. Sempre viveu à sombra do chefe. E que chefe! A grandeza de Moisés ofuscava todos os que viviam ao seu redor, inclusive Josué. Este era muito obediente. Sabia cumprir ordens, executar aquilo que o líder determinava. Contudo, agora, Moisés morreu. O apagado Josué é designado para liderar o povo. Ele agora tem de dar as ordens, tomar decisões e liderar o povo justamente quando chega o momento das grandes batalhas, a hora de arrancar os inimigos das trincheiras e tomar-lhes as terras.

O maior problema não era o povo inimigo, mas, sim, os amigos. O povo que Josué passara a liderar e que ele conhecia muito bem. Tratava-se de pessoas murmuradoras e desobedientes. Deus conhecia o povo, e também Josué, por isso veio pessoalmente dar uma injeção de coragem no novo líder de Israel.

No verso que tomamos por base para nossa meditação de hoje, a primeira observação que Deus faz é que Josué não está ali porque quer. Ele está ali porque é a vontade de Deus. "Não to mandei eu?" Em outras palavras: *Você está se esquecendo de que esse é um assunto que me interessa? Se mandei, é porque sou responsável.* A menos que Deus tivesse um caráter duvidoso, Ele não enviaria ninguém a uma missão para a qual Ele não pudesse dar os meios para executar. É por isso que o Hino 515 da Harpa Cristã diz: *Se Cristo comigo vai, eu irei.*

Antes de dizer "tem bom ânimo", Deus diz: "Esforça-te". A nossa segurança está apoiada em dois pilares: no que Deus faz por nós e no que estamos dispostos a fazer para a glória do Senhor. Esforçar-se quer dizer *fazer* força. Há coisas que só Deus pode fazer. Quanto a isso, não precisamos nos preocupar nem querer fazer o que não nos compete. A parte que cabe a Deus sempre será feita. Por outro lado, precisamos fazer a nossa. Não adianta esperar que Deus faça. O que devemos fazer

Deus não o fará. Esforça-te. Faça força. Trabalhe. Ninguém nunca pôde ser útil a Deus sem gastar energia, sem se gastar, sem fazer força.

Tem bom ânimo. Esta é uma expressão muito comum na Bíblia. Jesus a usou diversas vezes. Ela está associada à nossa atitude diante das dificuldades e dos desafios. Ter bom ânimo é estar animado. Bem animado, não importando as circunstâncias. É estar cheio de esperança; encarar as dificuldades com a cabeça erguida. É, como dizem as Escrituras, estar por cima e não por baixo. Deus não quer que vivamos nos arrastando. Devemos entrar na batalha como quem já venceu, e não derrotados por antecipação.

Tudo o que foi dito até aqui pode parecer irreal, sem fundamento. Mas lembremo-nos de que foram palavras ditas pelo próprio Deus a Josué. No final de tudo há um *porquê*: "...o Senhor, teu Deus, é contigo, por onde quer que andares". Isso dá base, fundamento, a tudo o que foi dito. Se Deus está conosco, como esteve com Josué, então não há o que temer. Você é desafiado agora a viver essa realidade. Busque a comunhão com Deus, faça a vontade dEle, tenha coragem, tenha bom ânimo e seja um vencedor como foi Josué. Amém.

8 de fevereiro

E Jesus, tendo ouvido essas palavras, disse ao principal da sinagoga:
Não temas, crê somente.
Marcos 5.36

Jesus ouve o que lhe dizemos. E também ouve o que outras pessoas nos dizem. Ouve tanto as palavras de encorajamento como as de desestímulo que temos a infelicidade de ouvir.

As palavras que ouvimos nos afetam. Umas mais, outras menos. Umas fazem bem; outras, mal. Umas fazem muito bem; outras, muito mal.

Palavras depreciativas podem criar em nós complexo de inferioridade.

Palavras duras, provocativas, podem produzir ira, coração amargo.

Palavras desestimuladoras podem destruir a fé.

É impossível que, ao longo da vida, não tenhamos de ouvir todo tipo de mensagem. De repente, quando menos esperamos, chega uma mensagem ruim. Quando nos damos conta, já ouvimos. Em seguida, vêm os efeitos. Entretanto, observe mais uma vez: Jesus também ouve tudo o que ouvimos. E não ouve apenas por ouvir. Ele ouve para interferir no processo. Quando alguém diz alguma coisa que nos faz mal, Jesus nos declara outra que produz um efeito contrário àquilo que tentaram nos fazer. Se alguém afirma que somos feios, Cristo nos diz que somos lindos. Se dizem que não temos valor, o Senhor assegura que valemos mais que o mundo todo. Se afirmam que vamos perecer, Ele diz que já veio nos salvar. Se querem nos fazer sentir fracos e derrotados, Jesus declara que somos fortes e mais do que vencedores. O segredo, então, é deixar que o Salvador diga a última palavra e ficar com essa palavra. Jesus sempre terá a última palavra. Antes de se desesperar, ouça o que Ele tem a dizer.

Veja só o que aconteceu com Jairo, o príncipe da sinagoga. Ele clamava a Jesus que curasse a sua filha, acometida de uma doença muito grave. Enquanto esperava que Jesus o atendesse, chegou alguém e disse-lhe algo que nenhum pai gostaria de ouvir: "A tua filha está morta; para que enfadas mais o Mestre?" (Mc 5.35) Que palavras terríveis! Que palavras avassaladoras! Porém, Jesus também as ouviu. Ouviu e falou palavras confortadoras. Palavras encorajadoras, que anularam todo o efeito das outras. Jesus falou ao coração daquele pai. Coração que estava para explodir de medo. Medo de ter procurado Jesus em vão; de ter desperdiçado a oportunidade de estar ao lado de sua filha nos últimos momentos de sua vida. Medo de tê-la perdido para sempre. Àquele coração cheio de medo, Jesus disse: "Não temas..." A esperança renasceu. O medo se foi. Tudo mudou.

Jesus não fala só por falar. Ele foi à casa de Jairo e ressuscitou-lhe a filha. Cristo garante o que diz. Quando afirma que você tem muito valor para Ele, é porque tem mesmo. Quando revela que quer fazer algo maravilhoso, um milagre, em sua vida, é porque quer de fato fazê-lo. Não importa quão graves sejam os problemas que estão afligindo você. Não importa o que outras pessoas já disseram. Não tenha medo. Creia somente. Amém.

9 de fevereiro

Então, disse o Senhor a Josué: Levanta-te! Por que estás prostrado assim sobre o teu rosto?
Josué 7.10

Vamos imaginar algumas cenas bíblicas impossíveis. Que tal esta: o profeta Eliseu realizando milagres em troca de dinheiro. E esta outra: Noé com medo de chuvisco. E mais outra: João Batista com roupa de festa. Para terminar, pense nesta cena: Josué, o bravo auxiliar e depois sucessor de Moisés, desanimado e dizendo ao próprio Deus: *Com efeito, era melhor que o Senhor nos tivesse deixado no Egito!*

Você credita que a última cena que sugerimos acima aconteceu mesmo? Pois aconteceu. Nosso versículo de hoje é um *puxão de orelha* que Deus deu em Josué. Será que este guerreiro merecia esse *puxão de orelha*? Vamos ver.

Fazia pouco tempo que os israelitas haviam conquistado sua primeira cidade, ao oeste do Jordão. A própria travessia daquele rio fora milagrosa. Depois Deus havia se manifestado de maneira tremenda, fazendo com que os fortíssimos muros de Jericó viessem abaixo, sem nenhuma interferência humana. Os israelitas estavam eufóricos. Agora, tinham absoluta certeza de que a conquista de toda a terra de Canaã era só uma questão de tempo. Josué, o líder do povo, estava contente. Deus o havia honrado, confirmando-o como autêntico sucessor de Moisés.

Após comemorar a conquista de Jericó, o povo que Josué liderava tinha uma tarefa bem simples para realizar: prevalecer contra uma cidade pequena e bem mais fraca que Jericó — Ai. O povo saiu para guerrear contra a cidade de Ai convicto da vitória. E os israelitas foram derrotados de forma vergonhosa. Então, Josué se desesperou. O problema não era somente a perda da invencibilidade. Era demonstrar aos moradores das outras cidades que, afinal, se os guerreiros de Ai os puderam vencer, qualquer outro também podia. Josué estava com medo de um massacre, por isso queixou-se com Deus. *Ei, Deus, o que está havendo? Você está brincando com coisa séria? Resolveu nos deixar sozinhos na hora em que mais precisávamos de você?* Deus, então, não gostou da postura de Josué. Deu-lhe uma advertência!

Quem está com a razão: Deus ou Josué? Deus sempre está com a razão. Há momentos em que não entendemos nada. Quando isso acontece, é melhor fazer o que Josué fez: ir falar com Deus, nem que seja para levar um *puxão de orelha*. Ah, não tenha dúvidas, tudo vai se esclarecer. O que Deus explicou a Josué foi que havia grave pecado no meio do povo. O problema não estava com Deus; estava com Josué, ainda que de maneira indireta. Mas havia solução para isso. A solução era remover o pecado.

Josué fez o que Deus o orientou a fazer, ainda que isso custasse vidas, e tudo se resolveu. A confiança, a esperança e a vitória voltaram.

Quantas vezes ficamos contrariados com Deus e o problema, na verdade, está em nós?! O pecado atrapalhou a vida de Josué e muitas vezes atrapalha a nossa também. Para que a crise que envolveu Josué fosse resolvida, alguém teve de morrer. No nosso caso, a solução é a mesma: "... sem derramamento de sangue não há remissão" (Hb 9.22). Mas Jesus já derramou o seu sangue por nós. Tudo o que temos de fazer é reconhecer os nossos erros, arrepender-nos verdadeiramente e receber o perdão de Deus, que se baseia no sacrifício de Jesus. Em seguida, devemos nos levantar e prosseguir nossa jornada, na certeza de que o Senhor cumprirá as promessas que nos tem feito e nos conduzirá sempre e vitoriosamente. "Levanta-te", foi a palavra de Deus a Josué, no verso 13. "Levanta-te" também é a palavra do Senhor para sua vida. Amém.

10 de fevereiro

Então, disse o Senhor a Josué: Não temas e não te espantes; toma contigo toda a gente de guerra, e levanta-te, sobe a Ai; olha que te tenho dado na tua mão o rei de Ai, e o seu povo, e a sua cidade, e a sua terra.
Josué 8.1

Vencer onde já tinha sido derrotado. Esse era o desafio que Josué tinha de enfrentar.

O efeito psicológico de ser derrotado nunca é bom. Vencer uma batalha quando se vem de uma vitória é uma coisa; agora imagine ter de enfrentar o mesmo adversário que o derrotou na última luta. Dizem que um galo de briga, uma vez derrotado, jamais volta a enfrentar aquele que o venceu. Foge dele todas as vezes que o encontra.

Quem já foi alcoólatra tem medo até de passar na frente de um bar. Quem já cometeu adultério tem medo de se encontrar com as pessoas com as quais praticou o pecado. É sempre o receio de enfrentar uma luta em que outrora foi derrotado. Quem gostava de brigar tem receio de algum dia perder o controle e agredir alguém. Quem já foi ladrão fica inseguro quando é convidado a lidar com dinheiro.

Prudência é sempre recomendável. Ninguém deve se expor a riscos desnecessariamente. No entanto, não se pode nem se deve viver fugindo o tempo todo. Quando for necessário enfrentar um inimigo que já o venceu no passado, o servo de Deus deve fazê-lo, sabendo que a situação no momento é outra. Antes não tinha como vencer. Agora tem.

Antes, Josué foi derrotado pelos soldados da cidade de Ai porque o povo de Israel não estava bem com Deus. Agora o pecado havia sido removido. Era como se Israel fosse outro povo. O adversário era o mesmo, mas havia outro povo.

Em 2 Coríntios 5.17 está escrito: "... se alguém está em Cristo, nova criatura é: as coisas velhas já passaram; eis que tudo se fez novo". Essa nova criatura tem novas forças, novas armas, nova condição para lutar e vencer o Diabo, o mundo e a carne.

Às vezes, acontece de uma pessoa, mesmo depois de transformada pelo poder do evangelho, sofrer algum fracasso moral e, conseqüentemente, espiritual. Isso acontece por falta de vigilância, por excesso de autoconfiança, ou por falta de algum outro cuidado espiritual. Contudo, não há nenhuma razão para permanecer prostrado, vencido. Em Salmos 37.23,24 está escrito: "Os passos de um homem bom são confirmados pelo Senhor, e ele deleita-se no seu caminho. Ainda que caia, não ficará prostrado, pois o Senhor o sustém com a sua mão".

Se você caiu, levante-se. Se tiver de enfrentar as mesmas tentações de antes, enfrente-as e vença-as em nome do Senhor. Você foi vencido antes, mas será vencedor agora. Antes, era uma pessoa descuidada, desobediente, orgulhosa. Agora, é uma pessoa perdoada, purificada, fortalecida, humilde aos pés do Senhor. O Inimigo pode até pensar que você é a mesma pessoa; ele pode até tentar fazer você pensar que é a mesma pessoa, mas Deus sabe — e você também — que as coisas agora são diferentes.

Os moradores da cidade de Ai foram derrotados justamente porque os israelitas os fizeram pensar que tudo estava como antes. Israel estava muito consciente de sua nova situação diante de Deus. Leia o capítulo 8 do livro de Josué para ver como tudo foi resolvido. O inimigo ficou tão cheio de autoconfiança, que se lançou afoitamente na batalha. Foi vitória certa para o povo de Deus.

Vamos terminar esta mensagem com a primeira estrofe e o coro do hino 372 da Harpa Cristã: *Quem possui a Cristo, nEle firme está, / Achará poder para o mal combater; / Porque suas promessas Ele cumprirá. / Quem está em Cristo sempre há de vencer. / Vencerá, vencerá, por seu sangue vencerá; / Vencerá, vencerá, sempre vencerá; / Pois Jesus que impera novas forças dá; / E quem nEle espera sempre vencerá.* Amém.

11 de fevereiro

Quando eles o viram andar sobre o mar, pensaram que era um fantasma e deram grandes gritos. Porque todos o viram e perturbaram-se; mas logo falou com eles e disse-lhes: Tende bom ânimo, sou eu; não temais.

Marcos 6.49,50

Há pessoas que, quando querem dizer que alguém ficou muito embriagado, dizem que ele ficou chamando Jesus de *Genésio*. Há pessoas, mesmo entre as que se dizem cristãs, que chamam Jesus de *Genésio*, e outras que chamam *Genésio* de Jesus. Precisamos ter muito cuidado com isso.

Fazer isso é confundir outras pessoas com Jesus. É pensar que Ele está onde não está. Por exemplo, é pensar que Cristo está onde há feitiçaria ou idolatria. Não se pode confundir demônios ou ídolos com Jesus.

Foi, mais ou menos, o que aconteceu lá no mar da Galiléia, quando os próprios apóstolos confundiram Jesus com um fantasma. Chamaram Jesus de fantasma. Maria Madalena, no dia da ressurreição, confundiu Jesus com um jardineiro. Falou com o Messias pensando que estava falando com um jardineiro.

Quantas vezes o Senhor opera em nossa vida e não percebemos! Pensamos que foi outra pessoa. Às vezes, Deus realiza prodígios diante dos nossos olhos e pensamos que Ele está longe, sem nada fazer em nosso favor. Esperávamos que Jesus operasse de uma maneira, porém Ele trabalhou de uma outra forma. Por não entender isso, ficamos impacientes, queixamo-nos e até murmuramos. E o Senhor, com toda a paciência, está ali, fazendo o que é melhor para nós.

Às vezes, ficamos, na verdade, com medo. Como me aconteceu uma certa vez. Enquanto dirigia por uma estrada deserta e escura, tive um dos pneus de meu carro furado. Quando vários homens desceram de um caminhão para prestar-me socorro, pensei que eram assaltantes. Contudo, eram pessoas honestas que, além de trocar o pneu, escoltaram-me até a cidade mais próxima.

Se você tem Jesus Cristo como Senhor de sua vida, saiba que Ele nunca está alheio a nada que se passa com você. Você pode não estar entendendo a maneira dEle agir. Você pode até pensar que vai lhe fazer mal aquilo que Jesus está fazendo para o seu bem. Quem sabe, está como os discípulos no mar da Galiléia, assustado, apavorado, dando gritos de medo. Ouça a voz meiga, mas poderosa, do seu Senhor: *Tenha bom ânimo. Sou eu. Não tenha medo.* Amém.

12 de fevereiro

E o Senhor disse a Josué: Não os temas, porque os tenho dado na tua mão; nenhum deles parará diante de ti.
Josué 10.8

Enfrentar cinco exércitos de uma vez não é fácil. Não é fácil até que o Senhor diga: "... nenhum deles parará diajnte de ti". Quando o Senhor fala, Satanás cai. Todavia, se estivesse no lugar de Josué, estaria me perguntando: *Como será que o Senhor vai fazer desta vez?* Não se preocupe, o nosso Deus tem uma criatividade incrível.

Movidos pela Palavra do Senhor, muitas vezes fazemos coisas que surpreendem até a nós mesmos. No caso de Josué, ele apanhou os inimigos desprevenidos. Então, o Senhor fez cair sobre eles um medo terrível. Josué ficou de braços cruzados, esperando que Deus fizesse tudo sozinho? Claro que não. O grande líder usou a força que o Senhor lhe deu contra os adversários. Então, a Palavra de Deus teve o seu completo cumprimento. O inimigo não pôde parar diante de Josué e dos demais servos do Todo-Poderoso. Eles fugiram.

Agora, vem a parte melhor da história. Sabe o que Deus fez? Abriu os céus e fez chover pedras sobre os inimigos do seu povo. Observe o versículo 11: "... foram muitos mais os que morreram das pedras da saraiva do que os que os filhos de Israel mataram à espada". Que bênção! Aleluia!

Somente um Deus como esse pode nos dizer: "Não os temas", e fazer com que nos sintamos tranqüilos diante de exércitos inimigos.

O nosso verdadeiro socorro sempre vem do céu. Isto significa que nem sempre as coisas acontecerão da maneira como esperamos. Os recursos de Deus são ilimitados e bastante variados. Às vezes, as batalhas se travam exclusivamente no terreno espiritual. Os anjos de Deus agem de forma direta sobre os demônios e não vemos nada. Sabemos apenas que o problema desapareceu, mas não sabemos como. Outras vezes, apesar da solução também vir do céu, acontecem coisas notáveis diante dos nossos olhos. Conseguimos ver Deus operando. Você conhece aquela história da irmã que não tinha nada para comer em casa e orava com seus filhos para que Deus mandasse pão? Uns malandros ouviram a oração da irmã, foram até a padaria, compraram um saco de pão e atiraram-no pela janela. A irmã então ficou muito alegre com os seus filhos, e começou a dizer: *Graças a Deus porque nos enviou o pão que estávamos pedindo.* Esses homens, do lado de fora da casa, começaram a rir bem alto e disseram à irmãzinha: *Sua tola. Não foi Deus quem mandou o pão. Fomos nós.* Então, ela respondeu: *Não importa que tenha sido o Diabo que trouxe. Quem mandou mesmo foi Deus.*

Quando o profeta Elias se encontrava escondido, por ordem de Deus, os corvos lhe traziam pão e carne (1 Rs 17.6). Levar carne para alguém é algo completamente contrário à natureza dos corvos. Entretanto, quando Deus opera, tudo pode acontecer.

Em nossa peregrinação por este mundo, muitas vezes nos vemos cercados por exércitos de pessoas que lutam contra o nosso bem, ou, o que é mais comum, exércitos de demônios que procuram nos destruir. Se confiarmos no Deus de Josué, ouviremos aquele doce consolo: "Não os temas... nenhum deles parará diante de ti".

Se o Deus de Josué é o seu também, então confie nEle. Caso contrário, torne-o seu Deus. Aproxime-se dEle agora, pela fé em Jesus Cristo, o seu Filho, que morreu e ressuscitou para nos conceder vitória contra toda a força do mal. Você precisa apenas abrir o coração e convidá-lo a entrar. Amém.

13 de fevereiro

Então, Josué lhes disse: Não temais, nem vos espanteis; esforçai-vos e animai-vos, porque assim fará o Senhor a todos os vossos inimigos, contra os quais pelejardes.
Josué 10.25

Sabe onde estavam os pés das pessoas que ouviram Josué proferir as palavras de nosso texto de hoje? Sim, onde estavam os pés dos israelitas a quem Josué dirigiu aquelas palavras? Vou lhes dizer: no pescoço de cinco reis inimigos. Estes estavam deitados no chão e os pés dos líderes de Israel postos em seus pescoços! Parece cruel, mas os inimigos, que começaram aquela guerra, teriam feito muito pior com eles caso tivessem vencido. Além do mais, aquele quadro tinha um efeito didático. Israel precisava adquirir confiança em Deus, uma vez que muitas outras guerras haveriam de ser travadas após aquela.

O que estamos rememorando aqui aconteceu no dia mais longo da História, pois neste dia, Josué orou e o sol deteve-se e a lua parou por quase um dia inteiro, ou seja, a duração do dia praticamente dobrou. Vale a pena abrir um parêntese aqui para lembrar que, pela lei da relatividade, para quem está na terra, ou seja, para quem toma a terra como referencial, é o sol que se move mesmo. O importante é que o tempo parou.

Certo incrédulo perguntou a um servo de Deus: *Como você pode acreditar numa Bíblia que afirma que uma baleia engoliu um homem, quando se sabe que a garganta de uma baleia tem um diâmetro menor que a largura de um homem?* Ao que o crente respondeu: *Ora, meu amigo, se a Bíblia dissesse que o homem engoliu a baleia eu acreditaria, quanto mais o contrário!*

Hoje, já se pode comprovar, até cientificamente, que houve, no passado, um distúrbio na relação espaço-tempo. Mas é bom que se enfatize que a Bíblia não depende da ciência humana para comprovar sua veracidade.

Os inimigos da Palavra de Deus ficam enfurecidos porque a fidelidade do Senhor os incomoda. Naquele dia, o Senhor prometera a Josué que havia de dar grande vitória ao seu povo. E coisas maravilhosas começaram a acontecer. De repente, Josué percebeu que o dia era muito pequeno para conter tanta bênção. Então, orou para que o dia fosse prolongado a fim de que a promessa de Deus se cumprisse nele. Então, o Senhor parou o universo inteiro! No final de tudo, lá estavam os companheiros de Josué com os pés sobre os adversários.

Amigos, é assim que Deus quer nos ver: com os pés no pescoço do Inimigo. Lugar de inimigo do povo de Deus é no chão, debaixo dos pés dos santos do Senhor. E se tudo parecer muito difícil, o Senhor fará o que for necessário, mesmo que seja preciso parar o universo. Na verdade, para que nós pudéssemos ser vitoriosos, Deus já fez algo maior do que parar o tempo: Ele tomou a forma humana, venceu o nosso maior Inimigo, enfrentou a morte e também a derrotou, e voltou triunfante para os céus. Tudo para que pudéssemos hoje pisar o pescoço de nossos inimigos.

Ponha os seus pés sobre os vícios e em nome de Jesus destrua-os. Coloque seus pés sobre todos os sentimentos de derrota e em nome de Jesus seja um triunfante. Ponha seus pés sobre os espíritos malignos que têm lutado contra a felicidade do seu lar e em nome de Jesus anule todas as suas investidas! É Jesus, o nosso Josué, quem está ordenando.

O versículo 26 relata que Josué matou os reis dos exércitos adversários. Josué os humilhou e depois os matou. Colossenses 2.15 revela que Jesus despojou os principados e potestades, os expôs publicamente e deles triunfou em si mesmo. Haverá um dia em que o nosso Cristo lançará no lago de fogo e enxofre o Diabo e todos os seus demônios. Ele aniquilará também a morte para sempre. Esse é o nosso Jesus. É com Ele que vencemos todas as coisas. Achegue-se a Ele. Confie nEle. Vença com Ele. Amém.

14 de fevereiro

E Jesus disse-lhe: Se tu podes crer; tudo é possível ao que crê.
Marcos 9.23

Há momentos na vida em que nos dirigimos a Jesus, não porque tenhamos fé nEle, mas por causa do desespero. Isso ocorre geralmente quando temos um problema muito grande, e tentamos todas as soluções, porém nada funciona. Então, somos obrigados a experimentar Jesus. Não há outro modo. Ou Jesus opera ou estamos perdidos. Temos de abandonar os nossos preconceitos, o orgulho e todos os argumentos que tínhamos antes para evitar buscar ajuda em Jesus. Quantas vezes isso tem acontecido! Pessoas se dirigindo a Jesus por causa da aflição! Se isso acontecer com você, saiba que não é o primeiro nem será o último.

O homem que pede ajuda a Jesus no contexto do verso citado acima estava muito aflito. Seu filho, é provável que fosse um adolescente, desde pequeno sofria uma terrível opressão. Ele espumava e era jogado pelo demônio no fogo e na água. Uma situação aterrorizante. Desesperado o pai leva o menino onde pensava que Jesus estava, mas não o encontra. Então, pede ajuda aos discípulos de Cristo que estavam por ali. Eles tentam expulsar o demônio e não conseguem. As pessoas que faziam oposição a Jesus também estavam por perto, e começa uma discussão teológica.

Passado um tempo, que parecia mais uma eternidade, Jesus chega. Um raio de esperança brilha para aquele homem. Jesus o entrevista, pede informações. Ele responde às perguntas e faz duas exclamações que refletem bem o estado de sua alma: "...se tu podes fazer alguma coisa, tem compaixão de nós, e ajuda-nos" (v. 22) e "Eu creio, Senhor! Ajuda a minha incredulidade" (v. 24).

As afirmações do pai aflito revelam quatro coisas: 1) ele se sentia tremendamente necessitado de ajuda; 2) ele pensava que a solução de seu problema dependia exclusivamente de Jesus; 3) ele tinha fé em Jesus; e 4) ele não sabia que tinha fé em Jesus.

Quando o homem diz: "...se tu podes fazer alguma coisa, tem compaixão de nós, e ajuda-nos", está deixando a solução do problema inteiramente a cargo do Mestre. Cristo, então, o consola: "Se tu podes crer; tudo é possível ao que crê". Jesus pode fazer tudo, mas com a nossa participação. Qual é a nossa participação? Exercitar a fé. Entramos com a fé e Ele realiza o milagre.

O pai aflito tinha fé em Jesus. O fato de estar enfrentando todo tipo de obstáculo demonstrava a fé que havia em seu coração. Ele não estaria ali se não tivesse fé.

Quando aquele homem diz: "Eu creio, Senhor! Ajuda a minha incredulidade", com genuína sinceridade, está admitindo que sua fé vacila. No entanto, quem pode censurá-lo diante de tão desesperadora situação? Jesus não o censura. Honra aquela fé vacilante operando o milagre. Ele é poderoso, maravilhoso e bondoso.

Venha apresentar a Jesus a fé que há em seu coração, mesmo que ela seja débil e vacilante. Ele não o decepcionará. Tudo o que você necessita Ele fará, porque "tudo é possível ao que crê". Amém.

15 de fevereiro

E disse o Senhor a Josué: Não temas diante deles, porque amanhã a esta mesma hora eu os darei todos feridos diante dos filhos de Israel; os seus cavalos jarretarás e os seus carros queimarás a fogo.
Josué 11.6

Agora estamos na etapa final das batalhas de Josué pela conquista de Canaã. Por assim dizer, Josué está no final de sua vitoriosa carreira. E como está a sua vida? Muito difícil. O número de reis que saíram para pelejar contra Israel é inédito. Os soldados inimigos são tantos que a Bíblia narra, no verso 4, que era "muito povo, em multidões como a areia que está na praia do mar, e muitíssimos cavalos e carros".

Cavalos e carros representavam o que havia de mais avançado, em termos de recursos bélicos. Era um exército muito numeroso para combater e, além disso, bem armado. Então, a situação estava bastante difícil. Entretanto, Deus, que conhece até os nossos pensamentos, viu a preocupação de Josué. Este guerreiro preocupou-se com os carros e cavalos. Porém, o Senhor o confortou. Josué não precisava se preocupar, pois tais recursos desapareceriam; ele mesmo os queimaria. Quanto aos cavalos, seriam transformados em bênção, pois puxariam charretes para o povo.

Normalmente, quando um servo de Deus está perto da vitória final, recrudesce-se a luta. Então, quando esta estiver muito intensa, alegre-se, você está perto de vencê-la. Os fatores que causam mais preocupação agora serão superados com maior facilidade do que se pensa, e muitos deles se transformarão até em bênção, quem sabe em experiências úteis para o futuro.

A luta da Igreja do Senhor Jesus em toda a terra é muito grande justamente por causa disso. Nossa luta está chegando ao fim. Diz Apocalipse 12.12: "Ai dos que habitam na terra e no mar! Porque o diabo desceu a vós e tem grande ira, sabendo que já tem pouco tempo". A questão é esta: o Diabo sabe que lhe resta pouco tempo e, por isso, age com toda a força possível.

Agora, neste final da Era da Igreja, é tempo de nos achegarmos a Deus como nunca. Necessitamos estar mais cheios do Espírito Santo, mais bem preparados, de maneira a enfrentar grandes combates. Com unção, poder e prudência, mas sem medo. O Deus de Josué é o nosso Deus. Breve a terra toda será nossa. Vamos herdar "novos céus e nova terra". Tudo o que contamina, traz morte, entristece, tudo o que há de ruim terá um fim. Todo o poder contrário será banido e com Jesus Cristo reinaremos para sempre. Glória a Jesus!

Queridos, não é mais tempo de brincar de servir a Deus. É tempo de pararmos de nos preocupar com coisas supérfluas, como: um irmão falou mal de mim; ninguém reconhece meu trabalho na igreja; Deus está demorando a me dar um aumento de salário; não agüento mais morar de aluguel, etc. Vamos nos preocupar com o que realmente importa.

Muitas pessoas estão como o pára-quedista da anedota. Aquele cujo pára-quedas não se abriu, mas ele ainda achou tempo para se queixar e dizer: *Depois de tanto azar, só falta eu chegar lá embaixo e não ter ninguém esperando por mim.*

É sempre oportuno lembrar a pergunta de Jesus, registrada em Mateus 16.26: "Pois que aproveita ao homem ganhar o mundo inteiro, se perder a sua alma?" Percamos tudo, porém conservemos a salvação de nossa alma. Vão-se os anéis, fiquem os dedos. Vão-se as amizades, o dinheiro, a saúde, mas permaneça a nossa comunhão com Deus.

O mais importante para se dizer é que, por mais difícil que esteja a sua vida, seja em que área for, só perdemos a luta se quisermos. Deus disse a Josué e consola a cada um de nós hoje: "Não temas..." Josué confiou na palavra do Senhor e o resultado, de acordo com o versículo 8, é que não sobrou sequer um inimigo para contar a história. Este é o nosso destino: Vitória. Vitória sobre toda a adversidade, fraqueza e cilada. Avante! A batalha está chegando ao fim.

16 de fevereiro

Eu sou o Senhor, vosso Deus; não temais os deuses dos amorreus, em cuja terra habitais...
Juízes 6.10, ARA

Certo homem necessitava passar por cima de uma ponte muito precária. Na verdade, era uma *pinguela*, como se chama no interior, um tronco de madeira por cima de um córrego ou de uma vala qualquer. Temendo cair na vala, ele andava com pequenos passos, lutando para não se desequilibrar, enquanto dizia: *Deus é bom... mas o Diabo não é mau. Deus é bom... mas o Diabo não é mau...* Repetiu esta frase até chegar ao outro lado. Quando acabou de atravessar, aquele homem bateu o pé no chão com força, e exclamou: *Deus é bom e o Diabo não presta.*

Há muitas pessoas que querem agradar a Deus, mas têm medo do Diabo. Literalmente acendem uma vela para Deus e outra para o Inimigo. Saiba que o Senhor nosso Deus odeia isso.

Há somente uma pessoa a quem podemos honrar como Deus: o Criador de todas as coisas. O único que vive de eternidade a eternidade; que é onipotente, onipresente e onisciente. Quem não tem essas qualidades não pode ser tratado como Deus. Como diz o nosso versículo-chave, não pode ser temido como Deus.

Há muitas ocasiões em que podemos agir com diplomacia. Todavia, quando se trata desse assunto, não podemos agir assim. Não podemos agradar ao verdadeiro Deus e a outros que se apresentem como deuses. Deus quer a nossa adoração de maneira exclusiva. E há uma certa reverência — de temor — que só se pode dar a Ele e a mais ninguém. Jesus cita o Antigo Testamento em Mateus 4.10, afirmando que: "Ao Senhor, teu Deus, adorarás e só a ele servirás".

Desonramos a Deus quando prestamos culto a entidades espirituais, pessoas, quer mortas ou vivas, forças da natureza, esculturas ou pinturas. Mas também desonramos ao Senhor quando tememos as forças do mal. Se temos medo de forças maléficas, significa que não confiamos o suficiente em Deus. Se somos filhos de Deus e as forças do mal podem nos prejudicar, então o *mal* é mais forte que o *bem*. É verdade que as forças contrárias ao nosso Deus procuram nos fazer mal. É verdade que, às vezes, parece que tais forças prevalecem. No entanto, se somos realmente filhos de Deus e confiamos nEle, jamais seremos vencidos. Nunca seremos destruídos ou mesmo derrotados por nossos adversários espirituais. Como diz 2 Coríntios 4.9: "... perseguidos, mas não desamparados; abatidos, mas não destruídos".

Você quer agradar ao verdadeiro Deus? Então demonstre confiança nEle. A demonstração mais elementar de confiança em Deus é entregar-lhe a vida. É aceitar o único meio de salvação que Ele nos oferece: Jesus, o Filho unigênito, que morreu por nossos pecados. É viver de acordo com a Palavra de Deus, a Bíblia Sagrada. Você já fez isso? Se fez, sirva a Deus com exclusividade. Não tenha outros deuses diante dEle. Seja corajoso. Não tenha medo de nada. Deus é mais poderoso que qualquer força maléfica. Amém.

17 de fevereiro

E Jesus, parando, disse que o chamassem; e chamaram o cego, dizendo-lhe: Tem bom ânimo; levanta-te, que ele te chama.
Marcos 10.49

É bem conhecida a passagem em que a Bíblia diz que um homem fez o sol parar. Aliás, essa é uma parte das Escrituras muito criticada. Dizem que a Palavra de Deus está errada porque não é o sol que gira em torno da terra, mas é justamente o contrário. As pessoas mais esclarecidas sabem que a linguagem bíblica está de fato correta: para Josué, homem que mandou o sol parar, o referencial era a terra. O importante é que o tempo parou. E vamos mais além: para ter feito isso, Josué não apenas ordenou que a terra e o sol parassem, mas o sistema solar inteiro.

Quem fez o sistema solar parar não foi um homem qualquer; foi Josué, o sucessor do profeta Moisés e líder que comandou a entrada do povo de Israel em Canaã. Um homem que viu os grandes sinais que Deus operou no Egito, o mar Vermelho se abrir, a manifestação do poder de Deus no monte Sinai; enfim, homem que tinha profundas experiências com Deus.

Sabe quem fez uma façanha maior que a de Josué? Um pobre cego, morador da cidade de Jericó, aliás a mesma cidade que Josué destruiu. Bartimeu era o nome dele. Josué parou o sistema solar. Bartimeu parou o Senhor do universo.

Bartimeu era um homem sem valor algum; era um mendigo. Mas conseguiu fazer Jesus parar, e obteve esse êxito num momento em que Jesus estava com muita pressa. Ele passava, pela última vez, na cidade de Jericó, em direção à cruz, ao final de seu ministério na terra. Para o céu, aquele era um momento muito importante. Para o inferno, também era. E da mesma forma para a humanidade. Jesus tinha consciência de tudo isso e, certamente, tinha todo o seu ser envolto na tensão daquele momento. Porém, o cego Bartimeu fê-lo parar. Como? Com um grito: "Jesus, Filho de Davi, tem misericórdia de mim!" Parecia o mais inútil dos esforços. Muitas pessoas o repreendiam, ordenando que se calasse. Umas irritadas com os gritos; outras, talvez, com pena, querendo poupá-lo de um desgaste inútil. Mas, que nada! Quanto mais as pessoas o repreendiam, mais Bartimeu gritava. E então Jesus parou. O céu, o inferno e a história pararam. O cego *apertou um botão* que parou tudo. Bartimeu ainda gesticulava e gritava, até que alguém o avisou que já podia parar, pois Jesus estava parado, esperando por ele. Silêncio absoluto, agora. Jesus, pedindo que o trouxessem até Ele, pergunta o que quer. Bartimeu então responde: "Mestre, que eu tenha vista" (v. 51). E em seguida, foi curado. Glória a Deus!

Não desista de clamar até obter a resposta. Não importa quem sejamos ou não. Funciona. Deus atende, mesmo que Ele tenha de parar o universo inteiro. Amém.

18 de fevereiro

Porém o Senhor lhe disse: Paz seja contigo; não temas, não morrerás.
Juízes 6.23

Gideão era um poço de conflitos. Desde pequeno, disseram-lhe que o seu povo, Israel, era especial, escolhido por Deus para ser feliz e vitorioso. No entanto, à medida que ia crescendo, Gideão foi percebendo que algo estava errado. O seu povo era infeliz e oprimido. Os inimigos venciam as guerras e tomavam tudo o que Israel possuía. E eles eram muito numerosos e vorazes! Levavam tudo o que podiam levar e destruíam o restante. Pareciam gafanhotos.

Gideão se perguntava onde o Senhor estava em toda essa história e que valor tinham as promessas de Deus que ele ouvira.

A situação era tão precária que Gideão e seus patrícios tinham de produzir e processar seus alimentos às escondidas.

Conheci um homem que, de tanto sofrer em uma fase de sua vida, resolveu deixar de servir a Deus. Ele dizia: *Se for para sofrer tanto, sendo crente em Jesus, é melhor ser incrédulo.* Aquele irmão, muito ativo na obra do Senhor, teve de fazer um esforço enorme para passar uma semana inteira sem ir à igreja. Mas conseguiu. A segunda semana foi muito difícil, porém não tanto como a primeira. E o nosso irmão já estava se dando como livre da igreja, quando teve um sonho que mudou tudo.

No sonho, ele via os irmãos da igreja no centro de um curral que era construído de madeira muito forte. Ele se achava fora do curral, livre, caminhando para lá e para cá, com um semblante de felicidade. De repente, viu um alvoroço muito grande. Percebeu que um touro extremamente forte vinha matando muitas pessoas e causando bastante desespero. Então, o touro, após tirar muitas vidas, partiu em sua direção. Ele começou a dar voltas ao redor do curral, dentro do qual os irmãos estavam, e o touro, furioso, atrás dele. Depois de dar as voltas que suas forças lhe permitiram, nosso irmão não teve outra alternativa senão pular por cima da cerca, para dentro do curral. Acordou com o coração sobressaltado, ouvindo o som da cabeçada do touro na madeira forte do curral. Ele aprendeu a lição. Fora da proteção do Senhor estamos perdidos.

Deus nunca deixa uma pessoa sincera sem resposta em momentos de conflito. No caso de Gideão, o Senhor enviou um anjo para falar com ele. E foi engraçado o diálogo que houve entre os dois:

— A situação está difícil? Você, Gideão, é a solução — disse-lhe o anjo.

— Euuu? — exclamou Gideão muito amedrontado.

— É. Você mesmo.

— Mas não tenho a menor condição. Sou o menor da minha família, que é a menor da minha tribo, e a menor da tribo de Israel.

— Pois é — disse o mensageiro do Senhor —, mas é você mesmo que vai dar livramento ao seu povo.

Gideão quis prolongar a conversa e convidou o visitante para um lanche. Todavia, o anjo do Senhor pôs fogo na comida e desapareceu. Então, Gideão entendeu que estava lidando diretamente com o próprio Deus, e pensou: *Se a situação não estava muito boa antes, agora piorou. Deus vai me matar.* Vendo a preocupação do moço, Deus lhe respondeu com palavras de paz.

Gideão passou a ver o Todo-Poderoso de maneira diferente. Chamou Deus de Jeová Shalom, o Senhor é paz. E por vê-lo dessa forma, passou a ver as circunstâncias de modo diferente. Ele, que era tão pequeno e impotente, foi de fato o libertador de Israel.

A exemplo de Gideão, o Deus de paz quer fazer de cada um de nós instrumentos para trazer solução. Vamos deixar de ser parte do problema para ser parte da solução.

Se ainda não fez as pazes com Deus, faça isso agora mesmo. O Senhor é paz. Tendo paz com Ele, permita-lhe que use você para trazer solução aos problemas de seu lar, sua família, sua cidade, sua nação. Deus quer fazer isso através de você. Amém.

19 de fevereiro

Agora, pois, minha filha, não temas; tudo quanto disseste te farei, pois toda a cidade do meu povo sabe que és mulher virtuosa.
Rute 3.11

Quem já ouviu falar de Elimeleque? E de Malom? E de Quiliom? Trata-se de três homens que abandonaram a terra de Israel e deixaram o convívio com o povo de Deus, fugindo da fome e dos problemas. Foram para a terra de Moabe, onde estariam longe dos problemas que os afligiam. Sabe o que aconteceu com eles? Morreram. Morreram sem deixar descendência, e longe de sua terra de origem.

E Rute, a moabita, quem já ouviu falar? Essa fez caminho inverso ao de Elimeleque, Malom e Quiliom, de quem veio a tornar-se parente. Através de seus sogros e de seu marido, Rute conheceu o povo de Israel e o seu Deus. Então, deixou o seu país para abrigar-se, como diz a Bíblia, "sob as asas" do Todo-Poderoso. É uma história muito linda, narrada no livro que tem o nome dessa heroína. É um livro pequeno, de apenas quatro capítulos, porém muito interessante.

Rute chegou à terra de Israel viúva, pobre e estrangeira. Contudo, Deus viu sua fé e os mais profundos anelos de sua alma. Então, enquadrou-a como peça importante no glorioso plano da redenção de Israel e de toda a humanidade. Quando Noemi, mãe de seu falecido marido, lhe falou das possibilidades de receber extraordinárias bênçãos de Deus, Rute não vacilou; fez tudo quanto foi orientada a fazer.

Boaz, um homem muito rico e importante entre os israelitas, incentiva Rute a perseverar na determinação de alcançar as grandes bênçãos de Deus. É o nosso *não temas* de hoje. Foi assim que Rute se casou com o próprio Boaz e deixou de ser viúva, pobre e estrangeira. Além disso, ela se transformou numa das ancestrais de Jesus, o mais ilustre dos judeus e Redentor de toda a humanidade.

Rute, a estrangeira que se casou com um israelita importante, tornou-se, por isso mesmo, um dos tipos da Igreja no Antigo Testamento.

O Deus verdadeiro não exclui ninguém de seus planos redentores e abençoadores. Na remota antigüidade, Rute é uma prova disso. Na era atual, a Igreja de Jesus Cristo é uma prova disso.

As Escrituras nos dizem, em João 1.11,12, que Jesus "veio para o que era seu", o povo de Israel, mas "os seus não o receberam". Então, Ele voltou-se para todas as nações da terra. Agora, a todos quantos crêem no seu nome, Jesus lhes dá "o poder de serem feitos filhos de Deus". Ninguém está excluído desta bênção. Não importa a nacionalidade, a cor da pele, o grau de instrução, o nível socioeconômico a que pertença, todos são chamados a abrigar-se à sombra das asas do Deus Altíssimo.

À sombra das asas do Todo-Poderoso não há limites para o que possa acontecer na vida de uma pessoa. O oprimido fica liberto e torna-se um libertador. O pecador contumaz é perdoado e passa a ministrar o perdão de Deus. O fraco torna-se forte. O pobre passa a enriquecer muitos. O feio fica bonito. O desesperado se enche de esperança. O triste se alegra e passa a ser motivo de alegria no céu e na terra.

Faça como Rute, a moabita, venha abrigar-se debaixo das potentes mãos de Deus; não temas.

Refugiado em Deus, aguarde grandes bênçãos em sua vida. O melhor está por vir. Fique firme. Não temas. Amém.

20 de fevereiro

E Jesus, respondendo, disse-lhes: Tende fé em Deus.
Marcos 11.22

Como diz os provérbio: *Para um bom entendedor, meia palavra basta; para quem sabe ler, pingo é letra. Para quem não sabe, letra é pingo.* Entretanto, a comunicação não depende apenas de quem recebe a mensagem. Depende também de quem a comunica. Há pessoas que sabem comunicar-se com poucas palavras, até com meia palavra; conseguem transformar um pingo em uma letra. Todavia, em matéria de comunicação, nunca houve nem haverá alguém que supere a Jesus.

Quando o Mestre proferiu aquelas quatro palavras, Ele disse tudo o que qualquer pessoa precisa ouvir e compreender: "Tende fé em Deus".

Certa vez, Jesus resumiu toda a Lei de Moisés em apenas dois mandamentos: Amar a Deus e ao próximo. Agora, Ele a resumiu em quatro palavras: "Tende fé em Deus". Isto significa não apenas acreditar que Ele existe, mas também confiar nEle. Quem confia em Deus o ama. Amar o próximo também depende da confiança em Deus. É Ele que nos ensina a amar o próximo e só fazemos isso se estivermos convictos de que isso é importante, o que, em última análise, depende da credibilidade que atribuímos a quem nos ensina. Amamos o próximo porque Deus nos diz que devemos amar, e acreditamos no que Ele nos diz.

Com suas quatro palavras, Jesus resumiu a mensagem de todos os profetas. Aqueles servos de Deus realizavam o seu ministério com um único objetivo: convocar o povo a confiar no Senhor. Eles eram mais úteis justamente quando o povo se afastava de Deus, isto é, quando deixavam de ter fé nEle. A mensagem deles, portanto, era esta: "Tende fé em Deus".

Tudo o que cada um de nós precisa para ser feliz é ter fé em Deus. Nunca é demais repetir: ter fé em Deus não é apenas crer que Ele existe, mas também confiar nEle. Para confiar em Deus, é preciso conhecê-lo, e o único pré-requisito para isso é querer. Deus está pronto a fazer-se conhecido de qualquer pessoa que assim o deseje. Quem quer, pede, busca. E Deus dá o conhecimento. Conhecendo ao Senhor, desejaremos andar com Ele. Andando com Deus, o conheceremos ainda mais. E amaremos e confiaremos mais nEle. E faremos tudo de acordo com a sua vontade. Se algum dia quisermos transportar um monte para o meio do mar, não será por mero capricho. Será para cumprir a vontade de Deus. E o monte será transportado. Todas as nossas orações estarão submetidas à vontade do Senhor. Ao orarmos, teremos certeza de que tudo o que pedirmos será atendido. E isso traz segurança, paz e felicidade. Portanto, tenha fé em Deus. Amém.

21 de fevereiro

Vai em paz, e o Deus de Israel te conceda a tua petição que lhe pediste.
1 Samuel 1.17

Ana, aquela serva de Deus de que nos fala o Antigo Testamento, era uma mulher muito sofredora. Ela era estéril; não podia ter filhos, numa época em que isso não era socialmente aceito. Para piorar a situação, ela tinha uma rival que a irritava e humilhava muito.

Um dia, bastante amargurada, Ana foi ao Templo orar. Muitos dizem que a oração é o melhor remédio para quem está triste. De tão triste que Ana estava, não conseguia pronunciar uma só palavra. Há momentos que são exatamente assim: precisamos orar, mas não conseguimos falar nada diante de Deus. Contudo, ainda assim o que vale mesmo é a nossa atitude diante do Senhor. Ele conhece o nosso coração, as nossas necessidades e reconhece os nossos gemidos como verdadeiras orações.

No Templo, onde Ana orava, se encontrava o sacerdote Eli. Vendo aquela mulher prostrada, mexendo os lábios sem dizer uma palavra, o sacerdote pensou que estava bêbada. Então, ele a repreendeu. Foi uma provação para Ana. Naquele momento, poderia se sentir mais humilhada do que já estava, perder a paciência, brigar com o sacerdote, parar de orar e perder sua bênção. Não fique admirado se quando estiver orando algo surgir para atrapalhar. Cuidado. Não se distraia, não saia do propósito de orar. Faça como Ana. Ela se humilhou mais ainda e tentou se explicar para o sacerdote. Por isso, recebeu palavras de conforto e incentivo.

A oração fez tão bem a Ana que, segundo o que está escrito no verso 18, o seu semblante mudou: "... o seu semblante já não era triste". Nenhuma mudança exterior havia acontecido. Nenhuma mudança física se processava em Ana. No entanto, as mudanças mais importantes já estavam começando a acontecer no seu interior.

Amigos, nada mudará ao nosso redor se não houver mudanças em nosso interior. Os milagres que acontecem no mundo visível são reflexos dos milagres que acontecem no interior de nosso ser.

Como resposta à sua oração, Ana conseguiu muito mais do que pediu ao Senhor. Ela pediu um filho, propondo-se a dedicá-lo ao Senhor por todos os dias. Ana não queria um filho para si, mas para Deus. O Senhor fez desse filho, Samuel, um dos maiores líderes que Israel já teve. E deu mais cinco filhos à sua serva. Deus sempre faz "... tudo muito mais abundantemente além daquilo que pedimos ou pensamos..." (Ef 3.20)

Tiago nos afirma em sua carta que desejamos algo e não temos porque não pedimos, e se fazemos isso não recebemos porque pedimos mal, para gastarmos em nossos próprios deleites (4.2,3). Não seja assim. Se desejamos alguma coisa, vamos analisar se é para a glória de Deus. Se for, então vamos pedir ao Senhor.

Contaram-me que um grupo de pastores, em viagem, parou numa lanchonete em que se serviam, de graça, leite e seus derivados. Depois, na continuação da jornada, um dizia: *Eu comi três fatias de queijo.* Outro: *Eu comi dois pedaços de doce de leite.* Então, um disse: *E eu bebi três copos de leite, para a glória de Deus.* Os outros perguntaram: *Como, para a glória de Deus?* E ele respondeu: *A Bíblia não diz, em 1 Coríntios 10.31: "... quer comais, quer bebais ou façais outra qualquer coisa, fazei tudo para a glória de Deus"? Por isso é que bebi três copos de leite para a glória de Deus.*

Se você está pedindo algo para a glória de Deus, siga em frente e vá em paz. Não deixe que a tristeza atrapalhe o que o Senhor quer operar em sua vida. Pela fé, comece a agradecer pelo que o Senhor vai realizar, como se Ele já o tivesse feito. O milagre já está a caminho. Amém.

22 de fevereiro

Então, tomou Samuel uma pedra, e a pôs entre Mizpa e Sem, e chamou o seu nome Ebenézer, e disse: Até aqui nos ajudou o Senhor.
1 Samuel 7.12

Hoje em dia, quando acontece algo muito especial que queremos sempre recordar, tiramos fotografias. Já que no seu tempo não havia máquina fotográfica, o profeta Samuel fez uma coisa muito interessante para recordar uma grande vitória que Deus lhe deu: pegou uma pedra e colocou um nome — *pedra de ajuda*, ou Ebenézer, em hebraico.

Ao dizer: "Até aqui nos ajudou o Senhor", Samuel reporta-se ao passado. Ele recorda as tremendas batalhas que enfrentou. Mas se dá conta de que o Senhor jamais o abandonou. Diz ele: *O Senhor nos ajudou.* Samuel reconhece que teria perecido se não fosse a interferência divina.

No entanto, a *pedra de ajuda* nos traz para o presente. Ela é real, bem concreta, e está diante dos nossos olhos para nos lembrar: "Até aqui nos ajudou o Senhor". Mais real do que a pedra é a presença do Senhor conosco. Deus é invisível, porém as suas operações em nosso favor são bem visíveis. Há muitas coisas que estão acontecendo conosco agora que não têm nenhuma explicação, senão no fato de que Deus existe e está operando em nossas vidas.

Aquela pedra entre Mizpá e Sem era algo singular. Ela falava, sem pronunciar palavra alguma. Falava do passado, do presente e também do futuro. Quem olhava para aquela pedra percebia que, se o Senhor socorreu o seu povo no passado e sustentava-o no presente, certamente o conduziria em vitória no futuro.

Movido pela mensagem refletida na *pedra de ajuda*, Samuel empreendeu muitas outras batalhas, e comprovou a veracidade da mensagem de Ebenézer.

Quero convidar você a erigir sua Ebenézer hoje. Nossa pedra não é mais aquela que Samuel levantou. Nossa pedra hoje é Jesus, a pedra angular da Igreja. Sobre Ele está fundamentada a nossa fé.

Ao olhar para Jesus, nos conscientizamos do amor do Deus que nos contempla desde a eternidade. Amor que se manifestou nos séculos passados e que se revelou a nós. "Mas Deus prova o seu amor para conosco em que Cristo morreu por nós, sendo nós ainda pecadores" (Rm 5.8).

Em Jesus, nossa *pedra de ajuda*, estamos guardados no presente. Ele prometeu e está conosco todos os dias. "E é por Cristo que temos tal confiança em Deus" (2 Co 3.4).

Jesus é a nossa garantia de vitória, sempre. NEle somos mais do que vencedores. Através de Jesus, temos comunhão com Deus. "Se Deus é por nós, quem será contra nós?" (Rm 8.31)

Vamos fazer como Samuel. Vamos dizer como aquele profeta: Ebenézer, até aqui nos ajudou o Senhor. Demos graças pelas vitórias passadas. Enfrentemos com fé e coragem as batalhas do presente. Olhemos para o futuro com muita esperança e absoluta certeza de que venceremos. Nossa *pedra de ajuda* já esteve no Calvário, entre dois mortos. Ele ressuscitou e hoje está no céu, à direita do Pai, entre os querubins e serafins. Em breve, estaremos com Deus para sempre e Ele estará corporalmente entre nós, pois "assim como é o veremos" (1 Jo 3.2). Ebenézer! Amém.

23 de fevereiro

E, quando ouvirdes de guerras e de rumores de guerras, não vos perturbeis, porque assim deve acontecer; mas ainda não será o fim.
Marcos 13.7

Muitas palavras que o Senhor Jesus ministrou têm significado mais profundo hoje do que quando foram proferidas, principalmente, é claro, as de teor profético. Sim, porque as profecias se tornam mais evidentes quando se cumprem ou estão para se cumprir.

Jesus, em suas profecias, falou das guerras. Infelizmente, sempre houve guerras no mundo. Com tantas pessoas no mundo, tantos países e povos, as tensões aumentam e as guerras e os rumores de guerra também. Isso porque ainda temos a educação, a instituição de organizações, a realização de tratados para promover a paz; porém nada disso muda a natureza humana que é má.

Com o passar do tempo, um outro fator contribuiu para aumentar as tensões e os perigos das guerras. Foi o emprego da ciência na produção de armas cada vez mais destrutivas. Hoje estamos, literalmente, assentados num barril de pólvora que pode explodir a qualquer momento.

Nosso Salvador nos advertiu de que haveríamos de receber muitas notícias relativas a guerras e a rumores de guerras, mas também nos disse que não deveríamos temer. Ele afirmou que isso não seria o fim.

Há muitas pessoas, agora mais do que nunca, marcando data para o fim do mundo. Enquanto a Igreja de Jesus Cristo estiver por aqui, o mundo não se acabará. Todavia, após a Igreja ser arrebatada aos céus, a situação para quem ficar se tornará muito difícil. Mas quem tem comunhão com Deus vai estar nos céus, usufruindo da presença de Deus.

Vamos tirar uma conclusão do que já dissemos até agora. A conclusão é esta: Deus tem o controle dos conflitos entre as nações. Os homens só vão até onde o Senhor permitir. Ora, se Deus tem o controle dos conflitos internacionais, tem também o controle sobre os outros tipos de conflitos. Nenhum conflito destruirá os filhos de Deus. Brigas de vizinhos, intrigas em locais de trabalho, desavenças familiares, nada poderá prejudicar aquela pessoa que confia em Deus. Diz-nos o salmista: "Ainda que um exército me cercasse, o meu coração não temeria; ainda que a guerra se levantasse contra mim, nele confiaria" (27.3). Jesus nos disse: "...não vos perturbeis..."

Há um tipo de conflito que pode nos prejudicar e muito. No entanto, a vantagem é que a solução dele depende de cada um de nós. É o conflito com Deus. Da parte dEle, a bandeira branca já foi hasteada. Agora depende de aceitarmos ou não a paz. Jesus é o Príncipe da Paz. Ele veio nos reconciliar com Deus. E a Bíblia diz: "Sendo, pois, justificados pela fé, temos paz com Deus por nosso Senhor Jesus Cristo" (Rm 5.1). Você já tem essa paz? Então, desfrute-a, não deixe que nada, nem ninguém, a interrompa. Se ainda não a tem, receba-a hoje. Achegue-se a Deus, rendido ao seu grande amor, por intermédio de Jesus Cristo, e receba a verdadeira paz. Tendo a paz interior, você não temerá nenhum conflito externo, nem mesmo quando ouvir falar de guerras e rumores de guerra. Amém.

24 de fevereiro

Então, disse Samuel ao povo: Não temais; vós tendes cometido todo este mal; porém não vos desvieis de seguir ao Senhor, mas servi ao Senhor com todo o vosso coração.
1 Samuel 12.20

Um homem tinha uma esposa muito teimosa. Um dia, ambos estavam caminhando juntos e a mulher caiu num rio. Em vez de correr em socorro da mulher rio abaixo, o homem começou a correr rio acima. Quando alguém reclamou com ele, o homem disse: *Essa mulher é tão teimosa que só pode ter se afogado indo na direção contrária à correnteza do rio.*

Como é uma história pertencente ao folclore, não se sabe se o homem procurou a mulher rio acima por convicção ou se fez isso para se livrar dela. Agora, que é difícil lidar com pessoas teimosas, é.

Quando o teimoso *quebra a cara*, dá vontade de dizer: *Bem feito. Eu não avisei?* Os pais e pastores que o digam. Graças ao Senhor que há muitos pais e líderes que têm amor e maturidade suficientes para não abandonar os teimosos à mercê da própria sorte. Ainda bem que Deus, perfeito e santo como é, não nos abandona à nossa própria sorte, quando insistimos em nossas teimosias.

Temos uma palavra aos pais e líderes que lidam com pessoas teimosas: Vamos imitar o profeta Samuel. Ele foi rejeitado pelo povo. Seus liderados, pessoas que foram libertas e salvas graças aos bons serviços que ele havia prestado à nação, agora exigiam sua renúncia e a nomeação de outro líder. Samuel sabia que o povo estava sendo precipitado, além de ingrato, porém fez o que o povo pedia. Samuel não ficou ressentido com aquele povo, não ficou desejando-lhe o mal. Quando o povo percebeu a *mancada* que tinha dado, e isso não demorou muito, não ouviu o esperado *eu não disse?* Samuel o recebeu bem. Voltou a dar seus sábios conselhos e se prontificou a orar por ele. E sabe o que mais? O velho profeta declarou publicamente que considerava até um pecado deixar de orar por seus ex-liderados. E mais ainda: Mesmo sem o título de líder maior do país, Samuel dedicou o resto de sua vida ao serviço de sua nação, dando sua contribuição, sempre que necessária, inspirando segurança ao povo, acompanhando-o em momentos difíceis e decisivos.

Agora, uma palavra aos teimosos. A humildade é uma virtude muito importante. Não nascemos humildes. Aprendemos a ser humildes. Jesus nos diz em Mateus 11.29: "Tomai sobre vós o meu jugo, e aprendei de mim, que sou manso e humilde de coração..." Quando uma pessoa é teimosa, é porque lhe falta humildade. Falta humildade para aceitar que não sabe tudo; aceitar que alguém mais experiente, ainda que menos culto, tem uma visão melhor do mundo, algo para ensinar. É preciso humildade para, uma vez advertido, ponderar as coisas, avaliar melhor as decisões já tomadas, e voltar atrás, se for o caso, evitando prejuízos para si mesmo e para outras pessoas. É preciso humildade para reconhecer o erro cometido, voltar atrás, pedir desculpas e procurar reparar os danos causados.

Se você é do tipo *cabeça dura* e já cometeu algum erro que lhe está trazendo tristeza, remorsos, arrependimento, receba as palavras do profeta Samuel. Ele disse: "Não temais..." Ainda existe possibilidade de perdão. Se o seu arrependimento é sincero, Deus o perdoará, com toda a certeza. E arrependimento é isto: sentir uma tristeza tão grande pelo erro cometido a ponto de decidir não cometê-lo mais. Fazendo assim, o pecado é purificado, pelo poder do sangue de Jesus, e o Senhor nos dá forças para não incorrermos mais no erro. Ele também nos dá forças para repararmos os prejuízos que causamos. Volte-se para o Senhor agora mesmo. Ele vai ajudar você. Amém.

25 de fevereiro

> ... Porventura, operará o Senhor por nós, porque para com o Senhor nenhum impedimento há de livrar com muitos ou com poucos.
> 1 Samuel 14.6

Houve um tempo em que os inimigos do povo de Deus estavam tão fortes que conseguiram impedi-lo de fabricar as próprias armas. Era uma situação muito difícil. O povo de Deus não podia prevalecer contra os inimigos porque não tinha armas; e não podia fabricar armas porque os inimigos não deixavam. Para os inimigos, a situação estava sob controle. Precisavam apenas manter as coisas como estavam. Os inimigos diziam, como às vezes alguns de nós dizem: *Não precisa melhorar. Se melhorar, estraga.*

Beco sem saída. Essa é a situação em que nos encontramos muitas vezes. Olhamos para um lado e para outro e não vemos solução. Fazer o quê? Se Deus não fizer um milagre, qualquer atitude nossa pode agravar ainda mais o problema.

Quem vive sintonizado com Deus não fica numa situação difícil por muito tempo. De repente, aparece uma solução. Foi o que aconteceu com Jônatas e o seu pajem de armas. Subitamente, tiveram um desejo de caminhar em direção ao inimigo. Parecia tendência suicida, loucura. No entanto, não é loucura. É fé. A fé nos empurra, quebra o silêncio, o marasmo, acaba com o comodismo, liquida o derrotismo.

Certo grupo de irmãos estava na igreja, num domingo à tarde, sem poder sair para o evangelismo porque a chuva não deixava. Foi então que alguém teve a idéia de orar, pedindo ao Senhor que fizesse a chuva cessar. E não é que a chuva parou mesmo? Aqueles irmãos saíram regozijantes, agora com mais entusiasmo para fazer o trabalho que desejavam. Foi então que alguém notou que, ao contrário dos demais, uma menina saía sem o guarda-chuva. *Você não vai levar o guarda-chuva? Não tem medo de apanhar um resfriado?*, perguntaram à menina. A resposta veio rápida e direta: *Não oramos para não chover? Então, para que levar guarda-chuva?*

A fé tem sua lógica própria, não é contrária à razão comum. Ela é apenas superior. Para Jônatas, a lógica era esta: *A gente só sai desta situação se Deus operar um milagre. Para operar um milagre, Deus precisa de alguém. E por que esse alguém não pode ser eu mesmo?* Lógica impecável. E quando Jônatas consulta o seu companheiro, vê que ele está imbuído da mesma fé. Uma pessoa com fé é bom. Duas, unidas na mesma fé, é ainda melhor. Deus operou um grande livramento através daqueles dois homens, tal como o próprio Jônatas havia profetizado. Sim, quando ele disse: "Porventura operará o Senhor por nós", estava profetizando para si mesmo. É uma experiência maravilhosa, que pode ser vivida por qualquer um de nós: profetizar para si mesmo. Uma profecia dessa natureza surge quando nos damos conta do poder que tem o nosso Deus. Confessar o seu poder é liberá-lo para agir ao nosso redor ou onde for necessário. Confessar o poder de Deus é liberar o poder de Deus.

De fato, o Senhor operou um milagre tão grande, através de Jônatas e de seu pajem de armas, que diz a Bíblia: "... e até a terra se alvoroçou..." (1 Sm 14.15)

E, então, vamos sair desse beco sem saída? Permita que Deus use você mesmo para criar a saída. O primeiro passo é estar em comunhão com Ele. Se ainda não tem essa comunhão, busque-a e receba-a agora mesmo, pela fé na morte e ressurreição de Jesus Cristo, o Filho unigênito de Deus. Se você já está ligado a Deus pela fé em Jesus, confesse o poder de Deus sobre as dificuldades que o têm cercado. O poder do Senhor é maior que tudo. Diga isso para você mesmo e saia ao campo. Você será a pessoa usada pelo Senhor. Os inimigos, as forças sobrenaturais do mal, vão fugir; a terra vai tremer, a vitória virá. Creia nisso. Amém.

26 de fevereiro

Porém ele disse-lhes: Não vos assusteis; buscais a Jesus, o Nazareno, que foi crucificado; já ressuscitou, não está aqui; eis aqui o lugar onde o puseram.
Marcos 16.6

A Bíblia registra várias aparições de anjos. Sempre que aparecem, eles falam. Suas palavras são muito objetivas e sérias. O autor aos Hebreus registrou: "... a palavra falada pelos anjos permaneceu firme" (2.2).

Os anjos foram os primeiros a apregoar a ressurreição de Jesus. Eles deram a extraordinária notícia de que Jesus ressuscitara e não mais se encontrava no sepulcro. Para reforçar sua mensagem, um deles disse: "Eis aqui o lugar onde o puseram". O anjo convida as pessoas que estavam assustadas com a presença deles a ver o lugar onde Jesus não estava!

Conquanto cooperem para que as pessoas tomem conhecimento do caminho da salvação, os anjos não pregam o evangelho. Mas, se o fizessem, como seria a pregação deles? É possível que continuassem a convidar pessoas a verem os lugares onde outras deveriam estar e não mais estão. Por exemplo: *Veja esta mesa de bar onde aquele alcoólatra deveria estar. Ele não está aqui porque Jesus o libertou. Veja a cela onde deveria estar aquele criminoso. Ele não está aqui porque Jesus mudou-lhe a vida e ele abandonou o crime. Veja o hospício onde deveria estar aquela pessoa que ia de mal a pior. Ela não veio parar aqui porque encontrou Jesus antes e sua vida tomou outra direção. Veja este cemitério, veja a cova onde deveria estar aquele doente, desenganado pelos médicos. Ele não está aqui porque Jesus o curou antes.*

E se os anjos pregassem mensagens de encorajamento para os crentes que, às vezes, vacilam na fé? Talvez fossem ouvidas mensagens assim: *Venha. Vou mostrar-lhe a sarjeta, onde você estaria se a misericórdia de Deus não o tivesse alcançado. Você não está lá porque Jesus fez de você uma nova criatura. Você quer, mesmo, ir para lá? Venha, vou lhe mostrar o antro de prostituição, o lugar onde as pessoas se desonram e se corrompem, exatamente onde você estaria se continuasse longe de Jesus. Você não está lá porque Jesus o livrou. Venha, vou lhe mostrar o inferno, o lugar de eterno sofrimento, para onde vão as pessoas que morrem sem comunhão com Deus. Você só não está no inferno porque confiou sua vida a Jesus. Você tem certeza de que quer mesmo ir para lá?*

Imagine se um anjo o levasse, hoje, para o lugar onde você estaria, caso Jesus não o tivesse socorrido nos momentos de dificuldades que você atravessou no passado. Tente ouvir o anjo dizendo: *Você não está aqui porque Jesus ouviu sua oração naquele tempo.* Tome novo alento em sua vida. Seu Cristo está vivo. Alegre-se nEle. Confie nEle. Vença com Ele. Amém.

27 de fevereiro

E disse Davi a Saul: Não desfaleça o coração de ninguém por causa dele...
1 Samuel 17.32

Hoje, estamos diante da história do gigante Davi e o pequeno Golias. É isso mesmo: gigante Davi e pequeno Golias. Fisicamente era o contrário. O gigante era Golias e Davi era o pequeno. Porém, na hora da batalha, o que se viu foi exatamente isto: Davi, o grande; Golias, o pequeno.

No entanto, seria bom estar lá, naquela batalha, para ver a cara dos soldados de Israel. Eles foram aterrorizados, durante quarenta dias, pela arrogância de Golias. Duas vezes ao dia, o herói filisteu desafiava os guerreiros de Israel. E quem era maluco de encarar um desafio daqueles?! Ninguém, nem Saul, o valente rei de Israel, nem Jônatas, o aguerrido príncipe, nem os experimentados irmãos mais velhos de Davi; ninguém. Depois desses dias de medo, corre o boato: *Apareceu um sujeito disposto a encarar o desafio. Mas, quem é ele? É aquele filho mais novo de Jessé, aquele menininho que cuida de ovelhas. Você está brincando...? Davi? Só se for para rir mesmo. A piada foi boa, agora conta outra.*

Sabe o que o menino disse? "Não desfaleça o coração de ninguém por causa [do gigante]; teu servo irá e pelejará contra este filisteu". Se estivesse lá, naquele dia, você ficaria tranqüilo? Dá para confiar nesse menino? Pois é. Mas deu certo. De repente, ele se revelou um gigante.

A Bíblia diz, em 1 Coríntios 1.27, que "Deus escolheu as coisas fracas deste mundo para confundir as fortes". Ele escolheu uma vara de pastor para fazer com que as águas do mar se abrissem; escolheu derrubar as muralhas de Jericó com alaridos; escolheu colocar os numerosíssimos exércitos dos midianitas para correr, com berrantes, tochas e potes; escolheu um estilingue de adolescente para jogar um gigante por terra.

Deus levou essa história de usar "as coisas... que não são para aniquilar as que são" (v. 28) às últimas conseqüências. Jesus, o carpinteiro da Galiléia, aquele que "era desprezado e o mais indigno entre os homens" (Is 53.3), foi o maior exemplo, pois venceu a maior de todas as batalhas, a batalha contra Satanás. O único homem que venceu Satanás com o seu próprio poder foi Jesus de Nazaré.

Muitas pessoas têm, hoje, dificuldade em crer em Jesus como Senhor e Salvador. Podem até aceitar que Ele, apesar de nunca haver freqüentado uma grande escola, seja um mestre. Podem até crer que Ele tenha realizado milagres. Mas acreditar que Jesus seja o Salvador do mundo??? Isso já é mais difícil.

Entretanto, amigos, assim como todos os soldados de Israel viram, naquele dia, o brutamontes no chão e Davi em cima dele cortando-lhe a cabeça, todos os que têm confiado em Jesus têm visto a derrota de Satanás em suas vidas. Pessoas que viviam atormentadas pelos demônios, que andavam acorrentadas pelos vícios, que já não viviam, apenas vegetavam, oprimidas pelo Diabo, têm experimentado uma libertação completa, encontrado a verdadeira razão de viver, recebido paz, esperança e amor, simplesmente deixando Jesus ser Senhor delas mesmas. Jesus, o Filho de Davi, disse categoricamente: "Se, pois, o Filho vos libertar, verdadeiramente sereis livres" (Jo 8.36).

Agora, quero partilhar com você mais uma gloriosa promessa de Jesus: "Aquele que crê em mim também fará as obras que eu faço, e as fará maiores do que estas" (Jo 14.12). Jesus está dizendo que, assim como Ele venceu o mundo, o Diabo e a carne, você também pode vencer e ser um herói. Você pode ser um guerreiro valente, como Davi. Pode vencer as dificuldades que o atormentam agora, os gigantes que o têm desafiado, dia após dia. Você agora vai ser o gigante e esses gigantes se transformarão em formigas. Faça como Davi: enfrente-os, em nome do Senhor dos Exércitos. Amém.

28 de fevereiro

Fica comigo, não temas, porque quem procurar a minha morte também procurará a tua, pois estarás salvo comigo.
1 Samuel 22.23

A promessa de hoje foi feita originalmente por Davi a Abiatar. Davi havia passado por algumas experiências que o faziam sentir-se comprometido com Abiatar. Ele se sentia obrigado a defender Abiatar. Por isso, o convite: "Fica comigo..."

Quando era menino, gostávamos de brincar apresentando uma pessoa e dizendo: *Este é o fulano de tal. Mexeu com ele... mexeu comigo. Se bater nele... é meu amigo.* Hoje, já adulto, sei que há pessoas que não dizem isso de nós, mas bem que pensam. São os falsos amigos.

Há pessoas que não são falsas. São apenas muito pragmáticas. Elas confessam claramente: *Eu não tenho amizades: tenho interesses.* Quem se aproxima dessas pessoas já sabe como elas são e não alimenta grandes expectativas quanto a elas.

Há amigos que podem até nos defender, desde que isso não lhes custe muito. A amizade existe, só que não é tão forte a ponto de justificar a realização de grandes sacrifícios para mantê-la. A disposição para o sacrifício é proporcional ao grau de amizade.

Há pessoas que são realmente amigas e estão dispostas a se sacrificar pelos amigos; contudo, por mais que queiram, não têm condições de fazer muita coisa. Querem ajudar, mas não podem.

No caso de Davi e Abiatar, havia um pacto de vida e morte. Era a vida de um em garantia da vida do outro. Davi tinha diante de si dois destinos possíveis: morrer ou sobreviver e reinar. Se ele morresse, Abiatar também morreria. Se escapasse, Abiatar sobreviveria e seria amigo do rei.

Hoje, lemos a Bíblia e conhecemos o final da história. Abiatar sofreu bastante, acompanhando Davi na luta pela sobrevivência. Porém, Davi era um homem de Deus, e tinha promessas de que seria rei de Israel; por isso não tinha como perecer. Ele prevaleceu contra as adversidades, acabou sendo de fato o rei de Israel, e Abiatar pôde então dizer: *Valeu a pena.*

Há alguém que nos diz: *Fica comigo.* Esse alguém é Jesus. Assim como as perseguições levaram Abiatar ao encontro de Davi, as lutas que nos sobrevêm levam-nos a procurar socorro em Jesus.

Em Cristo, sempre encontraremos solidariedade e prontidão em nos proteger. No entanto, como Davi foi perseguido por alguém que não queria que ele reinasse, há quem esteja lutando hoje para que Jesus não reine neste mundo. Identificarmo-nos com Jesus certamente nos trará problemas. Ninguém pode pensar que pelo fato de ser cristão não terá problemas. Pelo contrário. Quem persegue a obra de Jesus, persegue aqueles que se identificam com Ele. A vida cristã, muitas vezes, inclui momentos de dificuldades e angústias. Às vezes, parece que vamos morrer. Contudo, recordemos que Davi disse a Abiatar: "... quem procurar a minha morte também procurará a tua, pois estarás salvo comigo". As Escrituras afirmam que a nossa vida "... está escondida com Cristo em Deus" (Cl 3.3). Não pode haver maior segurança.

Contudo, temos lutas. Às vezes, é necessário até que percamos a vida física. Muitos servos fiéis de Deus perderam a vida na batalha da fé. Eis o que a Bíblia nos diz também a respeito disso: "Palavra fiel é esta: que, se morrermos com ele, também com ele viveremos; se sofrermos, também com ele reinaremos; se o negarmos, também ele nos negará" (2 Tm 2.11,12).

Davi venceu e reinou durante quarenta anos. Jesus venceu e reinará para sempre. Quem for fiel a Cristo reinará com Ele. O Salvador nos convida hoje: "Fica comigo..." Fique com Ele hoje, e para sempre. Amém.

29 de fevereiro

E disse Jesus a Simão: Não temas; de agora em diante, serás pescador de homens.
Lucas 5.10

Pedro era pescador. No dia em que Jesus o chamou para dedicar-se inteiramente ao evangelho, disse que ele passaria a ser pescador de homens. E se Pedro fosse soldador? Passaria a ser *soldador de homens*? Já pensou se ele fosse açougueiro?

Há profissões que parecem combinar melhor com esse tipo de comparação. Por exemplo: *construtor de homens, reformador de homens, purificador de homens*.

O que Jesus estava dizendo era que Pedro passaria a utilizar as habilidades que possuía, como pescador, para conquistar vidas e levá-las à comunhão com Deus.

Na verdade, as habilidades que desenvolvemos em qualquer profissão podem ser úteis na conquista de vidas para Deus. Até na profissão de açougueiro. Por exemplo, este tipo de profissional sabe discernir bem os diversos tipos de carnes, onde termina uma peça e começa a outra. Ter discernimento é muito importante na tarefa de evangelizar.

Jesus começou o anúncio de que Pedro seria pescador de homens dizendo "Não temas..." Por quê? Porque Pedro estava assustado. Tão assustado que pedira a Jesus para se afastar dele. O que foi que houve com Pedro? Passara a noite pescando e não apanhara nada. Quando já estava lavando as redes, dando a pesca por perdida, Jesus apareceu e pediu o seu barco emprestado para utilizá-lo como palanque. Depois da pregação, o Messias ordenou que Pedro voltasse a pescar. Contrariando os seus conhecimentos de pescador, em obediência ao Mestre, ele lançou suas redes ao mar. E apanhou tanto peixe que quase foi a pique. Ao ver tamanha demonstração de poder, Pedro entendeu que Jesus era uma pessoa muito especial e ficou com medo dEle. Então, Jesus lhe disse: "Não temas..." Estas palavras encorajadoras tanto se referiam às experiências que Pedro estava vivendo no presente, como também às que ele teria no futuro.

O Senhor disse a Pedro e diz também a mim e a você que, quando alguém coloca o que é e o que sabe à disposição dEle, pode contar sempre com sua companhia e cooperação. Porém, não precisa ter medo, pois, por sua imensa misericórdia, Ele usa pessoas pequenas e falhas como nós. A grandeza dEle estará ao nosso lado, não para nos destruir, mas para nos ajudar.

Jesus ministrou a Pedro e ministra a você e a mim que, sem a bênção dEle, não prosperaremos em nada, por mais habilidosos que sejamos. Os esforços gastos numa noite inteira, num dia inteiro, num mês inteiro, numa vida inteira, sem a bênção de Jesus, serão inúteis. Com a bênção dEle, em poucos minutos recuperaremos todo o tempo perdido.

Seja qual for sua atividade profissional, desde que seja honesta, dedique-a ao Senhor. Consagre a Ele as habilidades que possui. Deixe que Jesus use você como um instrumento para abençoar vidas em seu lar, na vizinhança, onde mora, em sua escola, em seu local de trabalho, em qualquer ambiente que você freqüenta. E se o Senhor o chamar para dedicar-se à obra do evangelho em tempo integral, não tenha medo. Jesus sabe e pode cuidar daqueles que confiam nEle. Amém.

1º de março

E, vendo-a, o Senhor moveu-se de íntima compaixão por ela,
e disse-lhe: Não chores.
Lucas 7.13

Três coisas que Jesus, de acordo com o senso comum, não deveria fazer naquele dia: Primeira, dizer a uma viúva — que também perdera o único filho — para não chorar. Ela precisava chorar. Que Jesus simplesmente chorasse com ela; que falasse acerca da felicidade dos que vão para o céu. Porém, dizer "Não chores"? Será que não sabia dirigir-se a uma pessoa enlutada?

Ele também não deveria tocar o caixão. Pelas leis cerimoniais judaicas, isso tornaria uma pessoa imunda. Ademais, atrapalhava o enterro; os que carregavam o defunto até tiveram que parar.

A terceira ação de Jesus, contrariando o senso comum, foi falar com o defunto. Ora, morto não escuta; não sabe de nada; muito menos obedeceria ordens. O Senhor ordenou que o defunto se levantasse! E ele levantou-se.

Quando o jovem, já ressuscitado, assentou-se e começou a falar, tudo passou a ter sentido. Se Jesus ressuscita os mortos, pode parar os enterros. E é até bom que os interrompa mesmo. Se pode parar enterros e ressuscitar mortos, pode dizer a uma pessoa enlutada: "Não chores".

Jesus já lhe deu alguma ordem que, aparentemente, não fazia sentido? Preste atenção: Ele quase sempre contraria a lógica. Deixe que Ele opere em sua vida o seu querer; obedeça as suas ordens. De repente, tudo vai fazer sentido! Jesus lhe disse para não chorar? Mandou se alegrar? Faça isso.

Na cidade de Naim havia um moço que nunca mais falaria nem andaria; estava morto. Seu corpo logo seria deteriorar-se. Sua mãe nunca mais o veria. No entanto, Jesus mudou tudo! O Senhor da Vida chamou o moço, e ele assentou-se, para alegria de sua mãe.

Para o Senhor não existe caso perdido. Quando uma situação parece complicada, o amado Salvador chega e diz: "Não chores". Ouça e faça o que Ele manda, e tudo se resolverá. Creia que todas as coisas ficarão melhores do que você pode esperar. Amém.

2 de março

E disse-lhe: Não temas, que não te achará a mão de Saul, meu pai; porém tu reinarás sobre Israel...
1 Samuel 23.17

Uma poderosa mão procurava Davi para destruí-lo. Era a mão do homem que mais tinha condição de fazer isso: o rei de Israel.

Na verdade, a mão que queria matar Davi era a de Satanás, que apenas se servia de Saul. E, por que o Diabo queria fazer isso? Primeiro: sua tríplice missão é roubar, matar e destruir. E também porque Davi fora designado por Deus para o cumprimento de uma obra especial.

Quando o Inimigo percebe que Deus tem um plano na vida de uma pessoa, procura logo destruí-la. Raramente, ataca-nos pessoalmente, mas usa alguém para fazer isso.

Se ele tem lhe atacado é porque sabe que Deus tem um plano especial na sua vida. Talvez você mesmo não tenha percebido, mas o astuto Inimigo sim, embora não seja onisciente.

Davi fugiu para as montanhas, meteu-se pelas cavernas, e Saul foi atrás dele. Forçado a sair de seu país, o futuro rei correu perigo em terras estranhas, quase morreu nas mãos de seus companheiros de infortúnio, chorou, orou e fez salmos. E Saul continuava atrás dele, perseguindo-o como um caçador atrás de uma presa.

Então, Jônatas, seu amigo, disse-lhe: "Não temas, que não te achará a mão de Saul, meu pai". Mais do que palavras de conforto, foram proféticas, pois se cumpriram fielmente na vida de Davi. Isso nos leva a crer que a mão do Inimigo não nos alcançará!

Houve um momento em que Davi ficou completamente cercado; sem saída. Parecia o fim. Contudo, de repente, Saul teve de desistir momentaneamente para enfrentar um problema, em outro lugar, e o servo do Senhor foi salvo por um triz. O Inimigo pode nos cercar de todos os lados, e Deus permite. E agora? Pereceremos? Não! Ainda há uma saída: em cima. O Diabo então apressa-se para colocar uma "tampa". Mas Deus ordena: "A tampa não podes colocar". Glória a Deus, pois sempre haverá uma saída para cima.

O Senhor permitiu que os papéis se invertessem por duas vezes, dando a Davi a oportunidade de matar o rei de Israel. Este saíra para matar aquele, porém tudo aconteceu ao contrário. Que fez o homem segundo o coração de Deus? Refreou-se e não quis matar aquele que o perseguia tão impiedosamente. Afinal, o problema não era com ele, e sim com o Inimigo invisível, espiritual. Renunciando ao uso das armas materiais, Davi valeu-se da força espiritual que possuía. E a mão de Saul nunca lhe tocou.

Temos sempre duas opções: usar as armas carnais ou as espirituais. Se valermo-nos das nossas próprias armas — a força física, a inteligência, a influência —, inibiremos a ação de Deus. Se reconhecermos nossa inteira dependência do Senhor, deixando que Ele aja por nós, então as mais poderosas armas estarão ao nosso dispor.

Refugie-se em Deus agora. Entregue sua vida a Ele, se ainda não o fez. Renuncie às armas carnais; empunhe as espirituais. Não tenha medo. Você vencerá.

3 de março

E disse-lhe Davi: Não temas, porque decerto usarei contigo de beneficência por amor de Jônatas, teu pai, e te restituirei todas as terras de Saul, teu pai, e tu de contínuo comerás pão à minha mesa.
2 Samuel 9.7

Certo homem com muitos conhecimentos e pouca sabedoria visitou o interior para algumas pesquisas. Como se deslocaria através de rios, contratou os serviços de um humilde canoeiro. Navegando entre florestas, pôs-se a louvar a beleza e as qualidades das plantas, só que empregava adjetivos acadêmicos, ininteligíveis para o pobre barqueiro. Ao ver o ar de espanto de seu serviçal, iniciou com ele um diálogo:

— Você não entende nada de botânica?

— Bo... Bo... O quê, doutor?

— Bo-tâ-ni-ca, meu amigo. Você não entende nada disso?

— Não sinhô. Eu num sei o que é isso, não.

— Ah, meu amigo, vivendo num lugar desses e não conhecendo nada de botânica, está perdendo boa parte de sua vida...

Onde há vegetação abundante, existem borboletas, besouros e muitos outros insetos. E agora é de entomologia que o visitante começa a falar. Pobre barqueiro — continua não entendendo nada.

— Não me diga que você não entende nada de entomologia também — exclama o sujeito metido a cientista.

— Não sinhô, eu não entendo nada dessa coisa difícil que o sinhô falou aí agora.

— Então, meu amigo, você me desculpe a franqueza, mas tem perdido, de fato, boa parte de sua vida.

Fatalidades podem acontecer com qualquer pessoa... Bem, a frágil embarcação chocou-se com as pedras, rompeu-se, e os homens caíram nas águas fundas e revoltosas do rio.

— Dotô, o sinhô sabe nadar? — perguntou o barqueiro, ao ver a correnteza levar o seu culto companheiro.

— Não — responde o desesperado náufrago.

— Então, o sinhô agora perdeu foi sua vida toda!

Realmente, há perdas irreparáveis. O texto de hoje fala de Mefibosete, que perdeu quase tudo: o direito ao trono, muitos bens materiais e a integridade física — ficara aleijado, sem condições de locomover-se por conta própria, pelo resto da vida. No entanto, conservou o principal: não perdeu a lealdade e a sinceridade, tampouco a excelência de um caráter humilde e a sua fé em Deus.

Um dia, o rei o chama. Assustado, comparece à audiência. Mas as notícias eram boas! O que o rei queria? Devolver-lhe todos os bens que perdera, convidando-o a freqüentar permanentemente a corte. Tudo porque Jônatas, seu saudoso pai, fora amigo íntimo de Davi, agora o rei de Israel.

Aquele mesmo "Não temas" do rei a Mefibosete é transmitido a todos os homens. Nascemos desprovidos de tudo, na condição de pecadores — separados de Deus. A Bíblia diz: "Todos pecaram e destituídos estão da glória de Deus" (Rm 3.23). Mas, por causa do seu insondável amor, Deus — que enviou Jesus para morrer por nossos pecados — convida-nos a receber as prerrogativas de filhos. E, como conseqüência, as riquezas da herança divina.

Os filhos de Deus não devem perder a fé quando passarem por situações difíceis nesta vida. Se a perderem, ficarão desprovidos de tudo. Conservando-a, receberão de volta — e de forma multiplicada — todas as coisas que perderam!

4 de março

Jesus, porém, ouvindo-o, respondeu-lhe, dizendo: Não temas; crê somente, e será salva.
Lucas 8.50

Um morto pode ter fé? Não. Mas, e a fé, pode ressuscitar um morto? Claro que sim. Nesse caso, a ressurreição de alguém sempre dependerá de outra pessoa que possua fé no coração.

Uma das maravilhas da fé é que ela não beneficia apenas quem a possui. Geralmente, é usada para abençoar os outros. Um tem fé — milhares são abençoados! Isso é maravilhoso.

A fé depende de conhecimento da Palavra de Deus. Muitos não têm fé porque lhes falta o conhecimento. Entretanto, alguns conhecem a Palavra de Deus e podem ter fé para abençoar os que não a possuem.

Às vezes, a pessoa não tem fé porque está morta — seja morte física, como no caso da filha de Jairo, seja espiritual.

Segundo Lucas 8.40-56, Jairo procurara Jesus porque sua filha, de quase doze anos, estava sobremodo enferma. Antes, no entanto, de o Mestre chegar à casa, a menina morreu. O pai quase sucumbiu com a notícia. Só não desmoronou porque Jesus lhe garantiu que, se não deixasse apagar a chama da fé em seu coração, a menina seria salva: "Não temas; crê somente, e será salva". E a menina ressuscitou! Ela, de fato, morrera, mas a fé de Jairo — alimentada pela Palavra de Jesus — não!

Ei, você não quer empregar sua fé em benefício de outros? Use-a para ressuscitar, curar ou libertar alguém que não tenha essa virtude poderosa! Talvez esteja intercedendo por alguém e pensando: "Eu tenho fé, mas esta pessoa, não. Não vai adiantar nada interceder por ela". Ouça Jesus agora: "Não temas; crê somente, e será salva". Salva da opressão maligna, do poder do pecado, da doença e até da morte.

Creia. Não deixe a chama da fé apagar. Creia somente. Há outros dependendo de você. Se deixar de crer, perecerão. Peço em nome delas — que estão mortas; não podem pedir. Amanhã, lhe agradecerão: "Quando orava por nós, não podíamos crer. Estávamos cegos. Nossa mente estava fechada e não entendíamos nada. Mas você creu e intercedeu, até que fomos salvos. Muito obrigado. Deus o recompensará".

Assim, não dê crédito aos desestimuladores nem aos que dizem: "Não adianta crer". Creia somente. Haverá salvação. Não temas! Amém.

5 de março

E Elias lhe disse: Não temas; vai e faze conforme a tua palavra; porém faze disso primeiro para mim um bolo pequeno e traze-mo para fora; depois, farás para ti e para teu filho.
1 Reis 17.13

Se o profeta Elias vivesse em nossos dias, seria processado, e a imprensa não lhe daria tréguas. Sob qual acusação? Explorar os pobres! Por quê? Simplesmente porque, num tempo de crise econômica, hospeda-se na casa de uma pobre viúva e ainda faz exigências! Quando a pobre mulher lhe diz que nada tinha, exceto um pouquinho de farinha e azeite — que seriam usados para a última refeição dela e de seu filho —, ele exige que lhe faça primeiro um bolo! Pasme: ela atendeu ao estranho pedido.

No entanto, a viúva não fez isso por acaso, pois creu na promessa feita pelo profeta: "Assim diz o Senhor, Deus de Israel: A farinha da panela não se acabará, e o azeite da botija não faltará, até ao dia em que o Senhor dê chuva sobre a terra". A mulher, portanto, foi impulsionada pela fé. E deu certo. Nunca se arrependeu do que fez.

Às vezes, alguém pergunta: "Como é possível esperar que, ganhando salário mínimo, uma pessoa contribua com os dízimos? Isso não é desumano?" Seguindo esse raciocínio, muitos, em dificuldades financeiras, justificam-se por não darem esmolas aos pobres, bem como ofertas e dízimos à igreja.

Voltemos ao episódio da viúva. Que risco ela corria em fazer um bolo para o profeta? Ela morreria mesmo. Fazendo um bolo para o homem de Deus, entretanto, teve a fé de que não morreria. Sabia que, quanto menos uma pessoa tem, mais tem para ganhar?

Antigamente, era comum ver nas ruas das cidades interioranas os chamados mascates. Andavam de casa em casa oferecendo os seus produtos. Com o resultado das vendas, acumulavam mais mercadoria e estoque. E assim sucessivamente, até que o pequeno empreendedor tornava-se dono de uma grande loja no centro da cidade. Todos diziam, brincando, que o mascate fazia anualmente um balanço bem original: abria uma mala vazia no meio da loja, enchendo-a de mercadoria das prateleiras... Pronto! Uma vez a mala cheia, o restante seria lucro, posto que começara apenas com uma mala. Isto aplica-se a nós. Viemos a este mundo sem nada. Tudo o que temos é lucro.

Jesus viu, certa vez, uma pobre viúva lançar em um recipiente próprio para recolher ofertas tudo o que possuía. Na verdade, era apenas uma moeda, mas Ele não a impediu de contribuir, considerando a sua oferta a maior entre todas.

Crueldade é impedir o pobre de ofertar. A única maneira de deixar sua pobreza é exercitar o amor à obra de Deus mediante a contribuição voluntária. Uma pessoa disse a um pastor: "Eu não dou o dízimo porque sou pobre". Ao que ele respondeu: "Nada disso. Você é pobre porque não dá o dízimo".

A mensagem de hoje é um desafio a todos que estão em crise financeira. Abra, pois, a sua mão e o seu coração para ofertar. Faça uma contribuição de fé. Não tenha medo. O mesmo Deus que sustentou aquela viúva o sustentará e o abençoará grandemente. Ele é fiel. Amém.

6 de março

Então, o profeta chegou-se ao rei de Israel e lhe disse: Vai, e esforça-te, e atenta, e olha o que hás de fazer; porque, no decurso de um ano, o rei da Síria subirá contra ti.
1 Reis 20.22

Um sujeito chega a um bar em que havia muita gente valente e abre a porta com o pé, violentamente. Muitos, de imediato, levantam-se com as mãos no revólver, e ele pergunta: "Quem é o mais valente aí?" Todos se voltam para Ed Morte, o mais temível pistoleiro da região, que já estava irado, pronto para atirar.

O desafiante, então, de modo surpreendente, diz: "Seremos nós dois contra o resto".

Essa é a estratégia certa: descobrir o mais valente e unir-se a ele. Na luta contra os siros, o fraco rei Acabe aliou-se a Deus. Na primeira batalha, aqueles apareceram com um exército numeroso, bem armado, arregimentando trinta e duas nações. Mas o Senhor disse ao rei: "Viste toda esta grande multidão? Eis que hoje te entregarei nas tuas mãos, para que saibas que eu sou o Senhor". Acabe não estava bem espiritualmente; porém, naquele momento, creu e seguiu a orientação divina. Resultado: vitória. Em seguida, veio a advertência, em quatro verbos: "Vai, esforça-te, atenta e olha". O rei da Síria voltaria com um exército tão poderoso quanto o primeiro.

A advertência era muito clara: Acabe deveria permanecer na presença de Deus, e ele fez isso. Quanto aos siros, cometeram um grande erro, ao desafiar o Todo-Poderoso: "Seus deuses são deuses dos montes, por isso foram mais fortes do que nós; mas pelejemos com eles em campo raso, e por certo veremos se não somos mais fortes do que eles!" A vitória de Israel, então, foi definitiva.

Você quer ser vitorioso? Alie-se ao Senhor. Não há ninguém mais forte do que o Criador dos céus e da terra. Ele vence em qualquer tipo de terreno. "Não há sabedoria, nem inteligência, nem conselho contra o Senhor" (Pv 21.30).

Lutemos contra o pecado, que quer nos dominar. Jesus é mais forte e venceu o pecado. Aliando-nos a Ele, confiando no poder do seu sangue, também venceremos. Deus quer estar ao nosso lado nessa luta. Por isso, não se renda ao pecado. Resista-o, em nome do Senhor.

Temos que vencer o mundo — sistema de vida contrário à vontade de Deus. "O mundo jaz no maligno", embora seja atraente. Os melhores recursos de *marketing* são usados para nos convencer de que o mundo tem os seus encantos. Mas o poder de Deus é maior do que isso. A fidelidade e o amor de Deus são muito melhores do que qualquer prazer mundano.

Há muitas forças contrárias ao nosso redor. Não há como ser neutro diante desse quadro. Ou nos aliamos ao Senhor, ou ao mal. Una-se hoje mesmo àquEle que deu vitória a Acabe contra os siros. Seja também um vencedor. Amém.

7 de março

E digo-vos, amigos meus: Não temais os que matam o corpo e depois não têm mais o que fazer.
Lucas 12.4

De vez em quando ouvimos falar ou lemos a respeito de um escritor que entrou para o grupo dos "imortais". Isso significa que alguém agora integra a Academia Brasileira de Letras. Claro que se trata de uma grande honra pertencer a esta entidade. Além disso, a obra de um bom escritor pode manter a presença dele no meio da sociedade humana por muitas gerações.

Entretanto, nos tornamos imortais, de fato, quando recebemos Jesus em nosso coração. Ele mesmo declara: "As minhas ovelhas ouvem a minha voz, e eu conheço-as, e elas me seguem. E dou-lhes a vida eterna, e nunca hão de perecer" (Jo 10.27). Para quem o tem como Senhor e Salvador, a morte simplesmente não existe. Ao morrer e ressuscitar, o Senhor "... aboliu a morte e trouxe à luz a vida e a incorrupção, pelo evangelho" (2 Tm 1.10).

Por que os verdadeiros cristãos não têm medo da morte e até a ignoram? Porque não faz sentido temê-la. Alguém poderá pensar: "Como ignorá-la se eu mesmo já estive em muitos enterros?" Ora, os corpos dos crentes morrem e são sepultados. Contudo, não somos apenas matéria. Temos espírito e alma (a parte espiritual e invisível). Quando o corpo morre, a parte espiritual vai para o Paraíso. Por isso, Jesus disse ao malfeitor na cruz: "Hoje estarás comigo no Paraíso".

No futuro, os corpos dos crentes serão transformados. De acordo com a Bíblia, a ressurreição de Jesus — ocorrida no terceiro dia após a sua morte — é a garantia de que todos os verdadeiros cristãos ressurgirão incorruptíveis.

Por conseguinte, a morte é o começo da vida para os salvos em Cristo: "... estamos sempre de bom ânimo, sabendo que, enquanto estamos no corpo, vivemos ausentes do Senhor (Porque andamos por fé, e não por vista). Mas temos confiança e desejamos, antes, deixar este corpo, para habitar com o Senhor" (2 Co 5.6-8).

Não temamos a morte, pois nos conduz à vida. Nem o mal, visto que, na verdade, resultará em bem para nós. O único mal que devemos temer é a perda da comunhão com Deus. Fique firme, ao lado dEle e não tenha medo de nada. Amém.

8 de março

Não temerá, por causa da neve, porque toda a sua casa anda forrada de roupa dobrada.
Provérbios 31.21

Você sabe por que a mulher foi formada depois do homem? Bem, minha esposa diz que foi em razão de o homem ser apenas o rascunho... Mas há quem diga que, se a mulher fosse formada primeiro, daria palpite em tudo antes mesmo de Deus terminar a sua obra.

Que as mulheres não me queiram mal, porém eu fico com a última opinião. Ou seja, elas são inteligentes, questionadoras e gostam de enfrentar desafios... Gostam de participar, e não querem ser meras espectadoras. Cada vez mais a humanidade se dá conta do valor delas. E, felizmente, abrem-se-lhes espaços em todos os setores da sociedade.

Pesquisas recentes mostram que a saúde e a longevidade dos homens é proporcional à assistência que recebem de suas respectivas esposas. Apesar de sua crescente participação no mercado de trabalho, elas continuam sendo de fundamental importância para a estabilidade e bem-estar dos lares.

Para quem conhece a Bíblia, isso não é novidade. O livro de Provérbios contém várias observações quanto ao valor feminino, embora condene as que agem de modo imprudente. Este livro "fecha com chave de ouro" ao apresentar uma poesia de exaltação à mulher virtuosa — cujo valor "... muito excede ao de rubins" —, exaltando-lhe a inteligência, a firmeza de caráter, a capacidade de trabalho e a importância para a família, além de mostrar o seu trabalho dentro e fora de casa. "É como o navio mercante: de longe traz o seu pão" (Pv 31.14).

O termo "casa" simboliza o lar. Assim como as casas enfrentam intempéries, os lares sofrem ataques diversos. Casas são construídas para proporcionar conforto e abrigo, assim como os lares devem propiciar paz, alegria e compreensão.

O versículo em epígrafe menciona a neve caindo sobre uma casa. O que isso simboliza? Os fatores que conspiram contra a harmonia, o companheirismo e o calor humano. Todavia, o texto diz que a mulher sábia providencia "roupa dobrada" para garantir o seu bem-estar e o daqueles que convivem com ela.

Bem-aventurada é a mulher que ama o seu Criador e tem consciência de seu próprio valor. Felizes os homens que podem contar com o companheirismo de uma boa esposa, mãe, irmã, amiga. Deus abençoe as mulheres! Amém.

9 de março

E ele disse: Não temas; porque mais são os que estão conosco do que os que estão com eles.
2 Reis 6.16

Sentir-se em desvantagem nunca é bom. E quando são apenas dois homens contra um exército bem armado? Só um milagre! Mas não é sempre que as pessoas estão propensas a crer em milagres.

Imagine o semblante do moço que acompanhava o profeta Eliseu, ao levantar-se pela manhã e deparar-se com um grande exército em volta da casa onde estavam. Ele sabia que o velho profeta despertara a ira da Síria. E ali estava o resultado. "Ai, meu senhor! Que faremos?" Como reagiria o profeta? Tranqüilo, bocejou, coçou as costas e sorriu. Será que enlouquecera ou perdera a visão? Não. O homem de Deus estava enxergando mais do que o moço!

Lembro-me de um líder evangélico que realizou grandes empreendimentos na obra de Deus. Ele conta que, quando as coisas apertavam e havia muita dívida para pagar, orava ao Senhor. Houve uma fase tão difícil, em que passava mais tempo de olhos fechados do que abertos. Entretanto, quando fechava os olhos para as dificuldades, visualizava as grandes possibilidades de Deus.

Será que as nossas dificuldades não se devem exatamente ao fato de andarmos mais tempo com os olhos abertos? Os olhos físicos são terríveis para enxergar o que não devem: dificuldades, problemas, obstáculos. Enquanto isso, os espirituais estão fechados...

O profeta Eliseu orou: "Senhor, peço-te que lhe abras os olhos para que veja". Então o moço viu que o lugar estava cercado de cavalos e carros de fogo! Glória a Deus! Eles não tinham que combater, pois quem estava em desvantagem era o exército dos siros. Nesse caso, vale a pena repetir uma antiga verdade: um com Deus é maioria.

Ninguém vê como o nosso Deus. Foi por isso que Agar o chamou de o "Deus da vista" (Gn 16.13). Ele abriu os olhos do moço e cegou os dos siros, que, mesmo frente a frente com Eliseu, não o reconheceram. Resultado: foram levados até o centro da cidade de Samaria, exatamente onde estavam concentradas as tropas de Israel.

Não vivemos com medo, quando confiamos no Senhor. Se necessário, Ele fere nossos adversários com cegueira. Quando Ele opera em nosso favor, o Inimigo não consegue nos destruir, por mais frágeis que sejamos, por isso quero convidá-lo a abrir seus olhos espirituais. Veja esse Deus que o ama a ponto de entregar o que tinha de mais precioso: o seu Filho unigênito. Contemple esse Pai de amor e confie nEle. Você nunca estará só nem em desvantagem. Embora poderosas, as forças do mal não prevalecerão contra a sua vida. Amém.

10 de março

E até os cabelos da vossa cabeça estão todos contados. Não temais, pois..
Lucas 12.7

Apesar de não gostarmos, quase sempre é inevitável a queda dos cabelos, mas é preciso se acostumar com isso. Porém, Deus leva a sério a queda dos nossos cabelos! Ele nos criou e sabe que os cabelos contribuem para uma boa aparência. À medida que os perdemos, o Senhor dá-nos a oportunidade de desenvolver a beleza de outras partes de nosso ser. Quem tem a Cristo em seu coração nunca fica feio. Horrível é o pecado! O servo do Senhor é bonito, mesmo sem um único fio de cabelo.

Nossos cabelos dão proteção à cabeça. No entanto, se os perdemos, o Pai celestial concede-nos outra forma de proteção; nosso próprio corpo — essa "máquina" maravilhosa — desenvolve-se naturalmente. A proteção que faltar Ele completa e, por isso, controla até o número de fios de cabelos que possuímos.

A condição de nossa cabeleira depende muito da idade, das circunstâncias e de fatores genéticos. Os jovens costumam ter uma vasta e vistosa cabeleira. A idade avança, os cabelos começam a rarear, mas o Senhor continua conosco. A cabeleira diminui, mas a proteção divina aumenta. As experiências da vida, em geral, nos tornam maduros, refletindo em nossa vida de comunhão, tornando-a mais profunda, mediante uma fé mais madura. Menos cabelos; mais fé em Deus. Vida mais segura.

Nossos cabelos não apenas caem; mas também tornam-se brancos. E isso, igualmente, depende de fatores genéticos, ambientais e, como se sabe, das lutas do dia-a-dia. Estas têm poder de "tingir" os nossos cabelos. Mas afetam também a nossa comunhão com Deus, o que é muito pior. Se descuidarmos, nos afastam do Senhor, enfraquecendo-nos a fé. Se estivermos alertas, as dificuldades da vida contribuirão para crescermos espiritualmente, como diz a máxima: "O mesmo fogo que derrete a cera endurece o barro".

Cabelos brancos podem refletir grandes experiências com Deus, pois as Escrituras dizem: "Coroa de honra são as cãs [cabelos brancos], achando-se elas no caminho da justiça" (Pv 16.31). Assim, reflita sobre o que Deus disse ao seu povo, no passado: "Ouvi-me, ó casa de Jacó, e todo o resíduo da casa de Israel; vós, a quem trouxe nos braços desde o ventre e levei desde a madre. E até à velhice eu serei o mesmo, e ainda até as cãs eu vos trarei, e vos guardarei" (Is 46.3,4). Amém.

11 de março

Contudo o Senhor tinha feito um concerto com eles, e lhes ordenara, dizendo: Não temereis a outros deuses, nem vos inclinareis diante deles, nem os servireis, nem lhes sacrificareis.
2 Reis 17.35

O capítulo 17 de 2 Reis é um dos mais tristes das Escrituras, principalmente porque narra a primeira deportação do povo de Israel ao exílio. Nosso coração se parte ao vermos um povo, que tinha tudo para ser vencedor e próspero, completamente derrotado e escravizado.

É sabido que a Bíblia Sagrada é o livro mais importante entre todos os que falam de Deus porque revela o coração dEle. E o capítulo em apreço apresenta o coração de Deus num momento em que está cheio de tristeza.

Após explicar por que Israel foi levado cativo, o autor descreve a derrota do povo e explica por que isso aconteceu. Trata-se de uma longa explanação, com o relato do que aconteceu em Israel logo depois de o povo ser levado ao cativeiro. O capítulo termina com novas explicações sobre as razões pelas quais Deus permitiu a vitória dos inimigos.

Estaria o Senhor pedindo desculpas por ter castigado o seu povo? Lembro-me do livro de Lamentações, em que Deus aparece chorando por ter castigado Israel: "Porque não aflige nem entristece de bom grado aos filhos dos homens" (Lm 3.33).

Explicando por que castigou seu povo, Ele esclarece o quanto se entristece quando cultuamos falsos deuses. Israel, infelizmente, curvou-se aos falsos deuses, prestando-lhes culto. E isso irritou ao Senhor, despertando-lhe ciúmes. Deus tem ciúmes? Sim. Como disse Tiago, "Ou cuidais vós que em vão diz a Escritura: O Espírito que em nós habita tem ciúmes?" (4.5)

Você ama o Senhor? Não o entristeça. Não lhe provoque ciúmes, pois Ele tem, sim, sentimentos e agrada-se dos que o temem (Sl 147.11). Daí se entristecer e até se irar quando alguém teme falsos deuses. Se, de alguma forma, você tem feito isso, atente para a Palavra de Deus: "Ao Senhor, teu Deus, adorarás e só a Ele servirás" (Mt 4.10). Não tema os espíritos, os homens, as imagens... Nunca os reverencie como se fossem divinos. Sirva ao Deus verdadeiro de todo o coração e seja feliz em tudo. Amém.

12 de março

E Isaías lhes disse: Assim direis a vosso senhor: Assim diz o Senhor: Não temas as palavras que ouviste, com as quais os servos do rei da Assíria me blasfemaram.
2 Reis 19.6

Há muitas pessoas que já perderam a luta e não sabem, principalmente aquelas que perseguem os servos do Senhor. Lembra-se de Senaqueribe, o rei da Assíria, um homem arrogante e prepotente que resolveu atacar o reino de Judá? Cercando Jerusalém, fez várias ameaças ao rei Ezequias.

Senaqueribe cometeu um grave erro ao comparar o Senhor com os deuses das nações que vencera. Nesse caso, sua luta deixou de ser contra Ezequias. Ao Senhor bastou apenas enviar um anjo. Apenas um anjo? Sim. E este, numa só noite, matou cento e oitenta e cinco mil soldados assírios.

Conquanto haja muita confusão acerca dos anjos, eles existem. Claro que muitos demônios se passam por aqueles, o que não invalida a ação dos anjos de Deus, enviados para nos ajudar. Ao livrar seus servos, o Senhor sempre aproveita para nos transmitir ensinamentos.

Com a vitória dada a Ezequias aprendemos que podemos contar com a ajuda sobrenatural dos seres angelicais em horas difíceis. Aquilo que não podemos fazer, os anjos podem. E eles são treinados para todo tipo de situação: domar leões, fazer serviço de padeiro, conduzir veículos, etc.

O arrogante rei da Assíria ameaçava: "Eu venci os outros reinos, vou vencer Israel também. Escravizei muitos reis, não há razão para Ezequias pensar que vai escapar de minhas mãos". Porém Deus lhe ensinou duas grandes lições: não se deve comparar os servos do Senhor com as outras pessoas, nem tentar prever o futuro deles com base no fracasso de outros.

Se você está em aperto, aja como Ezequias: clame ao Deus verdadeiro e confie nEle, sem preocupar-se com as palavras do Inimigo. O Senhor peleja por você. Amém.

13 de março

Não temas, ó pequeno rebanho, porque a vosso Pai agradou dar-vos o reino.
Lucas 12.32

Não é de hoje que as pessoas procuram organizar-se em associações. Em Atos 19.28, encontramos uma espécie de Sindicato dos Fabricantes de Imagens. Temos associações de moradores, de pais e mestres, de sindicatos e outras de inúmeras categorias, que agrupam-se em federações.

Existem grandes, médias e pequenas federações, sindicatos e associações. Claro que, quanto maior um grupo, mais forte é, desde que unido e bem coordenado. Você já ouviu falar da Associação dos Despreocupados? Jesus gosta muito dela.

Uma pessoa — muito estressada — pediu ajuda a Jesus para a solução de um problema financeiro. O Mestre, então, contou-lhe uma parábola sobre a preocupação com as coisas terrenas (Lc 12.13-21). Em seguida, discursou sobre o perigo de vivermos demasiadamente preocupados e, ao final, mencionou um "pequeno rebanho" (vv. 22-32).

Quem é o "pequeno rebanho"? São aqueles que não vivem preocupados, de modo exagerado, com as coisas desta vida. Não são pessoas inconseqüentes nem irresponsáveis, porém confiantes em Deus. E fazem o que é possível em cada situação. Depois, apenas descansam no Senhor, deixando de lado a ansiedade e o desespero. Na verdade, sabem que Ele está no controle de tudo.

A associação em questão é pequena, mas muito forte. Sua força não reside na capacidade intelectual, tampouco em articulações políticas e no apoio dos meios de comunicação. É o Todo-Poderoso quem prestigia esse grupo, colocando todos os seus recursos à sua disposição.

Os sindicatos, federações e associações almejam poder para dominar um setor, uma região e até um país. O "pequeno rebanho", contudo, já está no poder. Jesus Cristo disse que foi do agrado do Pai os integrantes deste grupo participarem do Reino invisível. No futuro, reinarão com Cristo.

Os despreocupados confiam inteiramente no Senhor e não se afligem diante dos problemas cotidianos. Se você ainda não pertence a essa associação, inscreva-se já. Basta abrir o seu coração par o Rei da Glória. Assim, o Reino de Deus estará dentro de você!

Se já pertence ao "pequeno rebanho", não viva aflito. Alegre-se no Senhor, seu Pastor e seu Rei. Amém.

14 de março

E Gedalias jurou a eles e aos seus homens, e lhes disse: Não temais ser servos dos caldeus: ficai na terra, e servi ao rei de Babilônia, e bem vos irá.

2 Reis 25.24

Quando fiz a minha primeira seleção dos "não-temas", deixei de fora o versículo em epígrafe. Na verdade, não aceitava esse negócio de não temer servir aos caldeus. Contudo, pensando melhor, o texto é muito edificante.

É claro que a vontade de Deus, em princípio, não era deportar os judeus para a Babilônia. Ele não queria que fossem para outro lugar (cf. Jr 42.9-12). No entanto, várias circunstâncias levaram os judeus àquela situação.

aquela época, era menos ruim servir aos caldeus em Israel. Se fossem para qualquer outro país, os judeus seriam escravos do mesmo jeito. Nesse caso, que o fossem em sua própria terra. O mais importante era que Deus estaria com eles, abençoando-os. Pessoas tementes ao Senhor têm sido postas em situação semelhante, sendo obrigadas a trabalhar para quem não gostariam ou em uma ingrata função.

Lembremo-nos de que Jesus trabalhou como carpinteiro, o apóstolo Paulo fabricou tendas, José foi escravo no Egito, Daniel, Hananias, Misael e Azarias serviram ao rei de Babilônia, etc.

A vida aqui tem suas fases. Às vezes, atravessamos situações difíceis, mas o importante é cumprir a vontade de Deus, para nunca nos afastarmos da bênção do Senhor. Com ela, as coisas mudam para melhor, mesmo em circunstâncias adversas. Os judeus não aceitaram aquele "Não temais ser servos dos caldeus" e fugiram para o Egito, sofrendo muito mais.

Portanto, aprenda a lição: seja fiel ao Senhor em qualquer circunstância. Peça a bênção de Deus para a empresa, o chefe, etc. Ao terminar sua missão, Deus tem preparado para você e todos os santos as mansões celestiais. Amém.

15 de março

Então, prosperarás, se tiveres cuidado de fazer os estatutos e os juízos, que o Senhor mandou a Moisés acerca de Israel: esforça-te, e tem bom ânimo; não temas, nem tenhas pavor.

1 Crônicas 22.13

Havia, em uma cidade, um sábio cuja capacidade alguém resolveu testar. Com as mãos para atrás, perguntou-lhe: "O que tenho em minhas mãos?" E o sábio respondeu: "Um pássaro", levando aquele que o testava a indagar-lhe sarcasticamente: "O pássaro está vivo?" Se a resposta fosse "sim", o inquiridor o mataria. Caso contrário, o manteria vivo. Sabe qual foi a resposta? "Depende de você".

Quando Salomão assumiu o reino de Israel, trazia dentro de si esta pergunta: "Serei bem-sucedido nesta missão?" E a resposta de Deus foi: "Depende de você". Esta, aliás, é a resposta para todas as pessoas que querem saber se serão bem-sucedidas na vida. É claro que Deus é soberano, mas a operação dEle, em alguns casos, está condicionada às nossas atitudes.

Os astros, as linhas da mão e as cartas de tarô não podem nos dirigir. Talvez seja por isso que os incrédulos os consultam; ninguém quer ter responsabilidades. Contudo, por mais que não admitamos, a verdade é que Deus nos criou com livre-arbítrio, tornando-nos capazes de tomar decisões. E isso é um privilégio e também uma grande responsabilidade.

Colhemos o que plantamos — isto é uma lei do mundo natural e do espiritual (Gl 6.7). O presente é resultado do passado, e o futuro, do presente. Quando entendemos que a felicidade está em nossas mãos, nos assustamos. É muita responsabilidade! Todavia, Deus disse a Salomão e nos diz: "Não temas".

Há uma decisão que praticamente influi em todas as outras: a postura diante da Palavra de Deus. Se formos coerentes com ela, basta-nos submeter cada situação a esse princípio geral. Como a Palavra é pura, boa, infalível e imutável (Mt 24.35), nunca nos levará a uma decisão errada. Assim, seremos sempre bem-sucedidos. Foi isso que o Senhor ensinou a Salomão. Creia nessa verdade e seja muito feliz em tudo. Amém.

16 de março

E, falando ele destas coisas, o mesmo Jesus se apresentou no meio deles, e disse-lhes: Paz seja convosco.
Lucas 24.36

Era noite de domingo, e os discípulos — reunidos após a morte de Jesus — ainda se encontravam em estado de choque. Desde a crucificação, na sexta-feira, tinham dificuldades para dormir. Mas precisavam atravessar mais uma longa noite...

Reunidos numa casa em Jerusalém, receberam a notícia de que o Mestre ressuscitara. Como crer nisso? "Pobres homens; devem estar vendo coisas; vai ver que estão com febre", alguém poderia pensar. De repente, chegam dois discípulos dizendo que viram a Jesus ressuscitado! E informam que Ele participou de um jantar com eles, em Emaús!

Na mente de todos estava um Jesus que fizera grandes milagres: curas, multiplicação de alimentos, domínio sobre a natureza, expulsão de demônios e ressurreição de pessoas. Subitamente, "o mesmo Jesus" apresenta-se no meio deles, trazendo-lhes paz ao coração e a certeza de um futuro de vitórias. O mesmo Jesus!

Muitos conhecem o Senhor por ouvir falar; falta-lhes contudo uma experiência pessoal. Lêem a Bíblia, bem como ouvem pregações e testemunhos sobre os seus milagres. Apenas isto.

No entanto, se o seu coração está aflito, prepare-se para uma experiência nova com o seu Senhor. O mesmo Jesus dos relatos bíblicos, que tem feito milagres, se manifestará de maneira inédita a você. AquEle que venceu a morte com seu próprio poder fará o que for necessário em seu favor! E você testemunhará do mesmo Jesus. As noites de pesadelo acabarão; os dias de dúvida cessarão. Ouça a voz do mesmo Jesus a lhe dizer: "Paz seja contigo".

17 de março

E disse Davi a Salomão seu filho: Esforça-te e tem bom ânimo, e faze obra; não temas, nem te apavores; porque o Senhor Deus, meu Deus, há de ser contigo; não te deixará, nem te desamparará, até que acabes toda a obra do serviço da casa do Senhor.
1 Crônicas 28.20

Diante da apreensão de Salomão, seu pai empregou quatro expressões para acalmá-lo e incentivá-lo: "Esforça-te e tem bom ânimo, (...) não temas, nem te apavores". Jovem e inexperiente, teria de continuar o excelente trabalho que Davi realizara durante quarenta anos. O que mais preocupava o novo rei era a construção do Templo, uma obra aguardada com muita ansiedade, que marcaria a história do seu povo durante séculos.

Servir ao Senhor é assim. Às vezes, somos desafiados a cumprir tarefas aparentemente impossíveis. Com medo — de vexame, desperdício de tempo, esforços vãos, emprego de dinheiro sem retorno, etc. —, somos tentados a fugir, deixando a tarefa para que outro a realize.

Davi não apenas incentivou Salomão. Ministrou-lhe ensinos valiosíssimos. Primeiro: quando resolvemos servir a Deus, Ele é conosco, fortalecendo-nos e nos capacitando em tudo. Nunca estaremos à mercê de nossa própria capacidade. Ele nos mostra o caminho e ensina-nos o que não está escrito em nenhum livro e não pode ser aprendido em escolas.

As forças que recebemos do Pai são superiores às nossas. E faremos a obra, sentindo-nos realizados! Teremos saúde no espírito, na alma e no corpo. Glória a Deus! Como é bom servir ao Senhor!

O episódio em apreço me faz lembrar da história de um homem condenado a morrer enforcado. Deram-lhe a oportunidade de fazer um último pedido, garantindo-lhe que não seria executado antes disso. "Quero escolher a árvore em que vou ser enforcado", disse o homem. E envelheceu fazendo isso, escapando da forca!

Se Deus está conosco até o fim da obra, o que fazer? Basta confiar que ela nunca termina! Deus, porém, não é tolo. Nossa tarefa não acaba mesmo. E, quando a concluirmos aqui, continuaremos na eternidade, sabendo que o Senhor sempre estará conosco. Amém.

18 de março

Mas esforçai-vos, e não desfaleçam as vossas mãos;
porque a vossa obra tem uma recompensa.
2 Crônicas 15.7

Responda rápido: Quem foi a mulher que criou Asa nos braços? Sim, estou falando do rei chamado Asa — em hebraico, "aquele que sarará". Ele teve um papel muito relevante na cura espiritual de seu povo, de acordo com 2 Crônicas 14—16, ao apartá-lo da idolatria, levando-o a confiar no Senhor e na sua Palavra.

É claro que ele encontrou oposição. E isso sempre acontece quando desejamos cumprir a vontade do Senhor. Se as forças do mal se levantarem, alegre-se: é sinal de que você está na direção certa.

Um dos exércitos que Asa enfrentou — o de Zerá, o etíope — tinha um milhão de soldados (2 Cr 14.9). Mas ele foi vitorioso no Senhor dos Exércitos, aqUele que sempre vence! Assim, quanto maior a batalha, maior a nossa vitória!

Contudo, havia ainda muita coisa a fazer. Nunca devemos nos acomodar após as vitórias. Temos de completar a missão. E foi por isso que Deus usou o profeta Azarias, filho de Obede, para dizer a todos: "... esforçai-vos, e não desfaleçam as vossas mãos; porque a vossa obra tem uma recompensa".

Para cumprirmos a vontade de Deus, temos de nos esforçar. Jesus disse que o Reino de Deus é tomado à força (Mt 11.12). Ainda que as nossas forças se esvaiam, o Senhor é quem "... dá esforço ao cansado e multiplica as forças ao que não tem nenhum vigor" (Is 40.29). Nunca desista. Se houver força para mexer um dedo, mexa. Faça o que estiver ao seu alcance.

Vamos à melhor parte da história: a recompensa da obra. Nada há que façamos para a glória do Senhor que não tenha galardão. Ainda que demore, Ele virá, com certeza. Jesus é fiel e galardoará até quem dá um copo d'água aos seus servos.

As recompensas divinas são maravilhosas e surpreendentes — sempre maiores do que podemos supor. Vale a pena fazer a vontade de Deus! Fazendo-a, receberemos um nome como o de Asa e sararemos vidas, famílias e nações. Para isso, enfrentaremos provações, porém muitas recompensas resultarão daí. Posso chamá-lo de "Asa"? Afinal, você sarará vidas, e estas ajudarão a outras. Amém.

19 de março

E, tendo navegado uns vinte e cinco ou trinta estádios, viram a Jesus, andando sobre o mar e aproximando-se do barco; e temeram. Porém ele lhes disse: Sou eu; não temais.
João 6.19,20

Navegar é sempre estar à mercê de perigos, pois o mar é traiçoeiro, principalmente à noite, quando é menos provável encontrar ajuda. Estar em uma tempestade noturna é uma das piores experiências. Entretanto, Jesus estava perto para ajudar aqueles homens de pouca fé.

Quando o Senhor se aproximou da embarcação andando por cima das águas, pensaram que fosse um fantasma, mas Ele disse: "Sou eu; não temais". Que alívio! Os discípulos foram "transportados" do medo para a paz absoluta.

Dizem que uma desgraça nunca vem sozinha. E há momentos em que todos os problemas acontecem ao mesmo tempo. Contudo, em vez de sermos derrotados, recebemos uma grande libertação do Senhor! Quem confia em Jesus nunca é destruído. Você se esqueceu de que somos como o "mocinho do filme"? A vitória é nossa!

Quanto mais difícil o problema, mais próximo você está da vitória. Aquilo que mais teme, se acontecer, será para o seu bem! Quem sabe você diga: "Como vou acreditar que a coisa que mais temo me será benéfica?" Ora, se os discípulos confundiram o Senhor com um fantasma, por que você não pode confundir-se?

Aqueles homens tinham certeza de que um fantasma estava diante de seus olhos, e o medo lhes impedia de reconhecer a Jesus. Até que Ele chegou perto e desfez toda a confusão. Receba essas palavras como sendo de Jesus para o seu coração: "Sou eu; não temais". Descanse no Senhor, Tenha certeza de que, brevemente, tudo se acalmará, e você estará em terra firme. Amém.

20 de março

E disse: Dai ouvidos todo o Judá, e vós, moradores de Jerusalém, e tu, ó rei Josafá. Assim o Senhor vos diz: Não temais, nem vos assusteis por causa desta grande multidão, pois a peleja não é vossa, senão de Deus.
2 Crônicas 20.15

Você conhece algo mais rápido e que vá tão longe quanto a má notícia? Daí o ditado: "Isso [ou ele] anda mais rápido do que notícia ruim". Bem, o rei Josafá — um dos melhores reis de Judá — fora surpreendido por uma péssima notícia: três exércitos vinham furiosamente contra ele (2 Cr 20.2).

Já ouviu falar do jogo dos sete erros? No caso do piedoso rei de Judá, era o jogo dos três acertos! Primeiro, ele foi orar (2 Cr 20.4). Há quem diga: "Quando não souber o que fazer, não faça nada". O crente age diferente: ora ao Senhor. E, por mais curta que seja a oração, tem o seu valor.

A segunda ação de Josafá foi fundamentar a sua oração na base certa: a Palavra do Senhor. Falou sobre Abraão, a conquista de Canaã e as promessas a Salomão. Ele conhecia a Escritura e citou-a para o próprio Deus!

Em tempo, pode ser que você ainda não conheça quase nada das Escrituras, mas Deus o ouvirá, pois o que vale é a sinceridade. Soube até de um irmão que, atacado por um leão, apavorou-se a ponto de orar: "Oh, leão, livra-me do Senhor". Mesmo assim, o Senhor o livrou!

Bem, vamos à última atitude de Josafá: orar com humildade, reconhecendo a sua dependência do Senhor (2 Cr 20.12). Você quer ser vitorioso? Siga esse roteiro. E Deus lhe enviará o socorro. Amém.

21 de março

Nesta peleja não tereis que pelejar; parai, estai em pé, e vede a salvação do Senhor para convosco, ó Judá e Jerusalém; não temais, nem vos assusteis; amanhã saí-lhes ao encontro, porque o Senhor será convosco.
2 Crônicas 20.17

Tenho uma nova versão da história da cigarra e da formiga, na qual esta, ainda que muito trabalhadora, não se preocupava com a comunhão com Deus. Como trabalhara muito no verão, possuía alimento estocado no inverno. Só que o tamanduá acabou com a festa, devorando-a com toda a sua família. E a cigarra? Muito crente, no verão cantava louvores a Deus e trabalhava. Resultado: passou todo o inverno louvando a Deus.

O rei Josafá se parecia com a cigarra: sempre procurou ser fiel ao Senhor, mesmo com as suas falhas. De acordo com a Bíblia, esforçou-se para banir a idolatria do meio de seus liderados, além de difundir o conhecimento da Palavra de Deus em Judá (2 Cr 17—19).

No "inverno" — tempo de nuvens cinzentas e de grandes dificuldades —, o vitorioso rei buscou o socorro do Senhor, e a orientação foi esta: "Cante. Convoque todo o povo, coloque músicos e cantores à frente de todos e louve a Deus". Sabe o que aconteceu? Deus operou um grande livramento: enquanto o povo louvava, os inimigos se destruíram (2 Cr 20.22).

Que louvemos mais ao Senhor. O louvor libera recursos em nosso favor. Quando trabalharmos, seja na vida secular, seja na obra do Senhor, ajamos louvando a Deus. E o trabalho será produtivo e agradável. Quando a situação estiver difícil, louvemos com entusiasmo ainda maior. Isso não é loucura. É demonstração de confiança.

Se você louva ao Senhor, mesmo nas situações mais adversas, há uma luz no fim do túnel: "Nesta peleja não tereis que pelejar". Amém.

22 de março

Disse-lhe Jesus: Não te hei dito que, se creres, verás a glória de Deus?
João 11.40

Você conhece a lei de Tomé, aquela que diz "É preciso ver para crer"? Gostaria de falar sobre a lei de Emot (nome do discípulo ao contrário): "É preciso crer para ver". Sabemos que sem fé é impossível agradar ao Senhor (Hb 11.6), haja vista ser esta virtude "... o firme fundamento das coisas que se esperam e a prova das coisas que se não vêem" (Hb 11.1).

Vemos a aplicação dessa lei na ressurreição de Lázaro — um dos milagres que causou maior impacto nos dias em que Jesus andou na terra —, que nos deixa maravilhados. Afinal, fazer reviver alguém que morrera há quatro dias — já em avançado estado de decomposição — é algo tremendo!

Para ressuscitar a Lázaro, o Senhor valeu-se da fé de suas irmãs, Marta e Maria, que tinham certeza de que Ele devolveria a vida ao seu amigo. Marta, por exemplo, havia dito: "... sei que tudo quanto pedires a Deus, Deus to concederá" (Jo 11.22). Entretanto, quando Jesus mandou que tirassem a pedra do sepulcro, ela duvidou: "...já cheira mal, porque é já de quatro dias" (v. 39). Mesmo assim, voltou a crer, permitindo que a pedra fosse removida.

Há sempre uma pedra no caminho do milagre. E Deus — que pode removê-la — não a retira do caminho, dando-nos a oportunidade de demonstrar a nossa fé. Qual é a sua pedra? Remova-a, ainda que haja muito esforço. Não se preocupe se o chamarem de louco. Faça a sua parte. Afinal, se você crer, verá a glória de Deus! Amém.

23 de março

E, pela manhã cedo, se levantaram e saíram ao deserto de Tecoa; e, saindo eles, pôs-se em pé Josafá, e disse: Ouvi-me, ó Judá, e vós, moradores de Jerusalém: Crede no Senhor, vosso Deus, e estareis seguros; crede nos seus profetas, e prosperareis..
2 Crônicas 20.20

Há uma frase muita usada pelos "do contra" e anarquistas: "Quanto pior, melhor". Mas também há crentes que a empregam! Crentes? Sim, e crentes bons.

Que tal relembrarmos a história de Josafá, o mesmo rei que proferiu a mensagem em epígrafe?

Os judeus estavam apavorados com o ataque de três exércitos inimigos. E o rei resolveu convocar a todos, inclusive mulheres e crianças, para pedir socorro ao Senhor. Ele, na verdade, já havia confessado a Deus a sua fragilidade: "Em nós não há força perante esta grande multidão que vem contra nós" (2 Cr 20.12). Contudo, o Espírito do Senhor veio sobre Jaaziel, filho de Zacarias, fazendo-lhe promessas de vitória.

Agarrando-se às promessas, Josafá exortou todo o povo a fazer o mesmo e, imediatamente, começou a louvar ao Senhor juntamente com todos. Então, "...olharam para a multidão e eis que eram corpos mortos que jaziam em terra, e nenhum escapou. E vieram Josafá e o seu povo para saquear os seus despojos, e acharam neles fazenda e cadáveres em abundância, assim como vasos preciosos, e tomaram para si tanto, que não podiam levar mais; e três dias saquearam o despojo, porque era muito" (2 Cr 20.24,25).

Entendeu agora por que quanto pior, melhor? Quanto mais inimigos, o despojo é maior. Quem confia no Senhor jamais é derrotado. Se a luta vier, prepare-se para a vitória. Quanto maior a tribulação, maior o triunfo. Deus transforma o mal em bem. Creia nisso.

Olhe agora para tudo que o aflige. Amanhã, tudo isso será despojo para você! Cada dificuldade se transformará em bênção. Quanto pior hoje, melhor amanhã! Creia! E seja prosperado. Amém.

24 de março

E disse o homem de Deus: Mais tem o Senhor que te dar do que isso.
2 Crônicas 25.9

O que você acha de ter um "prejuízo" de cerca de US$ 190.000,00 para obedecer a Deus? Esse foi o desafio que Amazias aceitou. Não é raro uma pessoa temente ao Senhor enfrentar situações como essa; isso aconteceu com José, no Egito, como também a Moisés, Daniel, o apóstolo Paulo e outros servos de Deus.

Conheço um irmão que recusou um negócio que seria danoso ao nosso país, embora pudesse lhe render muitos milhares de reais. Ao pensar nos imóveis — Ele morava em apartamento alugado — e carros que teria comprado, além das dívidas que pagaria e em tantas outras vantagens, adoeceu. Quando tomamos a decisão de seguir a Cristo, temos de viver como Ele viveu. O Inimigo ofereceu-lhe em vão todas as riquezas do mundo, mas Ele jejuara quarenta dias e estava preparado para vencer aquela tentação.

Voltemos ao texto em apreço, que apresenta a mensagem entregue ao rei Amazias, cuja ênfase era: Deus tem mais para nos dar do que o Diabo. Às vezes, o Adversário faz-nos ofertas exorbitantes, porém tudo não passa de blefe. Há crentes que as aceitam, sofrendo terríveis conseqüências. Recuse as ofertas malignas, pois Deus tem grandes recompensas para você!

Às vezes, o Inimigo oferece-nos dinheiro na bandeja. Sejamos íntegros, ainda que, em um primeiro momento ou aparentemente, nada recebamos do Senhor. Afinal, há muitas coisas nesta vida que valem mais do que milhões de dólares, como saúde e paz — isso dinheiro nenhum pode comprar. No entanto, o que vale mais do que toda a riqueza do mundo é a salvação! Jesus ensinou que de nada adianta alguém ganhar o mundo todo, se perder a alma (Mc 8.36).

As riquezas e prazeres do mundo ficam aqui; nossa alma, porém, é eterna. Por isso, não vale a pena comprometer nosso bem-estar eterno por alguns momentos de prazer. Lembre-se: a salvação eterna só o Senhor Jesus pode lhe dar. Se você já é salvo, nunca negocie a redenção de sua alma por nada desta vida passageira. Mesmo que o Diabo lhe ofereça muitos bens, as riquezas do Senhor são infinitamente mais valiosas. Amém.

25 de março

Não temas, ó filha de Sião! Eis que o teu Rei vem assentado sobre o filho de uma jumenta.
João 12.15

Pessoas montadas em cavalos sempre trazem uma idéia de conquista, domínio pela força ou guerra. E alguém montado num jumento? Indica paz. Jesus é o Rei que veio comunicar-nos essa virtude especial (Is 9.6; Jo 14.27).

Imagine um rei montado num filhote de jumenta! Tranqüilo, deslocando-se calmamente entre os seus súditos, para que todos pudessem vê-lo, tocá-lo, acompanhando-o sem preocupações. Foi assim que Ele entrou em Jerusalém, sendo aclamado como o Rei de Israel mencionado nas profecias.

O anúncio de que viria montado num "filho de jumenta" foi antecedido por uma previsão de guerras (Zc 9) e teve início, curiosamente, com a expressão "Não temas". Os métodos de Deus para dar-nos paz e segurança não são comuns. Muitos esperavam que chegasse a cavalo! Pensavam que o Messias mataria aqueles que atentassem contra a sua vida. Não obstante, Ele conquistou vidas por meio do amor, e não pela imposição de suas idéias.

Naquele dia, em Jerusalém, muitos seguiram o Rei montado no jumentinho e louvaram a Deus. Milhões de pessoas têm feito o mesmo, sendo conquistadas não pela força das armas, todavia pelo poder do amor. Há algo em Cristo Jesus que os faz sentir-se seguros e em paz.

Quem o segue torna-se pacífico, pois sabe que a palavra dura suscita a ira (Pv 15.1) e que é melhor ser longânimo do que valente (Pv 16.32). O seguidor de Cristo não precisa demonstrar força bruta. Você já mudou de montaria? Se não, desça do cavalo agora, antes que caia dele! Adote os métodos do Príncipe da Paz e fique seguro. Amém.

26 de março

Esforçai-vos e tende bom ânimo; não temais, nem vos espanteis, por causa do rei da Assíria, nem por causa de toda a multidão que está com ele, porque há um maior conosco do que com ele. Com ele está o braço de carne, mas conosco, o Senhor, nosso Deus, para nos ajudar e para guerrear nossas guerras. E o povo descansou nas palavras de Ezequias, rei de Judá.
2 Crônicas 32.7,8

Quantas pessoas dormiriam em um quarto com duas camas? Depende do tamanho, do peso e da origem delas, pois, se forem nordestinas, seria preciso saber quantos ganchos poderiam ser fixados na parede para se pendurar as redes! Estas, aliás, são comuns em todas as regiões do Brasil; e muitas pessoas gostam de armar a sua, ou na varanda, ou debaixo de uma árvore, ou ainda em área de *camping*.

Que tal falarmos sobre o descanso espiritual, muito mais importante do que o físico? Ninguém vive bem espiritualmente, se estiver inquieto, oprimido, amedrontado, cansado... Há momentos em que o nosso espírito clama por descanso. E feliz é aquele que possui um bom refúgio espiritual.

No tempo em que o cruel Senaqueribe — rei dos assírios — invadiu o território dos judeus, ameaçando-os de morte e destruição, eles enfrentaram momentos de muita angústia. Aquele rei destruíra muitas nações e o seu próximo alvo era o povo de Deus. Homens, mulheres e crianças ficaram perturbados. Mas o rei de Judá, ao falar, trouxe descanso a todos.

Imaginemos que as palavras de Ezequias fossem uma rede de descanso "armada" no poder de Deus. Ele convidou o povo a deixar de se preocupar com as ameaças do inimigo e olhar para o poder ilimitado do Senhor. Afinal, Senaqueribe era limitado, mortal, um homem qualquer. Porém, o Deus de Israel, eterno, ilimitado, o Todo-Poderoso.

Você está espiritualmente cansado? Sente-se ameaçado? Descanse no Senhor, agora mesmo. Confie naquEle que disse: "Vinde a mim todos os que estais cansados e oprimidos, e eu vos aliviarei. Tomai sobre vós o meu jugo, e aprendei de mim, que sou manso e humilde de coração; e encontrareis descanso para as vossas almas" (Mt 11.28,29).

Jesus está sempre ao seu lado. Se o que lhe pesa são os pecados, Ele morreu para perdoá-lo e purificá-lo. Está arrependido de algo que praticou? Confesse o seu erro e receba o perdão completo da parte de Deus. Refugie-se em Jesus imediatamente.

O Senhor já venceu por nós, e a sua vitória é nossa. Refugiados nEle ninguém pode nos tocar. Descanse! O Deus que deu livramento a Judá contra Senaqueribe está com você. Amém.

27 de março

Levanta-te, pois, porque te pertence este negócio, e nós seremos contigo; esforça-te e faze assim.
Esdras 10.4

A conscientização de que a injustiça prevalece em nossos dias deixa-nos atordoados, não é mesmo? Aqueles que deviam zelar pelo bem de todos são os principais promotores do erro! Os líderes religiosos usam o nome de Deus para praticar aquilo que "combatem". Isso é revoltante, vergonhoso e triste.

O sacerdote Esdras ficou angustiado ao tomar conhecimento de certos pecados que aconteciam no meio do povo, principalmente entre os líderes religiosos. Indignado, ele rasgou os vestidos, arrancou os seus cabelos e os pêlos de sua barba (!) e pôs-se a lamentar diante de Deus.

A sua revolta tinha uma razão. Porém ele não continuou naquele estado de depressão, visto que Deus lhe mandou, por meio de alguém, as palavras confortadoras que servem de base para nossa reflexão.

Quando você estiver deprimido diante da corrupção da sociedade, lembre-se de que nem tudo está perdido. Nem todas as pessoas são desonestas. É que olhamos tanto para os corruptos que nos esquecemos dos honestos. Ademais, mesmo os errados podem, amanhã, se arrepender, não é verdade?

Foi exatamente um dos líderes do povo — que estava em pecado — quem disse estas palavras: "Nós temos transgredido contra o nosso Deus... mas, no tocante a isto, ainda há esperança para Israel" (Ed 10.2). Esdras não estava sofrendo sozinho! Muitos choraram, solidarizando-se com o homem de Deus.

Esdras entendeu que não adiantava nada apenas lamentar, chorar, reclamar... Era preciso mudar aquela situação. E nós, como parte da sociedade, temos uma parcela de responsabilidade diante da atual situação. O que temos feito para melhorar? Pode parecer pouco o que uma pessoa pode fazer, todavia as parcelas somadas resultarão em um bom trabalho. "Nós seremos contigo", disseram ao sacerdote.

Criticar não leva a nada. É preciso trabalhar. Assim termina o livro de Esdras: com ações concretas, executadas para corrigir os erros. E isso nos leva a ter esperança de que dias melhores virão. Já pensou se o livro terminasse com lamentação, tristeza e revolta? Felizmente não foi assim.

Portanto, acrescente uma página mais alegre à história de sua vida. Deixe de se lamentar e trabalhe para que as coisas melhorem. Amém.

28 de março

Não se turbe o vosso coração; credes em Deus, crede também em mim.
João 14.1

Há palavras que deveriam ser riscadas dos dicionários. Uma delas é "adeus". Todas as vezes que a pronunciamos, nosso coração está cheio de tristeza; alguém está levando um pedaço de nossa alma. Não é possível imaginar a angústia dos discípulos na noite da última ceia. Jesus, ao se despedir deles, lamentou: "A minha alma está cheia de tristeza até à morte" (Mt 26.38).

Existe algum remédio para a dor do adeus? Somente na Palavra do Senhor. Na "noite do adeus", Jesus conversara muito com os seus discípulos. E as suas palavras foram consoladoras: "Não se turbe o vosso coração". Receba em seu coração as palavras que o Senhor pronunciou naquela noite.

É preciso confiar em Jesus: "Crede também em mim". Devemos dar às suas palavras o mesmo crédito que damos às do Pai. Cristo nos ama, conhece o nosso coração e jamais nos deixa sós quando a tristeza bate-nos à porta. Ele deixou-nos o Espírito Santo, o "outro Consolador".

O Espírito de Cristo — enviado pelo Pai celestial — está com a Igreja desde o dia de Pentecostes. Um dos seus principais ofícios é o de consolar. E Ele age diretamente na alma, no coração humano, onde drogas tranqüilizantes e palavras humanas são insuficientes para eliminar qualquer tristeza. Sim, só Ele alivia as dores mais profundas.

Às vezes, um bom amigo, que nos consola, se vai, mas nunca ficamos desamparados. O Senhor nos dá outro igual ou até melhor. Perdemos o cônjuge, e Deus nos consola através dos filhos e netos. Perdemos um bom vizinho, e Ele nos dá outro, embora pensemos que jamais alguém preencheria o vazio que ficou.

Sabe qual é o melhor remédio contra a dor da separação? A certeza do reencontro. E Jesus, o Consolador, nos diz: "... virei outra vez, e vos levarei para mim mesmo, para que onde eu estiver estejais vós também" (Jo 14.3). Nunca mais nos separaremos. E, quando isso acontecer, nos encontraremos com os entes queridos que já estão com o Senhor. Assim, creia nisso e não se deixe abater. Amém.

29 de março

Não os temais; lembrai-vos do Senhor, grande e terrível, e pelejai pelos vossos irmãos, vossos filhos, vossas mulheres e vossas casas.
Neemias 4.14

Certo humorista conta que, durante uma viagem de avião, a aeronave sofreu uma turbulência muito forte, e foi violentamente sacudida fazendo com que todos pensassem que cairia. Uma pessoa sentada ao lado, que mais tarde ele identificou como sendo um líder religioso cristão, perguntou-lhe:

— O que está escrito mesmo depois de "venha a nós o vosso reino"?

Em um acidente aéreo — que, de fato, aconteceu — na região da Cordilheira dos Andes, vários passageiros sobreviveram comendo até carne humana. Conta-se que um dos sobreviventes se declarava agnóstico. Quando o convidaram para rezar, retrucou: "Sou agnóstico". Porém, ao ocorrer uma tremenda avalanche, ele começou a rezar imediatamente!

Esses dois episódios mostram que muitas pessoas se lembram do Criador apenas nas horas de dificuldade. Até mesmo os que se dizem ateus apelam para Ele quando encontram-se em perigo de morte. E não há nada de errado nisso, não é mesmo?

Quanto mais cedo nos lembrarmos de Deus, melhor. Às vezes, as pessoas protelam, protelam... e acabam nem tendo mais oportunidade de clamar pelo Senhor. Lembrar-se dEle é reconhecer a sua divindade, o seu poder absoluto, a sua misericórdia, além da sua sabedoria.

Ao apelarmos para o verdadeiro Deus, somos socorridos na emergência, e Ele nos ensina o que fazer. Sim, porque não gosta de fazer tudo sozinho. Por isso, Neemias disse aos seus contemporâneos: "Lembrai-vos do Senhor... e pelejai". O povo estava reconstruindo a cidade de Jerusalém — com os seus os muros — sob tremenda pressão dos inimigos.

Os muros de Jerusalém representavam o restabelecimento da cidade e a proteção para seus lares. E não é fácil construir e, ao mesmo tempo, defender-se de adversários traiçoeiros. A mensagem do livro de Neemias é muito significativa: reconstruir a cidade e proteger as famílias — exatamente o que nós temos de fazer.

Temos muitos inimigos. Há forças lutando para destruir nossos lares, arruinando a sociedade. Quem não enfrenta dificuldades para manter a harmonia no lar e criar seus filhos dentro de parâmetros morais adequados? A luta tem sido grande. Não obstante, lembremo-nos do Senhor. E isso implica orar, além de agir com coragem, honestidade, verdade e humildade.

Lembrar-se do Senhor também significa buscar nEle forças e orientação para agir, não da forma que pensamos, mas da maneira que Ele quer. Faça isso agora. Afinal, o Criador nunca se esqueceu de você. Amém.

30 de março

... portanto não vos entristeçais, porque a alegria do Senhor é a vossa força.
Neemias 8.10

Quatro pessoas disputam o mesmo prêmio. Cada uma, com as suas habilidades: o Super-Homem; um crente triste; um descrente alegre; e um descrente triste. Quem ganhará o prêmio? Resposta: o descrente triste, é claro. Por quê? Porque os outros três não existem!

Bem, esse enigma foi apenas para lembrar que o crente de verdade não deve ser uma pessoa triste. Pode até passar por momentos de tristeza. Contudo, preste atenção: é uma tristeza momentânea e exterior.

Em Neemias 8, lemos sobre um grande avivamento que começou com a leitura intensiva da Palavra de Deus. O reino de Judá estava em fase de reconstrução. Em sua estrutura de defesa, como também de suas edificações, o país seria restaurado. Porém os líderes do povo foram usados por Deus para promover também uma reconstrução moral e espiritual. Nesse caso, a busca da Palavra de Deus seria imprescindível.

Ao conhecer os princípios divinos, o povo sentiu-se grandemente comovido e começou a chorar. Foi então que resolveu-se proibir, literalmente, as pessoas de fazer isso. Por quê? Ora, a reconstrução da cidade era um milagre. Então, por que chorar? Quem confia no Deus de Israel não pode ser triste.

Deus é alegre. A Bíblia diz que, em sua presença, há abundância de alegrias (Sl 16.11). Engana-se quem pensa que Ele seja carrancudo e triste. Por isso, nós, como seus filhos, somos alegres! De acordo com o salmista, o Senhor é a alegria de sua alegria (Sl 43.4).

Satanás é triste, infeliz e invejoso. Por essa razão, quer que todos sejam tristes. E uma de suas estratégias prediletas é tornar as pessoas infelizes, depois de conduzi-las a uma falsa felicidade. Há pessoas que vivem rindo, mas chorando por dentro, envolvidas com uma falsa alegria.

O que o Inimigo mais gosta de ver é o servo de Deus chorar de tristeza. Ele faz com que o crente pense que nada tem. Quando surge um pequeno problema, ele coloca uma lente de aumento sobre o mesmo, a fim de parecer um "problemão". No entanto, o salvo em Cristo tem as coisas mais importantes da vida!

Quando nos falta uma coisa qualquer, sem importância, o Diabo tenta fazer com que acreditemos que isso seja extremamente importante. Não permitamos isso. Temos tudo; somos filhos de Deus, amados, importantes.

O crente derrotado desonra a Deus, enquanto o de cabeça erguida o exalta, mantendo um canal aberto com o céu, onde há fartura de alegria. As Escrituras dizem: "A alegria do Senhor é a nossa força". Quer ser forte? Alegre-se no Senhor. Lembre-se de que o nosso Pai tem o controle de tudo. Amém.

31 de março

Deixo-vos a paz, a minha paz vos dou; não vo-la dou como o mundo a dá. Não se turbe o vosso coração, nem se atemorize.
João 14.27

Você conhece a folclórica história do Gato de Botas? Nela, um rapaz, ao perder o pai, herda um gato, enquanto os seus irmãos ficam com todo o resto. Só que o gato — que falava — era muito esperto e fez com o que o seu dono ficasse muito rico. É claro que gatos não falam, porém há uma verdade nessa ficção: há pessoas que não herdam bens materiais, mas acabam sendo muito bem-sucedidas com o pouco que têm.

Os cristãos foram menosprezados porque o seu Mestre não lhes deixou nenhum legado material. As vestes que Jesus usava no dia de sua morte foram levadas pelos soldados romanos. Dinheiro? Ele não tinha nenhum, e até o seu túmulo foi cedido por alguém. Aparentemente, Ele não nos deixou nada como herança. Aparentemente...

Jesus, na verdade, deu-nos a vida, e com abundância (Jo 10.10); a vida eterna (Jo 10.28). Ele nos deu a sua glória (Jo 17.22), deixou-nos a sua paz — verdadeira, perene, celestial e diferente daquela que o mundo oferece. Enquanto o lema adotado entre as forças de segurança é: "Se queres a paz, prepara a guerra", o de Jesus é: "... a minha paz vos dou; não vo-la dou como o mundo a dá".

O que acontece com as nações é o mesmo que acontece com as pessoas. Gastam o que têm para se sentirem seguras, no entanto continuam vulneráveis e temerosas. As pessoas não conseguem se proteger nem dos males externos, quanto mais dos internos. E a sensação de insegurança desencadeia dentro delas processos destrutivos mais mortais do que as balas de fuzis, as bombas e as substâncias químicas.

Quem tem Jesus tem a paz, seja andando no chão, seja voando entre as nuvens, seja em baixo d'água. Quer de dia, quer de noite. Com muito dinheiro ou com a conta bancária "zerada". Quando está entre amigos ou em um ambiente hostil. O salvo em Cristo tem paz mesmo em uma guerra!

O Príncipe da Paz mora em seu coração? Se sim, desfrute a paz que Ele já lhe deu e fique seguro, haja o que houver. Se não, receba-o agora em seu coração. Renda-se ao seu grande amor; peça-lhe misericórdia e receba dEle o perdão. A Paz do Senhor! Amém.

1º de abril

Porque, se de todo te calares neste tempo, socorro e livramento doutra parte virá para os judeus, mas tu e a casa de teu pai perecereis; e quem sabe se para tal tempo como este chegaste a este reino?
Ester 4.14

Uma das coisas mais admiráveis no livro de Ester é o fato de não conter, nem uma vez sequer, a palavra *Deus* ou qualquer referência direta ao Criador. Todavia, apresenta uma descrição da ação divina entre os homens como poucos outros livros. O livro mostra as obras de Deus sem dizer, explicitamente, que Ele é quem está realizando-as.

Quando Mardoqueu fez a pergunta à Ester, sua filha adotiva: "Quem sabe se para tal tempo como este chegaste a este reino?", está admitindo que alguém fez da ex-escrava uma rainha com um objetivo específico. Então, esse "alguém" conhece o futuro e direciona a história dos povos, e só pode ser Deus.

Ester estava com medo de falar, assim como muitas vezes acontece com qualquer um de nós. Às vezes, temos medo de falar e, com nossas palavras, prejudicar outras pessoas. No caso de Ester, havia o perigo de ser morta apenas ao tentar falar com o rei. Por isso, Mardoqueu mandou-lhe dizer: "Você corre o risco de morrer se tentar falar. Mas se ficar calada, você não corre risco: morre com certeza".

Existem palavras que causam morte; mas existem também silêncios que são mortais. Alguém já lhe disse que o silêncio dos bons é mais prejudicial que a ação dos maus. Há momentos em que calar é consentir com o mal. Sim, calar muitas vezes é pecar por omissão. Há momentos em que é melhor correr o risco de perder o emprego, ou até mesmo perdê-lo, do que manter-se em silêncio. Há momentos em que é melhor arriscar perder a vida, ou mesmo perdê-la, do que omitir-se. Perder a dignidade é muito pior que morrer. Perder a salvação da alma é muito pior que perder a vida física.

Se você tem algo que precisa falar para defender a verdade e a justiça, não se cale. Porém, ao falar, tenha bastante cuidado. O modo de se expressar pode anular a eficácia de suas palavras. A rainha Ester se preparou muito bem antes de falar. Como a vida de muitas pessoas dependia de suas palavras, ela jejuou três dias antes de se apresentar ao rei. Pediu também a outras pessoas que jejuassem em seu favor. E, quando foi falar com Assuero, agiu com muita sabedoria.

Assim é o evangelho. Quem o conhece não pode omitir. O silêncio das pessoas que conhecem o evangelho pode gerar morte eterna a outras pessoas.

Seja você a pessoa que for, a Bíblia afirma, em Romanos 3.23, que: "Todos pecaram e destituídos estão da glória de Deus". O pecado mantém o homem separado de Deus (Is 59.2), e viver nessa condição é desperdiçar a própria vida. Quem morre nesse estado está perdido para sempre (Hb 9.27). Lembre-se de que Jesus é Deus que se fez carne, viveu entre nós sem pecado e morreu na cruz em nosso lugar (I Co 15.3). Então, para ser salvo, o homem precisa reconhecer que é pecador, arrepender-se de seus pecados, declarar que recebe o sacrifício que Jesus fez em seu favor e aceitá-lo como seu Senhor. Fazendo isso, todos os seus pecados serão perdoados, seu nome será escrito no Livro da Vida e receberá plena comunhão com Deus. Se você ainda não fez isso, faça-o agora. Se já o fez, proclame essa verdade. Não se cale. Seu silêncio pode prejudicar muitas vidas. Fale. Não tenha medo. Amém.

2 de abril

Em seis angústias, te livrará; e, na sétima, o mal te não tocará.
Jó 5.19

Um cidadão possuía dois cavalos, um preto e um branco, ambos muito bonitos. Uma pessoa, atraída pela beleza dos animais, passa a observá-los demoradamente até que por fim falou:

— Estes cavalos são tão bonitos. Devem ser bons de corrida, não?

O dono respondeu:

— O preto é.

— E o branco? — pergunta o observador.

— O branco também — responde o dono.

— Devem ter custado muito caro.

— O preto custou.

— E o branco?

— O branco também.

— Eles comem ração especial?

— O preto come.

— E o branco?

— O branco também.

— Escuta aqui, por que é que tudo o que eu pergunto, você só responde primeiro em relação ao preto?

— É porque o preto é meu.

— E o branco?

— O branco também.

O texto de hoje se parece com a história dos dois cavalos: "Em seis angústias te livrará". E na sétima? Na sétima também. Analisemos o versículo com muita atenção. Há três lições muito interessantes nele.

Primeira: *a promessa não é para qualquer pessoa*. O verso 8 do mesmo capítulo nos dá a entender que a promessa é para aqueles que buscam a Deus. O versículo 17 deixa claro que esse tipo de pessoa está sujeita à correção, ao castigo divino, mas que até nisso há bem-aventurança: "Eis que bem-aventurado é o homem a quem Deus castiga". É isso mesmo, quem tem comunhão com Deus sempre se sai bem.

Segunda: *não estamos livres de passar por angústias*. Se recebemos livramentos nas angústias é porque passamos por elas. Sim, passamos por muitas aflições, porém o Senhor nos envia o socorro. Tal afirmação está de comum acordo com Salmos 34.19, que diz: "Muitas são as aflições do justo, mas o Senhor o livra de todas". O Senhor não impediu que José fosse posto num cárcere no Egito, mas de lá o tirou para ser governador daquele país; o Senhor não impediu que Daniel fosse lançado na cova dos leões, mas também não permitiu que as feras lhe fizessem mal; o Senhor não impediu que Ananias, Misael e Azarias fossem colocados na fornalha, mas também não permitiu que o fogo queimasse sequer um fio de seus cabelos.

Terceira: *note os números seis e sete*. Eles não são registrados nessa passagem por acaso. Simplesmente para falar de livramento, poderia ser cinco, ou dez, ou outro qualquer número. No entanto, não é; os números escolhidos são seis e sete. Seis, na numerologia bíblica, é o número do homem. Este foi criado no sexto dia. E quando o versículo menciona seis angústias, ele está se referindo a algo que é próprio do ser humano. Os homens sofrem e provocam angústias. Muitas vezes são nossos parentes e amigos. E o que se dirá dos inimigos? Pessoas nos fazem sofrer em razão da inveja, da vaidade, da ganância, enfim, por causa da mesquinharia própria dos seres humanos. Agora, quando o texto faz menção ao sete, ele está usando o número da perfeição, o número de Deus. O livramento vem de Deus e o seu livramento é perfeito. Às vezes, parece que chegou tarde; outras vezes, não era bem da forma que esperávamos, mas uma coisa é certa: *o livramento de Deus é perfeito*. O Senhor sempre faz mais do que podemos pedir ou imaginar. Foi na fornalha onde estavam Ananias, Misael e Azarias que apareceu o "quarto homem", Jesus. Uma coisa seria se eles não tivessem entrado na fornalha. Outra, melhor e mais gloriosa, foi a experiência que tiveram, ao vencer a força do fogo.

Quero convidá-lo a depositar toda a sua confiança em Deus. Se você está atravessando momentos de angústia, o Senhor o livrará. Quando chegarem as inevitáveis adversidades, Deus estará ao seu lado e sempre proverá o escape, para a glória dEle. Aceite o desafio. Manifeste sua confiança no Senhor agora mesmo. Amém.

3 de abril

Tenho-vos dito isso, para que em mim tenhais paz; no mundo tereis aflições, mas tende bom ânimo; eu venci o mundo.
João 16.33

Quando foi realizado o campeonato mundial de futebol, em 1958, eu era ainda muito pequeno. Lembro-me de que, durante um jogo, alguém perguntou a outra pessoa: *Como estão indo as coisas?*, e ela respondeu: *Estão ruins. O Brasil está perdendo.* Samuel, meu primo, que tem quase a mesma idade que eu, arregalou os olhos e perguntou: *O Brasil todo está perdendo?*

Jesus disse que venceu o mundo. Mas Ele venceu o mundo todo? Jesus venceu os poderes que dominam o mundo.

Antigamente, quem governava o mundo era o homem. No entanto, quando Adão e Eva aceitaram a sugestão de Satanás e desobedeceram a Deus, perderam a autoridade e passaram o governo para o tentador. O Diabo passou a ser o "príncipe deste mundo" (Jo 14.30). Desde então, "o mundo jaz no maligno" (1 Jo 5.19).

Jesus venceu o mundo porque venceu Satanás. Quando Cristo foi preso, abandonado por todos os seus seguidores, torturado e morto na cruz, teve-se a impressão de que Ele estava derrotado. Todavia, ao ressuscitar, provou quem é o verdadeiro vencedor. Seus sofrimentos e morte, que pareciam ser marcas de derrota, tornaram-se a base do resgate e da vitória para milhões e milhões de pessoas.

O mesmo mundo que odiou, perseguiu e matou Jesus, da mesma forma nos persegue e tenta nos destruir. Muitas vezes consegue arruinar a vida de alguns servos do Senhor. Entretanto, a vitória de Jesus é a garantia de que também somos mais do que vencedores.

Jesus nos advertiu de que teríamos aflições neste mundo. Quem disser o contrário é mentiroso. O crente tem lutas nesta vida. Às vezes, parece que todos estão contra nós. E de fato isto ocorre. Sabe o que devemos fazer nesses momentos? Ter bom ânimo.

Após a morte de Jesus, veio a ressurreição. E é dessa mesma forma que acontece conosco: depois da luta vem a vitória, ainda que muitos pensem que fomos derrotados. Cristo conquistou a vitória na cruz para que não perdêssemos a peleja.

As lágrimas que Jesus derramou, o suor, o sangue, as dores, resultou na salvação de milhões de pessoas que o glorificarão pelos séculos dos séculos. O profeta Isaías nos diz que "o trabalho da sua alma ele verá e ficará satisfeito" (Is 53.11). E se permanecermos fiéis a Deus, nenhuma lágrima que derrarmos, ou qualquer sofrimento que enfrentarmos, será em vão. Tudo terá a sua recompensa. Aqui na terra e lá no céu veremos o resultado do trabalho de nossa alma. Portanto, tenha bom ânimo. Em Cristo somos mais do que vencedores. Amém.

4 de abril

Na fome, te livrará da morte; e, na guerra da violência da espada.
Jó 5.20

Um seminário bíblico no Estado de São Paulo estava atravessando grandes dificuldades financeiras. Não havia sequer dinheiro para comprar carne para as refeições. E não tendo nenhuma outra alternativa, oraram ao Senhor pedindo que provesse aquela necessidade; clamaram a Deus, na esperança de que Ele enviasse carne para o almoço. Então, algo surpreendente acontece. Um caminhão-frigorífico teve problemas mecânicos exatamente na rodovia que passava ali perto, e a vizinhança toda foi chamada para levar o máximo de carne que pudesse, pois do contrário a carga se perderia. Foi assim que o seminário teve carne não somente para o almoço daquele dia, mas também para muitos outros dias. Analisando friamente, diríamos que o ocorrido não foi bom para o dono da carga, porém com certeza Deus o abençoou, retribuindo tudo de volta.

Está escrito em Salmos 147.9, que Deus atende até o clamor dos filhos dos corvos quando eles suplicam por alimento. Quanto mais o Senhor ouvirá o clamor dos seus servos quando clamarem em momentos de necessidade! Os relatos são inúmeros, de livramentos que Deus tem dado aos seus filhos quando lhes falta o alimento de cada dia.

A Bíblia menciona outros tipos de fome, além de alimento físico, tais como fome de justiça e da Palavra de Deus. Sim, porque há diversas coisas que são imprescindíveis ao nosso sustento, seja físico, seja afetivo, seja moral, seja espiritual. E Deus provê todas as nossas necessidades. Ele não nos deixa morrer.

Há um outro tipo de livramento, previsto em nosso texto de hoje. É o livramento da violência da espada. Talvez seja algo um tanto arcaico, nos termos em que estão colocados no texto. Espada é o tipo de arma que não assusta ninguém hoje em dia, pelo menos aqui onde vivemos. Contudo, se voltarmos ao passado, verificaremos que a espada era a arma de guerra mais comum no tempo em que esse texto foi escrito. Em nossos dias, enfrentamos também nossas guerras: a do trânsito, a do mercado de trabalho, a da violência urbana, e outras mais, cujas armas são bem diversificadas. Não importa quais sejam tais armas, o Senhor nos livra de todas.

Não estamos perdidos, como alguns dizem. Não estamos como cegos no meio de um tiroteio. Não estamos jogados ao léu, à mercê dos perigos do nosso tempo. É verdade que o texto afirma que o Senhor nos livra "na guerra". Está claro que não estamos isentos de sermos envolvidos pelas guerras. Em algumas, por exemplo, a do trânsito, estamos permanentemente envolvidos. Noutras, ocorre de repente. Porém, o Senhor sempre nos livra.

Agora, atenção: o Senhor não é responsável pelas nossas imprudências. Dirigir irresponsavelmente, andar sozinho em lugares perigosos, podendo evitar isso, ou envolver-se em confusão, são coisas com as quais Deus não tem compromisso. Isso tudo está fora do acordo que o Senhor tem com você.

Bem... você que está no "meio do fogo cruzado da guerra" pode estar argumentando: "É. Mas eu não quebrei nenhuma cláusula do contrato com Deus e Ele não me deu o livramento". Resposta: Ele ainda não deu o livramento. Porém não tenha dúvida, o livramento virá. Você está escrevendo uma história cujo capítulo final ainda não está concluído. Talvez nem a redação dos fatos principais esteja pronta. Portanto, aguarde os próximos capítulos.

A mensagem de hoje tem a função, justamente, de atender à necessidade daqueles que estão com fome de consolação divina em meio à guerra. Receba este alimento que o Senhor lhe envia e aguarde os grandes livramentos que já estão chegando. Deus o abençoe. Amém

5 de abril

Do açoite da língua estará abrigados e não temerás a assolação, quando vier.
Jó 5.21

Há um ditado que diz que algumas pessoas, por terem a língua tão grande, ao morrerem, necessitarão de dois caixões: um para levar a língua e o outro, o corpo. Dizem, ainda, que tais pessoas, se por acidente morderem a língua, morrerão envenenadas. Em Salmos 140.3, temos: "Aguçaram a língu como a serpente; o veneno das víboras está debaixo dos seus lábios". A Bíblia até mesmo compara as línguas dessas pessoas com uma navalha afiada (Sl 52.2).

As desgraças que uma língua má pode fazer são incalculáveis. Nem navalha, nem peixeira, nem revólver, nem fuzil, nem metralhadora, nem choque elétrico, nem paulada, nada pode ferir tanto como uma calúnia, uma difamação, ou uma palavra de desprezo. O apóstolo Tiago declara em sua epístola: "Assim também a língua é um pequeno membro e gloria-se de grandes coisas. Vede quão grande bosque um pequeno fogo incendeia. A língua também é um fogo; como mundo de iniqüidade, a língua está posta entre os nossos membros, e contamina todo o corpo, e inflama o curso da natureza, e é inflamada pelo inferno" (Tg 3.5,6). É uma calamidade. É uma assolação. E é por isso que a reflexão de hoje fala também de livramento da assolação.

A tristeza é o fato de que uma língua envenenada faz um mal tremendo à alma das pessoas. Foi essa a causa de o salmista ter orado assim: "Senhor, livra a minha alma dos lábios mentirosos e da língua enganadora" (Sl 120.2). Graças a Deus que Ele nos livra desse infortúnio.

Deus nos defende do açoite da língua de três maneiras:

Primeira: alguém tenta nos atingir com calúnias ou outras palavras venenosas, porém o Senhor destrói esses dardos malignos imediatamente. Quando se trata de calúnia, ela é desmascarada. Ninguém acredita, pois a verdade vem à tona. Quando tentam nos ferir com provocações ou palavras de desprezo, ficamos como que anestesiados, porque, nessas ocasiões, o Senhor nos dá uma graça especial.

Segunda: a calúnia pode prevalecer a princípio, mas depois tudo se esclarece; o caluniador fica envergonhado e o servo do Senhor é exaltado. Deus transforma o mal que desejavam fazer ao seu servo em bem. Foi o que aconteceu, por exemplo, com José no Egito. Se é uma agressão verbal que nos fere de imediato, o Espírito Santo aplica o seu maravilhoso bálsamo e nos consola, dando-nos forças para perdoar, e muitas vezes transforma a inimizade em uma amizade linda e duradoura.

Terceira: Deus nos livra de ser um caluniador, uma pessoa que assola vidas com mentiras (de todos, este é o tópico mais importante). Ministrando-nos sua preciosa Palavra e operando profundamente em nós com o seu Espírito Santo, Deus faz com que nossa língua seja uma bênção e não uma maldição. Em Provérbios 12.18, está escrito: "Há alguns cujas palavras são como pontas de espada, mas a língua dos sábios é saúde". Que nossa língua seja saúde. Que possamos usá-la para sarar, abençoar, fortalecer, consolar, edificar. Como ainda afirma o escritor do livro de Provérbios: "Uma língua saudável é árvore de vida" (15.4); "A morte e a vida estão no poder da língua; e aquele que a ama comerá do seu fruto" (18.21).

Amigo, que Deus o livre da calúnia de alguém que queira arruinar sua vida, e que você da mesma forma não use sua língua para destruir pessoas. Que as palavras pronunciadas por você sejam árvore de vida, e produzam vida para outras pessoas e para você mesmo. Amém.

6 de abril

E disse o Senhor, em visão, a Paulo: Não temas, mas fala e não te cales;
porque eu sou contigo, e ninguém lançará mão de ti para te fazer mal,
pois tenho muito povo nesta cidade.
Atos 18.9,10

Numa de minhas viagens ao sul da Espanha, fiquei sabendo que Gálio, uma pessoa citada no capítulo 18 do livro de Atos dos Apóstolos era natural daquela região. Os espanhóis têm muito orgulho disto porque esse homem foi a primeira pessoa a defender a independência entre o Estado e a religião, um princípio muito salutar adotado nos países verdadeiramente democráticos.

O apóstolo Paulo estava em Corinto, numa época em que lhe faltava a ajuda financeira das igrejas para manter-se. Ele, então, buscou recursos, trabalhando em sua antiga profissão de construtor de tendas para garantir o pão de cada dia. Nem por isso deixou de pregar o evangelho. Pelo contrário, encontramos no capítulo já mencionado (v. 5) que, àquela altura, o apóstolo foi tomado por um entusiasmo especial e pregava a Palavra de Deus com muita veemência. Todavia, a oposição dos inimigos da obra era muito forte. Eis que o Senhor se apresenta, numa visão, ao seu querido missionário para trazer-lhe encorajamento.

Fico maravilhado ao ver como o nosso Jesus muitas vezes se antecipa aos problemas e vem nos preparar para enfrentá-los. Ele nos socorre durante as lutas, nos restabelece e renova as forças depois que passamos por elas, mas também nos prepara antes mesmo que aconteçam. Jesus é extraordinário! No caso do apóstolo Paulo, em Atos 18, o Senhor lhe disse: "Não temas", antes que as nuvens negras se transformassem na grande tempestade que sobre ele se abateu. Não é maravilhoso você saber que vai ser vencedor antes da luta começar?

Cristo disse a Paulo: "... eu sou contigo". O conteúdo desta expressão é muito profundo. Jesus não disse: *Eu serei contigo*, mas sim: *Eu já sou contigo. Simplesmente vou continuar. Quando a luta chegar, você me encontrará ao teu lado, e então a enfrentaremos juntos.*

O verbo *ser*, aplicado a Deus, tem um sentido diferente daquele que tem quando aplicado a outras pessoas. Um dos nomes de Deus é *Eu Sou*. Só Deus subsiste por si mesmo. Ele é. Não é necessário acrescentar mais nada para qualificá-lo. Deus é Deus.

Jesus é Deus. Quando Ele diz: *Eu Sou*, simplesmente está se identificando como Deus. Quando Ele declara a Paulo: "... eu sou contigo", está dizendo que o apóstolo está mergulhado no poder e na glória do próprio Deus. Paulo se identificou com Jesus ao se dedicar à obra do evangelho. Agora, Cristo se identifica com ele na hora da perseguição.

A grande lição é esta: Se você se comprometeu com Jesus, Jesus se comprometerá com você. Se os negócios de Jesus são seus negócios, tenha certeza de que seus problemas pertencem a Jesus. Deus é com você. É impossível alguém atacá-lo sem atingir a Jesus. É impossível destruir você sem tentar (em vão) destruir a Jesus. Enfim, é impossível alguém, seja quem for, ter êxito sobre sua vida, desde que realmente você tenha um compromisso com o Senhor.

Jesus encorajou Paulo a que não parasse de falar acerca do evangelho e de suas grandezas. A mensagem do apóstolo era muito parecida com esta que estou ministrando. Jesus é Deus que se fez homem para se identificar conosco e pagar o preço de nossa redenção. Se aceitarmos sua mensagem de arrependimento e reconciliação com Deus, seremos perdoados e feitos filhos de Deus. Mediante tal decisão, podemos afirmar que Deus é conosco. Se ainda não tem esta experiência, abra o seu coração e receba-a agora mesmo. Jesus será com você. Amém.

7 de abril

Porque até com as pedras do campo terás a tua aliança; e os animais do campo estarão contigo.
Jó 5.23

Uma vez estava viajando de carro com minha família pelo interior do Brasil, numa estrada que fora descrita para mim como sendo muito perigosa. Disseram-me que ali muitos assaltantes costumavam atacar os viajantes. Já havia anoitecido quando um dos pneus do carro furou. Desci para tentar resolver o problema quando um caminhão parou atrás do meu carro e vários homens desceram dele. Confesso que fiquei assustado. Aqueles homens manifestaram preocupação para comigo e minha família, reiterando que ali era um lugar muito perigoso. Eles mesmos trocaram o pneu furado. Em seguida, voltaram para o caminhão e escoltaram-nos até que chegamos à cidade seguinte. Os jovens, usando sua linguagem, diriam que aqueles *caras* foram super *feras*. No entanto, a verdade é que eles poderiam ser *feras* no sentido de serem perigosos, mas graças a Deus eles nos ajudaram muito, foram bênçãos para nossas vidas.

A passagem bíblica de hoje nos diz que a bênção de Deus sobre nossa vida faz com que tenhamos harmonia com o mundo físico e até mesmo com o reino animal. Isso é verdade no sentido literal e também figurado.

Vivemos em um mundo desequilibrado. O ser humano foi alterando o meio ambiente, sem se dar conta de que a natureza é um todo harmônico, e que não se pode modificar uma peça sem atingir todo o conjunto. Qualquer agressão ao meio ambiente tem o seu preço. E em virtude disso, temos o ar, a água, os alimentos, enfim, tudo contaminado. Se nos preocuparmos muito com isso, não beberemos nada, e de igual modo não comeremos nada; sentiremos medo de respirar. Contudo, não pense que estamos abandonados aqui neste mundo hostil — o Senhor cuida de nós. Em Êxodo 23.25, temos o seguinte consolo: "E servireis ao Senhor, vosso Deus, e ele abençoará o vosso pão e a vossa água; e eu tirarei do meio de ti as enfermidades". O Senhor sara nosso pão e a nossa água. Ele faz com que os elementos do reino mineral e os do mundo animal não nos prejudiquem. Se for necessário, o Senhor ordena que esses elementos trabalhem ao nosso favor, como fez, quando derramou saraiva para destruir os exércitos inimigos, de acordo com Josué 10.11, ou quando utilizou os corvos para enviar alimentos ao profeta Elias, conforme 1 Reis 17.6.

Durante muito tempo as feras do campo representavam um dos maiores perigos para o ser humano. Hoje, a maior ameaça para o homem é o próprio *bicho homem*. Nas ruas das grandes cidades se corre perigo muito pior que em qualquer selva. Entretanto, a proteção do Senhor nos abrange também na *selva de pedra*. Bem, desde que não estejamos em situações de risco desnecessárias.

Vale a pena servir ao Deus verdadeiro. Não há nada que dê tanto prazer e que nos faça sentir tão bem. Vivendo em comunhão com o Senhor, comunhão que se obtém através de Jesus Cristo, o Filho de Deus, temos paz interior, alegria verdadeira, esperança imorredoura, segurança inabalável. Você já está servindo a esse Deus? Você já tem comunhão com Ele? Se a resposta for positiva, parabéns. Se não, busque-a e receba-a neste exato momento. Amém.

8 de abril

E saberás que a tua tenda está em paz; e visitarás a tua habitação, e nada te faltará.
Jó 5.24

Um político do interior disse certa vez, muito irritado: *Não precisamos de gente que planeje. Precisamos, sim, de gente que fazeje.* Gramaticalmente o homem está errado, porém, de certa forma, ele tem razão. Há pessoas que planejam, planejam, mas não fazem nada de concreto. Por outro lado, é preciso ter cuidado para não cair em outro extremo: o de quem faz tudo sem planejar.

Por incrível que pareça, nosso versículo de hoje está relacionado com esta questão de planejar e fazer. A parte do verso que diz: "saber que a tenda está em paz", se refere à mente; e a outra: "visitar a habitação", diz respeito à ação. Em ambos os casos, o que está em foco é o lar.

Há pessoas que se preocupam muito com seu lar, todavia não fazem nada de concreto para que tudo esteja realmente em harmonia. Há aqui dois perigos: o da preocupação estéril — que não resolve nada, apenas prejudica, criando uma tensão constante, e às vezes gerando doenças nervosas ou de outra natureza – e o da hipocrisia, este é ainda maior. Trata-se da situação em que os pais não querem que os filhos mintam, porém eles mesmos são mentirosos; não querem que os filhos roubem, mas estão sempre agindo com desonestidade; não querem que as filhas se prostituam, contudo vivem na prostituição; desejam que os filhos freqüentem a igreja, no entanto, eles nunca estão dispostos a proceder de tal forma; em suma, querem que os filhos sejam o que eles, seus pais, não são. Entretanto, vivem com se fossem donos da razão, revoltados com o mundo e também com os filhos.

Por outro lado, existem os pais que são honestos, trabalhadores, organizados, enfim, fazem tudo certinho, mas erram num ponto crucial: se acham auto-suficientes e pensam que são capazes de ter um lar feliz apenas com base em seus próprios esforços. Essas pessoas se esquecem de considerar o mundo espiritual. Esquecem-se de que há forças espirituais terríveis que conspiram contra a felicidade do seu lar e fazem de tudo para corromper seus filhos. Lembre-se de que não podemos combater tais potestades usando a força física. Este "perfil de pai" é outro extremo que precisamos evitar.

No livro dos Salmos, vemos essa questão muito bem enfocada: "Se o Senhor não edificar a casa, em vão trabalham os que edificam; se o Senhor não guardar a cidade, em vão vigia a sentinela" (127.1). A Bíblia não ensina que não devemos edificar a casa, ela diz que devemos edificá-la em cooperação com o próprio Deus. As Escrituras não afirmam que a cidade não deve ser vigiada, mas ressalta que sem a proteção do Senhor, o trabalho da sentinela é vão.

Então, para resumir, precisamos nos preocupar com o nosso lar e toda a nossa vida. Enfim, devemos planejar, procurando, porém, a orientação divina. Além do mais, devemos buscar forças no Senhor — de maneira que não fiquemos apenas no planejamento — para cumprir os nossos deveres. Fazendo tudo com um único objetivo: proclamar a glória de Deus. Tenhamos sempre como alvo honrar o Senhor através de nossas atitudes. Se procedermos dessa maneira, não haverá motivos para se viver tenso, preocupado. Nossas vidas pertencem a Deus. E baseado nisso, temos a convicção de que o Senhor cuida de nós, pois Ele cuida do que é dEle.

Agora, se você ainda não pertence ao Senhor, entregue-se a Ele. Se você ainda não consagrou seu lar a Deus, faça-o nesse exato momento. Após a entrega, descanse. Entretanto, não deixe de fazer a sua parte. Deus vai abençoar todo o seu esforço. Amém.

9 de abril

E, na noite seguinte, apresentando-se-lhe o Senhor, disse: Paulo, tem ânimo! Porque, como de mim testificaste em Jerusalém, assim importa que testifiques também em Roma.
Atos 23.11

Um pastor foi visitar um membro da igreja que se encontrava muito doente. Encontrou o homem muito triste e desanimado. Num determinado momento da conversa, o irmão confessou ao pastor que queria morrer. O líder, então, lhe disse: *Meu irmão, quando oro para alguém morrer, ele morre mesmo. Da última vez que fiz uma oração dessas, o paciente não durou mais do que algumas horas. Você quer mesmo que eu ore para que você morra?* Ao que o moribundo respondeu: *Pastor, até que eu quero. O problema é que minha mulher não quer, sabe?*

Uma coisa é a pessoa dizer que está pronta para morrer. Outra, é enfrentar a morte com serenidade quando ela chega. A verdade é que a morte sempre assusta. Não fomos feitos para morrer.

Estando em Cesaréia, o apóstolo Paulo foi advertido de que, caso fosse a Jerusalém, seria preso. Foi então que ele declarou: "Eu estou pronto não só a ser ligado, mas ainda a morrer em Jerusalém pelo nome do Senhor Jesus" (At 21.13). E partiu em direção ao perigo.

Em Jerusalém, Paulo foi atacado por fanáticos judeus. Foi espancado e só não foi morto por uma multidão enfurecida porque uma guarda romana o protegeu. Ufa! Ele viu a morte bem de pertinho. Contudo, a fase de turbulência ainda não havia terminado. No dia seguinte, o apóstolo foi conduzido a um tribunal e esteve diante de muitos adversários enraivecidos como nunca. Houve nova confusão e ele quase foi, literalmente, despedaçado. Mais uma vez os romanos o salvaram. Porém, Paulo continuava preso. Àquela altura, cada minuto de vida era um milagre extraordinário e o futuro absolutamente incerto.

Na escuridão da noite, quando o servo de Deus estava se perguntando o que seria de sua vida ao amanhecer, eis que Jesus, em pessoa, vem conversar com Paulo. É muito significativo que o autor do livro de Atos não tenha registrado que o Salvador veio estar com o apóstolo. Ele escreve que "o Senhor" apresentou-se a ele. No entanto, Ele vem como Senhor, o Soberano, aquEle que tem o controle de tudo. Vem para dizer ao apóstolo que ele não vai morrer antes do tempo exato; sua vida não está nas mãos dos judeus e nem nas dos romanos, mas, sim, nas mãos do Todo-Poderoso. Tais circunstâncias convergiriam para o cumprimento dos propósitos de Deus para com ele. Paulo deveria ir a Roma, o lugar da mais alta importância estratégica para a disseminação do evangelho; e os adversários o empurrariam para lá. Com o objetivo de impedir a expansão do cristianismo, estavam trabalhando para que ele fosse mais longe e mais rápido.

Jesus fala com doçura: "Paulo, tem ânimo!" Palavras de quem conhecia o coração de um homem assustado e cheio de inquietude. Palavras de quem é amigo, companheiro, cúmplice — e que tem poder e autoridade. Palavras que sustentaram o apóstolo durante toda aquela fase de turbulência e que ainda hoje encorajam todos os que sofrem perseguição por causa de sua fé em Jesus. *Tenha ânimo.* Amém.

10 de abril

Porque então o teu rosto levantarás sem mácula; e estarás firme e não temerás.
Jó 11.15

Sabem por que o porco está sempre olhando para o chão? Porque a mãe dele é porca. Esta é uma pergunta de brincadeira de criança. Porém, há muitas pessoas que não podem levantar a cabeça em virtude das *porcarias* que andam fazendo.

Há homens que, literalmente, vivem olhando para o chão. Há outros que andam de cabeça erguida, até com atitude de arrogância, mas no seu interior estão envergonhados, cabisbaixos. Essas pessoas vivem tão atraídas por coisas moralmente baixas, que não conseguem pensar em nada puro, decente. E quando põem em prática seus pensamentos pecaminosos, ficam com vergonha, e por isso não têm coragem de olhar nos olhos das outras pessoas.

Se uma pessoa não consegue fitar nem os olhos de seus semelhantes, como conseguirá olhar para Deus? Na verdade, o pecado afugenta o homem da presença de Deus, como aconteceu com Adão no jardim do Éden. Desde que Adão pecou, ele e todos os seus descendentes sentiram dificuldades em olhar para cima.

Graças a Deus, porque, já que o homem não conseguia olhar para cima, Ele olhou para baixo. O Soberano nos olhou e teve misericórdia de nós. O Senhor proveu o meio de reconciliar o homem com Ele mesmo. Jesus é esse meio; é o único mediador entre Deus e os homens, segundo o que está escrito em 1 Timóteo 2.5. Cristo pode salvar perfeitamente os que por Ele se chegam a Deus (Hb 7.25). Purificados pelo sangue que Jesus derramou na cruz do Calvário, temos ousadia para entrar no santuário de Deus (Hb 10.19).

Quem vive subjugado pelo poder do pecado, empurrado para baixo por causa do peso da própria culpa, pode ser completamente libertado e purificado pelo poder do sangue de Jesus. A Bíblia declara: "Portanto, agora, nenhuma condenação há para os que vivem em Cristo Jesus" (Rm 8.1). Meu amigo, você pode ser purificado de seus pecados e suas culpas, e levantar o rosto "sem mácula". Renda-se ao grande amor de Deus, receba a salvação através do único meio que Ele mesmo proveu. Olhe para cima; Deus está olhando para baixo, Ele está olhando para você. Tudo o que o Senhor quer é uma oportunidade para mudar sua vida. Abra o seu coração e deixe Jesus entrar. Você verá como é prazerosa essa salvação. Como é precioso poder olhar para Deus e ver as maravilhas que Ele quer nos mostrar!

Agora, se você já é um cristão, porém tropeçou, fracassou, e está com dificuldades de olhar para cima, envergonhado pelos pecados que cometeu, hoje é dia de reconciliação. Não há nenhuma razão para continuar dessa maneira. O recurso que Deus preparou para salvar os pecadores é o mesmo que Ele usa para restaurar os que já se entregaram a Cristo. Como diz o provérbio: *O cair é do homem, o levantar é de Deus.* Vamos, levante-se. Faça como o filho pródigo que disse: "Levantar-me-ei e irei ter com meu pai" (Lc 15.18). E ele de fato fez isso; levantou-se, pediu perdão a seu pai e foi restaurado. Por que você não faz o mesmo? A Bíblia nos adverte em 1 João 1.7: "se andarmos na luz, como ele na luz está, temos comunhão uns com os outros, e o sangue de Jesus Cristo, seu Filho, nos purifica de todo pecado". Esta promessa é para os que já são salvos. Sim, os que assumiram um compromisso com Jesus estão sujeitos a cometer pecados. Não que isso seja desejável ou que deva ser encarado como algo sem importância. Às vezes, cometemos falhas, como se fosse um acidente. Ninguém gosta de sofrer acidentes, entretanto eles acontecem. Quando isso acontece, o caminho é procurar reparar os estragos.

O Diabo está o acusando; está dizendo que para você não tem mais solução. Lembre-se: ele é mentiroso. Você não precisa ter medo de suas acusações nem de suas ameaças. Não tenha medo. Levante o rosto, sem mácula, com a alma lavada pelo sangue de Jesus e não tema. Amém.

11 de abril

Não terei medo de dez milhares de pessoas que se puserem contra mim ao meu redor.
Salmos 3.6

A mãe de um soldado veio assistir ao desfile de 7 de setembro. Quando o batalhão ao qual seu filho pertencia passou perto dela, ela deu um jeito de ser percebida. Afinal, estava ali para torcer por seu heróico filho, o mais bravo soldado da pátria. Ao ver a mãe, meio que de lado, o rapaz se emocionou e acabou errando o passo. A mãe então exclamou: *Olhem lá, todo o batalhão está com o passo errado. Só o meu filho está com o passo certo.*

Quando servi ao Exército, usava-se muito essa historinha para repreender soldados que erravam o passo ou, por qualquer outra razão, destoavam dos outros: *Fulano, só você está certo.*

Mas... sabem de uma coisa: por incrível que pareça, um soldado pode estar certo, sozinho, no meio de uma tropa de dez mil homens. É o que nos afirma o versículo de hoje. Sabe o que é ter dez milhares de pessoas contra você? Se é servo de Deus e vive em comunhão com Ele, os dez milhares estão errados e você está certo.

"Não terei medo", diz o salmista. O primeiro medo a ser afastado é o de estar errado. Quando dez mil pessoas se voltam para você e dizem: *Você está errado*, a sensação que se tem é muito desagradável. A primeira reação é a de "acertar o passo" para acompanhar os outros. No entanto, cuidado, não é sempre que se deve acertar o passo com os outros. A Bíblia declara em Êxodo 23.2,3: "Não seguirás a multidão para fazeres o mal; nem numa demanda falarás, tomando parte com o maior número para torcer o direito". É isso mesmo; nem sempre a voz da maioria é a voz de Deus. É preciso ter muito cuidado, principalmente nos dias atuais, em que a mídia usa de todos os meios para nos influenciar com suas mensagens.

O segundo medo a ser afastado é o de ser oprimido pelos que nos são contrários, ainda mais se forem numerosos. A esse respeito, tenho duas notícias: uma má e outra boa. A má notícia é que se você é servo de Deus, não terá somente dez mil pessoas contra você, porém muito mais. Isso porque o inferno todo quer vê-lo arruinado. As pessoas são apenas instrumentos que os demônios usam, eventualmente, contra você. O foco, mesmo, está nos bastidores espirituais. Contudo, antes que se desespere, receba a boa notícia: Muito mais numerosos e poderosos são aqueles que estão a seu favor. Sim, o inferno está contra você, mas o céu está a seu favor. Então, não há por que temer. Mais são os que estão conosco do que os que estão com eles (2 Rs 6.16). Maior é o que está em vós do que o que está no mundo (1 Jo 4.4).

O salmista, certamente, tinha consciência do que estava dizendo. Ele conhecia ao Senhor, sabia que Ele possuía um exército poderosíssimo para combater em favor dos que lhe pertencem, por isso não tinha medo de nada nem de ninguém.

Não fique com medo das pessoas de casa, ou da escola, ou da repartição de trabalho, ou de velhos amigos que podem tornar-se inimigos. Venha ficar do lado certo. Se você se posicionar ao lado do Senhor, Ele se responsabilizará por você. A vitória será sua. Não importa quem esteja do outro lado. Vamos lá, o nosso Senhor já venceu esta batalha. Amém.

12 de abril

Mas, agora, vos admoesto a que tenhais bom ânimo, porque não se perderá a vida de nenhum de vós, mas somente o navio.
Atos 27.22

Suicídio. Que coisa mais estranha! Que coisa mais antinatural. O normal é o ser humano fazer tudo o que pode para preservar sua vida. É algo que se faz até por instinto. Os pesquisadores dizem que até um feto, no ventre de sua mãe, tenta defender-se quando se vê diante da ameaça de ser abortado. Mas, contrariando todas as leis naturais, pessoas inteligentes, sadias e até ricas dão fim à própria vida. Por que será que isso acontece?

O capítulo 27 de Atos dos Apóstolos narra um episódio que pode nos ajudar a entender por que as pessoas são capazes de tirar a própria vida. Nesta passagem, temos 275 pessoas dispostas a praticar o suicídio coletivo. Elas se encontravam numa situação tão difícil que, simplesmente, perderam o ânimo para viver. Durante quatorze dias, ficaram sem comer nada.

Encontro duas razões principais para que essas pessoas perdessem a vontade de continuar vivendo. A primeira é que não consideravam o momento que estavam vivendo prazeroso. Estavam em alto mar, açoitadas por uma tempestade, sem ver sol, nem lua, nem estrelas. Era o máximo do desconforto. A comida não tinha sabor algum; sequer permanecia no estômago. Que prazer poderiam ter na vida? A segunda razão do desânimo era a absoluta falta de esperança. Aquelas pessoas não tinham nenhuma perspectiva para o futuro. A questão era esta: se a morte era inevitável, por que lutar contra ela?

E no meio desse povo desesperado, sujeito às mesmas circunstâncias, estava o apóstolo Paulo. Porém, a condição psicológica desse homem era outra. Ele não sentia um pouquinho sequer de vontade de morrer; pelo contrário, estava com muito desejo de permanecer vivo. E, com a graça de Deus, conseguiu mudar o modo de pensar daquelas quase três centenas de pessoas. Quais foram os seus argumentos? O que se deve dizer a um suicida para que ele mude de idéia?

Em primeiro lugar, é preciso lembrar-lhe de que Deus existe. Ele é uma pessoa real; é o Senhor. Nossa vida pertence a Deus. O apóstolo se referiu a Ele como "o Deus de quem eu sou..." Apenas o Senhor tem o direito de tirar nossa vida; ninguém mais. Quando nossa existência aqui termina, somos encaminhados à presença dEle para prestar contas de tudo o que fizemos nesta vida. A Bíblia declara, em Hebreus 9.27, que "aos homens está ordenado morrerem uma só vez vindo depois disso o juízo". Não haverá mais oportunidade para arrependimento e, em virtude disso, não haverá perdão. O último ato de um suicida é o homicídio, para o qual não haverá perdão.

Em segundo lugar, é preciso ter consciência, como o apóstolo Paulo tinha, de que há uma missão a cumprir nesta vida, dada pelo próprio Deus. O Senhor tem interesse em colaborar para que essa missão seja cumprida. Por mais difícil que esteja a situação, Deus tem poder para mudá-la, e para melhor. Sempre haverá uma saída. Para os companheiros de viagem de Paulo, tudo parecia perdido, mas não estava. Pouco tempo depois estavam todos sãos e salvos em terra firme.

Por último, é preciso entender que nunca devemos desistir, porque, para que a situação seja modificada, temos de colaborar. Se reagirmos, se buscarmos forças em Deus e fizermos algo com o intuito de superar os maus momentos, por menor que seja o nosso esforço, conseguiremos transpor os obstáculos. No entanto, se nos acovardarmos, com certeza o pior acontecerá. Os suicidas precisam saber disto: por mais desagradável que esteja a vida aqui, o inferno é, no mínimo, um milhão de vezes pior. E não tem retorno. Não há a menor esperança de melhorar. Jesus disse e está registrado em Marcos 9.44, que lá "o bicho não morre e o fogo nunca se apaga".

Então, a receita do apóstolo Paulo — dada pelo Espírito Santo — para quem está no meio da tempestade é esta: *Tenha bom ânimo. Reaja. Deus o ajudará e tudo terminará bem.* Amém.

13 de abril

Em paz também me deitarei e dormirei, porque só tu,
Senhor, me fazes habitar em segurança.
Salmos 4.8

Temos versículos bíblicos para todas as ocasiões. Há pessoas que não compreendem isso. Ouvi falar até mesmo de um cidadão que chamou um servo de Deus e lhe deu um tapa no rosto. Depois falou-lhe: *Agora vire a outra face. Não está escrito em sua Bíblia que vocês assim devem fazer quando alguém lhes bater numa face?* O irmão não discutiu. Ensinamento bíblico não se discute. Virou a outra face e levou outro tapa. Então, o arrogante homem se despediu dizendo: *Muito bem, seu 'bíblia', você é crente mesmo. Até à próxima.* Porém, o crente falou: *Ei, espere aí. Você só sabe aquele versículo?*

Venha aqui que tenho um outro versículo para lhe ensinar. O servo de Deus, que também era muito forte fisicamente, apanhou uma vara e começou a açoitar o homem de postura altiva, enquanto ia repetindo-lhe Provérbios 26.3: "O açoite é para o cavalo, o freio para o jumento, e a vara para as costas dos tolos".

Pois é, encontramos passagens na Palavra de Deus para todas as ocasiões (apenas para descontrair). Temos, por exemplo, o versículo de hoje, Salmos 4.8, para o momento em que vamos dormir, e Salmos 3.5, para a hora de acordarmos: "Eu me deitei e dormi; acordei, porque o Senhor me sustentou". No entanto, os versículos bíblicos não são para serem repetidos de maneira irrefletida ou como coisa mágica. É necessário que realmente vivamos a Palavra de Deus.

"Em paz também me deitarei e dormirei..."Tal afirmação não combina em nada com insônia. Se um(a) servo(a) de Deus não dorme bem de noite, alguma coisa deve estar errada. Às vezes, é apenas uma questão de disciplina. Até para dormir devemos ter disciplina. Há pessoas que trocam a noite pelo dia. Vai deitar-se muito tarde por diversos motivos: fica fazendo tarefas que poderia ou deveria executar durante o dia, ou vendo televisão, ou conversando, ou quem sabe até orando. No dia seguinte, levanta-se muito tarde porque foi dormir tarde; às vezes, passa o dia todo dormindo. Quando chega a noite, não tem sono. Então, constrói um círculo vicioso. Se você se encaixa nesse perfil, precisa fazer algo para mudá-lo. Precisa ter disciplina.

Há pessoas que têm insônia por causa de enfermidades. Nesse caso, precisam procurar um médico. Mas Jesus não cura? Cura. Muitas vezes Jesus cura usando os próprios médicos. Por que não? Não foi Ele quem deu sabedoria aos homens? E, meus amigos, se Deus não abençoar, os médicos não podem fazer nada. Não consulte um médico sem orar antes, durante e após a consulta. Não tome remédio sem orar. Não oramos antes de comer? Da mesma forma devemos proceder ao tomarmos um medicamento. Agora, se o Senhor o curar de maneira sobrenatural, sem auxílio dos médicos, tudo bem. Todavia, não deixe de tomar o remédio, sem antes ter certeza de que está curado.

Também há insônias que são causadas por problemas na alma. Quais são esses problemas? São preocupações excessivas, medo, amargura e coisas dessa natureza. Observe no versículo mencionado hoje as palavras "paz e segurança". Elas estão associadas ao estado de nossa alma. Relacionam-se muito mais com nosso ser interior que com os fatores exteriores. Ninguém pode dormir tranqüilamente sem que esses elementos estejam presentes no coração. Alguém pode viver numa fortaleza e sentir-se inseguro. Pode ter tudo que o dinheiro é capaz de comprar e não ter paz. Dinheiro não compra a paz. Foi por isso que o salmista disse: "Só tu, Senhor, me fazes habitar em segurança".

Se você sofre de insônia porque sua alma está repleta de problemas, submeta-a à ação da Palavra de Deus, exponha as feridas interiores à ação do Espírito Santo. Se está amargurado, perdoe. Se está com medo, confie no Senhor. Se está preocupado, apresente os problemas a Deus e tenha fé nEle. Vamos fazer uma coisa? Na próxima vez que você tiver insônia, dobre os seus joelhos na beira da cama e derrame sua alma na presença do Senhor. Conte-lhe suas amarguras, peça-lhe forças para perdoar; mencione todas as suas preocupações e diga-lhe que está entregando tudo nas mãos dEle. Depois, louve ao Senhor. Agradeça por tudo o que Ele já fez em sua vida e ainda irá fazer. Se houver tempo, antes que você comece a dormir para nunca mais ter insônia, leia um Salmo. E... *Boa noite, meu irmão! Boa noite, minha irmã!* Adeus insônia. Amém.

14 de abril

Mas alegrem-se todos os que confiam em ti; exultem eternamente, porquanto tu os defendes; e em ti se gloriem os que amam o teu nome.
Salmos 5.11

Dois meninos estavam conversando. Era uma daquelas conversas em que cada um quer ser mais importante que o outro. Agora, cada um queria ter o pai maior que o do outro.

— O meu pai — dizia um — é tão grande, tão grande, que a cabeça dele encosta nas nuvens.

— E como você sabe que ele está tocando as nuvens com a cabeça? — perguntou o outro.

— Ah, ele sente uma coisa macia na cabeça. Ora, essa coisa macia que sente na cabeça é a gravata do meu pai — concluiu o outro.

Um menino pequeno sempre tem orgulho de seu pai. Uma criança de cinco anos diz: *O meu pai é um gênio.* O de doze afirma: *Meu pai não é tão inteligente como eu pensava.* O de dezessete declara: *O velho não sabe nada, mesmo.* O de vinte e dois anos já exclama: *Sabe que o coroa não é tão leigo como eu pensava?* O filho de trinta expressa: *Meu pai é mesmo inteligente.* Diz, então, o filho de quarenta anos: *Meu pai é um gênio.*

E quando nos referimos ao Pai celestial, a mesma coisa, muitas vezes, se sucede. Um crente recém-convertido está deslumbrado com a grandeza de Deus. O outro, maduro espiritualmente, também está sempre maravilhado com a sabedoria e o poder do seu Deus. Já um cristão que não é recém-convertido, mas ainda não atingiu uma maturidade cristã adequada, tem um conhecimento deficiente de quem é o Senhor.

Amigos, o profeta Oséias nos estimula, em seu livro, a que "conheçamos e prossigamos em conhecer ao Senhor" (6.3). É necessário conhecer ao Senhor. Quando colocamos em prática esse conselho, aprendemos a nos regozijar em sua presença. O servo de Deus que conhece ao Senhor está sempre alegre. Ele tem orgulho do seu Pai. Alegra-se no Senhor porque confia nEle. Veja bem, uma forma de proceder é conseqüência da outra: Quem conhece ao Senhor, confia nEle; quem confia no Senhor, se alegra nEle. A pessoa tem prazer no Senhor e o Senhor de igual modo se agrada dela. A pessoa assume um compromisso com o Senhor e Ele também firma um pacto com ela. Deus defende essa pessoa, porque ela lhe pertence. Resultado: a pessoa ama o nome do Senhor e se gloria nEle. Não é maravilhoso?

A situação refletida em nosso versículo de hoje é diametralmente oposta a daqueles que vêem em Deus apenas uma pessoa que existe para resolver seus problemas. Para essas pessoas, Deus não é o Senhor; Ele é escravo, que sempre deve realizar seus desejos. Parem com isso! Vamos conhecer ao Senhor e dar a glória devida ao seu nome.

Um crente que vê em Deus apenas um solucionador de problemas não pode ser feliz. Deus é infinitamente mais do que isso. Ele é o Rei da glória. É a Fonte da Sabedoria. O Criador dos céus e da terra. O Deus que é Luz. O Deus que é Amor. O que é de eternidade a eternidade. O Deus santo. O Deus fiel. O Deus verdadeiro. O Deus da verdade. Só de pensar em quem Ele é, já nos enchemos de alegria. Glória a Deus! Aleluia! Exaltado seja o Senhor!

Nossa reflexão nos convida a exultarmo-nos eternamente, porque o Senhor é o nosso Defensor. Certamente o Espírito Santo nos está ministrando, através do salmista, acerca da eternidade de nossa salvação. Estávamos perdidos, sem esperança. Estaríamos perdidos para sempre, se não fosse o grande amor do Senhor. Deus teve misericórdia de nós e nos salvou. A salvação que Ele nos proveu é perfeita, é maravilhosa, é sobrenatural, é imensurável, é tremenda! Essa salvação atinge o nosso ser por inteiro: corpo, alma e espírito. Ela tem efeitos em nossa vida passada, ao prover o cancelamento dos pecados dantes cometidos; tem efeitos no presente, ao nos dar poder para vencermos o pecado; e se refletirá em nossa felicidade futura e eterna. A salvação que Deus nos providenciou oferece proteção, defesa, e nos guardará eternamente. Por isso, nos exultaremos sempre. Você já tem essa salvação? Se já a tem, regozije-se. Se não a tem, receba-a agora mesmo. Amém.

15 de abril

Porque, esta mesma noite, o anjo de Deus, de quem eu sou e a quem sirvo, esteve comigo, dizendo: Paulo, não temas! Importa que sejas apresentado a César, e eis que Deus te deu todos quantos navegam contigo.
Atos 27.23,24

Algumas pessoas têm muito medo do escuro. Outras têm menos. Mas é natural que nos sintamos inseguros quando envoltos pela escuridão, principalmente quando nos encontramos em local desconhecido para nós ou em circunstâncias que nos oferecem perigo.

Em virtude da ausência da luz solar, a noite é associada à idéia de trevas, de perigo, de medo. É verdade que, com o advento da luz elétrica e de tantos recursos que a tecnologia moderna oferece, em muitos lugares as noites já não são tão escuras. Apesar disso, uma pessoa pode sentir insegurança e pavor, como se estivesse sozinho numa noite escura, ainda que rodeada de milhões de lâmpadas acesas.

Há noites que parecem mais escuras que todas as outras. Há noites que duram mais que 12, 24 ou 36 horas. Há noites que traspassam semanas inteiras.

O apóstolo Paulo e seus companheiros de viagem viveram uma noite que, literalmente, durou mais de dez dias. Não só porque, em pleno mar, não podiam ver o sol, nem a lua e as estrelas, mas também porque viviam momentos de total desespero, açoitados por ventos impetuosos e sacudidos por ondas colossais.

Em plena noite, um anjo apareceu a Paulo. Não era um qualquer. Era o anjo do Deus a quem Paulo pertencia e ao qual servia. Sim, porque não podemos esquecer que da mesma forma existem os anjos do Diabo. A Bíblia esclarece que esses seres malignos podem apresentar-se como se fossem anjos de luz (2 Co 11.14). Todavia, quem pertence ao verdadeiro Deus é protegido pelos verdadeiros anjos de luz.

A luz que se irradiou do anjo de Deus dissipou as trevas da longa noite. As doces palavras do enviado do céu suplantaram o ruído dos ventos e das ondas impetuosas: "... não temas", disse ele.

O anjo lembrou a Paulo que aquela viagem, ainda que tão acidentada, o levaria ao destino que Deus traçara para a sua vida. Nenhuma força da natureza, e nem mesmo qualquer uma espiritual, poderia impedir a realização dos propósitos de Deus com os quais o apóstolo se comprometera.

Envolto na atmosfera celestial e consciente dos planos de Deus para a sua vida, Paulo manteve-se sereno. Não foi mais um a gritar desesperado. Pelo contrário, animou e orientou os outros, e todos foram salvos.

Quando, a exemplo do apóstolo Paulo, confiamos nossa vida ao Senhor e nos dedicamos ao seu serviço, Ele nos protege e, muitas vezes, para fazê-lo, abençoa aqueles que estão ao nosso redor. E, se somos instrumentos conscientemente colocados a serviço do Senhor, Ele nos usa para salvar muitas outras pessoas. Salva nossos familiares, nossos vizinhos, colegas de trabalho e até nossos companheiros de viagem.

Não seja mais um desesperado no meio da multidão. Seja um instrumento de Deus para encorajar, orientar e salvar. Amém.

16 de abril

O Senhor já ouviu a minha súplica; o Senhor aceitará a minha oração.
Salmos 6.9

Certa vez ouvi uma história que narrava o diálogo entre Deus e uma pessoa. Vou tentar contá-la:

— *Senhor, o que são cem anos para ti?*

— Cem anos, para mim, são como cinco minutos — respondeu-lhe o Senhor.

— E um milhão de reais, Senhor, que são para ti? — pergunta a pessoa, ansiosa por ouvi a resposta.

— Um milhão de reais, para mim, são como um centavo.

Então, a pessoa prosseguiu, e disse:

— Senhor, me dá um centavo.

— Espere só cinco minutinhos, tá? — retrucou o Senhor, com um meio sorriso nos lábios.

Esperar cinco minutos, de Deus, para receber a resposta de um pedido, não é fácil. Entretanto, muitas vezes temos de esperar, ainda que seja menos tempo que isso. Toda oração sincera recebe de Deus uma resposta. Porém, a resposta de Deus para uma oração pode ter três respostas diferentes: *Sim, Não* ou *Espere*. Em qualquer caso, a resposta do Senhor é sempre a melhor, mesmo quando é negativa.

É interessante notar que a declaração do salmista contém um verbo no tempo passado e outro no futuro. Ele diz: "O Senhor já ouviu...", e também: "O Senhor aceitará a minha oração". Que Deus já ouviu, não duvidamos disso. Agora, a resposta virá. Tenha convicção.

Na física existe uma lei, chamada *lei da ação e reação* que afirma o seguinte: "A toda ação corresponde uma reação, com igual intensidade e em sentido contrário". No Reino de Deus existe uma lei, à qual dou o nome de *Lei da Oração e da Ação Celestial*, que declara: "A toda oração corresponde uma ação divina, com intensidade proporcional à fé e em apoio àquele que ora". Oração, ação divina.

O Salmo 6 tem dez versos. Os setes primeiros são apenas de lamento. Veja como é o primeiro versículo: "Senhor, não me repreendas na tua ira..." Olhe o que diz o verso 7: "Já os meus olhos estão consumidos pela mágoa, e têm envelhecido por causa de todos os meus inimigos". No verso 8 começa a virada. Enquanto o salmista está orando, se lamentando, chorando, o Espírito do Senhor está fortalecendo-o. De repente, em plena oração, o servo do Senhor recebe a convicção de que as coisas vão mudar. Ele toma uma atitude: ordena que toda a iniquidade saia de perto dele. Isto mostra que ele tomou consciência da presença de Deus, do Deus Santo. Ele sabe que se Deus está presente é porque vai agir. Então, o Espírito Santo o faz declarar: "O Senhor já ouviu a voz do meu lamento". Que coisa impressionante! No versículo anterior, ele estava se lamentando, angustiado, desesperado. Agora, ele está cheio de fé, de esperança!

É sempre assim, queridos; a oração faz a diferença. Quando conversamos com Deus, e apresentamos as nossas aflições, Ele nos ouve e muda as circunstâncias. Aparentemente, tudo continua como antes. Contudo, no interior, você sabe que as coisas já mudaram. É só uma questão de tempo, e o livramento de Deus se manifestará.

Imagine o seguinte: Um soldado luta sozinho com um grupo de cinqüenta adversários. De repente, ele avista ao longe um batalhão vindo ao seu encontro. Mais de mil soldados estão se aproximando e muito bem armados.

Então, o combatente solitário descobre que aqueles que estão vindo são justamente seus companheiros, é o seu batalhão que está chegando. Que alívio! Agora, é só administrar o tempo, enquanto o socorro vem. Pois é, isso é o que acontece quando estamos orando, em grande angústia, e recebemos de Deus a certeza de que o Senhor já nos ouviu, como aconteceu com o salmista.

Receba a convicção de sua vitória, neste exato momento. Se você está fora da comunhão com o Senhor, volte-se a Ele, pela fé em Jesus Cristo. Entregue-se ao Senhor e confie nEle para ser mais do que vencedor em todas as lutas que esteja enfrentando ou que venha a enfrentar. Amém.

17 de abril

O meu escudo está com Deus, que salva os retos de coração.
Salmos 7.10

Havia, em certo lugar, uma irmã a quem Deus usava muito. Ela orava pelos enfermos e eles eram curados, qualquer que fosse a enfermidade; problemas difíceis eram solucionados quando aquela irmã os apresentava a Deus. Nada amedrontava aquela serva do Senhor; a confiança que ela depositava nEle a deixava sempre segura. Enfim, ela era muito conhecida na cidade por causa de sua fé. Alguém que conhecia a sua fama, porém não a conhecia pessoalmente, certa vez viu-se frente a frente com ela e fez a seguinte exclamação: *Ah, então a senhora é a mulher que possui uma grande fé!* Então, ela respondeu: *Não. Eu possuo uma fé pequena. Mas ela está firmada no grande Deus.*

A Bíblia fala, em Efésios 6.16, sobre o escudo da fé. Trata-se de uma arma que vem sendo usada desde a mais remota antiguidade, portanto é algo bem conhecido. É uma arma de defesa. Assim como o escudo serve para proteger de flechas, de pedras e até de balas, a fé nos protege contra as dúvidas que o Diabo tenta colocar em nossa mente e em nosso coração. Existem dúvidas que nos atravessam como flechas, mutilam como pedras e fulminam rapidamente como balas. A fé é o antídoto contra elas.

Agora, voltemos à irmã de nossa história de hoje. Ela disse que sua fé era pequena, contudo se apoiava no grande Deus. Esta é uma verdade de extrema importância: a fé que salva, que protege verdadeiramente, que funciona, é a fé que se apoia em Deus. Foi por isso que o salmista disse: "O meu escudo está com Deus". Arquimedes dizia: "Dêem-me uma alavanca e um ponto de apoio e eu moverei o mundo". Claro que esse ponto de apoio tem de ser, de fato, um ponto de apoio; do contrário, não dá para mover sequer um caixote, quanto mais o mundo. E o mesmo acontece com a fé. O ponto de apoio da fé tem de ser Deus. Não pode ser o próprio homem, nem entidades espirituais de caráter e poder duvidosos, muito menos o acaso. É nisto que reside a diferença em ser otimista e se ter fé. O otimista declara que as coisas vão dar certo porque ele pensa assim. A pessoa que tem fé diz: *Eu sei que as coisas vão dar certo porque já falei com Deus a respeito, e eu tenho certeza de que Ele vai operar.*

As Escrituras dizem que a fé vem pelo ouvir e o ouvir pela Palavra de Deus (Rm 10.17). A melhor maneira de se adquirir fé é ouvindo a Palavra de Deus. Através dela adquirimos conhecimento do Senhor, de seus propósitos, de seus princípios, de seu poder e de suas promessas. Conhecendo a Bíblia, aprendemos a apoiar nossa fé no lugar certo, ou melhor, na pessoa certa. Na linguagem do salmista, adquirimos um escudo que provém de Deus, um escudo que realmente protege.

Não fique aí exposto às intempéries da vida. Esse mundo é muito perigoso para que alguém se atreva a viver sem um bom escudo. Receba agora, das mãos de Deus, o escudo da fé. O Senhor lhe enviou esta mensagem, fundamentada em sua Palavra, para que ela gere fé em seu coração. Esta é a fé que salva. Salva dos pecados e de toda a sorte de perigos, sejam espirituais, sejam físicos. Abrace a Jesus, Ele é o Autor e Consumador da nossa fé. Refugie-se nEle e jamais o abandone. Você nunca se arrependerá de ter feito isso. Se você abandonou o escudo da fé, recupere-o neste exato momento; ele não se perdeu, está com Deus e o Senhor deseja devolvê-lo a você prontamente. Estenda a sua mão e receba o seu escudo das mãos de Deus. Amém.

18 de abril

Portanto, ó varões, tende bom ânimo! Porque creio em Deus, que há de acontecer assim como a mim me foi dito.
Atos 27.25

Navio açoitado por ventos fortíssimos, lançado de uma parte a outra, totalmente fora de controle. Ondas enormes, prontas a engolir todos a qualquer momento. Tudo escuro, ninguém por perto para ouvir os pedidos de socorro. Então, aparece um sujeito, envolvido na mesma situação de calamidade, e diz: *Ei, colegas, fiquem tranqüilos. Tudo vai acabar bem. O navio não vai afundar. Ninguém vai morrer. Um anjo de Deus falou comigo na noite passada e me garantiu isso.*

Felizmente, as pessoas, quando estão em desespero, tendem a se agarrar a qualquer coisa que possa oferecer a mínima esperança. Por exemplo, quem está se afogando, agarra-se a qualquer objeto que possa salvá-la, seja uma bóia, uma tábua, uma garrafa, uma corda, enfim, algo que não permitirá que ela naufrague. O instinto de preservação da vida nos leva a lutar até o fim.

O sujeito que disse as palavras de esperança no navio prestes a afundar era o apóstolo Paulo. A grande maioria ali não o conhecia, mesmo porque ele não passava de um prisioneiro. Contudo, àquela altura, não havia mais nada em que eles pudessem firmar-se, e as palavras daquele desconhecido soaram como bálsamo para aqueles corações aflitos.

No entanto, vamos imaginar que, no navio, alguém pensasse: *É muito improvável que um prisioneiro tenha esse privilégio todo com Deus. Mas, se tiver, Deus vai* apenas salvá-lo. *Por que Deus salvaria todos em vez de salvar somente àquele com quem tem um relacionamento especial?* Pois é, alguém poderia pensar assim, da mesma maneira como muitos pensam hoje em dia. Todavia, é verdade que o Senhor, muitas vezes, abençoa várias pessoas por causa de um único servo seu. Muitas pessoas *"pegam carona"* nas bênçãos dos servos de Deus.

Sabe que todos estamos *"de carona"* nas bênçãos de Deus? Quando o Filho de Deus se fez carne, morreu na cruz sem pecado e ressuscitou, fez isso para nos dar uma *"carona"*. Ele agora é Filho de Deus. É um de nós. E o Pai Eterno nos abençoa por causa dEle. Nenhum de nós merece ser abençoado por Deus. Mas Ele nos abençoa em virtude de Jesus.

Jesus hoje, nesses dias tão conturbados, nos faz promessas de salvação, libertação, cura, de um futuro de eterna felicidade. Você precisa conhecer essas promessas. Você precisa e pode confiar nessas promessas. Elas nos alcançam em razão do amor que o Pai Eterno tem ao seu Filho Unigênito. E quando uma pessoa ora ao Pai, em nome de Jesus, está, de certa forma, se aproveitando disso. É válido. Jesus mesmo nos orientou a fazer isso.

Eu, neste exato momento, também sou um emissário de Deus. O Senhor me inspirou a escrever esta mensagem. Ele sabia que você a leria hoje. Deus não quer que você pereça. Não quer que você sucumba sob o peso dos problemas. Confie nesta mensagem. Tudo vai terminar bem. O temporal vai passar. Você vai chegar ao porto seguro. Deixe apenas Jesus dirigir sua vida. E, se Ele já é o seu Senhor, fique firme, confie sempre nEle. Eu creio, como dizia o apóstolo Paulo, "que há de acontecer como a mim me foi dito". Amém.

19 de abril

O Senhor será também um alto refúgio para o oprimido; um alto refúgio em tempos de angústia.
Salmos 9.9

Quando algum cometa se aproxima da Terra, nos lembramos de que esses corpos que vagam pelo espaço podem atingir com violência o nosso planeta a qualquer momento (comprovado estatisticamente). A propósito disso, surgiu recentemente a teoria segundo a qual o desaparecimento dos dinossauros se deu em virtude do choque de um cometa com a Terra. Analisando os fatos por esse ponto de vista, nós, os seres terrestres, estamos soltos no espaço, perdidos como cegos no meio de um tiroteio. Como se isso fosse pouco, os homens gastam o melhor de seu talento, as mais caras de suas pesquisas, o melhor de suas energias, para inventar novas e mais poderosas maneiras de se destruírem uns aos outros. Em conseqüência disso, estamos vivendo como se estivéssemos sobre um barril de pólvora, pronto a explodir num piscar de olhos.

Tem mais. Cada um de nós tem o seu próprio mundo. Seu lar, seu local de trabalho, sua escola, sua igreja, enfim, seu ambiente. E esse ambiente também está exposto aos perigos externos, os *"cometas"* e os problemas internos, desentendimentos, privações, desconfortos e perigos diversos que ameaçam explodir tudo a qualquer momento. Aí surgem as angústias.

Tentando superar os perigos representados pelos cometas, os homens estão construindo grandes telescópios, na tentativa de descobri-los com a maior antecedência possível, para ver se podem esconder-se a tempo. Estão procurando também uma maneira de sobreviver em outro planeta ou em alguma estação interplanetária, caso o planeta Terra seja destruído.

Quanto ao perigo atômico, a idéia é construir abrigos subterrâneos, imunes à radiação nuclear, onde também seriam armazenados alimentos em quantidade e com preparo adequado para durarem por muito tempo.

Nenhum dos recursos que existem até agora, para proteger o nosso planeta, pode garantir segurança e verdadeira tranqüilidade a nenhum de nós. E quanto aos problemas do dia-a-dia — conflitos familiares, a guerra da competição profissional, os problemas de violência urbana —, quem pode oferecer abrigo seguro contra eles? Só Deus.

Os homens estão em busca de abrigos subterrâneos, a fim de vencer o perigo nuclear. E quando se trata de suas angústias rotineiras, a tendência também é fugir para baixo. O ser humano tenta se refugiar no alcoolismo, nas drogas, nos prazeres irresponsáveis, com a esperança de esquecer os problemas, agravando ainda mais sua situação.

Nossa reflexão de hoje nos diz que "o Senhor será um alto refúgio para o oprimido, um alto refúgio em tempos de angústia".

Sendo Senhor do tempo, nosso Deus já nos advertia, desde as épocas mais antigas, que os nossos dias seriam muito difíceis. Os cataclismas, as crises sociais e familiares, os grandes problemas econômicos e até os fenômenos que têm lugar nos céus, tudo já estava previsto na Bíblia. O Senhor Jesus nos afirma em Lucas 21.25-28: "E haverá sinais no sol, e na lua, e nas estrelas e, na terra, angústia das nações em perplexidade pelo bramido do mar e das ondas; homens desmaiando de terror, na expectação das coisas que sobrevirão ao mundo, porquanto os poderes do céu serão abalados. E, então, verão vir o Filho do Homem numa nuvem, com poder e grande glória. Ora, quando essas coisas começarem a acontecer, olhai para cima e levantai a vossa cabeça, porque a vossa redenção está próxima".

Dizem que o avestruz, quando se vê em perigo, enfia a cabeça num buraco debaixo da terra. Há quem diga que não só o avestruz faz isso. O que se deve fazer em tempos difíceis como os nossos é levantar a cabeça. O nosso refúgio está em cima, não embaixo. Nosso refúgio é o Senhor. Ele está em cima. Está acima de qualquer perigo que possa nos ameaçar. Não fuja dele. Fuja para Ele. Faça isso agora mesmo. Amém.

20 de abril

Em ti confiarão os que conhecem o teu nome; porque tu, Senhor, nunca desamparaste os que te buscam.
Salmos 9.10

Existe um tipo de pessoa que não confia em ninguém. Quando um pai deseja ensinar ao seu pequenino filho algo que ele considera de suma importância — a desconfiança —, ele coloca o menino sobre a mesa e lhe diz: *Filho, nunca confie em ninguém.* Em seguida ordena: *Agora, pula no colo do papai, pula.* A criança, inocente, atira-se em direção ao seu sorridente papai. Ele, então, se afasta, o garoto se esborracha no chão e começa a chorar. O pai o apanha carinhosamente, coloca-o de novo sobre a mesa e lhe diz: *Viu, filho? Nunca confie em ninguém. Nem no seu papai. Agora, vem no colo do papai, vem.* O filho pensa que a lição acabou, salta em direção ao pai, que se afasta de novo, deixa-o estatelar-se no chão e lhe brada com muita fúria: *Eu já não lhe disse para não confiar em ninguém, seu estúpido?*

Deve ser terrível não poder confiar nem no próprio pai. Mas é verdade que isso pode acontecer. O ser humano é falho mesmo. No entanto, é bom saber que no Pai Celestial sempre podemos confiar. Será que podemos confiar mesmo em Deus? Será que podemos confiar sempre nEle?

A passagem bíblica de hoje afirma que confiarão no Senhor os que conhecem o seu nome. Quem conhece o nome do Senhor sabe que Ele contém profundas revelações acerca do seu caráter e poder. O nome pelo qual o Senhor é mais freqüentemente chamado, nas Escrituras, é Jeová ou Javé, que dá a idéia de imutabilidade, de poder perene. Existem também os nomes compostos, tais como Jeová-Jiré, que quer dizer "O Senhor que provê"; Jeová-Nissi, que significa "O Senhor é nossa bandeira"; Jeová-Shalom, "O Senhor é paz"; Jeová-Raah, "O Senhor é o meu pastor", e tantas outras combinações cuja simples menção nos traz conforto e segurança.

O conhecimento do nome do Senhor traz confiança e esta traz tranqüilidade, paz, certeza de que tudo está sob controle e, aconteça o que acontecer, tudo terminará bem.

Agora, o melhor de tudo é conhecer o Senhor na prática. Nosso texto nos diz que o Senhor nunca desamparou os que o buscaram. Precisamos apenas observar as Escrituras. Não há um registro sequer de alguém que tenha buscado ao Senhor com sinceridade e tenha sido desamparado por Ele. Isso jamais aconteceu. Nunca alguém buscou ao Senhor e foi decepcionado. Bem, mas não foram somente os personagens da Bíblia que buscaram ao Senhor e foram socorridos por Ele. Ao longo de toda a história sempre foi assim. E nos dias atuais não é diferente. Às vezes, passam, por apertos momentâneos que só servem para desafiar e fortalecer a fé. No entanto, os que perseveram na confiança que têm em Deus sempre triunfam. Eu sei que é assim. Vi isso na vida de meus avós, na de meus pais, tenho visto nas igrejas por onde já passei, e, o que é mais importante, tenho experimentado isso em minha própria vida. O Senhor jamais me abandonou, jamais me decepcionou.

Quero convidá-lo a conhecer o nome do Senhor na prática. Na experiência do dia-a-dia. Quero desafiá-lo a confiar no Senhor, por mais difícil que esteja a luta. Comece por confiar sua própria vida ao Senhor. Depois de fazê-lo, confie nEle para obter o suprimento de suas necessidades, a proteção contra todo perigo, a orientação segura para qualquer área de sua vida. Você não se decepcionará. Comece a fazer isso agora mesmo. Confesse a Ele a sua entrega. Diga-lhe que, aconteça o que acontecer, você permanecerá confiando nEle. Você vencerá. Amém.

21 de abril

E da mesma maneira também o Espírito ajuda as nossas fraquezas; porque não sabemos o que havemos de pedir como convém, mas o mesmo Espírito intercede por nós com gemidos inexprimíveis.
Romanos 8.26

Já se disse que todas as religiões representam o esforço do homem para se aproximar de Deus enquanto o cristianismo é a única que representa o esforço de Deus para chegar-se ao homem.

No começo da Bíblia, encontramos Deus procurando o homem no jardim do Éden, logo após a consumação do primeiro pecado na terra. Em todo o Antigo Testamento se vê Deus à procura do homem. Nos Evangelhos, início do Novo Testamento, Deus vem habitar entre nós, na pessoa de Jesus, o Emanuel, Deus conosco. A partir do livro de Atos dos Apóstolos, Deus vem morar em nós e nos guiar, através do Espírito Santo.

Na epístola aos Romanos, temos esse quadro impressionante de Deus, o Espírito Santo, intercedendo por pessoas fracas, defeituosas, atuando em benefício delas, chegando ao ponto de gemer, clamar com palavras incompreensíveis para nós. Que coisa tremenda! Tão tremenda que muitas pessoas têm dificuldade para crer que isso se aplique a elas próprias. Dizem: *Quem sou eu para que o Espírito Santo interceda por mim?*

Se fôssemos fortes, não necessitaríamos do Espírito Santo. Quanto mais fracos somos, mais precisamos de alguém forte ao nosso lado. Já que, de nós mesmos, não temos nenhum poder necessitamos de alguém que tenha todo o poder. Ou o Espírito Santo nos ajuda, ou estamos completamente perdidos.

Ele está conosco em todos os momentos, mas principalmente naquilo que é mais importante: a comunicação com Deus. Oração é se comunicar com Deus.

Todavia, como falar com Deus? O que falar a Deus? Esse é o problema. A solução? O Espírito Santo. Ele é o nosso *Tradutor* junto a Deus, o Pai.

O Espírito Santo é uma pessoa, não uma mera energia, muito menos uma simples influência. Ele tem sentimentos; se entristece, se alegra, chora, sorri, canta. O Espírito Santo é muito sensível. Quando Ele se aproxima de nós e vê as nossas fraquezas, os nossos erros, as nossas misérias, Ele sofre e geme. Contudo, faz isso cheio de compaixão por nós. Faz isso porque nos ama. Geme trabalhando em nosso favor.

Ao interceder em nosso favor, o Espírito Santo emite palavras incompreensíveis para nós. É a terceira pessoa da trindade falando com a primeira, numa linguagem que é cheia de amor e compaixão. O amor incompreensível e imensurável que levou um Deus santo a morrer pelos pecadores. Quem poderia entender isso?

Quando oramos, o Espírito Santo ora conosco, usando palavras incompreensíveis, porque muitas vezes elas contrariam o que estamos pedindo a Deus. Podemos pedir algo que vai nos fazer mal. O Espírito Santo diz ao Pai que desconsidere o que estamos pedindo e nos conceda o que Ele sabe que será bom para nós. A oração incompreensível dEle anula as partes da nossa que precisam ser anuladas, aperfeiçoam as que precisam ser aperfeiçoadas e completam o que está incompleto. Maravilha das maravilhas! Glória a Deus!

Demos graças a Deus por nos ter dado essa companhia tão especial, o Espírito Santo, e oremos com mais freqüência e mais confiança. Amém.

22 de abril

Porque o necessitado não será esquecido para sempre, nem a expectação dos pobres se malogrará perpetuamente.
Salmos 9.18

Os necessitados e os pobres geralmente são vistos como pessoas malditas, inferiores, gente indesejável. O mínimo que as outras pessoas fazem é inventar piadas sobre elas. Dizem que alegria de pobre dura pouco; que o pão do pobre só cai no chão com a parte da manteiga para baixo. Dizem, até abertamente: *Filho de pobre não tem sorte*. Não faz muito tempo que inventaram um personagem na televisão cujo refrão era: *Tenho horror a pobre*. Há um versículo da Bíblia que bem resume tudo isso: "O pobre é aborrecido até do companheiro, mas os amigos dos ricos são muitos" (Pv 14.20).

Na verdade ninguém é inferior aos outros pelo simples fato de ser pobre nem superior por ser rico. Pobreza e riqueza são situações a que qualquer um pode estar sujeito. Uma pessoa pode ir dormir rica e acordar pobre, e vice-versa. Há pessoas que têm tantas riquezas materiais, porém são tão pobres de caráter;

são os ricos-pobres. Aqui se encaixa outro versículo, Provérbios 19.22: "O desejo do homem é sua beneficência, mas o pobre é melhor do que o mentiroso".

A palavra de hoje é para os necessitados e os pobres. É uma palavra para os que vivem em desvantagem; para os que se sentem esquecidos, abandonados. Deus promete aos que confiam nEle que jamais serão esquecidos. O Senhor diz àqueles que nEle esperam que sua esperança não é vã.

Vale a pena repetir o nosso versículo de hoje: "O necessitado não será esquecido para sempre, nem a expectação dos pobres se malogrará perpetuamente". Há duas grandes verdades aqui:

A primeira é que Deus um dia dará fim a toda injustiça. Um dia não haverá mais pobreza na terra. Em breve, chegará o tempo em que não se verão pessoas desperdiçando comida, enquanto outras padecem fome. Não se verão mais pessoas dormindo ao relento, enquanto outras vivem em mansões superluxuosas. Não será algum regime político, nem a aplicação de alguma nova teoria econômica, nem nenhuma revolução sangrenta que tornará isso possível. Essas alterações já foram tentadas e não deram certo. Entretanto, Deus tem poder para mudar o atual estado de necessidade, e certamente o fará porque tem prometido.

Outra grande verdade que está contida em nosso texto de hoje: O Senhor cuida das situações particulares de opressão, injustiça e pobreza, quando lhe é oferecida a oportunidade de agir. Necessidades existem porque alguém retém aquilo que as poderia suprir. Pobreza existe porque alguém se nega a liberar aquilo que a poderia extinguir. Mas Deus é maior. O Senhor tem poder para afastar todos os obstáculos, toda a barreira, tudo que está prejudicando a chegada do socorro.

Alguma coisa está lhe faltando? Existe algo que seja realmente importante, pelo qual você está esperando há muito tempo? Receba a promessa de Deus agora. Ele está enviando o socorro. Sua expectação não se malogrará mais. Confie em Deus.

A pior pobreza que existe é a espiritual. Deus se preocupa com ela também. Quando Jesus, o seu Filho Unigênito veio a este mundo, Ele tinha esse propósito em mente: livrar o ser humano do estado de miséria espiritual. Está escrito: "Porque já sabeis a graça de nosso Senhor Jesus Cristo, que, sendo rico, por amor de vós se fez pobre para que, pela sua pobreza, enriquecêsseis" (2 Co 8.9). Em primeiro lugar, Jesus veio para suprir as necessidades espirituais, as que são eternas. Quem é poderoso para suprir as necessidades maiores, é também poderoso para suprir as menores.

Se suas necessidades espirituais — o perdão dos pecados, a libertação das forças opressoras do pecado, a comunhão com Deus — ainda não foram supridas, busque e receba o suprimento delas agora mesmo na pessoa bendita de nosso Senhor Jesus Cristo. Uma vez tendo sido supridas essas necessidades, não deixe de receber também o suprimento de tudo o mais que lhe faltar. Confie no Senhor. Sua expectação não será malograda. Amém.

23 de abril

Senhor, tu ouviste os desejos dos mansos; confortarás o seus coração.
Salmos 10.17

Certo irmão orava em voz alta: *Senhor, abençoa a mim, teu servo, a mais humilde de todas as pessoas desta igreja.* Alguém ouviu aquela oração e se dirigiu a ele para reclamar: *Meu irmão, pare com isso. Que negócio é esse de dizer que você é a pessoa mais humilde desta igreja? Você ainda não percebeu que o mais humilde da igreja sou eu?*

Talvez seja por causa desse tipo de oração que muitas pessoas não concordam com orações em voz alta. É possível que alguns se aproveitem até de momentos como esses para se promoverem aos olhos de outros. Jesus mesmo contou uma história acerca desse assunto. A célebre parábola do fariseu e do publicano, registrada em Lucas 18.9-14. Por outro lado, o próprio Jesus fez orações em voz audível e temos muitos outros exemplos desse tipo.

Há muitas orações, fervorosas, cheias de amor, sábias, que vale a pena ouvir. É por isso que a Bíblia contém, na íntegra, a transcrição de muitas delas. O livro de Salmos está repleto. O Salmo 10, por exemplo, é uma oração de alguém que se sente oprimido, carente, quase desesperado. Quando a oração já está chegando ao fim, a pessoa profere palavras que servem para seu próprio conforto, como se Deus já lhe estivesse respondendo antes de dizer *Amém*.

O Senhor Jesus nos diz, em Mateus 6.8, que o nosso Pai sabe de que necessitamos, antes mesmo que lhe peçamos. Isso não quer dizer que não devemos pedir. Quer dizer apenas que Deus está muito atento às nossas necessidades. Como diz o salmista, o Senhor "já ouviu os desejos dos mansos". Ouvir o desejo! Não é lindo? Sabe como são aquelas pessoas que se conhecem há muito tempo? Basta um olhar, um gesto mínimo, e uma já sabe o que a outra quer. Nosso Deus é assim. Glória ao seu nome!

Agora, Deus não é o tipo de pessoa que sabe o que a gente quer e não faz nada para ajudar. Não. Ele conforta os nossos corações. De que maneira? Às vezes, nos enviando uma mensagem como esta, para nos manter firmes até que a vitória chegue. Outras vezes, o Senhor nos orienta como devemos fazer para chegar ao ponto desejado; nos mostra algo que não estávamos vendo, mas que faltava para que chegássemos onde está a nossa bênção. Por fim, o Senhor nos conforta simplesmente colocando em nossas mãos aquilo que estamos lhe pedindo.

Quem busca ao Senhor com sinceridade e fé nunca fica falando sozinho. Os seus ouvidos estão abertos para ele. O Senhor ouve e age. O verso seguinte afirma que Deus ouve "para fazer justiça..." Como muitos dizem, o Senhor não ouve com um ouvido e deixa escapar pelo outro. Não. Ele ouve e faz justiça. Uma justiça que é perfeita. Mesmo sendo nós injustos e falhos, a justiça dEle entra em ação para nos ajudar. Se for preciso, Ele paga o preço por nós. Deus opera de tal maneira que nossos anelos são satisfeitos sem que nenhuma injustiça seja cometida.

Meu querido amigo, se você se encontra atribulado, ore ao Senhor. Ore em voz alta, ou em voz baixa, ou apenas com o pensamento, se preferir; mas ore. Não se surpreenda se você descobrir que o Senhor lhe está respondendo com as palavras de sua própria oração. No entanto, fale com a pessoa certa: fale com o Pai celestial. Ore em nome de Jesus, ou seja, confiando nos méritos e na obra que o Filho de Deus realizou em nosso favor. Jesus é o único mediador entre Deus e os homens. Se assim fizer, tenha certeza de que o Senhor já ouviu os desejos de seu coração. Amém.

24 de abril

E sabemos que todas as coisas contribuem juntamente para o bem daqueles que amam a Deus, daqueles que são chamados por seu decreto.
Romanos 8.28

Que figuras interessantes eram os camelôs de tempos atrás! Eram vendedores ambulantes que viviam viajando de cidade em cidade por esse Brasil afora. Quando chegavam ao local de destino, procuravam um lugar onde houvesse grande aglomeração de pessoas — geralmente em praças próximas de feiras, cinemas ou igreja — e tentavam atrair a atenção das mesmas. Para isso, sempre dispunham de algum recurso. Alguns realizavam truques de *mágica*, outros tocavam instrumentos musicais e havia também aqueles que se utilizavam de animais amestrados como periquitos, macacos e até cobras. Sim, quem não se lembra do *homem da cobra*?

Houve um camelô que marcou a minha vida; jamais me esquecerei dele. Ele fazia da seguinte maneira: Ao chegar na cidade, montava um cavalete no meio da praça, colocava nele uma tela em branco e começava a desenhar. E desenhava muito bem. As pessoas, curiosas, vinham ver o que ele estava fazendo. Quando já havia um bom número de pessoas ao seu redor, ele parava o que estava fazendo e exclamava bem alto: *Eu sou capaz de transformar qualquer rabisco em qualquer coisa. Querem ver?* Então, chamava alguém da multidão e pedia que ele fizesse qualquer rabisco, a esmo, na tela. E perguntava: *O que vocês querem que eu faça, aproveitando os riscos que esse cidadão acaba de fazer na tela?* Não importava o que as pessoas sugerissem, uma flor, um peixe, um avião, um coqueiro, ele era capaz de vencer o desafio. Traços desconexos passavam a fazer parte de uma pétala, de um caule de roseira ou da cauda de um peixe. Que homem extraordinário!

O camelô-desenhista faz-me lembrar o meu Deus. Nosso amoroso Pai celestial é capaz de aproveitar qualquer episódio desconexo de nossa vida a fim de cumprir o plano maravilhoso que tem para cada um de nós. E aparece cada *garatuja* na tela de nossa vida! Às vezes, são os outros que riscam nossa tela, irresponsavelmente. Outras vezes, somos nós mesmos que fazemos o estrago. No entanto, o mais sábio dos desenhistas coloca tudo nos devidos lugares. Como fez com José, o filho de Jacó. Os seus irmãos o venderam como escravo para que nunca viesse a ocupar lugar de liderança na família. Deus aproveitou o *rabisco* e fez com que tudo aquilo contribuísse para que José se tornasse o grande líder que foi.

Romanos 8.28 afirma que "todas as coisas", mesmo as que nos fazem sofrer, aquelas que produzem frustrações e causam prejuízos imediatos, "contribuem juntamente para o [nosso] bem". Preste atenção ao advérbio "juntamente". É preciso olhar para o desenho completo. Não podemos olhar para os rabiscos isolados, ignorando as outras partes que estão na tela.

Outra observação: A afirmativa bíblica é válida apenas para os que amam a Deus. Por quê? Porque quem ama a Deus o conhece; e quem o conhece, confia nEle. Espera com paciência, sabendo que o Senhor tem a hora e o meio certo de agir.

Mais um detalhe a ser observado: Está escrito que "todas as coisas contribuem juntamente para o bem... daqueles que são chamados por seu decreto". Quem são os chamados pelo decreto de Deus? Todas as pessoas. Está escrito, em 1 Timóteo 2.4, que Deus "quer que todos se salvem". Em Tito 2.11, a Palavra de Deus afirma que "a graça de Deus se há manifestado trazendo salvação a todos os homens". Então, por que a referência aos "chamados por seu decreto"? Para que nunca nos esqueçamos de que a iniciativa foi dEle. E, sabendo disso, procuremos amá-lo ainda mais e nos submetamos ao plano que Ele tem para cada um de nós. Assim, nada na tela de nossa vida se perderá. Tudo concorrerá para o nosso bem. Amém.

25 de abril

Por causa da opressão dos pobres e do gemido dos necessitados, me levantarei agora, diz o Senhor; porei a salvo aquele para quem eles assopram.
Salmos 12.5

Se há algo que parte o coração de qualquer pessoa normal é ouvir o gemido de alguém. Até as crianças percebem isso muito cedo. Tem criança que quando a mãe ameaça colocá-la de castigo já começa a gemer. A mãe dá umas duas chineladas e ela chora como se estivesse morrendo. Resultado: a surra que duraria uns dez minutos não passa de dois. Os filhos que apanham calados apanham muito mais.

Gemidos são palavras de apenas uma sílaba, como *ai, ui, uu*, porém valem mais que um discurso. Quando uma pessoa diz *Ai!*, ninguém precisa perguntar se está doendo. Claro que está. E todos que ouvem começam a ficar com pena. Imagine Deus. Ele que é o próprio amor em pessoa! Ele não agüenta ouvir ninguém gemendo de sofrimento. Foi por causa do gemido dos filhos de Israel que Ele desceu para falar com Moisés na sarça ardente (At 7.34).

Há momentos na vida em que nos ajoelhamos para falar com Deus e tudo o que conseguimos fazer é gemer. Você pensa que quem fica sozinho, gemendo na presença de Deus, sem conseguir dizer sequer uma palavra, não está orando? Pois fique sabendo que esse é o tipo mais poderoso de oração que existe. Essa oração faz com que Deus se levante de seu trono. Está escrito: "Por causa da opressão dos pobres, e do gemido dos necessitados, me levantarei agora, diz o Senhor..."

Amigos, se Deus já tem tanto poder quando está assentado, imagine de pé! Quem está fazendo o servo de Deus gemer vai ter de sair correndo. Sim, aqueles que estavam "assoprando" para o oprimido. Que expressão interessante: "os que assopram". Pode ser uma alusão às narinas e à boca assoprando de ira; como um touro bravio. É terrível, sem dúvida. Pode ser que o *assoprar* aqui se refira a um temporal que alguém provoca para destruir o mais fraco. De repente, você se sente como se estivesse *no olho do furacão*. O que se pode fazer numa situação dessas, além de gemer? Tudo o que sai da boca é: *Ai!* Entretanto, Deus ouve esse *Ai*, e se levanta; assim como Jesus se levantou no mar da Galiléia e repreendeu os ventos e o mar. Logo se seguiu grande bonança.

Querido amigo, não se envergonhe de gemer na presença de Deus. Nem pense que seus gemidos passam despercebidos. Mesmo aquele mais abafado, que faz a alma chorar, aquele que muitas vezes sai espremido, pelo canto dos olhos, em forma de lágrimas. O Senhor está vendo. O Senhor está ouvindo. O Senhor vai se levantar e salvá-lo.

Querida mãe que sofre e lamenta por causa de um filho que está afastado dos caminhos do Senhor, Deus vai libertar essa vida pela qual você tanto suspira. Querida esposa que chora por causa do esposo que é oprimido por Satanás e usado pelo Inimigo para oprimir sua vida, Deus está ouvindo os seus gemidos, as forças do mal serão afastadas. Querido obreiro que suspira por causa da ingratidão e incompreensão de muitos, às vezes, dentro de sua própria família, o socorro da parte do Senhor Todo-poderoso está chegando. Meu querido irmão que está aflito por causa de injustiças cometidas pelos que abusam do poder do dinheiro e da influência, aqUele que reina sobre todo o universo está se levantando, movido pelos clamores e lágrimas de sua alma. O Senhor o salvará.

Meu caro leitor que está gemendo em virtude do peso do pecado. Você foi atraído pelos falsos prazeres do mundo e agora sua alma geme de tristeza e arrependimento por causa de tantas coisas erradas que cometeu. Jesus quer socorrer você. Ele já se levantou em seu socorro, está de braços abertos a dizer-lhe: *Venha a mim, você que está cansado e oprimido, e eu o aliviarei.* Jesus o libertará completamente. Vai afastar todo o poder maligno que o tem oprimido até este momento. Refugie-se nEle agora mesmo. Deus o abençoe. Amém.

26 de abril

Mas eu confio na tua benignidade; na tua salvação meu coração se alegrará.
Cantarei ao Senhor, porquanto me tem feito muito bem.
Salmos 13.5,6

Você compraria um carro deste homem? Esta é a pergunta padrão que fazem quando querem saber se confiamos ou não em determinada pessoa. O sentido da pergunta é o seguinte: demonstramos que confiamos ou não em alguém ao lidarmos com ele em situações práticas do dia-a-dia. Você não compra um carro de uma pessoa que vive mentindo, arranjando um meio de enganar os outros. Não adianta uma pessoa dessas dizer que o carro está bom e este até parecer que está bom, você estará sempre desconfiado, não é mesmo?

Hoje, nossa mensagem de reflexão gira em torno de confiança. O versículo mencionado afirma: "... eu confio na tua benignidade..." O salmista confiava na benignidade de quem? De Deus. Mas será que Deus merece confiança? Você compraria um carro de Deus? Essa pergunta só faz sentido se a trocarmos por outra: Você já ouviu falar que Deus mentiu para alguém? Ou então responda a esta outra: Você já foi enganado ou já ouviu falar que alguém foi enganado por Deus?

Poucas pessoas poderiam responder com mais propriedade, se podemos ou não confiar em Deus, como o próprio salmista. Primeiro, porque ele se relacionou com Deus no dia-a-dia mais do que qualquer um de nós. Segundo, porque enfrentou muitas dificuldades na vida, seja na área profissional, familiar, espiritual, financeira, enfim, em tudo que alguém pode ser provado. E qual é o testemunho do salmista? "Cantarei ao Senhor, porquanto me tem feito muito bem."

É claro que houve momentos em que o salmista não entendia o que estava se passando com ele. Como ser humano que era, é bem possível que, às vezes, tivesse a sensação de que havia sido abandonado pelo Senhor. Mas, passado algum tempo, tudo se esclarecia. Sempre ficava claro que Deus jamais abandonava seu servo. E, o que é mais importante, tudo terminava bem. Tudo resultava em benefício para o servo de Deus. Veja o detalhe: "Cantarei ao Senhor, porquanto me tem feito muito bem". Bem. Muito bem.

Davi teve problemas com filhos, com amigos íntimos, e com os inimigos foram diversos. Os homens tentavam fazer-lhe mal, porém o Senhor lhe fazia bem. O Senhor até transformava em bem o mal que os homens planejavam fazer. Então o salmista cantava. Em vez de sofrer por causa dos males produzidos pelos homens, ele se alegrava pelo bem que lhe fazia o Senhor. Muitos dizem que *quem canta, seus males espanta*. Bem, mas depende do que se canta. Existem cânticos que, quem os canta, seus males atrai. Todavia, quem canta ao Senhor, não tenha dúvida, já está longe do mal. É mais do que espantar o mal: é estar abrigado do mal, longe dele e perto do Senhor.

Sabe que há pessoas que ficam com raiva de Deus quando alguém lhe faz mal? Pois é. Os outros fazem o mal e Deus é quem leva a culpa. Se o Senhor não lhe fez mal nenhum, não há porque ficar magoado com Ele.

Se você não tem o hábito de cantar ao Senhor, aprenda, adquira esse hábito salutar. Louve ao Senhor. Cante ao Senhor todos os dias, cante ao Senhor em todas as circunstâncias, cante para glorificar a Deus, cante para exaltar a grandeza, a sabedoria, o poder, a misericórdia desse Deus santo, eterno e maravilhoso.

Se você já tem o hábito de louvar ao Senhor, não deixe que nada, mas nada mesmo, o impeça de exercer essa atividade preciosa. Fixe os seus olhos no Senhor, lembre-se de todo o bem que Ele lhe tem feito e... cante. Amém.

27 de abril

Que diremos, pois, a estas coisas? Se Deus é por nós, quem será contra nós?
Romanos 8.31

Um fazendeiro do Nordeste tentava conciliar o sono quando ouviu os acordes de uma sanfona que vinha das imediações de sua casa. Chamou um jagunço e ordenou-lhe que fizesse silenciar a sanfona. Vários minutos se passaram e nada de o barulho do instrumento parar. Muito irritado, chamou outro jagunço e mandou que fizesse o sanfoneiro parar imediatamente, mesmo que fosse preciso matá-lo. Esse também não resolveu o problema. O *coronel* se levantou da cama, agarrou sua arma e partiu em direção ao local de onde vinha o barulho da sanfona disposto a fazer qualquer coisa. A esposa ficou na cama muito preocupada. Para sua surpresa, não houve tiros nem a música parou. Lá pelas tantas da madrugada volta o homem, bem manso, e diz à esposa: *Mulher, sabe quem está tocando a sanfona? É o compadre Lampião. E como toca bem o homem!*

Esta é uma das muitas histórias que se contam a respeito da valentia de Lampião, o temível cangaceiro. Enfrentá-lo não era tarefa para qualquer um.

Entretanto, um dia a carreira de Lampião, como de todos os valentes do passado, se acabou. Só há um valente que nunca será vencido: o Senhor Deus. Com Ele ninguém pode. Ele é mais poderoso que qualquer ser humano e mais poderoso que todos os homens juntos. Nunca houve nem haverá exército mais poderoso que o dEle. Ele tem muito mais poder que as forças espirituais do mal. Há quem pense que o Diabo seja o antônimo dEle. Engano. O Diabo é contrário a Deus, mas não tem a mesma dimensão que Ele. O Diabo não é eterno, não é onipotente, nem onisciente, nem onipresente. Só o Senhor é Deus.

Quem quiser ser vencedor nesta vida, coloque-se ao lado de Deus. Ele protege e ajuda aqueles que se colocam ao seu lado. Deus é por nós. E, se o Senhor é por nós, quem será contra nós?

Às vezes, o Inimigo nos enfrenta porque não sabe que estamos do lado de Deus. Outras vezes, ele se faz de bobo para testar se estamos de fato do lado de Deus. A Bíblia nos diz, em Tiago 4.7: "Sujeitai-vos, pois, a Deus; resisti ao diabo, e ele fugirá de vós". Então, o primeiro passo é sujeitar-se a Deus, é estar debaixo de sua vontade. Feito isso, deve-se resistir ao Diabo. Não se pode fazer isso sem estar sujeito a Deus. Não se pode resistir a esse Inimigo espiritual com forças físicas.

Se o Inimigo está se fazendo de desentendido com você, diga-lhe, em voz alta, que você já se entregou a Jesus, o Senhor. E resista a ele. Não faça acordo. Diga o que Jesus disse: "O príncipe deste mundo... nada tem em mim" (Jo 14.30).

O Inimigo sabe quem é o Senhor, sabe o poder que Ele tem e foge.

Não importa que tipo de artimanha o Adversário esteja utilizando. Não importa a quem ou o que ele esteja usando para nos atacar. Deus é por nós. Todo o mal cairá por terra. E no nome do Senhor venceremos todas as dificuldades. Amém.

28 de abril

Tenho posto o Senhor continuamente diante de mim; por isso que ele está à minha mão direita, nunca vacilarei.
Salmos 16.8

Nunca me esquecerei da história daquele casal, contada pelo saudoso missionário Bernard Jonhson. O velhinho ia dirigindo, e ao seu lado estava sua esposa. Então, veio um carro, em sentido contrário ao seu, que parecia estar sendo dirigido por uma pessoa com duas cabeças. Mas ao se aproximar o carro, perceberam que estavam equivocados. Era um casal de jovens, tão agarradinhos um ao outro que ninguém sabe como é que alguém consegue dirigir daquela maneira. Depois que aquele carro passou, seguiu-se um tempo de silêncio que foi quebrado com uma observação da velhinha: *Antigamente nós também andávamos assim. Não sei por que, de uns tempos para cá, passamos a andar tão longe um do outro.* E o velhinho, grudado ao volante, respondeu: *Eu continuo no mesmo lugar. Você foi quem se afastou.*

Deixando de lado os aspectos cômicos da história, ela bem serve para ilustrar a situação de muitas pessoas que se queixam de que Deus se afastou delas, porém, na verdade, foram elas que se afastaram do Senhor.

Das coisas que nos separam de Deus, a principal é o pecado (Is 59.1,2). Quando nos entregamos, deliberadamente, ao pecado, construímos um muro de separação entre nós e o nosso Deus. Somos nós que fazemos isso. Somos nós que construímos o muro.

Há momentos que nos sentimos longe de Deus e não é por causa de pecados. Às vezes, é em razão da tristeza, da amargura ou de preocupações. As lutas parecem tão grandes que nos sentimos como se estivéssemos sós. Há momentos em que perguntamos: *Onde está Deus?*

Não há algo pior do que alguém se sentir longe de Deus. É o pior tipo de solidão. Contudo, louvado seja o Senhor, esse tipo de solidão tem cura. A solução para ela só depende de nós. O salmista disse: "Tenho posto o Senhor continuamente diante de mim".

No entanto, como pôr o Senhor diante de nós? Se há uma barreira de pecado, basta apenas removê-la. O Senhor está do outro lado dela, no mesmo lugar de sempre. Porém, como remover essa barreira? Pelo arrependimento e pedido de perdão. Não existe outra maneira. Nem precisa. Arrepender-se é sentir uma tristeza tão grande pelo erro cometido, a ponto de se tomar a decisão de não persistir nele. Feito isso, você precisa pedir perdão ao Senhor. Todavia, isso parece simples demais. Parece, mas não é. O preço do nosso perdão já foi pago por Jesus, o Filho de Deus. Ele sofreu na cruz as conseqüências de nossos pecados. Ele pagou por antecipação. Mas esse pagamento só é computado em favor daqueles que se arrependem. Arrependimento seguido de pedido de perdão, é a principal maneira de colocarmos o Senhor diante de nós.

Quando vem o medo, a tristeza, o cansaço; quando nos sentimos feridos e abatidos; quando parece que até o Senhor nos abandonou, como trazer para dentro do coração a certeza e a segurança de que o Senhor está conosco? Bem, não tem outro jeito: temos de nos aproximar dEle. Se estamos nos sentindo longe do Senhor, é porque nos afastamos. Quem sabe, antes nos sentimos tão fortes, tão capazes, tão auto-suficientes, que agimos por nossa própria conta. Fizemos as coisas do nosso modo. E deu tudo errado. Fomos tolos. Contudo, agora vamos correr para os braços do Senhor, como fazem as crianças quando se machucam. Isso também merece um pedido de perdão. Mas tenha certeza: o Senhor perdoará. E a base do perdão é a mesma: o sacrifício de Jesus por nós no Calvário.

Entretanto, há momentos em que o problema é um pouco psicológico e também espiritual. O Inimigo de nossas almas pode nos fazer pensar que o Senhor se afastou de nós. Ele adora fazer isso; pôr confusão na mente dos filhos de Deus. O que fazer numa hora dessas? Devemos nos lembrar da Palavra do Senhor. Ele, que é fiel e verdadeiro, promete em sua Palavra jamais nos abandonar. Deus prometeu e ponto final. Lembre-se disso, alegre-se por isso e abrace ao Senhor, achegue-se a Ele, sinta o seu calor de Pai, de companheiro, de amigo infalível e insubstituível.

Faça como o salmista: lembre-se de que o Senhor está à sua mão direita, e nunca vacile. Amém.

29 de abril

Far-me-ás ver a vereda da vida; na tua presença há abundância de alegrias; à tua mão direita há delícias perpetuamente.
Salmos 16.11

Há pessoas que dizem estar *a caminho da luz*. Eu não estou a caminho da luz. Eu já estou na luz. Quem está *a caminho da luz* está em trevas. Jesus diz: "Eu sou a luz do mundo; quem me segue não andará em trevas, mas terá a luz da vida" (Jo 8.12). Também está escrito: "Mas, se andarmos na luz, como ele na luz está, temos comunhão uns com os outros, e o sangue de Jesus Cristo, seu Filho, nos purifica de todo pecado" (1 Jo 1.7). Temos, ainda, em Provérbios 4.18 o seguinte: "Mas a vereda do justo é como a luz da aurora que vai brilhando mais e mais até ser dia perfeito".

Os ímpios não enxergam nada, não vêem nem mesmo o próprio caminho por onde andam (Pv 4.19). Por isso não sabem em que andam tropeçando. Todavia, há pessoas que andam na luz, enxergam, portanto, o caminho por onde estão andando, e não compreendem, não prestam atenção, não percebem toda a beleza da vereda que percorrem. Isso também é lamentável.

Este versículo que tomamos para nossa meditação de hoje tem duas conotações proféticas. Uma se refere à ressurreição de Jesus e a outra à nossa própria ressurreição futura. "Far-me-ás ver a vereda da vida" é uma expressão de quem vai até os antros da morte e volta à vida. Contudo, há também uma aplicação para a vida dos servos de Deus aqui na terra, neste tempo. A vereda da vida já é percorrida por nós desde agora. O que acontecerá no futuro é apenas o prosseguimento dela.

Nosso texto associa a vereda da vida com a presença do Senhor e a alegria. É aqui que queremos chegar. Não é possível andar no caminho de Deus e viver triste. No entanto, há muitas pessoas que insistem nisso: viver para Deus é viver triste. Quem faz isso não está compreendendo o próprio caminho em que está andando. Não está percebendo as belezas que há nesse caminho. É como se andassem nele, no caminho da luz, com os olhos fechados ou vendados.

Já participei de muitas caravanas pelo Brasil e por vários outros países. Geralmente, procuramos os lugares mais lindos para visitar. São imponentes montanhas, belíssimos vales, impressionantes cachoeiras, praias aprazíveis, enfim, paisagens que só o nosso bondoso e sábio Deus poderia fazer. E vou lhes contar algo: já houve vezes em que presenciei pessoas do meu grupo completamente indiferentes àqueles espetáculos naturais, por diversas razões. Muitas vezes preocupadas com compras que ainda queriam fazer, ou remoendo uma palavra ríspida que alguém lhe dirigiu na saída do hotel, ou por não acharem que estavam muito bem trajadas para a ocasião, ou até mesmo por causa de um problema banal que estava ocorrendo em sua casa a milhares de quilômetros. Que pena!

Amigos, o Senhor nos trouxe à vereda da vida. Trouxe-nos até aqui para nos mostrar as belezas de sua comunhão, a sabedoria dos seus ensinos, o gozo da liberdade, a leveza do perdão. Por que nos preocuparmos com coisas supérfluas, por que deixar que futilidades nos roubem a atenção? Na presença do Senhor há abundância de alegrias.

E você notou a sutil referência à segurança que Deus nos dá? O salmista diz que à mão direita do Senhor há delícias perpetuamente. Há algo implícito nessas palavras. É o seguinte: quem anda nas veredas da vida está à mão direita de Deus. Tem segurança, apoio, proteção. Quem se encontra à mão direita do Senhor tem certeza de que todo mal que tentar perturbá-lo será desfeito. Isso traz tranqüilidade. Quem está em tal posição não perde a alegria, não deixa de desfrutar as delícias que estão ao seu redor, resultantes da própria presença do Pai celestial.

Se você já está nesse caminho, desfrute a paisagem, as delícias que há nele próprio, sinta a presença do Senhor e não permita que nada venha abalar sua felicidade. Se você ainda não está nesse caminho, venha para ele agora. Este caminho é Jesus: "Eu sou o caminho, a verdade e a vida. Ninguém vem ao Pai, senão por mim" (Jo 14.6). Amém.

30 de abril

Mas em todas estas coisas somos mais do que vencedores, por aquele que nos amou.
Romanos 8.37

Há pessoas que vivem para os esportes. Escolhem uma ou algumas modalidades esportivas e a elas se dedicam de corpo e alma. Para essas pessoas, o máximo da felicidade é vencer um campeonato ou, pelo menos, alcançar um dos primeiros lugares. Tristeza é perder, ficar em má classificação diante dos outros competidores. Todos já estamos acostumados a ver, pela televisão, o sorriso dos vencedores e as lágrimas dos derrotados.

No entanto, os que combatem nas guerras precisam vencer e não é para ganhar medalha. É para salvar a própria vida. É vencer ou morrer. Há os que vão para a guerra por iniciativa própria, outros são convocados por determinações superiores e uns são envolvidos nos combates repentinamente. Não importa: quem está na guerra precisa vencer para não morrer.

Se analisarmos esta questão com mais profundidade, descobriremos que todas as pessoas, sendo atletas ou não, sendo militares ou civis, vivendo em tempos de guerra ou em tempos de paz, todas, sem exceção, vivem em permanente competição. Sabemos que a própria concepção de um ser humano é resultado de uma competição entre células germinativas. Lutamos com situações adversas enquanto estamos no útero de nossa mãe. E a guerra continua depois que nascemos. Os perigos que temos de enfrentar são inúmeros: vírus, bactérias, animais peçonhentos, situações de riscos as mais diversas. Há competições que podemos perder e outras que são do tipo *ganhar ou morrer*.

Há uma batalha que não podemos perder, de forma alguma. É a batalha contra as forças que tentam nos separar de Deus. O interessante nesta batalha é que alguém pode morrer e ser considerado vencedor, ao passo que preservar a vida física pode caracterizar a derrota.

Em Romanos 8.35, há uma relação de sete adversários que temos. Os nomes deles são: tribulação, angústia, perseguição, fome, nudez, perigo e espada. Todos são terríveis. E o pior é que, muitas vezes, temos de enfrentar mais de um deles ao mesmo tempo. Eu disse *temos*. O verbo está no presente. Não foi apenas no tempo do apóstolo Paulo que os cristãos tiveram de enfrentar esses inimigos. Eles nos atacam ainda hoje. O objetivo deles é sempre o mesmo: separar-nos da comunhão com Deus. Às vezes, não nos damos conta disso. Já não lhe deu vontade, alguma vez, de *jogar tudo para o alto*, desistir, retroceder? Pois é, se você fizesse isso, estaria contrariando a vontade de Deus, estaria entregando a vitória ao Inimigo. Entretanto, você ainda não o fez nem vai fazer. Porque não está lutando sozinho. Há alguém que está solidário a você nesta luta. Por que você é bom atleta ou bom guerreiro? Por que você é bonito? Não. Simplesmente porque este alguém o ama.

Ele amou você antes mesmo que houvesse nascido. É Ele quem lhe garante a vitória.

O texto bíblico diz que somos "mais do que vencedores", porque nossa vitória já está determinada antes da luta começar. Às vezes, parece que vamos perder. Outras vezes, parece que estamos perdendo. Mas o Inimigo não tem a menor chance. A probabilidade de ele nos vencer é igual a zero. Somos mais do que vencedores.

Entramos para competir na fase preliminar e já ganhamos o campeonato todo. Somos mais do que vencedores!

Parabéns, campeão! Amém.

1º de maio

Faze maravilhosas as tuas beneficências, tu que livras aqueles que em ti confiam dos que se levantam contra a tua destra.
Salmos 17.7

Em um banquete real, um serviçal não tirava os olhos de uma bandeja de prata que continha algumas perdizes muito bem preparadas. Incomodado com a cobiça ostensiva do homem, o rei ordenou: *Dêem as perdizes que estão na bandeja de prata a esse homem!* E o serviçal, todo alegre, perguntou: *As perdizes também, Majestade?*

Isso é o que se chama de oportunismo. É sempre necessário saber aproveitar as oportunidades. Há algumas que jamais se repetem.

Boas oportunidades, que nunca podemos perder, são os nossos contatos com Deus, assim como fez o salmista. Ele conhecia, por experiência, as beneficências do Senhor, quer dizer, sua permanente disposição para fazer o bem. Então, o servo de Deus capricha no pedido: "Faze maravilhosas as tuas beneficências..." Ou seja, ele queria ver as beneficências do Senhor manifestadas de maneiras ainda mais extraordinárias do que aquelas que ele já estava acostumado a ver. Ele queria mais.

O que animou o escritor sacro a fazer um pedido tão ambicioso a Deus? A razão está na própria forma como ele se refere ao Senhor: "... tu que livras aqueles que em ti confiam". Por muitas vezes ele recebeu livramento do Senhor. E, se recebeu livramentos, é porque esteve muitas vezes em perigo. Houve momentos em que o salmista se achou completamente encurralado (1 Sm 23.26). Entretanto, o Senhor sempre o livrou. Para cada situação difícil, um livramento diferente. O repertório do Senhor nesse campo é ilimitado. Daí a referência às "maravilhosas beneficências". Deus sempre criava, e ainda cria, uma maneira nova de livrar aqueles que nEle confiavam e confiam.

Não tem como alguém perseguir um servo de Deus sem provocar ao próprio Senhor. O salmista diz que aqueles que maltratam ou tentam prejudicar alguém que confia no Senhor estão se levantando contra a destra dEle. É uma idéia reforçada em toda a Bíblia. Quando Saulo de Tarso perseguia a Igreja, Jesus perguntou-lhe: "Saulo, Saulo, por que me persegues?" (At 9.4) No entanto, observem bem: no texto de hoje não está escrito que a pessoa se levanta contra Deus, mas sim contra a destra, a mão direita, do Senhor. É terrível. É a mão que protege, que guia, todavia também é a mão que castiga. Neste caso específico é castigo. Punição contra os que querem maltratar os queridos do Senhor. Para os inimigos, castigo; para os que confiam no Senhor, livramentos.

Se você se encontra cercado, oprimido, clame ao Senhor. Não importa se a situação parece irremediável. Não importa se você se encontra numa dificuldade insuperável. Não importa se já viu ou já soube de alguém que pereceu quando foi submetido à mesma situação em que você se encontra hoje. O Senhor vai, mais uma vez, fazer maravilhosas as suas beneficências. Deus vai operar algo novo apenas para livrá-lo. Mas é preciso confiar no Senhor, pois opera em favor daqueles que confiam nEle.

Você já confiou sua vida ao Senhor? Você já entregou sua vida verdadeiramente a Deus? Se já o fez, então fique tranqüilo. O livramento virá, na hora certa. Se ainda não o fez, faça-o agora. A melhor maneira de demonstrar que confiamos no Senhor é entregando-lhe nossa própria vida, o nosso destino. É preciso fazê-lo de maneira consciente e explícita. Não demore. Deus vai libertar você, e estender sua poderosa mão para trabalhar em seu favor. O Senhor afugentará todos os que o estão perseguindo. Que fique claro: quem quiser fazer-lhe mal vai ter de enfrentar a mão do Deus Todo-poderoso. Venha experimentar as beneficências do Senhor que são inesgotáveis e maravilhosas. Deus o abençoe. Amém.

2 de maio

Guarda-me como à menina do olho, esconde-me à sombra das tuas asas.
Salmos 17.8

Quais são as meninas mais superprotegidas deste mundo? As meninas dos olhos, claro.

Quando queremos dizer que alguma coisa acontece muito rápido, dizemos que ela acontece *num piscar de olhos*. As Escrituras usam esta expressão em 1 Coríntios 15.52: "... num abrir e fechar de olhos..."

Alguém calculou que o tempo que uma pessoa leva para piscar o olho é 1/4 de segundo. Sabe por que esse movimento é tão rápido? Porque a pupila, a menina dos olhos, essa parte tão importante de nossa visão, é muito frágil. Muitos corpos estranhos, que poderiam danificar irremediavelmente nossos olhos, voam pelo espaço a uma velocidade muito grande. Se as pálpebras se demorassem a fechar, com facilidade a pupila, a parte mais exposta do olho seria perfurada. Quando ocorre qualquer movimento brusco próximo aos olhos, as pálpebras se fecham. Às vezes, um simples sopro, ou mesmo um estampido, ou até mesmo um grito, faz com que protejamos imediatamente a menina dos olhos.

Eram essas observações que o escritor sagrado tinha em mente quando escreveu o versículo que nos serve de meditação hoje.

Em primeiro lugar, ele reconhece a nossa fragilidade. Somos frágeis como a menina dos olhos.

Em segundo lugar, ele deixa claro que estamos sempre expostos a perigos. Há muitos perigos *voando pelo espaço*; elementos agressivos, perigosos, em todos os lugares. Estamos constantemente ameaçados, como a menina dos olhos em casa de ferreiro, por exemplo.

Há, contudo, um grande consolo: somos importantes para Deus e Ele nos defende como se fôssemos a menina dos olhos. Ninguém consegue nos atingir, por mais ágil que seja. Quando surge qualquer ameaça, o Senhor nos guarda imediatamente. Rápido como um piscar de olhos.

É interessante notar que em duas outras passagens bíblicas nós encontramos a mesma comparação. Veja Deuteronômio 32.10: "Achou-o na terra do deserto e num ermo solitário cheio de uivos; trouxe-o ao redor, instruiu-o, guardou-o como a menina do seu olho". Observe também Zacarias 2.8: "Porque assim diz o Senhor dos Exércitos: Depois da glória, ele me enviou às nações que vos despojaram; porque aquele que tocar em vós toca na menina do seu olho".

Há algo muito profundo na comparação que estamos examinando. Quando nos aproximamos de Deus, passamos a fazer parte do próprio corpo dEle. Aqui há uma referência direta à Igreja, Corpo de Cristo. Em 1 Coríntios 12.12 e em outras passagens da Bíblia, a Igreja é comparada a um corpo. Os verdadeiros filhos de Deus fazem parte desse corpo.

Não basta alguém dizer que ama ao Senhor. Não é suficiente expressar admiração por Jesus, dizer que Ele foi um grande Mestre ou algo parecido. É necessário estar unido a Ele. É necessário fazer parte do Corpo dEle. É nessa condição que nos tornamos instrumentos a serviço dEle e podemos contar com sua proteção. Fazendo parte do Corpo do Senhor, quem toca em nós também toca nEle. E o Senhor nos protege como a menina do seu olho.

Os que pertencem a Deus muitas vezes são expostos a perigos tão repentinos que não têm tempo nem para fazer uma oração. Tudo o que conseguem dizer é *JESUS!* Às vezes, não há tempo nem para pronunciar o nome com os lábios. O servo do Senhor apenas pensa no nome de Jesus. E o livramento vem mais veloz que a própria luz. O perigo surge rápido, mas o livramento vem mais rápido ainda. Como um piscar de olhos.

Não é bom ser protegido assim? Você se sente seguro, faz parte do Corpo do Senhor? Então, parabéns. Caso contrário, venha encaixar-se nesse Corpo glorioso, na Igreja do Senhor, pela fé na morte e ressurreição de Cristo. Amém.

3 de maio

Porque estou certo de que nem a morte, nem a vida, nem os anjos, nem os principados, nem as potestades, nem o presente, nem o porvir, nem a altura, nem a profundidade, nem alguma outra criatura nos poderá separar do amor de Deus, que está em Cristo Jesus, nosso Senhor!
Romanos 8.38,39

Você sabia que há uma passagem bíblica em que o ser humano é chamado de bicho? Encontramo-la em Jó 25.6: "E quanto menos o homem, que é um verme, e o filho do homem, que é um bicho!" E o pior é que a comparação não é com um bicho grande, como leão ou elefante. É feita com um verme!

Ao comparar o ser humano com um minúsculo bicho, a Bíblia está se referindo à fragilidade dele.

Somos tão frágeis e temos de enfrentar dificuldades tão grandes... Quão facilmente nos encontramos cara a cara com a morte? E quando pensamos que morrer é o pior mal que poderia nos acontecer, encontramos situações, na vida, que são mais tristes que isso. Há ocasiões em que viver parece pior que morrer.

Há fases em que gostaríamos de aumentar a velocidade dos ponteiros do relógio para que o tempo passasse logo. Desejamos fugir do presente. Outras vezes somos tomados por um pavor terrível do futuro. Queremos parar o tempo.

Apesar de tudo isso, o verme, o bicho, o ser humano tão frágil triunfa sobre todas as adversidades que lhe sobrevêm. Claro, não é qualquer homem que vence, que prevalece. Triunfam aqueles que confiam no Senhor. Mas por que triunfam? Como vencem?

Em primeiro lugar, os que confiam no Senhor são pessoas esclarecidas. Sabem que nenhum infortúnio acontece por acaso. Toda adversidade é manobrada por alguém que está nos bastidores. A Palavra de Deus comenta, em Romanos 8.38, a respeito de anjos, principados e potestades. São seres espirituais inteligentes, organizados e que trabalham segundo uma estrutura hierarquizada. Contudo, eles não estão fora de controle. Há alguém maior e mais poderoso. Eles têm muito poder, porém não têm todo o poder. Só uma pessoa tem o poder absoluto: o nosso Deus. Se confiarmos em Deus, Ele pelejará por nós.

Em segundo lugar, nós, seres tão frágeis, vencemos as adversidades porque temos uma fonte de inspiração: Jesus, o Filho do Homem. O salmista, prevendo o sofrimento do Messias, disse: "Mas eu sou verme, e não homem..." (Sl 22.6) E Ele venceu. Enfrentou a luta. Não abandonou a batalha.

Todos sabemos o que Jesus sofreu na cruz. Maiores que as terríveis dores físicas foram as morais, as dores da alma: abandono, afronta, vergonha. Piores que as dores do corpo e da alma foram as que Ele sofreu em seu espírito ao receber sobre si os nossos pecados, Ele que é perfeito em santidade. No entanto, Cristo não fugiu do Calvário. O que manteve Jesus preso à cruz? Teriam sido os pregos que lhe atravessaram as mãos e os pés? Não, não foram. Teriam sido os soldados romanos que montavam guarda junto dEle? Também não. O que manteve Jesus preso àquela cruz foi o seu amor por nós.

O que nos inspira a lutar, a mantermo-nos ligados à nossa cruz, é o amor que temos àquele que nos amou primeiro. Por amor a Ele, estamos dispostos a enfrentar qualquer sofrimento. Todavia, é bom saber que Jesus continua preso a nós pelo mesmo amor que o ligou à cruz. Esse mesmo amor o leva a perdoar os nossos pecados, suportar as nossas falhas e ajudar-nos em nossas dificuldades. Assim, nada nos separa do amor de Deus, que está em Cristo Jesus, nosso Senhor. E vencemos pelo amor. Amém.

4 de maio

Eu te amarei do coração, ó Senhor, fortaleza minha. O Senhor é o meu rochedo, e o meu lugar forte, e o meu libertador; o meu Deus, a minha fortaleza, em quem confio; o meu escudo, a força da minha salvação e o meu alto refúgio.
Salmos 18.1,2

Quando uma pessoa está muito cheia de problemas, costumamos dizer que ela está *toda enrolada*. Às vezes, até se fazem comparações do tipo: *Fulano está mais enrolado do que uma múmia ou um carretel de linha*. Há pessoas que ficam muito desesperadas por causa de dívidas; outras são envolvidas com problemas na justiça; há quem fique completamente imobilizado pelo acúmulo de tarefas no ambiente de trabalho, e assim por diante.

Você sabia que a idéia de uma pessoa totalmente *enrolada* em dificuldades tem origem na própria Bíblia? Pois é. Veja a expressão utilizada pelo servo de Deus, Davi, em Salmos 18.5: "Cordas do inferno me cingiram, laços de morte me surpreenderam". É ou não é a situação de alguém que se encontrava totalmente *enrolado*? O servo de Deus afirma, no versículo 4, que "Cordéis de morte me cercaram..." É... Houve um tempo em que Davi se encontrou todo *enrolado*.

Os versos 4 e 5 do Salmo 18 mencionam quatro males que *enrolaram* o seu autor: cordéis de morte, torrentes de impiedade, cordas do inferno e laços de morte. A situação esteve, de fato, muito difícil. Como você se sentiria se estivesse cercado por esses quatro males? Bem, e pode ser que você até esteja cercado por um ou até pelos quatro males que *enrolaram* o salmista. Claro que os nomes ali citados são simbólicos. Cordéis de morte, torrentes de impiedade, cordas do inferno e laços de morte podem representar problemas financeiros, questões familiares, dificuldades na Justiça, complicações na área profissional, opressão espiritual, enfim, tantas coisas que servem para nos imobilizar, sufocar, oprimir, ou cometer até mesmo um ato de loucura.

Vale observar que o Salmo 18 não é o desabafo de uma pessoa desesperada, nem o grito de alguém que está para morrer. Ele aparece primeiro em 2 Samuel 22. Na epígrafe do salmo está escrito que Davi proferiu este cântico "... no dia em que o Senhor o livrou das mãos de todos os seus inimigos e das mãos de Saul".

Temos chamado a atenção para quatro males, mencionados nos versículos 4 e 5, que assolaram o servo de Deus. No entanto, falta observar que o verso 2 faz referência a exatamente oito qualidades divinas associadas a livramento. Para que o servo de Deus se sinta bem seguro, o Senhor tem de ser: "o [seu] rochedo"; "o [seu] lugar forte"; "o [seu] libertador"; "o [seu] Deus"; "a [sua] fortaleza"; "o [seu] escudo"; "a força da [sua] salvação"; "o [seu] alto refúgio".

O título citado em quarto lugar, "o meu Deus", parece redundante, mas não é. O salmista não diz que o Senhor é um deus, nem que Ele é o Deus de alguém. Ele é "o meu Deus". Deus com letra maiúscula. É a pessoa que tem todo o poder, e eu o constituí como o meu Deus pessoal.

No versículo 46, Davi exclama: "O Senhor vive"! Eu quase posso vê-lo batendo palmas e dizendo: *Vive o Senhor!* E ele acrescenta: "... bendito seja o meu rochedo, e exaltado seja o Deus da minha salvação". Ele repete dois dos títulos que empregou no verso dois. No rochedo sentimos firmeza, e na salvação temos o livramento. Adeus cordéis de morte, torrentes de impiedade, cordas do inferno e laços de morte! Davi era um homem *enrolado*. Mas, agora, está completamente *desenrolado*, assim como você estará em breve, se o Senhor for o seu Deus.

Em 2 Samuel 22, a versão original do Salmo em que estamos meditando hoje, no verso 33, Davi declara que Deus desembaraça perfeitamente o seu caminho. Eis o segredo. Precisamos somente deixar Deus desembaraçar as dificuldades. Às vezes, perdemos o *fio da meada*. Então, tudo se complica. Apenas uma pessoa com a paciência e a sabedoria do nosso Deus pode dar solução ao problema.

Traga essa confusão que tem sido sua vida para as mãos do Senhor, se ainda não o fez. Ele vai desembaraçar tudo. Você vai deixar de ser uma pessoa *enrolada*. Amém.

5 de maio

Surpreenderam-me no dia da minha calamidade; mas o Senhor foi o meu amparo. Trouxe-me para um lugar espaçoso; livrou-me, porque tinha prazer em mim.
Salmos 18.18,19

De onde vêm expressões como estas: *Um mal nunca vem sozinho; Desgraça pouca é bobagem; Só me faltava essa*? Claro que só podem ser expressadas por pessoas amarguradas, sofridas, resignadas diante dos males que parecem vir sempre em série. É certo que tais expressões vêm da experiência prática de muitas pessoas.

Você sabia que as expressões citadas têm uma certa lógica? Vamos explicar.

Todo o mal que existe, tudo de ruim que acontece, tem origem numa pessoa. Tem origem no Inimigo de nossas almas, no Diabo. O nosso Inimigo tem suas estratégias de ação. Ele segue um plano quando quer maltratar alguém.

Há pessoas que são tão más que se aproveitam de acidentes de trânsito para roubar os bens dos feridos. Há quem aproveite um incêndio, um terremoto, uma calamidade qualquer, para assaltar residências. Sim, essas pessoas, sem nenhum escrúpulo, aproveitam o estado de inconsciência, de imobilidade e de pavor de outras para lhes tirar o que possuem. Em vez de socorrer, elas agravam ainda mais a situação de quem já está sofrendo.

Você pode imaginar um urubu esperando um animal morrer, caminhando ao seu redor, ficando tanto mais alegre quanto pior for a situação daquele que, ele espera, será sua futura refeição? Pois é assim que o Inimigo se comporta para conosco. Sim, não apenas para com as pessoas que vivem distantes do Senhor, mas, principalmente, para com os servos de Deus, em certas fases da vida.

Foi o salmista Davi quem mencionou a desagradável sensação de ser surpreendido no dia de sua calamidade. A situação já era infeliz e ainda aparece alguém com desagradáveis surpresas. O Diabo, covarde, não nos ataca quando estamos fortes; ataca quando estamos debilitados. Porém, não pense que tais momentos permanecerão assim. Não. Temos um Deus que se preocupa conosco.

Quando o Inimigo pensa que vai nos impor uma seqüência de males, nosso maravilhoso Pai celestial entra em cena e atrapalha os seus planos. O Adversário estava por cima nos atribulando e tentando nos derrubar. Entretanto, o Senhor Todo-poderoso se aproxima, afasta o agressor, protege-nos de sua fúria e nos leva a outro terreno. O círculo vicioso é quebrado. A seqüência de males é rompida. Nossas forças são restauradas. Recebemos novas instruções. Isto é o que o salmista chama de ser levado a um lugar espaçoso.

No próximo round, o Adversário nos encontrará em outras condições, muito mais favoráveis para nós. E a vitória é nossa.

Por que o Senhor nos ajuda? Porque tem prazer em nós. Nós que nos submetemos à sua obra salvadora, à salvação realizada na cruz do Calvário, pertencemos a Ele. O nome dEle está sobre nós. A nossa vitória é a vitória dEle. Quando vencemos, Deus se alegra.

É um grande privilégio ser motivo de alegria para Deus. Por isso, permita-lhe quebrar a seqüência de calamidades que tem se abatido sobre você. Pare de reclamar, pare de murmurar, rejeite o título de *azarado* que querem impor a você. Levante a cabeça. Reaja. O Senhor vai amparar sua vida. Vai levá-lo a um lugar espaçoso. Você vencerá. E o Senhor vai se alegrar por isso. Amém.

6 de maio

Porque o Reino de Deus não é comida nem bebida, mas justiça, e paz, e alegria no Espírito Santo.
Romanos 14.17

Um cidadão se converteu numa das Assembléias de Deus de São Luís, Maranhão. Passou a freqüentar a igreja justamente numa época em que houve várias comemorações de aniversários dos irmãos e a realização de muitos eventos festivos. Como acontece nessas ocasiões, a comida e os refrigerantes eram fartos. Então, o novo convertido dizia: *Isto é que é religião boa. Bem que eu dizia pra minha mulher: Mulher, vamos passar pra essa religião. Essa religião é boa.*

Dizem que os crentes não bebem, não fumam, mas comem que é uma beleza! Graças a Deus por isso. Tendo cuidado com o pecado da gula, vamos aproveitar a boa comida que o Senhor nos dá. Comer é bom mesmo. No entanto, isso não é o que há de melhor em nossa *religião*.

Ao nos submetermos ao senhorio do Rei Jesus, passamos a fazer parte do seu Reino. Um Reino onde predomina a justiça. Uma justiça que, a despeito de nossas faltas diante de um Deus santo, não nos aterroriza. Pensamos dessa forma porque a justiça de Deus foi executada, em relação a nós, na pessoa de Jesus Cristo. Tínhamos uma dívida para com Deus que não podíamos pagar. Jesus pagou por nós. Sem transigir com o pecado, Deus, justo juiz, nos absolveu. Esse tipo de justiça se irradia entre nós, uns para com os outros, através do perdão e da tolerância mútua.

Perdoados por Deus, temos paz com Ele. Ter paz com o Senhor é a base para ter paz consigo mesmo. Paz interior. Uma pessoa só pode ter paz com as outras pessoas se tiver paz com Deus. Que coisa preciosa! Apenas quem faz parte do Reino de Deus pode de fato vivê-la. E nós a temos. Graças a Deus!

Quem não conhece os crentes pensa que pelo fato de não ingerirmos bebidas alcoólicas, nem freqüentarmos boates, nem pularmos o carnaval, somos pessoas tristes. Grande engano! Os súditos do Rei Jesus são as pessoas verdadeiramente felizes nesta terra. Somos pessoas alegres. Nossa alegria vem de dentro, vem da alma. Não precisamos de álcool, nem de qualquer fator externo para produzi-la. A alegria produzida pela bebida dura enquanto existir o efeito do álcool. Assim é toda alegria que é alimentada pelos prazeres da carne: efêmera, superficial, de baixa qualidade. A alegria produzida pelo Espírito Santo é verdadeira, profunda, duradoura.

Por que você não vem fazer parte da nossa *religião*. Ela é boa mesmo! Amém.

7 de maio

Porque tu acenderás a minha candeia; o Senhor, meu Deus, alumiará as minhas trevas. Porque contigo entrei pelo meio de um esquadrão e com o meu Deus saltei uma muralha.
Salmos 18.28,29

Lembro-me de uma vez em que visitei, com alguns amigos, a cidade de Bom Jesus da Lapa, na Bahia. Tínhamos ido cooperar com uma igreja evangélica próximo dali.

Como era tempo das chamadas *romarias*, a cidade estava cheia de visitantes. Verificamos que o fluxo maior de pessoas era em direção a umas grutas nas quais entravam e sumiam, terra a dentro, com velas acesas nas mãos. Curiosos, seguimos aquela multidão, aproveitando o clarão das velas que levavam.

A certa altura, percorrendo aqueles labirintos que pareciam não ter fim, constatei que um dos meus companheiros havia se desgarrado da multidão e vinha, ao longe, trazendo nas mãos uma vela que havia achado por ali. Gritei para ele: *Apague essa vela, rapaz.* Meu pobre irmão, assustado, assoprou imediatamente a vela. Nesse momento, a multidão a que eu vinha seguindo também já havia se afastado, então ficamos todos na mais completa escuridão. Acho que nunca me vi em escuridão tão espessa em toda a minha vida.

No fundo da gruta havia uma fonte que jorrava água. Algumas pessoas lavavam suas feridas ali e outras enchiam garrafas provavelmente para depois beber. Lá fora havia quem vendesse uns vasilhames que diziam conter a água do interior da gruta.

Pensei: quem vem em busca dessas águas, atribuindo-lhes um poder milagroso, está vivendo espiritualmente em trevas mais espessas do que aquelas que me cercaram lá dentro.

Jesus nos afirma em João 8.12: "Eu sou a luz do mundo..." E em Mateus 5.14, Ele disse que somos a luz do mundo. Tudo isso é bem expresso pelo salmista que declarou que o Senhor acende a nossa candeia. Precisamos tornar a vida neste mundo menos desagradável e perigosa.

E sabemos que há inimigos que tentam apagar a nossa candeia. Imagine a cena: uma candeia acesa em campo aberto. Os ventos assopram e aquela pequena chama é empurrada de um lado a outro, lutando desesperadamente para não ser apagada. Assim somos nós.

Os ventos são as lutas, as dificuldades da vida, muitas vezes investindo para nos fazer descrer do amor e do poder de Deus. Outras vezes são as tentações, os convites ao pecado, à satisfação dos apetites carnais, o que nos levaria a nos separar do nosso Deus santo. Isso nos privaria de sua luz para iluminar o nosso caminho e também aqueles que estão em trevas.

São tantos e tão variados os combates. Tudo conspira contra nossa comunhão com Deus. Surgem os esquadrões dos inimigos. Levantam-se as muralhas. Que fazer? Agarrarmo-nos ao nosso Deus como nunca. Com Ele, como disse o salmista, passamos "pelo meio de um esquadrão". As muralhas são transpostas, não importa quão forte e quão altas sejam. Com o nosso Deus, saltamos as muralhas.

Nos momentos de grandes lutas, os servos de Deus podem se sentir totalmente desorientados, como se estivessem em trevas. Eles têm luz para ir ao céu e até para ajudar outras pessoas, mas falta-lhes orientação para situações específicas da vida. De fato, há até o risco de mergulharem nas mais profundas trevas. Situações que começam muito simples, de repente ficam complicadas. Que bom saber que, nessas ocasiões, o Senhor acende a nossa candeia.

Às vezes, um servo de Deus passa por uma crise de fé. Ele que outrora era tão útil nas mãos de Deus, agora não consegue obter vitórias que eram tão comuns em sua vida, como a cura de enfermidades, a solução de problemas, forças para anunciar o evangelho e até para separar-se do mundo. Muralhas são erguidas ao seu redor e ele fica isolado de tudo que é tão importante para sua vida.

Se você necessita acender ou reacender sua candeia, se tem de enfrentar um esquadrão de inimigos ou saltar uma muralha, clame a Deus agora. Não tenha dúvida, o Senhor estará com você neste combate. Sua luz vai envolvê-lo completamente. Você vai entrar pelo meio do esquadrão e, com toda a certeza, transpor a muralha, para a glória de Deus. Amém.

8 de maio

Deus é o que me cinge de força e aperfeiçoa o meu caminho. Faz os meus pés como os das cervas e põe-me nas minhas alturas. Adestra as minhas mãos para o combate, de sorte que os meus braços quebraram um arco de cobre.
Salmos 18.32-34

De vez em quando uma criança cai de cima de um armário, ou da varanda de uma casa, ou até de andares mais elevados de edifícios. Ocorre que alguém lhe dá de presente uma capa do super-homem e ela resolve utilizá-la, na ilusão de que voará igual ao super-herói. Todavia, isso não funciona. É apenas ilusão. É ficção. São histórias de gibis e filmes de aventura.

Há muitos adultos que também se prejudicam por confiar em coisas do mundo espiritual que são como a capa do super-homem: não funcionam.

Estamos nos referindo às falsas religiões e até mesmo aos ensinos pseudo-cristãos.

Muitas vezes, tais recursos dão uma sensação de segurança, força, capacidade para superar dificuldades; mas, na realidade, isso não existe na prática.

Então, podemos afirmar que o cristianismo também não funciona? Claro que funciona. Cristianismo não é história de super-herói infantil. É algo sério e verdadeiro que existe.

Já foi mencionado em uma meditação anterior que todas as religiões representam o esforço que o homem faz para se aproximar de Deus. O verdadeiro cristianismo, porém, é o esforço de Deus para se chegar ao homem.

Cristianismo é isso: Deus vindo em nosso socorro. Ele veio ao nosso encontro para nos salvar dos nossos pecados, uma vez que jamais poderíamos nos salvar por nós mesmos. Uma vez salvos, somos guiados pelo Senhor, sustentados por Ele, ensinados por Ele, socorridos sempre por Ele.

Davi entoou: "Deus é o que me cinge de força e aperfeiçoa o meu caminho". E tem mais: Deus fortalece os nossos pés, conduz-nos às alturas e ainda adestra as nossas mãos para o combate. Entretanto, quem vai combater somos nós. Ele nos dá a força, mas quem enfrenta o Inimigo, toma o arco de cobre das mãos dele e o quebra somos nós.

O arco de cobre é uma arma terrível. Primeiro ele dá ao inimigo uma capacidade enorme para nos atacar. Não é possível nem se aproximar do adversário. Antes que chegássemos perto dele, seríamos atingidos com flechas mortais. Em segundo lugar, se chegarmos a pouca distância do adversário, ele pode até nos bater com o arco. O arco é de cobre. É forte. Dói quando atinge nosso corpo. E agora? Não tem problema, mas o Senhor fortalece os nossos pés, nos põe nas alturas, fazendo que alcancemos o Inimigo, vindo por cima. Quando ele menos espera, estamos ali, em cima dele. E temos força para arrebatar o arco da sua mão e quebrá-lo imediatamente.

Tudo isso não é muito semelhante a histórias de super-herói? Porém, há muitas diferenças. Davi, o autor do Salmo 18, era um homem totalmente comprometido com o Senhor. Ele vivia para fazer a vontade de Deus. O que se passava com este rei era importante para Deus. E o Senhor o livrava mesmo. Essas palavras não são produto de uma obra de ficção. Elas representam experiências reais de um homem que viveu com Deus e foi alvo de inúmeros livramentos milagrosos.

Hoje em dia, as coisas funcionam da mesma maneira. Jesus disse: "... o que vem a mim de maneira nenhuma o lançarei fora" (Jo 6.37). Aproximamo-nos de Cristo porque Ele já veio a nós. Você já deu um passo em sua direção? Estando em comunhão com Ele, podemos estar tranqüilos, sabendo que nos fortalece sempre, nos conduz, adestra as nossas mãos, dá-nos capacidade para quebrar o arco de cobre e vencer completamente o Inimigo. Receba esta palavra em seu coração, creia nela, seja mais que vencedor com a graça de Deus. Amém.

9 de maio

Ora, o Deus de esperança vos encha de todo o gozo e paz em crença, para que abundeis em esperança pela virtude do Espírito Santo.
Romanos 15.13

Que preciosidade é este versículo bíblico! São cento e duas letras, compondo apenas vinte e cinco palavras. Mas nesta passagem está descrito o estado de uma vida perfeitamente feliz através de quatro expressões: gozo, paz, fé e esperança.

Uma pessoa feliz é uma pessoa alegre. Contudo, a palavra utilizada no versículo não é alegria, mas sim gozo. Existem diversos tipos de alegria: verdadeira, falsa, profunda, superficial, efêmera, duradoura. A Bíblia usa a palavra "gozo" para que ninguém pense numa alegria qualquer. É algo que vem de dentro, está instalado na alma, não se abala com circunstâncias exteriores. Os portadores da falsa alegria, muitas vezes sorriem por fora, porém estão sempre chorando por dentro. Quem tem gozo, a verdadeira alegria, às vezes, derrama lágrimas, mas está sempre cantando e sorrindo no seu interior.

Uma pessoa verdadeiramente feliz tem paz com Deus e consigo mesma. Tem paz com todas as outras pessoas. Alguém poderá não ter paz com ela, odiá-la, querer-lhe mal, e até mesmo persegui-la. Entretanto, ela não quer o mal para ninguém. Sabe que seu Deus tem o controle de tudo e, portanto, não se abala com nada.

Uma pessoa verdadeiramente feliz tem esperança. Crê que os problemas serão solucionados. Espera o melhor e está sempre disposta a crer. Inclinada a ver possibilidades boas. Quem não tem esperança é desesperado. Vê apenas dificuldades. Espera somente pelo pior. E, porque só espera pelo pior, não faz nada para que o melhor aconteça. Quando faz, faz malfeito.

As pessoas que fazem o mundo se mover são aquelas que têm esperança. Como estão sempre abertas às possibilidades, acabam por achá-las onde os outros não podiam enxergar. Como estão sempre alerta, nunca perdem uma oportunidade. Os outros perdem porque desistem, porque não estavam esperando quando a oportunidade surgiu.

As três pessoas da Santíssima Trindade estão em Romanos 15.13. Deus, o Pai, que nesse contexto é chamado de "Deus de esperança", é a fonte da verdadeira felicidade. Deus, o Espírito Santo, é quem opera em nós a verdadeira felicidade. E Deus, o Filho, Jesus Cristo, onde está neste versículo? Veja que o apóstolo deseja que a felicidade se realize em nossa vida "em crença". Que crença é esta? É a fé em Jesus, aqUele que viabilizou a felicidade para nós. Jesus é o "autor e consumador da [nossa] fé" (Hb 12.2). Sem a obra que Jesus realizou no Calvário, não haveria esperança para nós, nem gozo, nem paz.

A crença, a fé em Jesus, canaliza as bênçãos de Deus para nós. Faz viável, para qualquer pessoa, inclusive você, a verdadeira felicidade. A minha esperança é que você se beneficie das provisões que o Senhor já fez e seja plenamente feliz. Amém.

10 de maio

O Senhor te ouça no dia da angustia; o nome do Deus de Jacó te proteja.
Salmos 20.1

O precioso Salmo 20 é constituído de nove versículos. Há, em todo o salmo, três referências ao nome de Deus. Portanto, há três versos para cada referência ao nome do Senhor. Três vezes três. Analisando este salmo com calma, descobri uma maravilhosa revelação a respeito da Trindade.

Os três primeiros versos estão associados a Deus, o Pai. O primeiro nos fala do "Deus de Jacó" e nos envia para a *era patriarcal*, primórdios da revelação de Deus à humanidade.

Pai perfeito como é, o Senhor sempre corrige seus filhos quando erram. No entanto, nunca deixa de amá-los. Nunca os desampara. A história de Jacó é uma perfeita ilustração do que estamos afirmando. Deus sempre *puxou as orelhas* de Jacó, quando ele fazia algo de errado, mas também sempre enviou àquele filho impulsivo "socorro desde o seu santuário", como está escrito no segundo versículo deste salmo. Já naquele tempo, as pessoas que conheciam o Deus verdadeiro sabiam que "...sem derramamento de sangue não há remissão", tal como o escritor aos Hebreus registrou muitos séculos depois (Hb 9.22). Como Jesus, o Cordeiro de Deus, ainda não havia derramado seu sangue pelos pecadores, os patriarcas, e o povo de Israel depois, ofereciam sangue de animais nos holocaustos. E Deus aceitava esses sacrifícios, como está registrado no verso 3 do Salmo 20, embora eles não fossem ainda a provisão perfeita para a purificação dos pecados.

"O Senhor te ouça no dia da angústia..." Ah, as angústias, as indesejáveis angústias. Como gostaríamos de nunca ter de conviver com elas! Porém, sem ser convidadas, elas chegam. E quando isso acontece, não querem mais ir embora. Entretanto, há alguém que as pode afugentar, expulsar, livrar-nos delas: o Senhor nosso Deus. Por isso, quem conhece o Deus de Jacó, quando as angústias chegam, clamam imediatamente por Ele. Todavia, logo vem a dúvida: será que Deus vai me ouvir?

Muitas vezes temos dúvidas se o Senhor vai nos ouvir ou não, porque sabemos que fomos nós os autores de determinada situação. A consciência diz: *Você merece passar pelo que está passando.* E agora, será que este problema não tem solução? Tem sim. Deus, nosso Pai, vai ouvir o nosso clamor. Não porque mereçamos, mas porque Ele é bom. Ele vai nos ouvir porque o preço de nossas transgressões já foi pago na cruz. Aquele holocausto já foi aceito por Deus em nosso favor.

Normalmente, as angústias não vêm sozinhas. Vêm com outras companhias indesejáveis: trazem as doenças nervosas e as de outra natureza, as fraquezas que nos deixam vulneráveis a outros males e, muitas vezes, a descrença e o desespero. É preciso que nos livremos das angústias para que fiquemos livres também de suas más companhias.

No momento em que estiver enfrentando algumas tribulações, recorra à pessoa certa. Recorra a seu Pai celestial confiando na provisão certa e no sacrifício que Jesus fez por nós na cruz do Calvário. Com toda a certeza, o Senhor ouvirá o seu clamor. Ele irá protegê-lo. Irá enviar o socorro do céu e abençoar sua vida por inteiro. Amém!

11 de maio

Nós nos alegraremos pela tua salvação e, em nome do nosso Deus, arvoraremos pendões; satisfaça o Senhor todas as tuas petições.
Salmos 20.5

Desejar que alguém tenha todas as suas petições satisfeitas por Deus parece um exagero. O verso anterior ao que escolhemos para a nossa reflexão de hoje também é muito forte: "Conceda-te conforme o teu coração e cumpra todo o teu desígnio" (v. 4). Parece mais aqueles desejos que formulamos, querendo ser simpáticos, porém sem nenhuma esperança de que sejam cumpridos, como por exemplo: *Deus te dê o céu com as estrelas.*

Existem vários textos bíblicos que falam de Deus cumprindo todas as nossas petições. Por exemplo, em João 14.13 está escrito: "E tudo quanto pedirdes em meu nome, eu o farei..." No mesmo Evangelho de João, lemos: "Se vós estiverdes em mim, e as minhas palavras estiverem em vós, pedireis tudo o que quiserdes e vos será feito" (15.7).

Os antigos gregos diziam que quando os deuses estavam irados com alguém, simplesmente faziam tudo o que ele desejava. Os seres humanos, imperfeitos como são, muitas vezes desejam coisas que são prejudiciais a eles mesmos. Então, como é que ficam essas promessas bíblicas acerca de recebermos tudo o que pedirmos? Vamos retornar ao nosso texto bíblico de hoje. Entendemos que os versos 4, 5 e 6 desse salmo estão associados à pessoa de Jesus, o Filho Unigênito de Deus. No verso 5, aparece a segunda menção ao nome de Deus, correspondendo à segunda pessoa da Trindade, Deus, o Filho. O versículo 6 fala-nos da salvação provida pelo Senhor que, vista em seu sentido mais profundo, mais completo, necessariamente passa pela pessoa de Cristo, o Salvador. Eis o que está escrito: "Agora sei que o Senhor salva o seu ungido; ele o ouvirá desde o seu santo céu com a força salvadora da sua destra". Observe a referência feita à destra, à mão direita do Senhor. Sabemos que Jesus, após morrer e ressuscitar, assentou-se à direita do Pai. É de lá que vem o nosso socorro. Então, Deus ouve as orações daquelas pessoas que foram salvas por seu Filho. O nome *Jesus* corresponde ao hebraico *Josué* que quer dizer

Jeová é salvação. Os que nesse nome arvoram pendões, ou seja, os que fundamentam sua salvação no nome do Senhor, são por Ele ouvidos. Quando o quarto versículo declara: "Conceda-te conforme o teu coração...", ele está falando de corações transformados. Há somente um que pode transformar o coração do ser humano: Jesus.

Jesus prometeu fazer tudo o que pedíssemos ao Pai em seu nome. Pedir em nome de Jesus é pedir como se Ele estivesse pedindo. Para isso, é necessário conhecê-lo bem, para não pedir algo que Ele não pediria. Jesus nunca pede nada que vá prejudicar alguém. Quem o conhece, sempre pede algo que seja do agrado dEle, pede de acordo com a sua vontade. O mesmo apóstolo João, em sua primeira epístola, nos afirma: "E esta é a confiança que temos nele: que, se pedirmos alguma coisa, segundo a sua vontade, ele nos ouve". E como podemos conhecer a vontade de Deus? Lendo a sua Palavra e vivendo com Ele. E quando vou poder lhe pedir algo? Agora mesmo. Peça a sua salvação, se ainda não a tem. Se você já tem comunhão com Deus, o próprio Espírito Santo vai orientá-lo em suas orações. Que o Senhor satisfaça todas as tuas petições. Amém.

12 de maio

E o Deus de paz esmagará em breve Satanás debaixo dos vossos pés. A graça de nosso Senhor Jesus Cristo seja convosco. Amém!
Romanos 16.20

Normalmente as pessoas têm muito medo de cobra. Mas, por incrível que pareça, há quem, além de não se assustar nem um pouco com esses répteis, tem muita facilidade para dominá-los, pegá-los com as mãos e sair por aí com a maior naturalidade. Eu conheci, em Sobradinho-DF, um irmão assim, o Flávio Paixão.

Um dia ele apanhou uma cobra viva no mato e resolveu visitar o meu cunhado, o pastor Walter. Quando minha irmã, Elizabete, viu o que ele tinha enrolado no braço, saiu correndo, desesperada, e trancou-se num quarto. O irmão Flávio disse-lhe: *Minha irmã, não se assuste, o bicho está sob controle*. E ela, então, respondeu: *Meu irmão, desde o jardim do Éden, mulher e serpente não se combinam de forma alguma*.

No jardim do Éden, Satanás incorporou-se numa serpente e enganou o primeiro casal. Em Gênesis 3.14,15 estão registradas as seguintes palavras: "Então, o Senhor Deus disse à serpente: Porquanto fizeste isso, maldita serás mais que toda besta e mais que todos os animais do campo; sobre o teu ventre andarás e pó comerás todos os dias da tua vida. E porei inimizade entre ti e a mulher e entre a tua semente e a sua semente; esta te ferirá a cabeça, e tu lhe ferirás o calcanhar".

A serpente é um animal traiçoeiro. Arrastando-se pelo chão, tem acesso aos nossos pés, parte do corpo que, por estarem longe dos nossos olhos e das nossas mãos, ficam muito vulneráveis aos seus ataques. Os golpes das serpentes são muito rápidos. Às vezes, a pessoa só se dá conta de que foi picada muito tempo depois que o golpe fatal foi dado.

O nosso problema com as serpentes é este: elas atacam as áreas mais desprotegidas do nosso corpo, os nossos pontos fracos. No entanto, quando conseguimos ver o réptil antes que ele nos ataque, somos tomados por um ímpeto de coragem e usamos os pés para nos defender. Se estivermos bem calçados, nós a golpeamos, esmagando sua cabeça com os nossos pés. Aquilo que era o nosso ponto fraco torna-se uma arma e é com ele que liquidamos o inimigo.

Quando Jesus, "a semente da mulher", veio a este mundo, Satanás, a serpente, atacou seu ponto fraco, a sua humanidade, e fez com que Ele fosse morto. Contudo, a morte de Jesus tornou-se num golpe fatal contra o Tentador. Aquela morte transformou-se na base para a salvação de todos os seres humanos. Ela foi a mordida no calcanhar de Jesus, mas também foi a pisada na cabeça de Satanás.

O episódio da cruz ainda continua se reproduzindo na vida de cada um de nós. Satanás, a serpente, continua tentando explorar os nossos pontos fracos para nos induzir ao pecado. Quando reconhecemos as nossas fraquezas e pedimos ajuda ao Senhor, Ele nos perdoa, nos fortalece e nos dá coragem para enfrentar o Inimigo. Nossos pontos fracos são guarnecidos e se tornam fortalecidos, em armas com as quais atacamos o Adversário. O fraco se torna forte, o incrédulo se enche de fé, o coração vazio fica preenchido de amor, o louco é cheio de sabedoria, o pecador se transforma num santo, o tímido fica destemido e o fracassado passa a ser um vencedor! De vitória em vitória, chegaremos à vitória final, quando a cabeça da Serpente será esmigalhada debaixo dos nossos pés. Amém.

13 de maio

Uns confiam em carros, e outros, em cavalos, mas nós faremos menção do nome do Senhor, nosso Deus.
Salmos 20.7

Nos dias do salmista, carros e cavalos eram recursos bélicos da maior importância. Ninguém podia partir seguro para um combate sem esses recursos. O servo de Deus, conquanto reconhecesse o valor de carros e cavalos, sabia que, sem a bênção do Senhor, eles não garantiriam a vitória. Para o salmista, importante mesmo era fazer "menção do nome do Senhor".

Este versículo contém a terceira referência ao nome do Senhor no mesmo salmo. Creio que esta referência corresponde à terceira pessoa da Trindade, Deus o Espírito Santo. Aqui o que está em evidência é o poder. Cavalos e carros estão associados ao poder bélico. Poder para enfrentar adversários. O verso 8 menciona os que triunfam com a bênção de Deus, os que *se levantam e estão de pé*. O nono versículo faz referência ao livramento de Deus: "Salva-nos, Senhor! Ouça-nos o Rei quando clamarmos". Ele reconhece a necessidade da manifestação do poder de Deus para que haja livramento.

Quando lemos a respeito de carros e cavalos, pensamos logo em guerras entre homens. Mas o texto bíblico pode ser entendido de maneira mais profunda. Pode ser aplicado a todo tipo de guerra em que os servos de Deus possam estar envolvidos. Cada guerra tem os seus *carros* e *cavalos*, tem os seus recursos apropriados. Porém, qualquer que seja a peleja em que nos encontremos, o que garante a vitória de fato, é fazer "menção do nome do Senhor". É válido que nos preparemos para cada combate que tenhamos de enfrentar, precisamos dar o melhor de nós para obtermos as vitórias, porém é necessário que nunca ponhamos nossa confiança em nós mesmos ou em quem quer que seja. Nossa confiança deve estar sempre posta em Deus.

Alguém pode argumentar: *E se eu invocar o nome do Senhor num momento de aflição e Ele não estiver por perto?* Amigo, Deus em todo tempo está perto. O Espírito Santo está sempre dentro de nós; habita naqueles que têm comunhão com o Senhor. O Espírito Santo é o poder de Deus em pessoa. O seu poder é tremendo, superior a qualquer outro.

Se você ainda não tem o Espírito de Deus em sua vida, saiba que pode tê-lo, seja quem for. Você precisa apenas abrir seu coração para Ele. Jesus nos diz em João 14.23: "Se alguém me ama, guardará a minha palavra, e meu Pai o amará, e viremos para ele e faremos nele morada". Entregue sua vida ao Senhor agora mesmo, confiando na obra que Jesus fez por nós na cruz do Calvário. Saiba que está recebendo tal mensagem porque o Espírito Santo a enviou a você. Ele está junto de você nesse momento e quer ajudá-lo nesta decisão tão importante.

Tendo o Espírito Santo consigo, você pode invocá-lo em qualquer circunstância que precisar. Seja qual for a luta. Na escola, no trabalho, em casa, na rua ou em qualquer outro lugar. Faça menção do nome do Senhor, do Espírito Santo, que é Consolador, Espírito de Poder, de Vida e Paz! Levante-se. Ponha-se de pé. O Espírito do Senhor é fortaleza! Amém!

14 de maio

O Senhor é o meu pastor; nada me faltará.
Salmos 23.1

O autor do Salmo 23 era pastor de ovelhas. Ele sabia quanto esses animais são indefesos e dependem do pastor, quer dizer, da pessoa que cuida deles. A ovelha não sabe orientar-se; logo, não pode nem mesmo procurar alimento sozinha. Ela não sabe defender-se. E como existem predadores que adoram devorar ovelhas! Pobre da ovelha que não tiver um bom pastor para dela cuidar!

É curioso como o salmista, sendo pastor, se identifica com as ovelhas. Ele não diz: *Eu sou um pastor*, mas: *Eu sou uma ovelha*. Ele se reconhece como uma pessoa indefesa e dependente. Reconhece que só uma pessoa poderia suprir de forma plena suas necessidades e protegê-lo perfeitamente: o Senhor. Davi conhecia bem as ovelhas, e também o Senhor.

O Salmo 23, provavelmente, é a passagem bíblica mais conhecida das Escrituras. Muitas pessoas conhecem o salmo do Pastor; mas quantas conhecem o Pastor do salmo?

Há pessoas que utilizam esse salmo e outros trechos da Bíblia como se fossem talismãs, como se as páginas que as contêm fossem mágicas e o mero repetir de suas palavras trouxesse sorte. Nem o Salmo 23 e nem qualquer outra parte da Palavra de Deus funciona assim. É verdade que as promessas contidas nesta passagem são tremendas. Elas contêm tudo de que necessitamos. No entanto, como alcançar as bênçãos mencionadas ali? O segredo está logo no primeiro versículo: "O Senhor é o meu pastor..." O salmista não afirma: *O Senhor é o pastor do meu pai* ou *da minha mãe*. Ele declara: "O Senhor é o meu pastor..." Voluntariamente, ele se entregou aos cuidados do Senhor. Deixou-se ser guiado e protegido por Deus.

Sabe qual é a diferença? A diferença é que os animais irracionais não são muito difíceis de serem arrebanhados. Todavia, nós, seres humanos, dotados de livre-arbítrio, oferecemos muita resistência ao fato de sermos sempre dirigidos pelo Senhor. Às vezes, acreditamos que devemos seguir a direção de Deus; outras vezes consideramos que é melhor andarmos por nosso próprio pensamento. Então, os problemas se agravam. Afinal de contas, o Senhor é o nosso Pastor ou não é?

Alguém pode pensar: *Eu até que quero ser ovelha do Senhor; porém, será que Ele me aceita como sua ovelha?* Saiba que Jesus Cristo morreu na cruz justamente com o objetivo de nos conquistar para o seu aprisco. No Evangelho segundo escreveu o apóstolo João, Jesus nos afirma: "Eu sou o bom Pastor; o bom Pastor dá a sua vida pelas ovelhas" (10.11). Cristo quer ser seu Pastor; Ele morreu para isso. Entregue sua vida nas mãos dEle e passe a proclamar agora mesmo: "O Senhor é o meu pastor..."

Nosso versículo de hoje nos garante que nada nos faltará. Entretanto, alguém pode argumentar: *Eu conheço muitas pessoas que dizem que o Senhor é o pastor delas, mas eu sei que lhes falta muita coisa*. A primeira colocação que podemos fazer a esse respeito é a seguinte: Há pessoas que, de fato, dizem que o Senhor é o pastor delas, mas não mencionam tais palavras com o coração; são ditas apenas *da boca pra fora*. Na prática, elas dirigem suas próprias vidas. Logo, não têm o direito de reivindicar as bênçãos contidas no salmo. A segunda colocação é esta: Nem sempre aquilo que desejamos realmente nos faz falta. Pode ser que até nos faça mal. Terceira observação: Se Deus nos desse, de pronto, tudo o que pedíssemos, algo nos faltaria: experiência com Deus. Às vezes, o Senhor permite que falte o que estamos lhe pedindo momentaneamente, para que exercitemos a nossa fé. Outras vezes, Ele retarda o atendimento, como fez no caso de Marta, Maria e Lázaro, para realizar algo mais grandioso do que aquilo que estamos esperando.

De uma coisa nunca devemos ter dúvida: As verdadeiras necessidades das pessoas que têm ao Senhor como Pastor sempre serão supridas. Receba esta promessa, neste dia, em nome do Senhor. Se o Todo-Poderoso é o seu Pastor, nada vai lhe faltar. Amém.

15 de maio

Mas, se alguém ama a Deus, esse é conhecido dele.
1 Coríntios 8.3

As pessoas que ficam ricas de repente, premiadas por algum tipo de sorteio, achando alguma pedra muito valiosa no garimpo, ou herdando alguma fortuna, geralmente são assediadas por parentes que nunca os haviam procurado antes e por *amigos* que nunca viram. São oportunistas que aparecem, querendo se aproveitar da riqueza delas.

Sabe, tem pessoas querendo enganar até o próprio Deus. Dizem: *Olá, velho amigo, você não está me reconhecendo?* Vivem como se Deus não existisse. Até que chega o momento em que podem tirar algum proveito de uma aproximação dEle. No entanto, uma aproximação que não represente qualquer compromisso, mas que possa lhes trazer algum benefício.

Deus conhece as pessoas que verdadeiramente o amam. Pessoas que gostam do que Deus gosta e detestam tudo o que lhe aborrece. Pessoas que procuram conhecer qual é a vontade de Deus e trabalham para que ela se cumpra. Os projetos de Deus são os seus projetos. Os amigos de Deus são os seus amigos. Os inimigos de Deus são os seus inimigos. Elas amam ao Senhor e o Senhor as conhece.

As pessoas que amam a Deus se entristecem profundamente quando o seu nome é blasfemado, quando outros duvidam da sabedoria ou do amor dEle. Essas pessoas que amam a Deus se entristecem quando elas mesmas, por descuido, fazem, falam ou mesmo pensam em algo que entristeceu ao seu Senhor. Elas choram enquanto, muitas vezes, todos estão sorrindo ao seu redor. Deus vê suas lágrimas sinceras. O Senhor sabe que, mesmo sendo fracas, elas o amam. O Todo-Poderoso as conhece.

As pessoas que amam a Deus se alegram quando a vontade do Senhor prevalece. Sentem grande gozo quando o amor, a sabedoria e o poder de Deus são reconhecidos. E sorriem, e cantam, ao passo que muitos se contristam e se enfurecem ao seu redor. Deus vê aquele semblante alegre no meio de tantos rostos carrancudos. O Senhor, de fato, conhece aqueles que o amam.

Deus conhece aqueles que sofrem por causa de sua fidelidade a Ele; que permanecem fiéis mesmo quando as circunstâncias não estão bem e o socorro parece demorar. Pessoas que amam a Deus não pelo que Ele dá, mas pelo que Ele é.

Não é à toa que as pessoas gostam de manter relacionamentos com ricos e poderosos. Tal conhecimento, sempre gerado a partir de alguma experiência vivida em comum, gera compromisso. Ser conhecido equivale a ser protegido. O forte se sente obrigado, por uma questão de lealdade, a ajudar o mais fraco. Com muito mais razão, Deus, que é justo, fiel e bondoso, se sente comprometido com aqueles a quem conhece.

Você ama a Deus? Então, saiba que Ele tem conhecimento de tudo o que está acontecendo com você. Ele está atento. Solidário. Comprometido. O que o Senhor, com toda a certeza, vai fazer em seu favor será simplesmente conseqüência disso e de mais nada. Ao final de tudo, você estará amando ainda mais ao Senhor, e Ele estará também de igual modo mais ligado a você pelos laços desse amor e conhecimento mútuo. Amém.

16 de maio

Ainda que eu andasse pelo vale da sombra da morte, não temeria mal algum, porque tu estás comigo; a tua vara e o teu cajado me consolam.
Salmos 23.4

Vale é lugar baixo, "depressão alongada entre montes ou quaisquer outras superfícies". No vale há sombra, escuridão; há dificuldades para se orientar. O "vale da sombra da morte" é o pior lugar para onde se pode ir neste mundo.

Analisando essa expressão no sentido figurado, podemos afirmar que ela representa situações em vez de lugar físico. Então, tudo se torna ainda mais difícil.

Como alguém pode entrar no vale da sombra da morte sem ter medo? Tendo a companhia do Senhor. Com o Senhor ao nosso lado, o vale se transforma na mais elevada montanha, as sombras se convertem na mais clara luz e a morte se transfigura em vida! Esta experiência é para quem tem o Senhor como seu Pastor.

No entanto, alguém que tem o Senhor como seu Pastor pode entrar no vale da sombra da morte? Amigo, para ser bem sincero, pode. Na verdade, a maioria das pessoas, sendo ovelhas do Senhor ou não, passam por esse lugar desagradável. Crentes e descrentes passam por ele. A diferença é que o descrente passa sozinho e o que crê em Jesus passa acompanhado pelo Bom Pastor. É uma diferença muito grande, você não acha?

Por que o servo de Deus passa pelo vale da sombra da morte? Este é um mistério que só será plenamente desvendado na eternidade. Todavia, o mais importante é que nunca estamos sós. A única pessoa que o atravessou sozinha foi o nosso Pastor. E do alto da cruz Ele exclamou: "Deus meu, Deus meu, por que me desamparaste?" O vale para Cristo foi mais profundo, mais escuro e mais mortal do que para qualquer outra pessoa. Contudo, Ele o atravessou por amor a nós. Atravessou sozinho para que pudéssemos ter sempre a sua companhia.

Tenho três boas notícias para você que está atravessando o vale da sombra da morte. Primeira: Jesus está ao seu lado. Não pense que Ele o abandonou. Não pense que Ele está indiferente ao que se passa com você. Pelo contrário, Jesus está atravessando com você. Segunda boa novidade: Nesta travessia, pode contar com a proteção e a direção do Senhor. É isso que o salmista quer dizer quando menciona a vara e o cajado do Pastor. Você vai se sair bem nessas dificuldades que tem enfrentado.

Parece que está perdido, que está parado, e às vezes parece que está andando para trás, ou que vai morrer; mas não pense assim. Você está avançando, está progredindo, crescendo, e vai vencer. Você vai sair dessa melhor do que entrou. Acredite! E agora a terceira boa notícia: Esta travessia vai acabar. Talvez seja hoje ou, quem sabe, amanhã, porém tenha certeza de que esse sofrimento vai ter fim. Receba esta consolação da parte do seu divino Pastor. Amém!

17 de maio

Certamente que a bondade e a misericórdia me seguirão todos os dias da minha vida; e habitarei na Casa do Senhor por longos dias.
Salmos 23.6

Às vezes, somos capazes de fazer qualquer coisa para nos livrarmos de alguém que está nos seguindo. Seja porque quem nos segue quer nos fazer mal, seja porque se trata de alguém cuja companhia não nos é agradável. Dizem que um homem queria se livrar de um gato, mas não matá-lo. Então, levou-o para bem longe, no meio de uma mata, o abandonou lá e voltou correndo para casa. Qual não foi a sua surpresa ao verificar que o bichano chegou exatamente com ele. Então, levou o gato para outra mata ainda mais distante, porém o felino foi conduzido dentro de um saco para não ver o caminho por onde estava sendo levado. Não adiantou nada. O gato deve ter lá seus dispositivos especiais de orientação e não foi dessa vez que o homem conseguiu se livrar dele. No entanto, o homem não desistiu. Na terceira tentativa, levou o gato dentro de um saco, como da outra vez, mas antes de soltar o animal deu muitas voltas dentro da mata e girou o saco em torno de seu próprio corpo várias vezes. O animal já chegou a casa faz tempo, e o homem até hoje não apareceu.

Há muitas pessoas que se perdem na mata. Outras, em alto mar; outras ainda, pelas estradas deste mundo; e outras perdem o rumo da própria vida.

Atualmente, já existem dispositivos, utilizando as tecnologias mais modernas, inclusive satélites, para que se possa acompanhar todos os passos de uma pessoa.

Satélites, colocados nos céus, bem longe do planeta em que habitamos, possibilitam que se encontrem alpinistas perdidos nas montanhas, andarilhos no meio de desertos e caminhoneiros que se encontram em perigo nas estradas. Muito acima de onde ficam os satélites, alguém nos segue com muito mais precisão.

Estamos sendo seguidos. Sim, nós que temos o Senhor como nosso Pastor somos seguidos, vinte e quatro horas por dia, pela sua bondade e misericórdia. Que perseguição abençoada! Vinte e quatro horas por dia, sete dias por semana, todos os meses do ano, todos os dias da vida. Seguidos pela bondade e misericórdia do Senhor.

A bondade de Deus faz com que Ele queira sempre o nosso bem. O Salvador deseja o melhor para nós. Quer o nosso progresso, o nosso sucesso. A misericórdia do Pai é que garante a nossa própria sobrevivência. Lamentações 3.22 nos diz que: "As misericórdias do Senhor são a causa de não sermos consumidos; porque as suas misericórdias não têm fim". Se erramos, pecamos, ou falhamos, entram em ação as misericórdias de Deus.

Você já tem o Senhor como o seu Pastor? Então, alegre-se. Você está sendo seguido permanentemente por Ele que tudo vê e está trabalhando para o seu bem. Se está sem Pastor, por que não vem para o seu aprisco hoje? Venha, coloque-se sob a vigilância de alguém que somente quer o seu bem. Alguém que morreu por você, mas ressuscitou e quer cuidar da sua vida. Renda-se e confie no amor de Jesus, o Bom Pastor. Amém!

18 de maio

Ora, o aguilhão da morte é o pecado, e a força do pecado é a lei. Mas graças a Deus, que nos dá a vitória por nosso Senhor Jesus Cristo.
1 Coríntios 15.56,57

Na comemoração de um dos meus aniversários, alguém trouxe-me, em pleno culto, uma enorme caixa de presente. Quando a abri, sabe o que encontrei dentro dela? Outra caixa. Grande também, porém, claro, menor que a outra. Então, quando abri a segunda caixa, sabe o que encontrei dentro dela? Mais uma caixa. Assim, fui abrindo as caixas e o povo rindo, até que fiquei com uma bem pequena nas mãos. Sabe o que havia dentro dela? Uma caixa de fósforos? Não. A chave de um carro que estava brilhando lá fora, esperando por mim e que era, no final de tudo, o verdadeiro presente.

Ao ler 1 Coríntios 15.56,57, vejo-me tirando caixas de dentro de caixas. Abro uma enorme caixa, onde está escrito: *Vitória sobre a morte.* No entanto, a caixa está vazia. Sou um ser mortal por causa do pecado que existe na minha vida. Só poderia vencer a morte se pudesse vencer a força do pecado. Vitória sobre a força do pecado é outra caixa que tenho de abrir. Abro a caixa e ela está vazia. Não posso vencer a força do pecado. Para vencê-la, teria de superar a maldição que a transgressão da lei de Deus trouxe a todos os homens.

Vamos abrir a caixa em que está escrito: *Vitória sobre a maldição da Lei.* Ao abrir esta caixa, encontramos uma chave. A chave é a morte de Jesus no Calvário, sofrendo a maldição da Lei em nosso lugar, e sua ressurreição, transferindo sua vitória a todos nós. Esta chave, a obra de Jesus em nosso favor, dá sentido a tudo. A maldição da Lei é anulada, a força do pecado vencida e, conseqüentemente, somos vitoriosos até sobre a morte. Graças a Deus! "Graças a Deus, que nos dá a vitória por nosso Senhor Jesus Cristo!"

A chave que encontrei dentro das caixas no dia do meu aniversário era a de uma Caravan verde, muito linda, na qual andei por muito tempo. Até levei um casal de missionários nela para a Argentina. Ainda hoje sinto saudades daquele carro.

A chave da vitória que encontramos no centro das *caixas* de 1 Coríntios 15.56,57, não é a chave de uma vitória somente, mas de todas as vitórias, ou seja, de um estado permanente de triunfo. Entre a primeira caixa, aquela em que está escrito *vitória sobre a morte*, e a última, onde está registrado *vitória sobre a maldição da lei*, você pode acrescentar quantas quiser: *Vitória sobre as doenças, vitória sobre os conflitos familiares, vitória sobre os complexos pessoais, vitória sobre as dificuldades financeiras*. A vitória de Jesus dá sentido a todas essas vitórias para mim e para você. Deus nos dá a vitória "... por nosso Senhor Jesus Cristo". Creia nisso. Identifique-se com a obra realizada por Jesus, com sua morte pelos pecadores e seu triunfo sobre a morte, e aproprie-se de toda a vitória que advém desse sacrifício. Amém.

19 de maio

Na verdade, não serão confundidos os que esperam em ti; confundidos serão os que transgridem sem causa.
Salmos 25.3

Esperar no Senhor significa confiar nEle. Esperar no Senhor significa deixar em suas mãos o que só Ele pode fazer, e começar um processo de reconhecimento de dependência dEle e permanecer nessa situação até obter aquilo de que necessita. E não se esqueça que todo processo de espera tem início, meio e fim.

Há situações em que sabemos que não tem como fazer nada, porém, mesmo assim, queremos fazer alguma coisa, e logo percebemos que o desespero, a angústia e a tristeza se instalam em nossos corações. Em uma condição como esta, o melhor é esperar no Senhor. Se é esse o seu caso, relaxe, descanse, entregue o problema nas mãos do Senhor e fique tranqüilo. Você vai ver como os que esperam no Senhor não são confundidos.

Outras vezes, a pessoa tem mais de uma opção para seguir e não sabe qual escolher. Nesses momentos, a pessoa deve primeiro orar apresentando o problema a Deus. Em seguida, deve esperar a direção do Senhor. É necessário aguardar para não se correr o risco de tomar o caminho errado. A espera certamente vai nos tomar um pouco de tempo; serão horas, quem sabe dias, meses ou até anos de muita expectativa, mas com certeza vai valer a pena.

Seja qual for o desenrolar das circunstâncias, devemos estar sempre esperando em Deus. Quer dizer, devemos estar sempre imbuídos da convicção de que tudo vai terminar bem, mesmo que as coisas não estejam andando da maneira como desejávamos. Pode ser que seja o contrário do que queríamos. Não devemos nos deixar impressionar por nada disso.

Outra observação: Precisamos estar sempre sintonizados com Deus e prontos a mudar qualquer decisão, por mais que as consideremos importantes ou definitivas. Quando aguardamos em Deus, nada é definitivo a não ser o nosso propósito de fazer sempre a vontade dEle. Pode ser que o Senhor nos mande sacrificar o nosso querido *Isaque*, pode ser que nos mande dispensar uma quantidade de auxiliares considerável e ficar com apenas alguns, como fez com Gideão; não importa, estaremos sempre prontos a fazer o que Deus ordenar.

E se, ao final de tudo, por causa de nossa confiança no Todo-Poderoso, perdermos a própria vida? Vamos continuar esperando nEle. Nossa esperança nos acompanhará até mesmo depois da morte. Nossa esperança nunca morre, como está escrito em Provérbios 14.32: "... o justo até na sua morte tem esperança". Algo muito superior a tudo o que podemos imaginar nos espera do outro lado desta vida. Somente quando chegarmos lá é que compreenderemos perfeitamente como os que esperam no Senhor não são confundidos. Amém!

20 de maio

Qual é o homem que teme ao Senhor? Ele o ensinará no caminho que deve escolher.
Salmos 25.12

Existe um ditado muito conhecido que aconselha: *Não troque o caminho certo por um atalho*. Descobri a sabedoria desse provérbio popular na prática e com experiências bastante difíceis.

Uma dessas experiências foi na volta de um acampamento que um grupo de rapazes da igreja fizeram. Quase todos já haviam voltado; somente o Walter, o Samuel e eu havíamos ficado para trazer a lona da barraca, as panelas e muitas outras coisas. Estávamos sozinhos e a pé. Após caminharmos um pouco, veio a idéia de procurarmos um atalho, de forma a encurtarmos a caminhada tão penosa. Logo apareceu alguém, afirmando ser conhecedor do caminho, o qual nos ensinou que seria um bom atalho. Entretanto, anoiteceu e ficamos perdidos no meio do cerrado, e por pouco não conseguimos chegar a casa no mesmo dia. A caminhada tornou-se muito mais longa e difícil.

Na vida também é assim. Ela mesma é uma jornada que, às vezes, nos parece tão difícil! Há trechos dessa viagem que nos parecem insuportáveis. Então, procuramos os atalhos. Às vezes, dá certo, mas geralmente tudo fica muito mais difícil do que poderíamos imaginar.

Há momentos da vida em que a questão não é bem escolher entre a estrada normal e o atalho. O conflito é escolher entre vários caminhos alternativos. No entanto, podemos nos confundir e pensar que todos os caminhos parecem ser bons. Todavia, sabemos que nem todos eles são verdadeiramente bons. O sábio Salomão, em Provérbios 14.12 e 16.25, nos alerta: "Há caminho que ao homem parece direito, mas o fim dele são caminhos de morte".

Existe ainda uma terceira situação. É aquela em que você tem vários caminhos possíveis para tomar, nenhum deles é de morte, porém você sabe que somente um o conduzirá para o cumprimento exato do plano que Deus tem para a sua vida. Qual o caminho a escolher?

A passagem de hoje nos ensina o caminho a seguir. O espaço aqui é muito curto para analisarmos com profundidade como o nosso bondoso Pai faz isso, contudo podemos resumidamente dizer que Ele o faz através de sua Palavra; por isso devemos não somente lê-la, mas meditar nela. Deus nos orienta também através do seu Espírito Santo, que em nós habita; Ele nos orienta pelas circunstâncias e, às vezes, utiliza pessoas descrentes e até animais para nos fazer conhecer sua vontade. Podemos ter certeza de algo: Nosso Deus sempre está pronto a nos indicar o caminho a seguir. Se estivermos em comunhão com Ele, nunca estaremos perdidos nesta vida. E ao mencionar esse assunto, você tem comunhão com o Deus verdadeiro? Deixe-me lhe dizer que ninguém pode ter verdadeira comunhão com Deus a não ser através do seu Filho Jesus Cristo. Ele, Jesus, nos afirma categoricamente, em João 14.6: "Eu sou o caminho, e a verdade, e a vida. Ninguém vem ao Pai senão por mim". Se não tem tido comunhão com Deus, receba-a agora mesmo, abrindo seu coração para que Cristo entre nele. Se já tem, permaneça firme e tranqüilo diante de qualquer circunstância com a qual se deparar. Saiba que se você teme ao Senhor, Ele vai lhe ensinar o caminho que deve escolher. Amém!

21 de maio

Portanto, meus amados irmãos, sede firmes e constantes, sempre abundantes na obra do Senhor, sabendo que o vosso trabalho não é vão no Senhor.
1 Coríntios 15.58

Portugal é uma terra maravilhosa! O povo, conquanto seja mais reservado que o brasileiro, é muito sincero e trabalhador. No geral, é mais criterioso do que nós no uso do idioma que temos em comum. No entanto, constatei algo logo na primeira vez que fui à terra dos nossos descobridores: eles também usam gíria. Bem, usam muito menos que nós, mas usam. Àquela altura, a gíria mais comum consistia no uso abusivo da palavra *portanto*. Eles chegavam ao ponto de iniciar uma conversação com essa palavra! Exagerando um pouco, imagine a seguinte frase: *Portanto, olá, como vai?*

A palavra *portanto* serve para unir dois pensamentos, um justificando o outro. Equivale a *por causa disto*. Por exemplo: *Todos os seres humanos são pecadores, portanto, ninguém pode justificar-se diante de Deus*.

O versículo que temos acima começa com "portanto" porque está isolado do seu contexto. E qual é o seu contexto? Os outros versículos que o antecedem, ou seja, todo o capítulo. Este é um dos capítulos mais extensos do Novo Testamento. Então (os portugueses diriam *portanto*), são cinqüenta e sete versículos para justificar o que se diz num único versículo.

O que vem logo depois do "portanto" é "sede firmes". A ordem é ser firme, não mudar, quando quase tudo ao nosso redor está se transformando. O clima pode mudar, a economia pode ser alterada, as moedas dos países estão mudando, os governos também mudam, os políticos trocam de partido, os homens estão substituindo suas mulheres, as mulheres estão procedendo da mesma forma, e há até quem esteja mudando de sexo!

E como não mudar, como ficar firme, no meio dessa onda avassaladora de mudanças? Apoiando o nosso viver naquilo que é imutável: as Escrituras. A Palavra de Deus é firme; o céu e a terra podem mudar de lugar, mas ela não muda. Ela é a "rocha dos séculos". Suas verdades são inabaláveis. O capítulo 15 de 1 Coríntios, que termina exortando-nos a permanecer firmes, começa expondo as verdades que fundamentam a nossa fé, isto é, que Cristo morreu pelos nossos pecados e ressuscitou ao terceiro dia. Ele, Jesus, nos sustenta, nos dá força para resistir às tentações e vencer as tribulações; Cristo pagou o preço do nosso resgate e está vivo ao nosso lado para nos ajudar. Ele tem todo o poder e está conosco!

Nosso versículo de hoje nos exorta também a trabalhar com entusiasmo na obra do Senhor. É outro desafio muito grande. Atualmente, as pessoas não querem ouvir falar disso. O que queremos é que alguém trabalhe por nós. Que os criados nos sirvam, que os carros nos levem aonde quer que desejemos, que os elevadores nos levem para cima e para baixo, que os aviões nos conduzam pelos ares e os computadores façam tantas operações que desejamos. E qual é a religião que oferece mais? Como é que conseguimos que Deus faça algo a mais em nosso favor? É isso que as pessoas querem. E o verso nos manda trabalhar! No entanto, os cinqüenta e sete versículos que antecedem o "portanto" justificam o desafio.

Esta vida aqui é muito curta. Dura sessenta, setenta, noventa anos. Depois acaba. Contudo, Jesus ressuscitou. Foi o primeiro homem a ressuscitar para nunca mais morrer. Esta é a garantia de que todos os que nEle confiam também ressuscitarão para nunca mais morrer. Vamos viver com Jesus por toda a eternidade e seremos recompensados por tudo o que fizermos em prol de sua obra. Vale a pena, compensa servir a Jesus. Por maior que seja a luta, por mais árduo que seja o trabalho, vale a pena!

Venha, ingresse nesta obra. Abrace a Jesus como Senhor e Salvador, se ainda não o fez. Portanto, se você já está trabalhando "no Senhor", permaneça firme, não desfaleça, não se esmoreça. Você verá que, com certeza, vale a pena. Amém!

22 de maio

O Senhor é a minha luz e a minha salvação; a quem temerei?
Salmos 27.1a

Na região em que fui criado existe um peixe chamado *cascudo*. Esse peixe tem o hábito de cavar locas nos barrancos, por baixo d'água. Uma das coisas que eu gostava de fazer, quando adolescente, era apanhar cascudos, enfiando a mão dentro de suas locas. Certa vez, estava acompanhado de um amigo que demorou muito a criar coragem para enfiar a mão nos buracos, sem saber o que havia dentro deles. Até que, por fim, se decidiu. O que ele não sabia é que as locas de cascudos formam verdadeiros labirintos e, assim, muitas delas acabam por se fundir. Num certo momento, alguém achou algo no fundo de uma loca e agarrou com força. Era justamente a mão de nosso amigo iniciante que a havia introduzido por outra passagem. Até hoje me lembro do grito de medo do rapaz.

Qualquer ser humano, creio que qualquer ser vivo, sente-se inseguro quando se encontra numa situação sobre a qual não tenha controle. É por isso que nos sentimos inseguros em lugares onde não haja iluminação, principalmente se se tratar de um lugar desconhecido para nós. No escuro não conseguimos enxergar nada, porém muitos animais se sentem bem à vontade nessa situação, já que são dotados de sentidos especiais que lhes permitem ver ou orientar-se na ausência da luz.

Às vezes, somos submetidos a trevas físicas. Outras vezes, submetidos a situações como se estivéssemos no escuro. Não conseguimos entender nada, não conseguimos nos orientar, sentimo-nos ameaçados, inseguros. O pior é que existem pessoas ou seres espirituais que dominam essas circunstâncias e utilizam de alguns meios para nos atacar. Em virtude disso, nos desesperamos.

Quando o salmista declarou: "O Senhor é a minha luz...", ele quis dizer que a presença de Deus ao seu lado o deixava seguro em qualquer situação. Nada, nem ninguém, o pegava de surpresa. Ele não se encontrava em desvantagem em nenhuma situação. O Senhor esclarecia todas as suas dúvidas.

O salmista também afirmou: "O Senhor é... a minha salvação". Sabe o que é isso? Às vezes, você vê o perigo, sabe onde ele está, mas não tem forças para vencê-lo. Outras vezes temos de enfrentar forças ainda maiores do que as nossas, sejam elas humanas, políticas, econômicas ou espirituais. Mas a força do Senhor entra em ação, e sempre a nosso favor.

Então, se o Senhor é a sua luz e a sua salvação, você está com medo de quê? Não há nenhuma razão para se sentir inseguro. No entanto, se você não tem tido o Todo-Poderoso como luz e salvação, por que não o constitui como tal agora mesmo? Receba a comunhão com Deus, através da fé, ou seja, depositando sua confiança naquilo que Jesus fez por nós, quando morreu pelos nossos pecados e ressuscitou para a nossa justificação. Sim, arrependa-se dos seus pecados, abra o seu coração para Jesus e diga como o salmista: "O Senhor é a minha luz e a minha salvação". E pergunte de forma desafiadora: "... a quem temerei?" Amém.

23 de maio

O Senhor é a força da minha vida; de quem me recearei?
Salmos 27.1b

Se analisarmos detalhadamente, o ser humano começa a morrer a partir do momento em que nasce. Assim que ele nasce, começa a contagem regressiva para a morte.

Por que o homem morre? Porque seu corpo degenera, vai perdendo o vigor. E por que degenera? Porque sofre investidas de todos os lados, em todo o tempo. São micróbios contidos no ar, na água e nos alimentos; são irradiações danosas para o organismo, sem mencionar as inúmeras armadilhas que nos cercam, sempre prestes a nos provocar algum prejuízo físico.

Há outros fatores que conspiram contra a nossa vida de maneira indireta. Nesta categoria estão questões que nos provocam ansiedade, irritação, medo. Enfim, tudo o que nos predispõe a ter enfermidades nervosas ou outros tipos de fragilidades. São fatores que afetam a vitalidade da alma e, indiretamente, atingem o corpo.

Percebemos que o nosso corpo precisa de vida, mas há muitos fatores que trabalham contra isso. Vimos também que a vida de nossa alma é minada dia a dia. E o nosso espírito? É nesse ponto que está o verdadeiro foco do problema. A vida do nosso espírito só pode vir de uma fonte: Deus. Nosso espírito tem vida somente se estiver ligado a Deus. No entanto, também há fatores de ordem espiritual que interferem no nosso relacionamento com o Senhor, e por isso somos afetados. Quando o espírito está mal, a vitalidade de todo o nosso ser fica comprometida. É o espírito que comunica vida à alma e a vitalidade da alma afeta o corpo.

Se quisermos ter vida verdadeira, temos de nos preocupar, prioritariamente, com a saúde do nosso espírito. Aqui está a receita do salmista: "O Senhor é a força da minha vida..." Você deseja ter força, deseja ter saúde? Achegue-se a Deus. Deixe que o seu espírito beba da água viva que é o Senhor Jesus. Deixe que o seu espírito se aproxime dessa fonte; permita que ele beba dela até ficar satisfeito; lhe ofereça liberdade para se refrigerar nessa fonte. Deixe que Deus seja a força da sua vida também. Seu espírito terá vida, sua alma receberá vida e seu corpo terá saúde. Sua existência aqui na terra não será uma contagem regressiva para a morte; será um crescimento progressivo de vida e mais vida. Jesus disse: "Eu vim para que tenham vida e a tenham em abundância". O Senhor perdoa as nossas iniqüidades e sara todas as nossas enfermidades, conforme está escrito em Salmos 103.3. E ainda que o nosso corpo envelheça, nosso ser espiritual estará sempre cheio de vida, como nos diz o apóstolo Paulo em 2 Coríntios 4.16: "Por isso, não desfalecemos; mas, ainda que o nosso homem exterior se corrompa, o interior, contudo, se renova de dia em dia".

Não há por que temer os agentes da morte nem a própria morte. Se o Senhor é a força da nossa vida, de quem nos recearemos? Sentir medo é começar a ser vencido, e conseqüentemente morrer. Achegar-se ao Senhor, confiar nEle, é vencer, é viver. Aproxime-se do Senhor, se ainda não o fez, e viva. Porém, se já tiver comunhão com Deus, apenas beba do manancial inesgotável de vida que é Ele mesmo. Eu lhe digo: Experimente a vida eterna que o Senhor já lhe deu. Amém.

24 de maio

Bendito seja o Deus e Pai de nosso Senhor Jesus Cristo, o Pai das misericórdias e o Deus de toda consolação, que nos consola em toda a nossa tribulação, para que também possamos consolar os que estiverem em alguma tribulação, com a consolação com que nós mesmos somos consolados de Deus.
2 Coríntios 1.3,4

Ah, quem dera nunca ter de enfrentar tribulação! Quem dera nunca experimentar a dor, a angústia, a perseguição, o aperto, a traição, o abandono e o luto! No entanto, infelizmente, essas situações acontecem. Não poupam o jovem nem o velho. O rico nem o pobre. O homem nem a mulher. O justo nem o injusto. Sim, até o justo, o servo de Deus, o homem e a mulher que são fiéis ao Senhor sofrem.

Quando entramos na tribulação, no estado de dor e angústia, tudo o que queremos é sair. Ficamos esperando que tudo não passe de um pesadelo, que acordemos de repente e descubramos que nada daquilo tenha acontecido. Porém, a situação é real, as pessoas e circunstâncias que nos afligem estão bem perto e a dor não passa.

Se a angústia chegou e está demorando a ir embora, o que precisamos é de algo que nos amenize o sofrimento, algo que nos dê forças para suportar, a fim de que não nos desesperemos, ou enlouqueçamos, ou pereçamos. Precisamos de consolação. Esta será o oxigênio que não nos deixará morrer sufocados pela angústia.

Sentimo-nos muito angustiados quando estamos pressionados por fatores externos e algo surge no nosso interior para nos maltratar ainda mais. É a consciência de nossos erros e a inquietante pergunta: *Será que os meus defeitos, as minhas falhas contribuíram para que esta situação acontecesse?* Então, pode surgir um sentimento em que a própria pessoa se autocondene: *Eu mereço sofrer. Eu estou em dívida com Deus e tenho que pagar. Eu tenho mesmo que sofrer.*

Querido, ninguém paga dívida para com Deus através de sofrimento. O preço de nossas culpas foi pago na cruz onde Jesus, o Filho de Deus, morreu por nós. Deus enviou seu Filho ao mundo para morrer em nosso lugar. Isso prova que Ele nos ama, e não quer que pereçamos. O Senhor não tem prazer no sofrimento dos homens. Ele é o Pai das misericórdias, e tem prazer em perdoar, levantar, ajudar.

O Todo-Poderoso é o Deus de toda a consolação. Isso quer dizer que tudo o que serve para aliviar o sofrimento de alguém vem dEle. O bom remédio, o médico competente e atencioso, o amigo leal, o bom conselho, o empréstimo generoso, o perdão sincero, a música suave, a sensação gostosa de uma delicada brisa soprando no lugar da dor; tudo vem dEle.

Se você pensa que Deus está alheio ao seu sofrimento, saiba que não está. Quando alguém lhe der um abraço, ou um sorriso amigo e solidário, ou até quando alguém lhe disser: *Você pode contar comigo*, saiba que Deus está presente nisso. Ele é o Deus de toda a consolação. Tudo o que consola, ajuda, ameniza o sofrimento, vem dEle.

O Deus de toda a consolação me inspirou para ministrar-lhe esta mensagem; para dizer-lhe tudo o que já disse e algo mais: Esta fase de angústia que você está enfrentando vai acabar. As feridas de sua alma serão curadas. Dias de alegria, de muita alegria, ainda virão. E, com as experiências que obteve durante esta etapa tão difícil, poderá ajudar outras pessoas. Você será um instrumento mais eficiente nas mãos do Deus de toda a consolação. Amém.

25 de maio

Ainda que um exército me cercasse, o meu coração não temeria; ainda que a guerra se levantasse contra mim, nele confiaria.
Salmos 27.3

Cercado por um exército. Um exército é sempre um aglomerado considerável de pessoas, geralmente, dispostas para guerrear. Estar cercado por um exército é não ter para onde ir. Estar cercado por um exército é estar a um passo da morte.

Quem se encontra em tal contexto, está literalmente numa situação de pavor. O coração dispara, o suor corre pelo rosto, os olhos se arregalam, as pernas tremem. Entretanto, aqueles que confiam no Senhor não sentem essas sensações.

Bem, primeiro é preciso mencionar que não é normal alguém que confia no Senhor se ver cercado por um exército. Este pode se levantar, se preparar e marchar contra um servo de Deus, mas dificilmente conseguirá cercá-lo. Em geral, o livramento de Deus vem antes. Foi por isso que o salmista disse: "Ainda que um exército me cercasse..."

Não se impressione com exércitos. Não se impressione com declarações de guerra. Não se impressione com ameaças. Podem até anunciar que vão cercá-lo ou até que já o cercaram. O Inimigo estará blefando. Permaneça firme, levante a cabeça, mostre segurança. O livramento de Deus está chegando.

É raro, mas pode acontecer de um servo de Deus ser cercado por um exército adversário. Lembro-me, agora, de dois episódios narrados na Bíblia. No primeiro deles, foi o próprio salmista Davi que se viu em apuros. Isto está registrado em 1 Samuel 23.26: "E Saul ia desta banda do monte, e Davi e os seus homens, da outra banda do monte; e sucedeu que Davi se apressou a escapar de Saul; Saul, porém, e os seus homens cercaram Davi e os seus homens, para lançar mão deles". Eis, então, Davi completamente cercado. Saul quer matá-lo. E agora? Os versos seguintes nos dizem que Saul teve de desistir de combater contra Davi, porque chegou uma notícia que o fez afastar-se daquele local de imediato. O exército fez o cerco, todavia, em seguida, teve de dispersar-se. Muitas vezes, quando nos vemos cercados, é assim que a história termina.

Outro episódio bíblico de que me lembro está descrito em 2 Crônicas 13. Neste incidente, a pessoa cercada foi o rei Abias, bisneto de Davi. Abias enfrentou o exército de Jeroboão com enorme desvantagem numérica. Era um soldado de Abias contra dois de Jeroboão. No versículo 13, Abias tem a tropa regular de Jeroboão pela frente e uma emboscada por trás de si. E agora? Os versos 14 e 15 relatam o seguinte: "Então, Judá olhou, e eis que tinham de pelejar por diante e por detrás; assim clamaram ao Senhor, e os sacerdotes tocaram as trombetas. E os homens de Judá gritaram, e sucedeu que, gritando os homens de Judá, Deus feriu a Jeroboão e a todo o Israel diante de Abias e de Judá". Aqui o inimigo não voltou para casa ele perdeu a guerra contra aquele a quem havia cercado. Esse é outro exemplo possível para o servo de Deus que se vê nessa situação.

Qualquer que seja o desfecho, ele será sempre favorável para aquele que confia em Deus. Portanto, diga como o salmista: "Ainda que um exército me cercasse, o meu coração não temeria; ainda que a guerra se levantasse contra mim, nele confiaria". Amém.

26 de maio

Porque no dia da adversidade me esconderá no seu pavilhão; no oculto do seu tabernáculo me esconderá; por-me-á sobre uma rocha.
Salmos 27.5

Os heróis, quando morrem, são envolvidos na bandeira do país o qual honraram. Tal ritual enche de orgulho o coração dos familiares e amigos do herói morto e ameniza a dor da separação. Todos ficam cientes de que a morte daquela pessoa não foi em vão e que a sua vida foi muito bem aproveitada, um exemplo a ser seguido.

Tudo isso é muito bonito, louvável, válido, mas é exatamente o contrário do que acontece com aqueles que lutam em prol do Reino de Deus. No combate da fé, a pessoa é envolta na bandeira, no pavilhão, antes de morrer; é envolta na bandeira justamente para não morrer. É isso que o salmista estava querendo expressar: "...no dia da adversidade me esconderá no seu pavilhão..." Muito se poderia dizer sobre esse pavilhão, contudo gostaria de destacar apenas uma observação: ele é invisível para os nossos olhos físicos, mas é de modo perfeito visível aos seres espirituais que combatem contra nós. Sim, porque por trás de tudo o que procura nos atingir, mesmo fisicamente, há forças espirituais agindo. No entanto, Deus nos cobre com o seu pavilhão e, assim, nos protege do mal. Creia, confie e descanse nisso. Agarre-se a essa bandeira. Envolva-se nela, sinta-se seguro.

Os que lutam por causas terrenas, depois de mortos, são envoltos na bandeira e expostos publicamente. Os que lutam pela fé são envoltos no pavilhão do Senhor, antes de morrerem, e escondidos no tabernáculo de Deus. E quem terá acesso a eles, para fazer-lhes mal, se estão escondidos no tabernáculo do Senhor? E que tabernáculo é esse? É um lugar especial, que pertence a Deus, cheio da glória divina, onde ser nenhum, seja humano, seja espiritual, se atreverá a entrar sem ser chamado. Não é um espaço físico. É algo pertencente a outra dimensão. Mas é real. As mentes humanas, inclusive a nossa, não percebem quando somos levados para esse lugar, todavia a parte espiritual do nosso ser percebe e nos sentimos seguros.

Os heróis das causas terrenas, quando morrem, são levados para a pedra fria do necrotério, depois seus caixões são colocados sobre a lúgubre pedra da capela funerária e finalmente levados para dentro da pedra sepulcral. Aos que lutam pela causa da fé, o Senhor toma cuidadosamente em seus braços, em pleno fragor da batalha, e postos sobre a Rocha eterna, onde seus pés não resvalam, se encontram em posição privilegiada e são invencíveis.

Envoltos no pavilhão de Deus, ocultos no tabernáculo do Senhor, firmados na Rocha inabalável, somos mais do que vencedores. Receba esta palavra em nome do Senhor. Amém.

27 de maio

Vigiai, estai firmes na fé, portai-vos varonilmente e fortalecei-vos.
1 Coríntios 16.13

Quando prestei o serviço militar, aprendi o que significa o comando *firme!* À voz deste comando, cada soldado bate forte a mão direita na coxa, mantém o queixo erguido, o peito estufado e queda-se completamente imóvel, atento ao próximo comando. Mesmo que o soldado esteja cansado, até mesmo doente, tem de permanecer firme. Por quê? Porque o comandante ordenou. Na caserna, costuma-se dizer: *Manda quem pode. Obedece quem tem juízo.*

Na vida cristã temos muitos motivos para estar firmes. Poderia, agora mesmo, relatar vários deles. Entretanto, vou citar-lhe somente um: você tem de ficar firme porque Jesus, o seu Comandante, está ordenando. Trate de levantar a cabeça, estufar o peito e permanecer firme. Afinal, que tipo de soldado você é?

Preguiçoso, indisciplinado, irresponsável? Claro que não. Você é soldado valoroso, heróico, vitorioso. O Inimigo quer deixá-lo confuso, insinuando que você é fraco, destreinado, incapaz. Porém, dê um basta nisso. Chega de ouvir o Adversário. Ouça a voz do Comandante: *Firme!*

Mas, pastor, eu não agüento mais! Como não agüenta? É claro que você suporta mais um pouco. Esta é outra lição que precisa aprender: sempre podemos mais do que imaginamos. Quando uma pessoa pensa que não consegue andar nem mais um quilômetro, ela ainda tem forças para andar cinco quilômetros. Está provado. Deus nos deu reservas de forças que ficam escondidas. Precisamos apenas acionar essas reservas quando o estoque normal está completamente esgotado e necessitamos andar mais. Entretanto, veja bem o que eu disse: quando precisamos andar mais. É preciso estar convencido de que é necessário andar mais. Se *entregarmos os pontos*, acabou.

Quando o apóstolo Paulo diz "fortalecei-vos", ele está afirmando que devemos buscar forças dentro de nós mesmos. Claro, são forças que o Senhor Jesus nos deu. Num momento nos sentimos completamente sem forças. De repente, sem que haja nenhuma mudança no ambiente exterior, estamos fortes, dispostos, prontos a ir mais adiante. A força apareceu! É isso aí, meu irmão, fortaleça-se.

Às vezes, um caçador resolve perseguir uma ema. É óbvio que ele não pode fazê-lo a pé. Então, monta um cavalo veloz e sai correndo atrás daquela enorme ave também muito veloz. Depois de um certo tempo, a ema se cansa. As forças lhe faltam. Não é fácil apostar corrida com cavalo. As pernas da ema começam a cambalear. Contudo, quando ela se dá conta de que pode morrer nas mãos do caçador, sabe o que faz? Ela espora-se a si mesma com uns ferrões que tem debaixo das asas; bate forte as asas contra o próprio corpo, sente a carne rasgar-se, enrijece seus músculos e deixa o caçador com seu cavalo para trás, como se tivesse ligado turbinas.

Em Hebreus 11.34 está escrito que os heróis da fé "... da fraqueza tiraram forças..." Se você sente-se envolvido pela fraqueza, é dela que deve tirar as energias que precisa para continuar *no páreo*. Outros conseguiram e estão conseguindo fazer isto. Você também consegue. Vamos lá, fortaleça-se. Em nome de Jesus! Amém.

28 de maio

Porque, quando meu pai e minha mãe me desampararem, o Senhor me recolherá.
Salmos 27.10

Um dos maiores dramas brasileiros é o dos chamados *meninos de rua*. É muito triste ver milhares de crianças perambulando pelas ruas, mendigando, roubando, prostituindo-se, dormindo nas calçadas, expostas a todo o tipo de perigo. A pergunta que nos vem à mente é esta: onde estão os pais dessas crianças? Muitos dizem que os pais as abandonaram porque são muito pobres e não as podem sustentar. Mas quantas pessoas pobres existem que não abandonam seus filhos de jeito nenhum?

Há outro drama que envolve pais e filhos que parece não ser muito raro no Brasil: é o dos filhos que são vendidos por seus pais. Alguns são levados clandestinamente para fora do país e nunca mais verão aqueles que são os responsáveis pela vinda deles ao mundo.

No entanto, existe um outro acontecimento terrível, dessa mesma natureza, que não chama a atenção e parece não incomodar ninguém. É o dos filhos abandonados dentro de suas próprias casas. Eles têm onde morar — às vezes, moram em casas luxuosas —, são bem alimentados, vão à escola, ganham presentes no dia do aniversário, no dia das crianças, no Natal, mas não têm a companhia de seu pais, embora eles sejam vivos e morem no mesmo lugar que eles. Vivem rodeados de pessoas, porém vivem sozinhos.

Cada ser humano tem necessidade de saber que é importante para alguém. Que alguém no mundo lhe dá valor por aquilo que é, mesmo que seja feio, deficiente físico, preguiçoso, desafinado, criminoso, sem valor para o resto do mundo. Todos temos necessidade de poder dizer: alguém me ama.

Você pode dizer com convicção, *alguém me ama*? É possível que tenha sido abandonado por seus pais, ou seu cônjuge, ou seus filhos, ou seus irmãos, ou todos os seus parentes e amigos, e por isso não se ache com nenhuma condição de afirmar que alguém o ama. Mas quero lhe dizer, mesmo que esse seja o seu caso, que alguém ama você. Essa pessoa é Deus, o seu Criador. Seja você quem for, não importa como tenha sido sua vida até hoje, Deus o ama. Ele jamais o desamparou nem vai desamparar. Você sabe que isso é verdade, sabe que muitas coisas que aconteceram em sua vida não têm explicação. Nos momentos em que tudo parecia perdido, de repente algo acontecia e você encontrava uma solução. Pessoas que você jamais podia esperar que o ajudasse foram justamente as que ajudaram. Deus estava em tudo isso. Ele tem um plano para você, e quer que o conheça melhor para que sua vida seja muito feliz.

Talvez você viva rodeado de pessoas, contudo sempre se sente só; não se sente valorizado por ninguém. A impressão que tem é a de que as pessoas que o rodeiam o fazem por conveniência delas mesmas, nunca por aquilo que você é. No entanto, há alguém que lhe dá valor, que o ama por aquilo que você é; alguém que o considera único. Não existe ninguém igual a você, pois Deus o criou de forma muito especial. Ele o conhece mais do que qualquer outra pessoa, inclusive mais do que você mesmo. E Ele deseja que você também o conheça. Saiba: só poderemos ser plenamente felizes quando o conhecermos bem de perto. Aproxime-se dEle, busque-o, venha sem medo. Tudo o que Ele quer é que você o conheça o suficiente para dizer como o salmista: "... quando meu pai e minha mãe me desampararem, o Senhor me recolherá". Amém.

29 de maio

Espera no Senhor, anima-te, e ele fortalecerá o teu coração; espera, pois, no Senhor.
Salmos 27.14

Durante muito tempo se pensou que a linguagem bíblica, associando nossos sentimentos ao coração, fosse algo meramente poético. Hoje já se sabe que nosso estado da alma — sede dos nossos sentimentos — afeta, sim, essa bomba de músculos que chamamos de *coração*. Tristeza, medo, ódio, tudo isso pode fazer adoecer o coração.

O que faz com que o coração de uma pessoa se enfraqueça tanto a ponto de não bater mais?

Tudo o que acontece ao nosso redor nos afeta. Algumas coisas nos abalam mais e outras menos. Aquelas que produzem emoções muito fortes atingem mais profundamente nosso coração.

O coração desfalece quando sofremos uma ingratidão. O coração esmorece quando tomamos conhecimento de alguma calúnia que levantaram contra nós. Isso também dói muito. O coração perde as forças quando esperamos ardentemente por algo e isso não acontece. A Palavra de Deus afirma, em Provérbios 13.12, que "a esperança demorada enfraquece o coração".

Mas espere um pouco: o coração não pode "apanhar" — ficar sofrendo — o tempo todo. Não. Ele tem de "bater" também! Tem de pulsar, funcionar bem e reagir. Como o coração deve reagir diante de uma ingratidão? Em primeiro lugar, perdoando. Quando uma ingratidão é cometida, a vítima é quem a comete e não quem a sofre. O ingrato é um pobre infeliz. Alguma força maligna está dominando-o. Ele deve estar doente, ou no corpo, ou na alma, ou no espírito. E quando sofremos alguma ingratidão, certamente foi porque Deus permitiu. E por que Deus permite que passemos por tais circunstâncias? Para testar se ajudamos os outros esperando receber alguma recompensa imediata. Nunca devemos ajudar as pessoas esperando receber reconhecimento delas. Foi por isso que Jesus nos ensinou, em Lucas 14.13,14: "Mas, quando fizeres convite, chama os pobres, aleijados, mancos e cegos e serás bem-aventurado; porque eles não têm com que to recompensar; mas recompensado serás na ressurreição dos justos". Se alguém, beneficiado por você, não soube recompensá-lo, espere no Senhor, um dia você receberá das mãos dEle o galardão. E a Bíblia declara: "... alegrai-vos na esperança" (Rm 12.12). A alegria fortalece o coração.

E o que fazer diante das calúnias? Exatamente o que Jesus nos ordena, em Mateus 5.11,12: "Bem-aventurados sois vós quando vos injuriarem, e perseguirem, e, mentindo, disserem todo o mal contra vós, por minha causa. Exultai e alegrai-vos, porque é grande o vosso galardão nos céus; porque assim perseguiram os profetas que foram antes de vós". Se o mal que disserem contra nós fosse verdadeiro, então deveríamos nos entristecer. No entanto, como é mentira, vamos nos alegrar. "O coração alegre serve de bom remédio", registra Salomão em Provérbios 17.22.

Talvez, a questão mais difícil seja a espera demorada de que fala Provérbios 13.12. Porém, ao mesmo tempo não é, se atentarmos bem ao versículo que fornece a base para a nossa reflexão de hoje. O verso 14 do Salmo 27 nos diz que, se esperarmos no Senhor e nos animarmos, Ele fortalecerá o nosso coração. Ou seja, não devemos desanimar jamais. Se confiarmos em Deus, a ponto de nunca duvidarmos do seu amor e do seu poder, Ele mesmo se encarregará de fortalecer o nosso coração, de maneira que possamos aguardar firmes, pelo tempo que for necessário, até alcançar a vitória completa. Creio que a melhor maneira de concluir a nossa meditação é declarando estas palavras: "... espera, pois no Senhor". Amém.

30 de maio

E graças a Deus, que sempre nos faz triunfar em Cristo e, por meio de nós, manifesta em todo lugar o cheiro do seu conhecimento. Porque para Deus somos o bom cheiro de Cristo, nos que se salvam e nos que se perdem.
2 Coríntios 2.14,15

Já pensou se os perfumes pudessem escolher os lugares onde atuar? Certamente não aceitariam ser aplicados no corpo de pessoas feias, pouco influentes ou pobres. E também não iriam aceitar ser aplicados em qualquer lugar do corpo. Talvez recusassem realizar seu trabalho à noite. Perfumar lugares desertos? Nem pensar.

As madeiras odoríferas deixam o seu perfume em tudo o que as agride. Lembro-me da frase contida num quadro de parede que meus pais adquiriram quando ainda era criança: *Seja como o sândalo que perfuma o machado que o fere.* Entretanto, se as madeiras fossem como nós, perfumariam somente as pessoas que as tratassem com muito carinho.

A Bíblia afirma que nós, cristãos, somos perfume. E perfume precioso. Caríssimo. Cheiro do conhecimento de Deus. Cheiro de Cristo.

Deus quer perfumar toda a sociedade humana; Ele quer perfumar o mundo inteiro. E como perfume temos de estar em todos os lugares do mundo. O problema é que não estamos dispostos a perfumar qualquer lugar. Então, o Senhor permite que certas circunstâncias ocorram para que estes perfumes atuem onde não gostariam de atuar.

Algumas vezes precisamos residir no bairro em que nunca gostaríamos de morar. E, não raro, com as companhias que jamais escolheríamos. *E, pelo amor de Deus, o que estou fazendo nesta repartição de trabalho. Não foi isto o que pedi a Deus*, dirá alguém. Vamos para o hospital sem querer. Outras vezes, temos de gastar tempo e dinheiro em oficina mecânica. Faz viagem *na hora errada*. Pega o ônibus errado. Perde o trem.

O que está havendo? Se você é perfume de Cristo, pode ser que esteja sendo aplicado em algum lugar de que não gosta. Ou, quem sabe, está perfumando alguém que só se deixa perfumar em condições traumáticas?

Certas situações que nos parecem de derrota são, na verdade, momentos de vitória. O apóstolo Paulo disse que sempre triunfamos. Mas que triunfo é esse? Querido, a única razão de ser do perfume é exalar o seu odor. O perfume *se realiza* assim: perfumando. Nossa realização como servos do Senhor é espalhar o cheiro de Cristo. Nosso triunfo é esse. Não é morar em bairro nobre, não é viver no meio de pessoas influentes, não é cumprir a nossa agenda. É cumprir a agenda que o Senhor estabelecer. Tudo bem? Então, não *sufoque* o cheiro de Cristo que há em você. Destampe o frasco e deixe o aroma do perfume se espalhar pelo ambiente. Esse é o seu triunfo. Amém.

31 de maio

O Senhor é a minha força e o meu escudo; nele confiou o meu coração, e fui socorrido; pelo que o meu coração salta de prazer, e com o meu canto o louvarei.
Salmos 28.7

Há pessoas que têm medo de viajar de avião. Eu mesmo tenho amigos que preferem viajar trinta e seis horas de ônibus a viajar duas horas de avião.

Havia um rapaz que tinha uma reação estranha quando viajava por via aérea: desde que entrava no avião até a hora que desembarcava, espirrava sem parar. Um dia, esse rapaz procurou um médico para ver se podia ficar livre do problema. O médico, então, explicou-lhe: *Isso é uma reação nervosa. Você fica nervoso quando entra no avião. Os espirros são uma maneira de seu organismo expressar esse nervosismo. Procure ficar calmo. Lembre-se de que o avião ainda é um dos meios de transporte mais seguros que existem. Fique calmo. Você verá como os espirros desaparecerão.*

O rapaz agradeceu ao médico, pagou a consulta, despediu-se e nunca mais apareceu. Certo dia, o médico o encontrou, adivinhem onde? Dentro de um avião. Mal pôde esperar para perguntar ao moço: *E então, como você está? Ficou livre daquele problema?* E o rapaz, todo alegre, respondeu: *(Atchim) Sim, doutor, estou ótimo (atchim). Continuo espirrando, mas estou calmo (atchim). (Atchim) Está vendo como estou calmo (atchim)?*

É assim mesmo. Às vezes, parece que uma parte de nós sente algo e a outra sente o contrário. Outras vezes, a razão diz uma coisa e o coração diz outra. E como isso é comum!

Quando o salmista diz: "... nele confiou o meu coração", ele está falando de um tipo especial de confiança em Deus. Note que o escritor sacro não declara: *"Eu confiei nele"*. Pessoas ímpias se levantaram contra ele; os versículos anteriores nos dão a entender isso. A situação era difícil. Analisando as coisas friamente, o servo de Deus se viu completamente perdido. A razão dizia: *Não há saída.* Fazendo os cálculos matemáticos, tirando a prova dos nove, o resultado é de todo desfavorável. Mas o coração diz: *Não é nada disso. Confie em Deus. Você vencerá.* O salmista ouviu a voz do coração, confiou em Deus e... venceu: "Nele confiou o meu coração, e fui socorrido". Sim, porque o mesmo escritor assevera, em Salmos 51.17: "... a um coração quebrantado e contrito, não desprezarás, ó Deus".

Ao contrário do rapaz da anedota, o salmista não continuou mostrando os sintomas do medo. Não. Ele obteve a vitória e o seu coração ficou saltando de prazer. O coração ficou falando: *Eu não disse? Vale a pena confiar em Deus.* Então, o corpo todo teve de se render às evidências. Davi cantou louvores ao Senhor. Coração saltando de prazer, por dentro; o corpo todo louvando, por fora.

Meu caro amigo, estas palavras que vieram do coração do salmista Davi alcançaram o meu coração. Agora, as estou enviando ao seu próprio coração. Receba-as. Deixe que ele confie em Deus. Confie inteiramente no Senhor. Não se preocupe com as circunstâncias exteriores. A razão está dizendo que você está perdido. Seu coração, firmado no poder de Deus, lhe diz: *Você vai vencer.* A lógica humana afirma que não há saída. O coração anima: *Deus é a saída.* Confie em no Senhor, com todo o seu coração. Você vai cantar, muito breve, em gratidão ao Todo-Poderoso pela vitória que já está chegando. Amém!

1º de junho

O Senhor é a força do seu povo; também é a força salvadora do seu ungido.
Salmos 28.8

Em toda a história nunca houve alguém tão forte, fisicamente, como Sansão. Suas proezas estão descritas nos capítulos 14, 15 e 16 do livro dos Juízes. A Bíblia relata que esse homem era tão forte que era capaz de arrancar as portas de uma cidade e transportá-las, sozinho, nas costas, até o alto de um monte.

Qual era o segredo da força de Sansão? Há quem pense que eram os seus longos cabelos. De fato, Sansão tinha os cabelos bem crescidos e isso estava relacionado com sua força. Esse homem nunca teve de gastar um centavo na barbearia. Antes de nascer, seus piedosos pais fizeram um voto a Deus de que Sansão nunca ingeriria nada que procedesse da uva, nem tocaria em cadáver e jamais cortaria seus cabelos. Entretanto, a força de Sansão não estava nos cabelos.

A força desse israelita estava naquilo que seus longos cabelos representavam: sua comunhão com Deus. Entre ele e Deus havia um pacto e os cabelos compridos apenas representavam esse pacto.

Quer ver algo? Em Juízes 14, está registrado que Sansão rasgou um leão ao meio, sem ter nada em suas mãos. E como fez isso? O verso 6 revela: "Então, o

Espírito do Senhor se apossou dele tão possantemente, que o fendeu de alto a baixo..." A força de Sansão não vinha dos seus cabelos. Vinha do Espírito Santo. Vinha do próprio Deus.

No entanto, houve um momento em que ele não vigiou, deixou que o pecado dominasse sua vida e seus próprios inimigos lhe cortaram os cabelos. Em Juízes 16.20, temos o triste relato de que "... o Senhor se tinha retirado dele".

Cada servo de Deus é como Sansão. Se mantemos nossa comunhão com Deus, somos invencíveis. O salmista já declarou: "O Senhor é a força do seu povo..." Não existe força maior do que essa.

Sansão destruiu mil soldados inimigos usando apenas uma queixada de jumento. Qualquer servo de Deus, pode vencer todos os demônios do inferno simplesmente utilizando o nome de Jesus (Mc 16.17). Sansão arrancou a porta da cidade de Gaza e transportou-a para longe. A Igreja de Jesus, que somos nós, arrebenta as portas do inferno. Cristo nos disse: "... edificarei a minha igreja, e as portas do inferno não prevalecerão contra ela" (Mt 16.18). O sinal do pacto de Sansão com Deus era visível: seus longos cabelos. O sinal de nossa aliança com Deus é o sangue de Jesus. É invisível para nós, mas é visível para os anjos e demônios. Mais importante que tudo: é visível para Deus.

Meu irmão, Deus é a nossa força. O Senhor é a força do seu povo.

Considero interessante que o salmista, após dizer que o Senhor é a força do seu povo, acrescentou que Ele "... também é a força salvadora do seu ungido". Davi está falando consigo mesmo, já que ele, sendo rei, era ungido do Senhor. Estando em adversidade, precisava apropriar-se dessa grande verdade. Então, diz: "O Senhor é... a força salvadora..." Deus nos fortalece para que possamos realizar algo muito precioso. Todavia, Ele nos fortalece também para que sejamos livres dos perigos. Os ungidos do Senhor muitas vezes são ameaçados, atraídos para ciladas e, às vezes, presos em emboscadas. Porém, o Senhor é a força salvadora do seu ungido. Aproprie-se dessa verdade. Amém!

2 de junho

Como contristados, mas sempre alegres; como pobres, mas enriquecendo a muitos; como nada tendo, e possuindo tudo.
2 Coríntios 6.10

Quando Neuza Pereira de Jesus viajava para o campo missionário, teve de desembarcar na cidade do Rio de Janeiro, uma vez que seu vôo previa uma conexão naquela cidade. Porém, aconteceu um problema técnico e ela teve de esperar o outro dia para continuar sua viagem. Ocorre que essa permanência no Rio era de responsabilidade da companhia aérea. Então, ela foi hospedada num hotel de alta categoria e teve direito de escolher o que quisesse no jantar. Nem é preciso dizer que a missionária aproveitou para comer do bom e do melhor.

No trecho entre o Rio de Janeiro e a Europa, Neuza, claro, estava ocupando uma poltrona da classe econômica, correspondendo a uma passagem comprada, por sinal, à prestação. Logo após o início do vôo, um rapaz que estava viajando ao seu lado lhe fez a seguinte proposta: *Você não gostaria de viajar na primeira classe? Minha mãe está viajando lá e eu gostaria de tê-la aqui ao meu lado. Você se importaria de trocar com ela?* E foi assim que a missionária foi para a Europa viajando na primeira classe.

A vida cristã é assim: tem suas surpresas. Surpresas para quem a vive e muito mais para quem a observa. Quem observa um servo fiel do Senhor pode pensar que ele é triste, pobre e até que não possui nada nesta vida. Mas a Palavra de Deus contesta, afirmando que ele é alegre, enriquece a muitos e possui tudo.

Muitas vezes, o servo de Deus é visto chorando. A maioria vive com a conta bancária zerada, não possui carro e nem um metro quadrado de terra registrado em seu nome. Alegre? Enriquecendo a muitos? Possuindo tudo? Francamente...

Você já viu crianças na fila de um posto ou hospital esperando para serem vacinadas? É uma choradeira tremenda. Umas fazem um escândalo que parece até que vão morrer. Um minuto depois, nem parece que estavam chorando. E as crianças que são vacinadas são as mais sadias e, conseqüentemente, as mais felizes. Isso ilustra um pouco o que acontece com os servos de Deus. Experiências desta vida que os fazem chorar não os tornam infelizes. Em geral acontece o contrário: essas experiências os fortalecem sobremaneira na fé e os tornam mais achegados ao seu Deus.

Você não precisa ser rico para enriquecer outros. Existem pessoas que assessoram os ricos, cooperam para que eles tenham uma posição de status na sociedade e elas mesmas não são ricas. Há muitas pessoas que estão ricas em conseqüência dos conselhos e das orações de servos de Deus. Sem contar aquelas que eram ricas, mas viviam infelizes e não podiam desfrutar de nada do que possuíam, até que Deus usou algum de seus servos para orientá-las e tirá-las do estado de miséria moral, psicológica e espiritual em que se encontravam. Além do que, há diversas pessoas que não possuem muito dinheiro, porém têm paz, alegria e esperança, coisas que dinheiro nenhum deste mundo pode comprar.

E o fato de muitos afirmarem que o crente possui tudo? Sabe, há pessoas que possuem um ou mais carros excelentes e andam a pé. Têm carros, mas preferem não usá-los porque querem. A Neuza de Jesus era jovem e muito inteligente. Fez dois cursos de nível superior, além do bacharelado em Teologia. Poderia dedicar-se a alguma profissão secular e viajar na primeira classe quando quisesse. No entanto, desprezou tudo isso para dedicar-se à evangelização dos indianos. Ela viajava na classe econômica por opção de vida. Contudo, Deus a fez viajar na primeira classe para dar-nos uma pequena demonstração do que significa não ter nada e possuir tudo. Está surpreso? Você ainda não viu nada! Amém.

3 de junho

O Senhor dará força ao seu povo; o Senhor abençoará o seu povo com paz.
Salmos 29.11

Os irmãos assembleianos do Nordeste não aceitam que um crente se encontre com outro e não o saúde com *a paz do Senhor*. Ocorre que as pessoas do interior de Pernambuco, as mais incultas, têm o hábito de trocarem o *z* final das palavras por *i*. Elas pronunciam *ele fai* em vez de *ele faz*; *A paz do Senhor* passa a ser *a pai do Sinhô*.

Um irmão de Pernambuco se encontrou com um outro de Goiás e este não o saudou com *a paz do Senhor*. O pernambucano, indignado, então perguntou: *O irmão tem pai?* O goiano respondeu: *Tenho, sim, irmão. Tenho pai e mãe, graças a Deus*. O pernambucano explicou: *Não é isso que estou lhe perguntando. Estou perguntando se o irmão tem pai. Se tem a pai do Sinhô.*

Sabe de uma coisa? O irmãozinho de Pernambuco poderia estar gramaticalmente errado, mas teologicamente estava certo. Quem tem Pai, Pai com *p* maiúsculo, tem paz. Se o seu pai é o Senhor da paz, então você tem a paz do Senhor.

Em alto mar, uma embarcação teve de enfrentar uma terrível tempestade. Muitos lutavam desesperadamente, outros gritavam apavorados, havia pessoas passando mal por todos os lados. Apenas um garotinho parecia de fato alheio a todo o perigo e aflição. Passeava tranqüilamente pelo navio, como se nada estivesse acontecendo. Alguém se aproximou dele e perguntou: *Menino, você não está com medo?* E ele, todo confiante disse: *Eu não. Quem está dirigindo este navio é o meu pai. Ele é um tremendo comandante.*

Quem é o seu pai? É uma pessoa fraca e incompetente, que não sabe ou não pode ajuda-lo quando as coisas se complicam? Se o seu Pai é o Deus que criou a terra e os céus, então você pode se sentir seguro em qualquer situação. Deus sempre tem o controle de todas as coisas. Ele controla os astros nos céus, os animais nas selvas, a fúria dos homens, a maldade dos demônios. O Pai celestial tem controle sobre tudo! Quem tem essa certeza, também tem paz.

Falta de paz é falta de segurança. Que bom saber que "... o Senhor abençoará o seu povo com paz". Ele nos faz conhecer o seu grande poder e o fará cada vez mais. Quem conhece o poder de Deus tem paz.

Às vezes, nos esquecemos de quem é o nosso Deus. As lutas desta vida nos envolvem de tal maneira que nos esquecemos do poder que o nosso Pai tem. Então, sofremos, choramos, ficamos nervosos; o medo passa a nos dominar. No entanto, o Espírito de Deus vem ao nosso socorro e nos faz lembrar dos grandes feitos que o Senhor realizou no passado. De repente, nos damos conta de que já passamos por situações parecidas com a que estamos atravessando agora. *Se Deus me livrou da outra vez, por que não me livrará agora?*, perguntamos. Nesses momentos, a paz enche o nosso coração, pois o Senhor nos abençoa com a sua paz.

Amigo, quem é o seu pai? Você sabia que nem todos são filhos de Deus? A Bíblia nos diz, em João 1.12, que somente os que recebem Jesus como Senhor e Salvador têm o poder de serem feitos filhos de Deus. É esse o seu caso? Se não é, receba Jesus em seu coração. Abra-o e convide-o para entrar em sua vida. Ele o fará, com prazer. Você passará, imediatamente, a ser filho de Deus. Do Deus Todo-poderoso. E receberá a verdadeira paz.

Agora posso perguntar? Você tem Pai? Amém.

4 de Junho

O choro pode durar uma noite, mas a alegria vem pela manhã.
Salmos 30.5b

Há algum tempo, fizeram uma campanha publicitária em que apareciam três garotos gordinhos, muito engraçados, querendo nos convencer a utilizar determinado produto. O lema deles era este: *Se você não utilizar o serviço tal, a gente chora.* Então, a pessoa, para não ter de aturar o choro deles, utilizaria o tal serviço.

Por que choramos? Muitas vezes para expressar uma dor. Fazemos isso desde quando somos bebês. O neném não sabe falar, mas sabe chorar desde a hora em que nasce. Ele se comunica através do choro. Depois, passamos o resto da vida expressando nossas dores chorando. O bebê chora e a mamãe vem atender. E muito rápido ele aprende que o choro é uma boa maneira de chamar a atenção. Então, quando queremos chamar a atenção, mesmo depois de adultos, choramos.

O choro é algo que foi feito para durar pouco. A dor ou a necessidade vem, choramos, chamamos a atenção de alguém que pode nos ajudar, somos socorridos e paramos de chorar.

O problema é que, às vezes, a dor não passa. A necessidade demora a ser atendida, e ficamos chorando por um certo tempo. Choro demorado é sinal de dor que custa a passar ou necessidade que ainda não foi suprida.

Não é bom chorar em momento algum. No entanto, ter de chorar à noite parece ser pior. Ninguém nos ouve. É quando a necessidade parece ser mais difícil de ser atendida. Choramos e o socorro não vem. Como desejamos que a noite passe, o dia se torne claro para que alguém nos ouça e envie o socorro!

Há períodos de nossa vida em que tudo parece tão escuro! É pleno dia, dez horas, meio-dia, três horas da tarde, mas não vemos ninguém que possa nos ajudar. Ninguém nos vê. Ninguém ouve o nosso clamor. É dia, porém é noite.

Há alguém que sempre nos ouve quando choramos: Deus, o Pai celestial. E por que não extingue a dor ou supre logo a necessidade? As razões podem ser muitas. Algo é certo: nunca será porque não nos ama ou porque lhe falte poder. Ele sempre nos quer ajudar; sempre quer o nosso bem. Se confiarmos nEle, se buscarmos sua orientação, se nos arrependermos, quando for o caso, Ele nos socorrerá. A dor desaparecerá. A necessidade será suprida. O choro terminará. Então, não importa que hora seja, meio-dia, oito da noite, duas da madrugada, o dia raiará. Tudo ficará claro. Tudo ficará fácil. Vamos entender por que passamos por momentos tão difíceis.

O choro pode durar uma noite inteira, mas a alegria virá ao amanhecer. Quanto tempo tem durado esta noite que você está atravessando? Uma semana, cinco meses, dez anos? A manhã está chegando. Sua vitória está vindo. O Pai celestial enxugará suas lágrimas. O raiar do seu novo dia vai acontecer agora. Creia nisso. Receba isso. Deus mandou-me dizer-lhe tais palavras. Estas vêm daquEle que é o Sol da Justiça. Elas fazem parte do seu amanhecer. Tenha então... um bom e novo dia. Amém!

5 de junho

E Deus é poderoso para tornar abundante em vós toda graça, a fim de que, tendo sempre, em tudo, toda suficiência, superabundeis em toda boa obra.
2 Coríntios 9.8

Tenho um amigo que gosta muito de citar o refrão: *Os rios correm somente para o mar.* Quando ele menciona tais palavras, está querendo dizer que os que mais têm, são os que estão sempre recebendo.

Felizmente, o meu amigo cita o refrão em tom de brincadeira. Entretanto, há pessoas que o citam com muita revolta. E vou lhe dizer algo: o refrão está correto. Em Marcos 4.25, estão registradas as seguintes palavras de Jesus: "Porque ao que tem, ser-lhe-á dado; e, ao que não tem, até o que tem lhe será tirado".

Como se pode tirar algo de alguém que não tem? Sabe, há pessoas que não têm, mas têm. São aquelas que sempre dão um jeito de ter para ajudar os outros. Deixam até de comer para socorrer alguém. Essas pessoas nunca dizem que não têm, mesmo que não tenham. E existem os que têm, mas não têm. São aqueles que se agarram de tal maneira às coisas, que nunca liberam nada para ninguém. Estão sempre dizendo que não têm. São dessas pessoas que se tira o que não têm. Sim, Deus tira.

Não sou adepto da teologia da prosperidade. Não penso que todo crente tem de possuir o veículo mais caro e mais novo, que tem de ter milhões de dólares na conta bancária e vestir as roupas mais elegantes. Não, não creio nisso. Mas creio na bondade e no poder de Deus.

O versículo de hoje começa da seguinte maneira: "E Deus é poderoso..." Ele tem poder para fazer chover pão no deserto, multiplicar a farinha da panela e o azeite da botija, erguer o necessitado do monturo e fazê-lo assentar-se com os príncipes. Deus é poderoso!

Veja no versículo acima como se manifesta o poder de Deus. Veja as palavras e expressões do verso: *abundante, toda a graça, tendo sempre, toda suficiência* e *superabundeis.*

Tais vocábulos refletem fartura, perenidade, grandeza. No entanto, não se esqueça de observar as palavras finais:"... toda boa obra". Essa parte diz respeito a nós. Deus nos abençoa para que possamos abençoar.

Saiba que foi Deus quem inventou esse negócio de os rios correrem para o mar. Mas lembre-se que as águas dos rios vêm do mar. A água do mar se evapora e forma as nuvens que os ventos levam para o continente. Então, as águas que saíram do mar caem no solo, em forma de chuva, formam os rios e voltam para o mar.

A fonte de toda a bênção é o próprio Deus. Se a bênção que nos atinge é canalizada para a glória do Senhor, Ele sempre se servirá de nós, utilizando-nos como um rio cujo leito estará sempre transbordando e correndo para o mar.

Quero terminar esta reflexão com mais um versículo da Bíblia:"E o Senhor te guiará continuamente, e fartará a tua alma em lugares secos, e fortificará teus ossos; e serás como um jardim regado e como um manancial cujas águas nunca faltam" (Is 58.11). Amém.

6 de junho

Eu me alegrarei e regozijarei na tua benignidade, pois consideraste a minha aflição; conheceste a minha alma nas angústias.
Salmos 31.7

Olá, sou fulano. Lembra-se de mim? Moramos juntos na cidade tal, uns dez anos atrás. Lá, eu tinha o apelido de *coração de mãe* porque sempre estava disposto a ajudar mais um que aparecesse buscando ajuda. Lembra-se agora? *Fulano? Não, não me lembro. Acho que nunca morei nessa cidade de que você está falando.* Ingrato! Agora que estou aqui, mal vestido, com esta aparência de quem está necessitando de socorro, você não me conhece. Quando precisava de mim, me reconhecia até a um quilômetro de distância!

Quem nunca passou por uma situação parecida como essa? Quem nunca passou por um velho amigo que fingiu não reconhecê-lo? As Escrituras relatam, em Provérbios 14.20: "O pobre é aborrecido até do companheiro, mas os amigos dos ricos são muitos". E o verso 7 do capítulo 19 acrescenta:"Todos os irmãos do pobre o aborrecem; quanto mais se afastarão dele os seus amigos! Corre após eles com palavras, mas não servem de nada".

Agora, um provérbio nosso: *Filho feio não tem pai.*

Há um amigo que não se envergonha de nós quando estamos em dificuldades. Ele não foge quando necessitamos dele. Jamais fingirá que não nos conhece. Podemos estar desfigurados pela dor, emagrecidos pelas necessidades ou com excesso de peso em conseqüência das ansiedades... Ele sempre nos reconhecerá. Se nosso corpo estiver completamente mutilado, se nada tiver restado daquilo que fomos um dia, mesmo assim Ele nos reconhecerá. Conhece a nossa alma quando está alegre e também quando está angustiada. Não é maravilhoso? Ele é Deus.

Bem, há um tipo de pessoa que até nos reconhece quando estamos em dificuldades, porém não faz nada para nos ajudar. Inventa uma desculpa qualquer e *tchau*. Pode ser que até aproveite para cobrar uma dívida antiga. Ou quem sabe nos dá uma lição de moral. Nosso Deus não é assim. Mais uma vez digo que o Senhor nos reconhece.

Há aquela pessoa orgulhosa, que finge não conhecer ninguém quando está padecendo necessidades. Tem vergonha de pedir ajuda. Não seria este o seu caso? Você já pediu ajuda a Deus? De fato, já se refugiou nEle? Você tem permitido que Ele o ajude? Ou está numa situação totalmente complicada, e não tem a mínima capacidade para resolver o problema, todavia, mesmo assim, insiste em continuar fazendo as coisas erradas?

Venha refugiar-se em Deus agora. Porém, venha com humildade. Deixe-o dirigir sua vida. Por favor, siga as suas orientações para sair dessa tribulação. Ele sabe como agir, pois conhece você e a sua alma. Foi Ele quem o criou.

Confie em Deus. Receba o socorro dEle. E faça como o salmista: Alegre-se no Senhor. Regozije-se na benignidade dEle. Comece a louvá-lo neste momento. Cultive sua amizade com Ele para sempre. Amém!

7 de junho

Tu os esconderás, no secreto da tua presença, das intrigas dos homens; ocultá-los-ás, em um pavilhão, da contenda das línguas.
Salmos 31.20

Pessoas famosas estão sempre em evidência, por isso suas vidas são tão comentadas. Dizem tanto sobre elas que há um momento em que não sabemos dizer o que é verdade e o que é invenção do povo. Eu li o seguinte comentário de um estadista da atualidade: *Já disseram tantas vezes que morri, que quando acontecer não irão acreditar.*

Fazem diversos comentários maldosos — a maioria, talvez, desprovidos de verdade — acerca dessa classe de pessoas, justamente porque elas são importantes. Muitos parecem querer vingar sua insignificância ou mediocridade atacando aqueles que não podem se defender. Quanto mais famosa, mais importante for a pessoa difamada, maior o prazer que os outros têm em lhe atirar pedras.

Há muitas pessoas que são importantes sem ser famosas. Os servos de Deus são assim. Importantes sem serem famosos. Eles também são visados pelas línguas maldosas. O salmista chama isso de "contenda das línguas" que, por sua vez, é resultado das "intrigas dos homens".

Há certas intrigas que são muito bem tramadas. Pessoas muito inteligentes trabalham nelas. Às vezes, até recebem uma inteligência diabólica para fazer suas conspirações. Quem se vê prejudicado por essas intrigas, muitas vezes, fica se perguntando: *Meu Deus, como alguém pode inventar uma coisa dessas?*

A contenda das línguas é outro flagelo. O livro de Jó fala do "açoite da língua" (5.21). De fato, certas calúnias e outros tipos de ataques verbais doem como chicotadas. Dilaceram a alma. Se cortassem apenas nossa carne, não doeria tanto.

No entanto, hoje Deus não me deu uma palavra de comiseração. Não. Ele me deu uma palavra de encorajamento, de esclarecimento. A palavra é esta: Deus não nos deixa à mercê das intrigas dos homens nem desprotegidos diante da contenda das línguas. O versículo-chave de nossa reflexão nos assevera que Ele nos esconde, no secreto de sua presença, das intrigas dos homens. Isso combina com Colossenses 3.3: "... vossa vida está escondida com Cristo em Deus". Existe abrigo melhor que esse? Para nos atingir, alguém teria de passar por Deus Pai e Deus Filho. Quem é que pode? Ninguém.

Quanto à contenda das línguas, dela o Senhor nos protege ocultando-nos em seu pavilhão, isto é, em sua bandeira. Creio que a bandeira em que Deus nos esconde é feita de fogo.

Entretanto, se Deus nos protege das intrigas dos homens e da contenda das línguas, por que às vezes nos vemos cercados por certas armadilhas e combatidos por palavras ferinas? É porque o Senhor, para nos mostrar o seu poder de maneira ainda mais maravilhosa, permite que os nossos opositores procedam dessa forma. Eles avançam, pensando que vão nos destruir. No momento certo, nosso Protetor os desmascara, as tramas são expostas, as mentiras são totalmente desarmadas e temos mais uma vitória para agradecer ao Senhor.

Mais uma experiência para edificar não somente a nossa vida, mas também a de outras pessoas.

E agora? Está mais seguro? Está mais confiante? Envolva-se nessa bandeira. Esteja no pavilhão do Senhor. Não saia do abrigo em que o Senhor o colocou. Fique firme. Ninguém vai conseguir prejudicá-lo. Amém.

8 de junho

Porque as armas da nossa milícia não são carnais, mas, sim, poderosas em Deus, para destruição das fortalezas.
2 Coríntios 10.4

Existem muitas histórias engraçadas envolvendo crentes e armas.

Um pregador mostrava a Bíblia ao povo e dizia: *Aqui está a mensagem de vida.* Depois mostrava o revólver enquanto explicava: *E aqui, a mensagem de morte.* Em seguida, fazia o apelo: *Vida ou morte, qual vais aceitar?*

O cristão verdadeiramente perigoso é aquele que está desarmado.

Ai do agressor quando fere o servo de Deus, física ou moralmente, e este não revida! Ai do agressor quando agride o servo de Deus verbalmente e ele fica calado! Ai do agressor quando fere o servo de Deus fisicamente e ele não se defende nem se vinga! Ai daquele que usa de esperteza para tomar o que pertence ao servo de Deus e ele não vai buscar o que é seu! Quando o crente fiel age assim, o seu Deus entra em ação e diz: "Minha é a vingança; eu recompensarei" (Rm 12.19). E o escritor aos Hebreus ainda acrescenta: "Horrenda coisa é cair nas mãos do Deus vivo" (10.31).

Quando o crente faz uso das armas carnais, as espirituais ficam imobilizadas. É por isso que o Inimigo faz tudo para que ele perca o controle. Quando alguém agride um servo de Deus, faz isso impulsionado pelos demônios. Esses seres sabem o poder que têm as armas que estão à disposição dos escolhidos de Deus. E como sabem, procuram imobilizá-las. Eis o motivo da insistência para que o crente saia do terreno espiritual e venha brigar no terreno físico. Somente quando o crente é acometido de um surto de estultícia, aceita uma sugestão dessas. Lutar contra forças espirituais usando armas carnais? Você nunca será bem-sucedido.

Portanto, meu amado irmão, siga o que está escrito em Romanos 12.20: "... se o teu inimigo tiver fome, dá-lhe de comer; se tiver sede, dá-lhe de beber; porque, fazendo isto, amontoarás brasas de fogo sobre a sua cabeça".

Agora, nossa maior vingança não é quando nossos agressores morrem nem quando as casas deles pegam fogo. A vingança é mais doce quando eles se convertem. Eles deixam de nos perseguir e passam a lutar do nosso lado. Após o nosso versículo de hoje, está escrito: "... destruindo os conselhos e toda altivez que se levanta contra o conhecimento de Deus, e levando cativo todo entendimento à obediência de Cristo" (2 Co 10.5). Sabe quem escreveu essas palavras? Um homem que foi conhecido como Saulo de Tarso, grande perseguidor do evangelho. Então, Jesus disse: "E eu lhe mostrarei quanto deve padecer pelo meu nome" (At 9.16). Saulo foi transformado em Paulo, o grande apóstolo do Novo Testamento, um dos maiores evangelistas de todos os tempos. Nossas armas espirituais funcionam mesmo! Amém.

9 de junho

Esforçai-vos, e ele fortalecerá o vosso coração, vós todos os que esperais no Senhor.
Salmos 31.24

Certa vez, liderei um grupo de pessoas numa viagem aos Estados Unidos e Canadá. Na cidade de Toronto, presenciei algo que me deixou muito admirado. Naquela cidade canadense existe uma torre muito alta. Uma das mais altas do mundo. Um elevador muito veloz nos leva a um mirante localizado a algumas centenas de metros acima do solo. De lá de cima se tem uma visão muito linda da cidade. E algo muito interessante é que uma parte do piso é feita de vidro transparente. Quem tem coragem de se colocar ali, tem a impressão de estar solto no espaço. Sinceramente, dá medo. Poucas pessoas se atrevem a ficar ali. Pois bem. No meu grupo estava o vô Cyro, um ancião de cabelos completamente embranquecidos. O vô Cyro não apenas se colocou em pé sobre o piso de vidro transparente. Ele também se deitou e ainda realizou alguns exercícios físicos, para espanto de todos os que ali estavam.

Para fazer o que esse senhor fez, só tendo um coração muito forte. E para se ter um coração forte são necessários exercícios físicos regulares, pois fazem bem à parte física do coração.

Existe uma parte de nós que não é física, mas afeta e é afetada por nosso coração. São as nossas emoções. Estas estão ligadas à nossa alma. Então, o estado de nossa alma também afeta o coração.

Há ocasiões de nossa vida em que nos sentimos como se estivéssemos sobre aquele piso de vidro transparente da torre de Toronto. Sentimo-nos como se fôssemos morrer. Temos medo. Sentimo-nos inseguros. É preciso ter um coração forte nesses momentos. Todavia, como fortalecer o coração para enfrentar essas situações? Fazendo exercícios regulares. Contudo, agora não estamos mais falando de exercícios físicos. Estamos falando de exercícios para a alma.

Como se exercita a alma? Da mesma maneira que se exercita o corpo: enfrentando obstáculos. Andar, nadar; nada mais é que vencer distâncias, vencer desafios. Levantar halteres, praticar qualquer outra atividade física é sempre transpor barreiras.

Nossa alma também necessita vencer desafios. Alguns, nós mesmos criamos. São projetos pessoais, familiares, ou mesmo relacionados a obra de Deus. As dificuldades que surgem, são desafios a serem vencidos. Se enfrentamos com determinação e coragem, dando o melhor de nós, nossa alma fica fortalecida. Estamos em melhor condição para enfrentar problemas maiores no futuro.

Às vezes, surgem alguns desafios que não estavam em nosso programa. Outra vezes, as dificuldades parecem grandes demais. Pensamos que vamos perecer. Duvidamos até do amor de Deus. Se você está passando por isso, receba a mensagem de hoje: "Esforçai-vos, e ele fortalecerá o vosso coração, vós todos os que esperais no Senhor". Esta situação que você está vivendo não veio para matá-lo, mas para fortalecê-lo. É semelhante a experiência na torre de Toronto: parece que você está totalmente solto no espaço, sem apoio. Mas não é assim. Existe uma base forte sustentando-o. Não é um piso de vidro transparente. São os poderosos braços do Senhor. Amém!

10 de junho

Pelo que todo aquele que é santo orará a ti, a tempo de te poder achar; até no transbordar de muitas águas, estas a ele não chegarão.
Salmos 32.6

É engraçado quando estamos dentro do carro, com os vidros fechados, e um jato d'água vem, de repente, em nossa direção. Instintivamente, nos desviamos, mas não havia necessidade disso. Leva alguns segundos para que nos demos conta de que o jato d'água foi detido pelo vidro. Num instante, parecia que nos molharíamos. No instante seguinte, percebemos que era impossível que aquilo nos acontecesse.

Até que ser atingido por um jato de água não é tão ruim assim. Pode ser até uma bênção. Todavia, ser atingido por uma corrente de água pode ser fatal. Muitas vezes isso acontece e ficamos sabendo através dos noticiários. Casas e carros são arrastados e vidas são ceifadas.

Você sabia que existem parques de diversões que simulam terremotos, vendavais e outras situações em que se tem a nítida impressão de que vamos ser arrastados por correntes de águas? Já estive em alguns deles. De repente, você vê uma enorme corrente de água vindo em sua direção. As pessoas se assustam, dão gritos de pavor, porém não há perigo algum. Tudo está sob controle. Ninguém sofre nada. Depois do susto, as pessoas ficam sorrindo.

Situações há nesta vida que se parecem com enchentes. As pessoas são arrastadas e sufocadas pelas dificuldades. Às vezes, uma pessoa passa o resto da vida sofrendo conseqüências de um *vendaval* desses. Algumas chegam até a morrer.

Sabe que um servo de Deus pode ser ameaçado por um vendaval? Às vezes, ele vê uma corrente terrível vindo em sua direção. E por um instante ele pensa que vai ser engolido pela corrente que surge; sente-se como se fosse perecer. O servo do Senhor se assusta, esboça um grito de terror, tenta se desviar do perigo, mas, em seguida, se dá conta de que o perigo já passou. Ele estava bem protegido, como alguém está protegido de um jato de água dentro do carro fechado.

Que fazer para ser protegido dos vendavais da vida? Refugiar-se em Deus. Viver em comunhão com Ele. Quando nos arrependemos dos nossos pecados e pedimos a purificação que o sangue de Jesus nos proporciona, o Senhor nos recebe e passamos a ser protegidos por Ele. Comparo isso com o exemplo do carro. Uma vez que já estamos em comunhão com Deus, precisamos estar vigilantes e orando em todo o tempo. Isso equivale a fechar os vidros do carro. Tudo isso está resumido nas palavras do salmista: "... todo aquele que é santo orará a ti, a tempo de poder achar..."

Uma vez refugiados em Deus e vivendo em atitude de constante oração, estamos seguros. Às vezes, parece que o mal vai nos atingir. Nossa mente, nossos sentidos são enganados momentaneamente. Mas logo percebemos o quanto a proteção divina é eficaz.

Há momentos que Deus nos permite passar por situações semelhantes às que acontecem nos parques de diversões. São semelhantes até no fato de que tudo está sob controle. As águas jamais irão nos submergir. Não se esqueça da promessa: "... até no transbordar de muitas águas, estas a [você] não chegarão". Amém.

11 de junho

E disse-me: A minha graça te basta, porque o meu poder se aperfeiçoa na fraqueza...
2 Coríntios 12.9

O que era o famoso "espinho na carne" que afligia o apóstolo Paulo? Há quem creia que era a lembrança das perseguições que moveu contra a Igreja do Senhor Jesus, com especial destaque ao apedrejamento de Estêvão, o primeiro mártir cristão. Outros pensam que era alguma doença física. Há quem prefira uma interpretação ao pé da letra do que está escrito — "um mensageiro de Satanás, para me esbofetear" — e defenda a tese de que se tratava de alguém que vivia esmurrando o apóstolo. Há até aqueles que pensam que se tratava de uma paixão que Paulo tinha e não era correspondida.

Bem, seja lá o que fosse o tal "espinho", era algo que maltratava o servo de Deus. O que nos causa grande admiração é saber que o apóstolo orou por três vezes para ficar livre do flagelo, e o que obteve por resposta foi: "A minha graça te basta..." Se era doença, não foi curada. Pelo menos de maneira imediata não foi. Se era dor na consciência, continuou martelando na mente do servo de Deus. Se era alguém que batia nele, continuou batendo. Se o coração doía, continuou doendo. A oração de Paulo, repetida por três vezes, não adiantou nada.

Como não adiantou? Jesus não tirou o problema, mas deu graça, uma força especial para resistir-lhe. E resistir com graça; não murmurando, nem se lamentando, nem se arrastando. Aquele problema foi superado com graça. Paulo se gloriava. Ele era um homem feliz e estava sempre encorajando as outras pessoas. Incentivava os cristãos a se regozijarem, viverem alegres. "Regozijai-vos", era o seu lema. Como poderia uma pessoa infeliz encorajar outras a serem felizes? Claro que o apóstolo Paulo era uma pessoa feliz.

Por que o Senhor Jesus não tirou o espinho da carne de Paulo? Para que o poder de Deus se manifestasse de maneira ainda mais perfeita naquele servo. Pensamos que a maneira mais perfeita de o poder de Deus se manifestar seja destruindo a doença, eliminando os inimigos e aniquilando os problemas. Mas nem sempre é assim.

Paulo corria o risco de se ensoberbecer, em conseqüência das muitas experiências maravilhosas que já havia obtido em sua convivência com o Senhor. Se ele se ensoberbecesse, a graça de Deus se afastaria e o apóstolo estaria perdido. O Inimigo o atacaria com toda a fúria e ele, isolado da comunhão com o Senhor, não teria a mínima chance de escapar.

O espinho na carne fazia o apóstolo se lembrar de sua inteira dependência do Senhor. Fazia-o lembrar-se de quanto era frágil e, conseqüentemente, buscar a força do Senhor, confiando nela e somente nela. Declarou Paulo: "... quando estou fraco, então, sou forte" (2 Co 12.10). Tal provação acabou por evitar que o apóstolo perecesse. O mal tornou-se em bem.

Termino deixando para a meditação do meu leitor este pensamento: *Se temos a graça de Jesus, quando algum mal persiste, é para o nosso bem.* Amém!

12 de junho

As muitas águas não poderiam apagar esse amor nem os rios afogá-lo; ainda que alguém desse toda a fazenda de sua casa por este amor, certamente a desprezariam.
Cantares 8.7

Salomão — rei, filósofo, cientista e teólogo — foi também um grande escritor. O gênero literário que mais apreciava era a poesia. Ele escreveu mil e cinco poemas (1 Rs 4.32). De todos os poemas que escreveu, o mais excelente, chamado Cântico dos Cânticos ou Cantares de Salomão, foi inserido no Cânon Sagrado; é um dos livros da Bíblia.

De que trata o mais excelente poema de Salomão? Ele entendia muito de plantas. Falou delas, "desde o cedro que está no Líbano até ao hissopo que nasce na parede" (1 Rs 4.33). No entanto, não são as plantas nem os seus componentes, como as flores ou os frutos, o tema do Cântico dos Cânticos.

Seriam as aves ou os peixes o tema do mais excelente dos poemas de Salomão? Na verdade, esse sábio falou deles, conforme está registrado também em 1 Reis 4.33, mas não como o tema principal de Cantares.

O Cântico dos Cânticos celebra o amor. Sua estrutura é muito peculiar. Em sua narração, temos a fala de um homem que ama e é amado, a de uma mulher que não poupa palavras para expressar seu amor ao homem que a ama, e a dos observadores, admirados diante de tanto amor.

A linguagem, bastante coerente com o gênero poético, é repleta de simbolismos.

Poesia é assim mesmo: sempre exige sensibilidade e predisposição para encontrar nas palavras do artista um significado diferente daquele que elas têm comumente. Agora, imagine um poema inspirado pelo Espírito Santo que é o Espírito de amor e de sabedoria! É bom lembrar que toda a Bíblia foi inspirada por Ele.

Sendo tão impregnado de amor e escrito com tanta sabedoria, o Cântico dos Cânticos contém um simbolismo excepcionalmente profundo. Ao final, o próprio enredo desta obra é uma alegoria. Na verdade, os cônjuges apaixonados, Salomão e a Sulamita, representam Deus e o seu povo. O que está em evidência, neste livro, é o amor de Deus para conosco e o nosso amor para com Deus. É bom amar a Deus. É maravilhoso ser amado por Deus.

As lutas, as dificuldades da vida vêm sobre nós como *águas* a combater o *fogo* do nosso amor por Deus. Águas esfriam. Águas afogam. Águas arrastam. Entretanto, como alguém já disse: *O fogo reage às águas como o amor reage às dificuldades: se é pequeno, apaga-se, se é grande, aumenta mais ainda.*

Por um lado, temos a felicidade de saber e de afirmar que os problemas que nos envolvem não nos impedirão de amar ao nosso Deus. Por outro, temos a segurança de saber que nossas fraquezas, falhas e defeitos não lhe impedirão de nos amar.

Deus é fiel a nós. Nada fará com que Ele deixe de nos amar. A sua fidelidade para conosco inspira a nossa fidelidade a Ele. Não trocaremos a comunhão que temos com o Deus de amor por nada deste mundo. Nada vale tanto como amar a Deus e ser amado por Ele. Amém.

13 de junho

Eis que os olhos do Senhor estão sobre os que o temem, sobre os que esperam na sua misericórdia, para livrar a sua alma da morte e para os conservar vivos na fome.
Salmos 33.18,19

Quando visitei o parque de exposições da NASA, em Cabo Canaveral, na Flórida, vi a simulação do que seria uma colônia construída em pleno espaço sideral. Transportando peça por peça, os homens montariam uma enorme cidade em pleno espaço, como se fosse uma grande bolha, dentro da qual haveria oxigênio, água, raios solares devidamente filtrados, enfim, tudo o que fosse necessário à vida humana.

Imagine uma coisa dessas: tudo em volta é estéril, perigoso. Dentro é confortável e seguro. É isso que os homens querem construir. Será que é viável? Talvez.

Visitando o Salmo 33, descobri um projeto com princípios parecidos com o da NASA. No entanto, este já está em pleno funcionamento há milhares de anos. É um projeto de Deus. Não é para ser executado no espaço sideral. Ele é implantado aqui mesmo na Terra.

O salmista diz que o Senhor cria uma proteção tal em volta de seus servos, que suas almas são livres da morte e eles são conservados vivos na fome. Em volta deles há fome, morte e destruição. Contudo, eles estão como que dentro de uma bolha protetora.

É uma referência à morte da alma. É diferente da morte física. A alma morre quando perde a esperança, a fé e a capacidade de amar. O Senhor livra a nossa alma da morte.

Existe fome de pão, mas existe também fome de paz, alegria e segurança. Coisas próprias do mundo inóspito que nos cerca. O Senhor nos conserva vivos, abundantemente vivos, neste tempo de fome.

Venha você para a colônia de Deus. Há lugar para você também. Confie na misericórdia do Senhor. Os olhos dEle estão sobre os que o temem, sobre os que esperam na sua misericórdia. Amém!

14 de junho

Quanto ao mais, irmãos, regozijai-vos, sede perfeitos, sede consolados, sede de um mesmo parecer, vivei em paz; e o Deus de amor e de paz será convosco.
2 Coríntios 13.11

Só me caso quando encontrar a mulher perfeita. Isso foi o que me disse um solteirão com quem convivi há muitos anos. Coitado, morreu solteiro. Não sei se encontrou a mulher perfeita. Se encontrou, ela não quis se casar com ele.

É bom que busquemos a perfeição, porém, para nós mesmos. Ainda que nunca atinjamos a perfeição, ela deve ser o nosso alvo. Não devemos nos satisfazer com menos do que isso: ser perfeitos.

Atualmente, se fala muito em *Q. T.*, *Qualidade Total*. Busca-se tal fator nos setores administrativos, nos processos industriais, nos meios militares e em todas as áreas em que se executa uma ação para produzir algo. Pois existe *Qualidade Total* no viver cristão. Cada um de nós deve buscar ser um cristão com *Q. T.*

Para começar a pensar em *Q. T.* no viver cristão, precisamos ser alegres. Antes de dizer: "sede perfeitos", o texto bíblico ordena: "regozijai-vos". A tristeza fecha as portas do progresso espiritual. Uma pessoa triste está presa a algo desagradável do passado e, portanto, não pode progredir. Quem não fica choramingando por alguma coisa de ruim que aconteceu, mas valoriza e se alegra no que houve de bom, está livre para avançar e seguir em direção a novas e boas experiências futuras.

É possível que, antes de conhecer Jesus, ou, quem sabe, mesmo depois de salvo, alguém tenha tido experiências muito tristes, momentos que deixaram marcas muito profundas na alma. O que fazer? "Sede consolados", diz o texto. Apenas o Espírito Santo, o Consolador, pode fazer isso. Esta é a sua missão: consolar. Se você está sofrendo, com o coração doendo, deixe Deus aplicar o bálsamo do Espírito Santo nessas feridas. Vamos, mostre a ferida. Não tenha medo. Deixe o *Papai do céu colocar o remedinho*. Não vai doer nada. Logo vai ficar bom. Seja consolado.

Se você quer mesmo ser um cristão com *Q. T.*, precisa aprender a viver em família. Somos salvos para integrar o Corpo de Cristo. O corpo tem vários membros que precisam funcionar de maneira articulada. Então, surge um problema. Os membros do Corpo de Cristo são pessoas humanas, todas diferentes umas das outras. São homens e mulheres; meninos, adolescentes, jovens, pessoas de meia-idade e anciãos. Há pessoas cultas e incultas. Há ricos e pobres. Há representantes de diversos grupos raciais. E, para complicar ainda mais a situação, todos têm defeitos. Todavia, precisam trabalhar juntos. E o texto declara: "... sede de um mesmo parecer..." Isso só é possível através de muito diálogo, com renúncia, disposição para aprender com quem não parece ter nada para ensinar. Em suma, é preciso humildade. Todos esses fatores contribuem para que sejamos cristãos com Q.T.

Quem é agressivo é antiquado. Quem vive brigando e estimulando os outros a brigar é de *baixa qualidade*. "Deus chamou-nos para a paz" (1 Co 7.15). "Se for possível, quanto estiver em vós, tende paz com todos os homens", diz-nos o apóstolo Paulo em Romanos 12.18. Viver em paz faz parte da vida cristã com Q.T.

Vida cristã com *Qualidade Total* é vida com Deus. É ter absoluta convicção da presença dEle em todos os momentos. É estar permanentemente envolvido por essa atmosfera de amor e paz. Algo que emana do Deus de amor e de paz, e que nos envolve em qualquer circunstância e lugar. Isso é que é vida com *Qualidade Total*. Foi isso o que Jesus nos trouxe. Não se contente com nada menos do que isso. Amém!

15 de junho

O anjo do Senhor acampa-se ao redor dos que o temem, e os livra.
Salmos 34.7

Têm ocorrido muitas especulações tolas, ou oportunistas demais, acerca da interação dos anjos com os seres humanos.

Pessoas autodenominadas *especialistas em anjos* escreveram livros repletos de heresias que estão sendo vendidos aos milhares! É neste aspecto que, considero, está havendo esperteza em excesso. A partir da data de nascimento e de outras informações sobre sua pessoa, você pode até descobrir o nome do seu anjo, para melhor se relacionar com ele!

Antes de mais nada, me permita dizer-lhe que, segundo a Bíblia, os demônios um dia foram anjos de Deus. Depois se rebelaram e se tornaram auxiliares de Satanás. São seres perversos, muito poderosos e inteligentes. São mestres na arte do engano. Em 2 Coríntios 11.14 está escrito que "... o próprio Satanás se transfigura em anjo de luz". Cuidado com essa questão de se relacionar com os anjos!

Existem os anjos de Deus, e eles, de fato, interagem conosco. Porém, preste atenção: as Escrituras afirmam que o anjo do Senhor acampa-se ao redor dos que o temem, ou seja, ao redor de quem teme a Deus. O anjo do Senhor tem compromisso com as pessoas que têm comunhão com Ele. Você não pode levar uma vida totalmente alheia à vontade de Deus e esperar a proteção do anjo do Senhor.

Se você tem comunhão com Deus, tenha certeza: o anjo do Senhor está ao seu lado no decorrer de todo o dia. A Bíblia diz que ele se acampa ao nosso redor. Alguém pode perguntar: *Mas como não tenho percebido nenhum livramento que o anjo do Senhor tenha me dado?*

Uma razão pela qual, muitas vezes, não notamos os livramentos que Deus nos dá através de seus anjos é que eles agem de forma tão perfeita que não percebemos. Assim, somos livres de assaltos, acidentes automobilísticos e coisas semelhantes. Outra razão é que, às vezes, os anjos vêm disfarçados ou induzem alguém para nos ajudar.

Certa vez, o pastor fez uma pregação baseada nestas palavras: "O anjo do Senhor acampa-se ao redor dos que o temem, e os livra". Um irmão ouviu a pregação e voltou para casa cheio de fé. No caminho, encontrou um homem que o advertiu: *Não passe por ali, pois há um boi bravo à solta*. O servo de Deus nem quis saber. Ele dizia para si mesmo: *O pastor pregou que o anjo do Senhor nos livra e eu creio nessa pregação*. O final não poderia ser outro: o boi bravo, que não tinha estado no culto, correu atrás do irmão. No culto seguinte, ele foi reclamar com o pastor.

— O Senhor pregou, eu acreditei e quase morri. E ainda passei vergonha porque uma pessoa me advertiu e eu não dei importância.

— Meu irmão, a pregação estava certa. O anjo do Senhor era, justamente, a pessoa que o advertiu — disse-lhe o pastor.

Então, se você ainda não tem comunhão com Deus, busque-a, receba-a e conte com a proteção do Senhor, inclusive através de seus anjos. Se já tem comunhão, agradeça-lhe pela proteção que sempre lhe deu e dará. Sinta-se seguro, você não precisa ter medo de nada. O anjo do Senhor acampa-se ao redor dos que o temem. Amém.

16 de junho

Os olhos do Senhor estão sobre os justos; e os seus ouvidos, atentos ao seu clamor.
Salmos 34.15

Os cristãos protestantes, ou *evangélicos*, como se costuma dizer, quando oram, fecham os olhos. Você já percebeu isso? Apesar de já ter ouvido falar de alguns que, na hora das refeições, oram com um olho fechado e o outro aberto. Dizem que estão orando e vigiando para ninguém roube a parte melhor da comida durante a oração.

A Bíblia exorta-nos a orar sem cessar. Entretanto, é bom orar com os olhos fechados. para não nos distrairmos. Ao nosso redor há sempre algo que pode nos chamar a atenção. Em Provérbios 27.20, está escrito que "... os olhos do homem nunca se satisfazem".

Há alguém, que nos é muito familiar, que nunca fecha os olhos ao orar. É o Espírito Santo. E porventura o Espírito Santo ora? Está escrito em Romanos 8.26, que Ele "intercede por nós com gemidos inexprimíveis". O Espírito Santo é Deus. E o nosso texto de hoje afirma que os olhos do Senhor estão sobre nós. Ele nunca se distrai. E não se esqueça que Ele tem muito mais para ver do que nós.

As orações dos crentes têm outra particularidade. Pelo menos uma boa parte deles costuma orar em voz alta. Existem uns que oram em voz muito alta, até gritam. Para que isso? Será que Deus é surdo? Claro que não. Em Salmos 94.9, temos a seguinte pergunta:"Aquele que fez o ouvido, não ouvirá?" Deus ouve tudo, principalmente a oração dos seus servos. Todavia, preste atenção. O verso de nossa reflexão afirma que os ouvidos de Deus estão atentos ao clamor dos justos. Às vezes, os justos fazem orações silenciosas. Outras vezes, oram baixinho. E outras ainda, clamam ou gritam.

A voz alta não é por causa de Deus, mas por nós mesmos. Sentimos necessidade de clamar. Somos seres dotados de emoções e o nosso tom de voz reflete nosso estado emocional. Nosso Deus entende isso. Com Ele nos sentimos absolutamente à vontade para chorar, sorrir, gritar, deitar no chão... O melhor de tudo é que Ele está atento ao nosso clamor.

Não sei onde você está agora, enquanto lê estas palavras. Deus sabe. Ele está olhando para você com seu olhar de misericórdia. Não sei como está o seu coração. Você sabe. Abra-o, então, para Deus e ore comigo. Silenciosamente, ou baixinho, se preferir. Se precisar, ore bem alto. Ore como você quiser, pois Deus vai ouvir o seu clamor. Amém!

17 de junho

A graça do Senhor Jesus Cristo, e o amor de Deus, e a comunhão do Espírito Santo sejam com vós todos. Amém!
2 Coríntios 13.13

Em muitas igrejas evangélicas estas são as últimas palavras proferidas pelo oficiante do culto ou por um dos seus auxiliares. A famosa *Bênção Apostólica*.

Ouvi falar de um pastor, já bem idoso, cuja única função no culto era impetrar a *Bênção Apostólica*. Bem cansado, em conseqüência de anos e anos dedicados à obra do Senhor, ele ficava ali no púlpito, muitas vezes cochilando, até que, após a oração final, o dirigente o convocava para proferir a *Bênção*.

Um dia, no meio de um culto festivo, alguém falava à igreja sobre a propagação do evangelho naquela região e fez referência à importância do trabalho que o velho pastor havia realizado. Ao ouvir o seu nome pronunciado por quem estava ao microfone, o ancião acordou pensando que já estava na hora de entrar em ação. Levantou-se e impetrou a *Bênção Apostólica*. Ainda bem que era um culto festivo e, portanto, as gargalhadas não destoaram do clima reinante!

Há quem fique ofendido se tudo o que puder fazer no culto for impetrar a *Bênção Apostólica*. Mas que privilégio é poder fazê-lo! Abençoar é sempre bom. E só quem tem bênção é que pode oferecê-la. Ao abençoar, estamos reconhecendo que somos abençoados. Abençoa quem tem autoridade para fazê-lo. Ao abençoar, estamos reconhecendo que somos instrumentos de Deus e exercitando as nossas funções como tais.

A *Bênção Apostólica* envolve as três pessoas divinas: o Senhor Jesus Cristo, o Pai e o Espírito Santo. É interessante notar como o Filho aparece em primeiro lugar. Não existe hierarquia na Trindade Divina. As três pessoas são co-eternas. O Pai, o Filho e o Espírito Santo têm os mesmos atributos. Quando dizemos que o Espírito Santo é *a terceira pessoa da Trindade* não estamos querendo dizer que Ele é o menos importante dos três. Da perspectiva da obra redentora, Ele foi o último a entrar em evidência. O Filho de Deus aparece em primeiro lugar na *Bênção Apostólica* porque "a graça e a verdade vieram por Jesus Cristo" (Jo 1.17). Sem a graça de Jesus, o amor do Pai não nos teria alcançado, nem teríamos a comunhão do Espírito Santo. Tudo começa pela graça, pela misericórdia!

Ao impetrar a *Bênção Apostólica*, ministramos a graça, o amor e a comunhão, tudo proveniente de Deus. Que coisa extraordinária é poder ministrar a maravilhosa graça de Deus aos pecadores indignos. No entanto, é justamente por serem indignos que necessitam da graça. E ministramos a bênção de Deus a todos, porque nós mesmos estamos debaixo desta graça.

As pessoas precisam sentir-se amadas. Precisam mais de amor do que do ar e do sol. Sem amor, as almas morrem. E Deus é a fonte inesgotável de amor. Amor que acolhe, amor que envolve, amor que protege. Sublime amor de Deus!

E a comunhão do Espírito Santo? É algo extremamente maravilhoso! O nosso espírito de comum acordo com o Espírito de Deus. Nós, que outrora estávamos enlameados pelo pecado, desfigurados, hostis, inimigos de Deus; agora, estamos purificados pelo sangue de Jesus, curados, restaurados e unidos ao Criador. União Feliz. União Perfeita operada pelo Espírito Santo, aqUele que "testifica com o nosso espírito que somos filhos de Deus" (Rm 8.16).

Não existe maneira melhor de concluir a reflexão de hoje do que proferindo a *Bênção Apostólica*: "A graça do Senhor Jesus Cristo, e o amor de Deus, e a comunhão do Espírito Santo sejam com vós todos. Amém!"

18 de junho

Os justos clamam, e o Senhor os ouve e os livra de todas as suas angústias.
Salmos 34.17

Diálogo entre uma empregada e uma patroa:

— A senhora sabe que a empregada do apartamento que fica em frente ao nosso, lá no outro prédio, passou o dia inteiro sem fazer nada?

— Ah, é? E como você sabe?

— Bem, eu passei o dia na janela observando. Ela não fez nada mesmo.

Há muitas pessoas paradas, com tudo de sua vida por fazer, simplesmente porque não fazem outra coisa além de *fiscalizar* a vida dos outros.

Você sabia que há pessoas que se dão ao trabalho de fiscalizar o próprio Deus? Dizem: *Deus deixou de fazer isso, deixou de fazer aquilo, e o que fez não fez muito bem...* E a parte delas para com Deus, como está? Será que Deus não tem direitos, apenas deveres?

As pessoas se queixam muito do Senhor quanto às respostas de suas orações. Mas é preciso que elas entendam que, também nesta área, existem regras que devem ser cumpridas. A regra básica está em nosso verso de hoje: "Os justos clamam, e o Senhor os ouve..."

Regra número um: o Senhor ouve as orações de quem é justo. Deus não tem a obrigação de responder as reivindicações de qualquer pessoa. Ele ouve as orações dos justos. E atenção: é preciso ser justo de acordo com os critérios de Deus. Você deve estar pensando: *Então, Ele não ouve a oração de ninguém.* Não é assim. O próprio Deus já estabeleceu meios para que possamos ser justos aos seus próprios olhos. Estou falando da obra do Calvário. Através do sacrifício de Jesus, podemos ser justificados e declarados santos pelo próprio Deus. A nossa parte, o que nos compete fazer, é nos submeter à obra redentora que Cristo realizou por nós. É necessário constituir Jesus como nosso Senhor e Salvador pessoal. Você já fez isso? Se não o fez, faça-o agora mesmo. Renda-se ao grande amor de Deus, receba a salvação realizada na cruz do Calvário e seja declarado justo.

Regra número dois: os justos clamam. É necessário clamar. Reconhecer nossas necessidades, nossa dependência do Senhor e clamar a Ele. É preciso ter humildade para isso. Por razões diversas, que não podemos descrever agora, a resposta de Deus pode demorar um pouco mais, um pouco menos. É necessário permanecer clamando. Essa é a nossa parte no negócio: clamar até receber. É a parte mais fácil, embora não pareça. Quem vai curar, quem vai abrir portas, quem vai agir em corações endurecidos é o Senhor. Nós apenas temos de clamar. E Ele atende, não tenha dúvida disso. O Senhor sempre faz a sua parte.

Se você está clamando ao Senhor por algo que lhe é importante, permaneça clamando. Ele está ouvindo e vai atender. Se você começou a clamar e parou, recomece. A resposta vai chegar. Se ainda não recebeu a justiça de Cristo em sua vida, clame por ela agora. Confesse ao Senhor que você tem sido injusto, tem sido pecador, mas quer o perdão dEle. Diga-lhe que você recebe Jesus como seu Senhor e Salvador. Clame a Deus para que a justiça de Cristo seja creditada em seu favor. O Senhor ouve. Ele perdoa. Ele salva. Amém.

19 de junho

Muitas são as aflições do justo, mas o Senhor o livra de todas.
Salmos 34.19

"Muitas são as aflições do justo..." É uma maneira chocante de se começar uma conversa. Quem não é justo, vai pensar: *Se eles, os justos, têm muitas aflições, ai de nós, os injustos!* Quem é justo, pode se perguntar: *Se, mesmo sendo justos, temos muitas aflições, qual é a vantagem de ser justo?*

O justo tem muitas aflições porque vive num mundo imperfeito, cheio de problemas. Ele não vive isolado, numa redoma, onde não penetre doença, inflação, desemprego, injustiça. Não. Ele está no mesmo ambiente que outras pessoas, justamente para ser um instrumento de Deus. E está sujeito a adoecer, ficar desempregado, sofrer as mesmas coisas que os outros sofrem.

O justo tem muitas aflições exatamente porque é justo. Ele se entristece por ver a situação em que o mundo se encontra. Ele combate contra o pecado, a injustiça e o mal. Contudo, também é combatido. As forças do mal procuram imobilizá-lo, explorando as circunstâncias adversas e tentando confundi-lo. Muitas pessoas, consciente ou inconscientemente, são usadas pelo Diabo para acrescentar aflições à vida do justo. Muitas são as aflições do justo.

A boa notícia é que o Senhor livra o justo das aflições. O Senhor livra o justo de todas as aflições. Não apenas de muitas. Não de quase todas. O Senhor o livra de todas. T-O-D-A-S.

Algumas aflições duram mais. Outras, menos. Mas, aos poucos, elas vão-se acabando uma a uma. É só uma questão de tempo. Quem as extingue é o Senhor, o Todo-Poderoso. Ele sabe como lidar com cada uma delas. E faz com que, ao final, elas resultem em benefícios para nós. No final, estamos mais fortalecidos e experientes, mais bem preparados para enfrentar e vencer as próximas aflições.

Vale a pena ser justo. Ser justo de acordo com os critérios de Deus. E sabemos que são justos aqueles que têm Jesus como Senhor e Salvador de suas almas. A justiça de Cristo lhes é imputada, creditada, e o Deus santo os considera justificados. Essas pessoas vivem em contato constante com o Senhor, mesmo nas horas de aflição e angústia, e nada as abala. Antes das aflições, o Senhor as fortalece. Durante as aflições, o Senhor as consola e lhes renova as forças. Elas nunca perdem as esperanças; têm convicção de que serão vitoriosas. E até se alegram nas tribulações, como fazia o apóstolo Paulo, que disse que "nos gloriamos nas tribulações..." (Rm 5.3).

O injusto sofre de graça. Sofre para nada. Perde todas as batalhas. Sofre sozinho.

Está na hora de parar de sofrer à toa. Venha para Jesus. Receba a justiça de Cristo em sua vida. Se as aflições que está sofrendo contribuírem para você entregar sua vida a Jesus, não perca tempo. Você já estará começando a tirar proveito das aflições. E, daí em diante, o Senhor o livrará de todas as angústias. Receba essa bênção agora mesmo. Amém!

20 de junho

E, a todos quantos andarem conforme esta regra, paz e misericórdia sobre eles e sobre o Israel de Deus.
Gálatas 6.16

O que está sendo oferecido aqui é uma bênção muito grande. Bênção distribuída em duas dimensões: paz e misericórdia. A paz é a libertação de tudo o que vinha produzindo conflito desde o passado até o momento presente. A misericórdia é um crédito aberto para cobrir toda a necessidade desde agora até o final da vida. Enfim, é tudo de que cada um de nós necessita.

Mas a bênção é somente para quem segue uma determinada regra.

Lembro-me agora de uma frase engraçada: *Regra nº 1: Não existem regras.*

Os crentes da Galácia, os gálatas, resolveram impor uma série de regras com o objetivo de alcançar a salvação. Resolveram submeter-se a determinados rituais, comemorar dias santos, seguir uma dieta religiosa e fazer muitas outras coisas dessa natureza. Então, o apóstolo Paulo lhes escreveu uma carta, dizendo: *Irmãos, não é nada disso. Parem de tentar fazer algo para merecer as bênçãos de Deus. Vocês nunca conseguirão. Deixem todas essas regras que vocês resolveram observar, e façam apenas isto: submetam-se à graça de Deus. Ninguém é abençoado por Deus por seus próprios méritos. Ninguém é abençoado por ser religioso, judeu, ou por qualquer outra qualidade inerente a si próprio. É tudo pela misericórdia do Senhor.*

A regra para alcançar a paz e a misericórdia está no versículo anterior: "Porque, em Cristo Jesus, nem a circuncisão nem a incircuncisão têm virtude alguma, mas sim o ser uma nova criatura" (v. 15). Querer alcançar o céu através dos próprios esforços é uma prática antiga, é do tempo da torre de Babel. Só pode gerar confusão.

Para que uma pessoa tenha paz, é necessário que ela reconheça a sua indignidade e incapacidade de se salvar por si mesma. É preciso ter humildade e receber a solução que Deus oferece ao morrer em nosso lugar. Ao fazer isso, a pessoa é inteiramente perdoada de todos os seus pecados, é feita nova criatura. Para Deus, é como se ela nunca tivesse pecado. Se uma pessoa crê nisso, então passa a ter paz.

Uma vez que temos comunhão com Deus, precisamos buscar uma renovação constante, senão, nos tornamos velhas criaturas outra vez.

Ser nova criatura é ter o coração sempre aberto para novas experiências com Deus. Cada dia, cada minuto, cada situação é sempre uma oportunidade para fazer descobertas e obter novas realizações. Sempre confiando na misericórdia de Deus e nunca em nossos próprios méritos. Crescendo e avançando sempre pelas misericórdias do Senhor. Amém.

21 de junho

Todos os meus ossos dirão: Senhor, quem é como tu? Pois livras o pobre daquele que é mais forte do que ele; sim, o pobre e o necessitado, daquele que os rouba.
Salmos 35.10

Na escola primária aprendi que do alto da cabeça à planta dos pés temos duzentos e oito ossos. Uns pequenos, outros grandes, uns bem fortes, outros um tanto frágeis, todos muito necessários ao bom funcionamento do corpo.

O salmista declarou que todos os seus ossos louvavam ao Senhor.

Quando entrava numa sinagoga ou me aproximava do famoso Muro das Lamentações em Israel, ficava intrigado com o fato de que os judeus oram balançando o corpo. Um dia, perguntei a um deles a razão de orarem assim. A resposta foi que desejam comunicar-se com o Senhor mobilizando todo o corpo. Querem envolver o corpo todo no culto a Deus. Faz sentido. Está de acordo com Salmos 35.10.

No entanto, por que os ossos do salmista louvavam ao Senhor? Porque Ele livra o pobre daquele que é mais forte do que ele. O Senhor livra o pobre e o necessitado daquele que o rouba.

É fácil notar que o escritor sacro não está falando de pobreza material. Aquele que é carente de riquezas físicas não tem nada para ser roubado. E, depois, essa questão de ser rico ou pobre é muito relativa. Uma mesma pessoa pode ser considerada rica por alguém e pobre por outra.

Sentimo-nos pobres quando encontramos alguém que nos oprime e contra tal pessoa não podemos fazer nada. Alguém que pisa o nosso pescoço, e lamentamos, nos esforçamos, mas não conseguimos nos livrar. Nesta vida, estamos sujeitos a isso. Sempre existe alguém mais forte que nós, e que sente prazer de mostrar essa força nos oprimindo.

Eu era assim. Pobre. Oprimido. Todavia, o Senhor, que é mais forte que todos, livrou-me daquele que era mais forte que eu. Às vezes, o Opressor vem contra mim, e faz-me sofrer. Contudo, é por pouco tempo. O Senhor me livra. Faz o Inimigo devolver aquilo que tentou roubar. Por isso, louvo ao Senhor com todo o meu ser.

Louve ao Senhor comigo. Você que, como eu, já foi tantas vezes libertado da ação daquele Inimigo que é mais forte que nós. Louve ao Senhor com todo o seu ser.

Você que se acha oprimido por alguém cujas forças são maiores que as suas — pessoas que têm mais força espiritual, ou financeira, ou jurídica, ou política —, saiba disso: o Senhor livra o pobre daquele que é mais forte que ele. Confie no Senhor. Entregue-lhe sua vida, se ainda não o fez. Você não vai se arrepender. E se já pertence ao Senhor, espere só mais um pouquinho. O livramento está chegando. E, quando chegar, louve ao Senhor! Amém.

22 de junho

Deleita-te também no Senhor, e ele te concederá o que deseja o teu coração.
Salmos 37.4

Certo homem tinha duas filhas pequenas. A sua maior alegria era chegar em casa e ser recebido carinhosamente por suas queridas meninas. Sempre que podia, trazia alguma coisa, de maneira a tornar aqueles encontros ainda mais agradáveis. Às vezes, eram brinquedos; outras, guloseimas, flores, frutas. Certa vez, tudo o que pôde trazer foi um gatinho, o único que restara de uma ninhada posta à venda. Ele sabia que teria problema quando chegasse em casa. As duas meninas com certeza gostariam de ficar com o bichano, e isso não seria possível, pois não teria como parti-lo em dois. E foi exatamente o que aconteceu. Tão logo elas viram o que o pai trouxera para casa, começaram a disputar a posse do animalzinho. É meu, dizia uma. Não, é meu, gritava a outra. Até que uma delas, de repente, abandonou a briga, agarrou-se ao pai e disse: Pronto. Você fica com o gatinho, que eu fico com o papai. Garota esperta, não?

Quantos de nós vivemos a lutar desesperadamente para alcançar as bênçãos de Deus, sem jamais prestar atenção àquele de quem vem toda a boa dádiva e todo o dom perfeito? Quantos valorizam as bênçãos de Deus e se esquecem do Deus da bênção?

O Senhor, o verdadeiro Deus, é uma pessoa. Ele pensa, tem vontade própria e muita sensibilidade. Ele não quer que o tenhamos como um mero prestador de serviços. Ele quer ser nosso amigo, companheiro de todas as horas, nosso confidente.

As Escrituras afirmam que Deus tem prazer nos seus servos. Ele gosta de ouvir o nosso louvor, recebe nossas orações como se fossem um perfume gostoso, aprecia aquilo que fazemos com amor e sabedoria; o coração dEle se enternece por nós como o coração de um pai amoroso por seus filhos.

Deus é maravilhoso. Ele se veste de glória e majestade. Ele é fiel e bom. Seu caminho é perfeito. Todas as suas obras são feitas com sabedoria. Sua vontade é boa, agradável e perfeita. Ele é santo e misericordioso. O nosso Salvador é sofredor, paciente, perdoador. Não há ninguém que se possa comparar a Ele. É bom pensar nEle e falar de suas maravilhas. É bom ter sua companhia e saber que Ele está por perto. Como é bom permitir que a alegria que há em sua presença preencha todo o nosso ser! Nosso Deus é totalmente desejável!

Se temos o Senhor, nada nos falta. Se perdemos a companhia dEle, estamos totalmente perdidos: somos as mais miseráveis das criaturas, ainda que tenhamos toda a riqueza do mundo. Sem Ele, nada somos. Nada tem valor. Nada tem sentido.

Quem se deleita no Senhor não vai desejar nada que lhe contrarie. Vai amar o que Ele ama, e aborrecer o que Ele aborrece. Vai querer o que Ele quer. E os desejos de seu coração serão realizados.

Como concluir essas reflexões de hoje? Repetindo as preciosas palavras de nosso verso principal: "Deleita-te também no Senhor, e ele te concederá o que deseja o teu coração". Amém.

23 de junho

Bendito o Deus e Pai de nosso Senhor Jesus Cristo, o qual nos abençoou com todas as bênçãos espirituais nos lugares celestiais em Cristo.
Efésios 1.3

Um gaúcho ganhou na loteria e ficou muito esnobe. Só contava vantagem. Descrevia o luxo da mansão que comprou e acrescentava: *Estou mal de casa, tchê*; mencionava a fortuna que pagou pelo carrão importado e acrescentava: *Estou mal de carro, tchê*; destacava o país de procedência de cada peça de roupa que estava usando e acrescentava: *Estou mal de roupa, tchê*; enfim, era insuportável. Então, alguém, para quebrar o orgulho do novo rico, perguntou: *Escuta, o que foi feito daquela tua irmã que andava pelas esquinas?* Ele respondeu: *A Mariazinha? Bah, tchê, ela passou para a lei dos crentes. Agora é noiva de Cristo. Viu como estou mal de cunhado, tchê?*

Feliz, mesmo, era a Mariazinha que agora tinha a salvação de sua alma. Ser salvo em Cristo é o alto grau de felicidade.

A pessoa dotada da máxima autoridade (Deus) fez para conosco a melhor das ações (nos abençoou), com a maior intensidade (com todas as bênçãos), melhor qualidade (bênçãos espirituais) e procedência (lugares celestiais).

Ser abençoado "com todas as bênçãos" significa ter um crédito aberto sem limites. Mas nenhum ser humano é capaz de administrar tudo isso de uma vez. Então, cada um de nós recebe as bênçãos paulatinamente, de acordo com a nossa capacidade e os propósitos específicos de Deus para conosco. Todavia, tudo já é nosso (1 Co 3.21,22). Chegará o momento em que, sem nenhuma limitação, poderemos desfrutar de tudo o que possuímos.

Somos abençoados com todas as bênçãos espirituais. Isso não significa que as nossas necessidades físicas não estejam incluídas. Há três pontos a considerar: 1) a prioridade é o atendimento das necessidades espirituais. Se Deus suprisse as nossas necessidades físicas e não as espirituais, estaríamos perdidos. Não adiantaria muito; 2) quem supre as necessidades mais difíceis, supre também as mais fáceis. Imagine que alguém o convidasse para almoçar num restaurante refinado e lhe pagasse o almoço, a sobremesa, o refrigerante, o cafezinho e deixasse de fora a gorjeta do garçom! Amigo, tudo o que recebemos para o nosso bem-estar físico é apenas a *gorjeta* da nossa salvação; 3) recebemos as bênçãos materiais que não venham nos prejudicar, muito menos anular as espirituais. Lembre-se: a prioridade é aquilo que tem valor eterno.

Somos abençoados "nos lugares celestiais". Refere se à procedência de todas as coisas boas que nos atingem e também à nossa posição diante de Deus. Cristo, Cabeça da Igreja, está assentado à direita do Pai no céu, dotado de todo o poder e autoridade. A Igreja é o Corpo de Cristo. Cada pessoa salva por Jesus faz parte desse Corpo, está assentada nos lugares celestiais em Cristo (Ef 2.6). É algo profundo, cuja compreensão se torna tão clara quanto maior for a maturidade espiritual de cada cristão. Assentado nas regiões celestiais, o servo de Deus tem glória, segurança e autoridade.

Estamos mal de qualidade de vida, tchê!

24 de junho

Entrega o teu caminho ao Senhor; confia nele, e ele tudo fará.
Salmos 37.5

A idéia que esse versículo nos traz é a de que cada um de nós tem um caminho a seguir nesta vida. O percurso de nossa existência é como percorrer um caminho. Cada um de nós tem uma senda exclusiva para palmilhar.

Certos trechos de nossa vida são planos. Outros são acidentados. Uns parecem lisos, outros muito pedregosos. Há momentos em que a paisagem ao redor é muito linda, em outros a vista não nos parece muito agradável. Percorremos alguns trechos do caminho da vida sob um clima muito gostoso e outros debaixo de tempestade ou mesmo de sol escaldante.

Há ocasiões em que encontramos obstáculos na estrada. Alguns deles superamos com facilidade, outros nos dão muito trabalho e outros nos parecem absolutamente intransponíveis. Sabe, há situações na vida em que nos sentimos como quem está andando para trás.

Queremos avançar, progredir, ver novos horizontes, e, às vezes, não conseguimos. Então, nos angustiamos, nos lamentamos, nos desesperamos. Então, vem a Palavra de

Deus e nos consola: "Entrega o teu caminho ao Senhor; confia nele, e ele tudo fará". Como? Não é verdade que há coisas em nossa vida que só nós podemos fazer? Não é verdade que aquilo que temos de fazer, Deus jamais o faz? Peçamos ao Espírito Santo que nos ajude a entender o que essa passagem bíblica está querendo nos ensinar.

Há momentos de nossa vida em que necessitamos de uma intervenção direta, sobrenatural, de Deus. Ou Ele faz, ou não avançamos. Pode ser até que venhamos a perecer. Há outras ocasiões em que necessitamos da ajuda de pessoas humanas, como nós. Há também situações em que apenas nós temos de agir, mas necessitamos saber como proceder. Em suma, sempre vamos precisar de Deus. Seja para agir diretamente, seja para inspirar e dirigir alguém para nos ajudar, seja para nos iluminar, ensinar e dar forças para que nós mesmos façamos o que é necessário ser feito. Em tudo Deus estará agindo.

No entanto, por que, às vezes, nem tudo está bem? Porque não entregamos o nosso caminho a Deus. Ele não se intromete onde não é chamado. Outras vezes, até entregamos, mas não confiamos. Ficamos atrapalhando o tempo todo. Agimos como alguém que se consulta com um médico, porém não toma os remédios que ele prescreve, comprando outros medicamentos e ingerindo-os conforme acha que é correto. Preste atenção: pode ser o melhor médico do mundo, ele não vai conseguir ajudar um paciente desses.

É preciso entregar o caminho ao Senhor. Você já entregou? É preciso confiar nEle. Você está confiando? Se entregou e está confiando, não tenha dúvidas: Ele tudo fará. Fará agindo de forma sobrenatural. Fará mobilizando outras pessoas para ajudá-lo. Se você ainda não entregou o seu caminho ao Senhor, faça-o agora mesmo. É o melhor que tem a fazer. Como diz aquele hino: *O seu trabalho será descansar no Senhor*. Amém.

25 de junho

Descansa no Senhor e espera nele; não te indignes por causa daquele que prospera em seu caminho, por causa do homem que executa astutos intentos.
Salmos 37.7

Dizem que o impaciente ora da seguinte maneira: *Senhor, dá-me paciência. Mas dá-me logo.*

A maneira como reagimos diante da necessidade de esperar por algo varia de pessoa para pessoa. Nossa conduta também varia de acordo com aquilo que se está esperando. É muito conhecido o quadro do homem, na sala de espera da maternidade, enquanto sua esposa está na mesa de parto. O comportamento padrão é o andar em círculos, quase fazendo um sulco no chão.

Por que nos sentimos, muitas vezes, tão desconfortáveis enquanto esperamos algo? Porque temos medo de que as coisas não aconteçam da maneira como queremos ou no tempo que achamos que elas devem acontecer. Ficamos ansiosos só de pensar nos resultados. Sofremos antecipadamente.

Agora, reflita comigo: Faz sentido esperarmos algo de Deus e duvidar de que Ele seja capaz de fazer as coisas corretamente ou no tempo certo? Faz sentido duvidar da competência de Deus para fazer alguma coisa?

O problema é que gostamos de acompanhar as etapas do processo. E muitas vezes elas parecem não estar da maneira como deviam. Nossa fé nos dá uma mensagem otimista, mas os nossos olhos nos mostram outra. Era para acontecer assim, porém está acontecendo de modo diferente.

O versículo de hoje nos dá um exemplo muito bom de como é isso. Alguém comete injustiça, oprime, "executa astutos intentos"; esperamos que essa pessoa seja castigada, imobilizada, afastada, contudo isso não ocorre. Ela continua no mesmo lugar, cometendo os mesmos erros, causando-nos prejuízo. Nesses momentos, nos falta a paciência, perdemos a esperança, ou seja, entramos em desespero.

Queridos, quem somos para julgar ao próprio Deus? Se Ele está permitindo isso, deve haver alguma razão. Assim foi no episódio narrado no livro de Ester, envolvendo um homem ímpio chamado Hamã. No tempo certo, no tempo que Deus sabia que era melhor, não somente o ímpio foi castigado, como também todo o esquema opressor montado por ele foi desfeito. Pode ser que Deus queira converter o malvado e fazê-lo trabalhar em nosso favor, como aconteceu com Saulo de Tarso, conforme está narrado no livro de Atos dos Apóstolos.

Deus tem poder para agir de forma correta e no momento certo. Confie no Senhor. Descanse nEle. Relaxe. Seu apavoramento não vai ajudar em nada; só vai atrapalhar. Você já viu alguém assentado ao lado do motorista, em um carro, esticando as pernas o tempo todo, como se estivesse freando, e gritando com o condutor, como se isso ajudasse em alguma coisa? É um problema para quem está dirigindo. Eu diria a essa pessoa: Relaxe, desfrute a viagem. Ouça a música do rádio. Aproveite para pensar em algo agradável, construtivo.

E você, que está no banco do carro, ao lado de Deus: Descanse no Senhor, espere nEle. Desfrute a viagem. Tudo vai terminar bem. Amém.

26 de junho

Ora, àquele que é poderoso para fazer tudo muito mais abundantemente além daquilo que pedimos ou pensamos, segundo o poder que em nós opera, a esse glória na igreja, por Jesus Cristo, em todas as gerações, para todo o sempre. Amém!
Efésios 3.20,21

Uma notícia frustrante: Deus nem sempre faz aquilo que pedimos. Uma notícia desconcertante: Mesmo quando Deus faz aquilo que pedimos, Ele costuma fazê-lo de maneira diferente daquela que esperávamos que fizesse. No entanto, temos uma notícia edificante: Quando Deus não faz aquilo que pedimos é porque Ele vai fazer algo melhor do que queríamos. E uma notícia confortante: Quando nosso Pai celestial não opera da maneira que esperávamos é porque Ele tem um método muito melhor que o nosso.

Abraão queria ser pai. Deus fê-lo esperar até os cem anos de idade, mas fez dele pai de uma multidão de nações (Gn 15.1-5). Tudo o que José queria era sair do cárcere, mas Deus o tirou dali para ser governador do Egito (Gn 40.14,15; 41.38-43). A mulher mencionada em 2 Reis 4.1 queria apenas uma coisa: pagar suas dívidas para não perder os próprios filhos. Deus lhe deu isso e muito mais: recursos para manter a sua casa pelo resto da vida (2 Rs 4.2-7).

Marta e Maria queriam somente que Jesus curasse o seu querido irmão, Lázaro (Jo 11.1-3). Não conseguiram. Lázaro morreu. Quatro dias depois da tragédia, Jesus ressuscitou Lázaro, a alegria de todos foi maior e Deus foi glorificado de maneira mais intensa (Jo 11.39-45).

Em todos os episódios que mencionamos, e em vários outros narrados nas Escrituras Sagradas, houve, sim, a princípio, frustração e desconcerto. Porque Deus não fez o que as pessoas pediram no momento em que esperavam, nem da forma que pensavam. Entretanto, no final, houve uma grande e agradável surpresa, muita alegria e vitória completa. Porque Deus fez muito mais abundantemente além daquilo que pediram ou pensaram.

Agora, atenção! Deus sempre espera alguma participação do ser humano em seus milagres. Note, em nosso texto de hoje, a expressão "segundo o poder que em nós opera". O poder vem de Deus, mas opera em nós. No mínimo, temos de estar abertos ao agir desse poder. Incredulidade e egoísmo são obstáculos terríveis à operação divina em nossa vida.

Permaneça confiando incondicionalmente no Senhor, como fizeram Abraão, José, Marta e tantos outros. Tenha certeza: se o Senhor não operar de uma forma, operará de outra, que será sempre melhor do que você pode pedir ou pensar. Amém.

27 de junho

Mas os mansos herdarão a terra e se deleitarão na abundância de paz.
Salmos 37.11

No Sermão da Montanha, Cristo citou esse versículo (Mt 5.5). Aliás, Jesus citava o Antigo Testamento o tempo todo, a ponto de suas últimas palavras na cruz serem extraídas do livro de Salmos.

Os mansos herdarão a terra. Parece um contra-senso. Geralmente, os mansos nos passam uma idéia de fraqueza. Pensamos que eles são mansos porque são fracos. Mas, de fato, os mansos são fortes.

Em que consiste a força dos mansos? Em primeiro lugar, eles poupam muita energia. Os nervosinhos *explodem* à toa, desgastam-se desnecessariamente, agem precipitadamente, fazem algo malfeito ou errado, depois têm de desfazer e refazer; tudo isso tem um custo. Os mansos se poupam.

Os mansos — os verdadeiramente mansos — reconhecem suas limitações e procuram explorar bem aquilo em que são melhores. Avaliam melhor as situações, procuram descobrir qual o melhor momento para fazer o que precisa ser feito, exercitam a paciência e até tiram vantagem da exasperação dos adversários. Quando são cristãos sinceros e conscientes, depositam sua confiança em Deus. E, então, tornam-se cada vez mais fortes. Quem confia em Deus vence sempre. Quem confia em Deus tem os seus recursos trabalhando em seu favor.

Quem confia em Deus tem paz. Sabe que no final tudo dá certo. Abalar-se por quê? Já nos diz Salmos 125.1: "Os que confiam no Senhor serão como o monte de Sião, que não se abala, mas permanece para sempre".

Quando olhamos para as montanhas é essa a idéia que temos: firmeza, segurança, paz.

Agora, em nosso versículo de reflexão, o salmista fala de "... abundância de paz". O que seria isso? É aquela paz que não se esgota. Quem tem pouca paz se abala com pouca coisa. Porém, se tiver mais paz, será mais difícil de se abalar. Se tem abundância de paz, não se abala nunca. Vem um problema, e ele permanece firme. Vem outro, e continua tranqüilo. De repente, chega uma *avalanche* de problemas de uma só vez; mesmo assim, ele louva a Deus. Contudo, não é porque é um inconseqüente. Não. É porque ele sabe que o Senhor tem o controle de todas as coisas, e no final tudo termina bem.

Como é bom deleitar-se na abundância de paz! É a paz produzindo alegria. Ficamos alegres simplesmente porque temos paz.

O leitor pode estar pensando: *Isso aí é muito bom, mas não é para mim.* Amigo, isso tudo se aprende com Jesus. Ele disse: "Vinde a mim, todos vós que estais cansados e oprimidos, e eu vos aliviarei. Tomai sobre vós o meu jugo, e aprendei de mim, que sou manso e humilde de coração, e encontrareis descanso para a vossa alma" (Mt 11.28,29). Se você já veio a Jesus, não abandone e, não recuse o seu jugo, ande sempre com Ele, aprenda com o Salvador a ser manso e humilde, e tenha paz. Abundância de paz.

Se ainda não veio a Jesus, venha agora. Aceite o convite dEle. Você vai aprender com Ele, e ter alívio e paz. Amém.

28 de junho

Agora, pois, Senhor, que espero eu? A minha esperança está em ti.
Salmos 39.7

Vale a pena esperar? Depende. Às vezes, vamos a um restaurante que alguém nos recomendou, e ao chegarmos no local, observamos que as mesas estão todas ocupadas e há muitas outras pessoas esperando sua vez de serem atendidas. Mas, acreditando na recomendação que recebemos, decidimos esperar. E ficamos ali, esperando durante muito tempo, até que chega a nossa vez. Então, para nossa surpresa, somos mal atendidos e a comida é bastante ruim. Então, dizemos: *Se eu soubesse que era assim, não teria esperado.* Às vezes, uma jovem aguarda pacientemente o rapaz com quem deve se casar. Aparecem muitos pretendentes, alguns até atraentes, mas são recusados porque a jovem não sente que seja a vontade de Deus. De repente, chega a pessoa certa. A moça descobre que valeu a pena esperar. Nenhum outro a faria verdadeiramente feliz a não ser aquele.

Quando decidimos esperar por algo é porque abrimos mão de todas as outras opções. No momento, nada mais nos interessa a não ser aquilo. Nada mais serve. E, se resolvemos esperar, não vamos atropelar o processo, não vamos agir antes da hora. Não vamos fazer nada que possa atrapalhar.

Já observou o que acontece quando muitas pessoas estão esperando pela mesma coisa e a fila não é bem administrada? Ocorre confusão, e às vezes agressão física.

Nesta vida, ocorre muitas ocasiões em que queremos algo que outras pessoas também almejam. É necessário que cada um respeite o direito dos outros. É necessário que cada um aguarde a sua vez. Que nada! Muitos passam a frente dos outros, violando os seus direitos. O Salmo 39 fala do ímpio; essa pessoa que não respeita os outros. O salmista fez um propósito de não reclamar, não contribuir para aumentar a confusão. Ele declara que confia no Senhor. Está consciente de que Deus controla todas as coisas.

Qual é a esperança do salmista? Ele espera que todas as pessoas se comportem de forma correta e não queiram passar à sua frente? Não. Qual é a esperança dele? Que consiga enfrentar todos, com o objetivo de chegar à frente? Também não. Qual é a esperança dele? Ele mesmo pergunta: "Agora, pois, Senhor, que espero eu?" E ele mesmo responde: "A minha esperança está em ti".

É o Senhor quem garante o nosso direito. É o Senhor que nos dá a provisão. Nada nos faltará. "Se Deus é por nós, quem será contra nós" (Rm 8.31).

Aquele cuja esperança está depositada somente em Deus não entra na fila antes da hora. Não entra na fila errada. Não passa a frente dos outros. Não se apavora quando há uma confusão na fila. Aquele que espera somente em Deus não se engana nunca, nem é enganado.

O problema de confiar em mais alguém, além de confiar no Senhor, é que, em determinados momentos, pode-se não saber qual orientação seguir. É melhor depositar nossa esperança apenas no Senhor. Confie sua vida a Ele, se ainda não o fez. Deus terá prazer em dirigir o seu viver. Foi para isso que Ele enviou seu Filho Jesus ao mundo: para morrer pelos nossos pecados e criar a possibilidade de sermos guiados pelo Senhor. Hoje, pacientemente, o Todo-Poderoso espera a decisão de cada pessoa de se submeter ao seu senhorio. Ele nos diz, em Apocalipse 3.20: "Eis que estou à porta e bato; se alguém ouvir a minha voz e abrir a porta, entrarei em sua casa e com ele ceiarei, e ele, comigo". Abra a porta do seu coração para Jesus. Confie e deposite toda a sua esperança somente nEle. Você verá que vale a pena. Amém

29 de junho

Falando entre vós com salmos, e hinos, e cânticos espirituais, cantando e salmodiando ao Senhor no vosso coração, dando sempre graças por tudo a nosso Deus e Pai, em nome de nosso Senhor Jesus Cristo.
Efésios 5.19,20

Houve um famoso político brasileiro que, quando alguém lhe dizia: *Chegamos a um consenso*, perguntava: *Contra quem?*

É impressionante como as pessoas, reunidas em grupos, têm a tendência de falar mal de alguém em particular ou das coisas em geral. E nada impede que, após falarem mal de uma pessoa, escolham outra e a maldigam sem piedade. Há consenso. Mas para maldizer.

E se for para falar mal do clima, do custo de vida, dos homens, das mulheres, de qualquer espécie, coisa ou circunstância, vai haver uma participação acalorada de todos ou quase todos os presentes.

Mal humor é contagioso. Maledicência fascina. Como somos vulneráveis a essas coisas!

Se não tivermos cuidado, até grupos de cristãos, que servem a Deus, podem enveredar-se pelo caminho da queixa amargurada e da maledicência. É verdade. Como nos proteger dessa praga? Louvando a Deus. Dando graças ao Senhor, quando percebemos que a maledicência já começou ou está adiantada.

Sair disfarçadamente do grupo ajuda, mas dificilmente estanca o mal. O melhor é iniciar um outro tipo de conversa. Vai haver reação. Alguém tentará manter o clima doentio reinante, é possível até que haja protestos, porém uma coisa é certa: no mínimo o grupo vai se dispersar e o mal cessará. Todavia, é possível que outras pessoas se dêem conta do prejuízo que vinham causando a si próprias — como se acordassem subitamente — e passem também a ter um comportamento sadio.

Lembre-se: falar mal da vida das pessoas não vai melhorar as coisas. Falar mal de quem está errado não o ajuda a acertar. Amargura, tristeza, revolta é o que se vai acrescentar aos males já existentes.

E louvar a Deus, dar graças, ajuda alguma coisa? Claro que sim. Primeiro: faz cessar as mentiras, calúnias, mal-entendidos que se possam estar cometendo. Segundo: traz paz, alegria, serenidade aos corações, dando a todos melhor condição de suportar as dificuldades e até de resolver os problemas. Terceiro: libera os recursos de Deus para mudar a situação para melhor.

Quando o Espírito Santo o despertar, mostrando que uma conversa de que você está participando está caminhando numa direção perigosa, faça uma oração silenciosa, invoque o poder de Deus e comece, de maneira paulatina, mas firme, a conduzir as pessoas no sentido de verem o que há de positivo nas pessoas e nas circunstâncias, e a serem mais gratas a Deus.

No entanto, não é necessário esperar que o ambiente fique ruim para agradecer e louvar ao Senhor. O bom mesmo é manter sempre ao nosso redor um *clima* de alegria, paz e esperança, louvando sempre ao nosso bondoso Deus. Amém.

30 de junho

Esperei com paciência no Senhor, e ele se inclinou para mim, e ouviu o meu clamor.
Salmos 40.1

Os cristãos evangélicos têm um linguajar bem característico, muito influenciado pelas atividades que exercem e, mais do que tudo, pela sua vivência com a Bíblia. Quando não queremos ou não podemos atender a um pedido de alguém, costumamos dizer: *Fique no Salmo 40*. Isso tem contribuído para que a mensagem do referido salmo fique um tanto desgastada entre nós.

O mundo de hoje parece trabalhar contra qualquer tipo de espera. Para que as pessoas não tivessem de esperar muito pelo preparo da comida, inventaram o fogão a gás, a panela de pressão; depois veio o forno de microondas. Para encurtar o tempo das viagens, foi inventado o carro, depois o avião. Os carros estão cada vez mais velozes e os aviões, nem se fala.

Nosso mundo é o mundo das escadas rolantes, dos elevadores, das produções em série e, para culminar tudo isso, dos computadores. Tudo, para não termos de esperar.

Amigos, a despeito de nossa impaciência e das invenções modernas da ciência, há esperas que são inevitáveis. Temos de esperar nove meses para nascer, não podemos apressar o nascimento do sol e cada estação do ano acontecerá no tempo certo; estes são apenas alguns exemplos. A Bíblia afirma que tudo tem o seu tempo certo (Ec 3.1). Foi Deus quem criou o universo e o fez funcionar de acordo com leis preestabelecidas. Assim, há coisas que têm de anteceder a outras. Antes de colher, é necessário plantar. Cada semente tem o seu tempo certo de germinação. Cada planta leva um tempo determinado, próprio de sua espécie, antes de dar fruto. Deus administra tudo isso.

É o Senhor quem administra as coisas que interferem diretamente em nossa existência. Ele sabe o que não sabemos. Ele vê o que não vemos. Ele opera os *semáforos* da estrada de nossa vida e aciona o sinal vermelho, quando necessário. Quando isso acontece, da mesma maneira como sucede no trânsito, o melhor a fazer é pisar no freio e esperar. Esperar com paciência no Senhor.

Todos, quando crianças, passamos pela experiência de querer comer doce na hora errada. A mãe não dava mesmo. Não adiantava chorar, nem espernear. Não é que a mãe não quisesse que comêssemos o doce. Ela só não queria que isso fosse feito no momento errado.

Quem também não passou pela experiência de pedir algo inadequado para a idade que tinha? É muito comum pedirmos uma coisa para a qual não estamos preparados para possuir. Como não podemos entender o que está se passando, ficamos infelizes e revoltados.

O salmista afirma que esperou com paciência no Senhor e Ele ouviu o seu clamor. Davi clamou, mas esperou. Esperou com paciência, e recebeu o que esperava. No final, o seu clamor se transformou em cântico. Num novo cântico. Em um hino ao nosso Deus.

Você que tem clamado ao Senhor, esperando receber algo das mãos dEle, não desanime. Não se desespere. Espere mais um pouco. Espere pelo tempo que for necessário. Há coisas acontecendo no mundo espiritual e no físico, como parte do processo de preparação para produzir aquilo que você deseja. São coisas misteriosas, fora do nosso controle, mas não de Deus. Espere no Senhor. Ele sabe o que faz, e vai fazer o que é melhor para você. Amém.

1º de julho

E pôs um novo cântico na minha boca, um hino de
louvor ao nosso Deus; muitos o verão, e temerão, e confiarão no Senhor.
Salmos 40.3

Como é bom cantar louvores ao Senhor! Faz bem ao nosso espírito, à nossa mente e até à saúde física. Felizmente, há muitos hinos para cantarmos. Sempre estão surgindo cânticos novos em meio ao povo de Deus.

O que é um cântico novo? Você pode entender isso como uma música nova, algo inédito, uma canção que você ou alguém acabou de compor. Graças a Deus pelos compositores sacros. Eles são verdadeiras bênçãos para nós. Através deles, o Senhor põe cânticos novos em nossos lábios.

No entanto, um cântico novo não precisa ser, necessariamente, uma música inédita. Sempre que cantamos um determinado hino pela primeira vez, é porque, para nós, ele é novo. Pode ser que para muitas pessoas ele já fosse uma canção antiga, mas para nós é um novo cântico. Às vezes, ouvimos alguém cantando uma música e ela nos agrada tanto que não descansamos enquanto não a aprendemos. Então, passamos a cantar aquele "novo cântico".

Todavia, há uma terceira forma de entoarmos um novo cântico. É quando um hino antigo passa a ter um novo significado para nós. Sabe, há hinos apropriados para cada situação que possamos passar nesta vida. Há momentos que determinado hino funciona como uma verdadeira profecia. Parece que foi composto especificamente para a situação que estamos enfrentando. Nossa alma deseja ouvir aquele hino. Então, cantamos, e quanto mais cantamos, mais nos sentimos confortados, mais nos sentimos reanimados. É o novo cântico.

Os servos de Deus que já possuem uma maturidade cristã sabem o que é isso. Eles sabem quais hinos marcaram cada fase de suas vidas. Canções que escutaram na igreja, nas estações de rádio, ou até mesmo numa emissora de televisão. Hinos antigos que se tornaram em "novo cântico".

Cantar por cantar é bem diferente de cantar alegria com prazer. Quem canta "um novo cântico", louva a Deus com mais unção e abençoa outras pessoas. O louvor além de abençoar a quem está cantando, abençoa também a quem ouve. Foi por isso que o salmista acrescentou: "... muitos o verão, e temerão, e confiarão no Senhor". *Ver*, neste caso, se refere ao louvor pela vitória. Significa ver aquele que estava abatido de cabeça erguida, como um vencedor. E quem contempla essa bênção aprende a confiar no Senhor.

Sei que há pessoas que estavam a ponto de se suicidarem e mudarem de intenção ao ouvir um servo de Deus cantar. E não só desistiu de tirar a própria vida, como também recebeu a Jesus como Senhor e Salvador. Passou, então, a cantar um novo cântico, um hino de louvor ao nosso Deus.

Amigo, se você já venceu a luta, cante ao Senhor. Louve em sinal de gratidão. Ele vai abençoar outras pessoas. Vai fazer com que outros aprendam a temer e a confiar no Senhor. Se ainda está na luta, cante. Adote um hino para esta fase de sua vida. Aquele que lhe falar melhor ao coração. Cante esse novo cântico até vencer. E continue louvando essa canção que será para você sempre um novo cântico. Outros "o verão, e temerão, e confiarão no Senhor". Amém.

2 de julho

Portanto, tomai toda a armadura de Deus, para que possais resistir no dia mau e, havendo feito tudo, ficar firmes.
Efésios 6.13

Há dias que tudo parece dar errado. A pessoa já começa o dia se aborrecendo. O cidadão discute com alguém de sua casa e quando sai é agredido pelo vizinho. Toma o ônibus errado, chega atrasado ao trabalho, leva uma repreensão do chefe, desentende-se com os colegas e fica preso no elevador no momento de ir embora.

Será que esse é o famoso *dia mau?* Pode ser. Mas existem dias piores. Existe o dia da enfermidade. O dia em que a conta vence, e não há dinheiro para pagá-la, porém o credor cobra-lhe a dívida de forma humilhante. O dia do abandono e da dor da ingratidão.

Deus se importa? Claro que sim. Até porque todo o mal que existe é contra Ele. Deus é a fonte do bem. "Toda boa dádiva e todo dom perfeito vêm do alto, descendo do Pai das luzes..." (Tg 1.17) Nenhum mal procede de Deus. "Deus é luz, e não há nele trevas nenhuma" (1 Jo 1.5). Então, por que existe o mal? Por que existe o dia mau? Por que até os servos fiéis de Deus passam pelo dia mau?

O mal existe porque Lúcifer e seus anjos, seres dotados de livre-arbítrio, se rebelaram contra o Senhor. Eles formam um exército numeroso e bem organizado. O apóstolo Paulo foi inspirado pelo Espírito Santo para escrever sobre esse assunto em Efésios 6.12. Tal exército trabalha todos os dias do ano para destruir o homem. Os servos de Deus não estão livres de seus ataques. Pelo contrário: são o alvo preferencial das investidas do Inimigo.

A boa notícia é que não estamos abandonados nem indefesos diante das adversidades. Deus já proveu os meios para que possamos, não apenas nos defender, mas também atacar as forças inimigas. Temos à nossa disposição a armadura de Deus.

Quando lemos Efésios 6.14-18, percebemos que a armadura de Deus é constituída por elementos bem conhecidos nossos: basicamente Bíblia e oração. Parece pouco, mas foi com isso que Jesus enfrentou o Diabo e o venceu. É assim que vencemos também. O dia mau chega, envolve-nos, parece que vamos sucumbir, porém esse dia passa e conseguimos vencer. Resistimos no dia mau, e depois de tudo, continuamos firmes.

Não somos daqueles que, como diz o provérbio, nadam, e depois morrem na praia. Não. Nadamos, chegamos à praia e seguimos em frente até à vitória final.

Sabe aquela história do homem que estava atravessando o rio e quando faltavam poucos metros achou que não conseguiria concluir a travessia e voltou? Rimos dele porque voltar daria muito mais trabalho do que concluir a travessia. Vou lhe dizer algo: Seja qual for o ponto em que você estiver, voltar será pior. Se você já está com a armadura de Deus, simplesmente maneje-a. Você vencerá. Se ainda não tem as armas para vencer, tome-as agora. Tome o escudo da fé, coloque o capacete da salvação, empunhe a espada do Espírito. Reaja. Ataque. Vença. E permaneça firme. Amém.

3 de julho

Por que estás abatida, ó minha alma, e por que te perturbas em mim? Espera em Deus, pois ainda o louvarei na salvação da sua presença.
Salmos 42.5

Cena de hospício:

— O que você tem aí nas mãos?

— Uma carta.

— Quem lhe escreveu?

— Eu mesmo.

— E o que foi que você escreveu?

— Não sei. Eu ainda não recebi.

Só um louco não sabe o que escreve para si mesmo. Contudo, não são apenas os loucos que escrevem cartas endereçadas a si mesmos. Todos temos necessidade de *falar ao nosso interior*.

Há ocasiões na vida em que sentimos necessidade de fazer profundas reflexões. Precisamos conversar com nossa própria alma, assim como fez o autor do Salmo 42. Quando escreveu essa linda página sagrada, o servo de Deus se encontrava em grandes dificuldades. Ele nos diz que suas lágrimas serviam-lhe de "...mantimento de dia e de noite" (v. 3). É uma dieta um tanto quanto desagradável. Alimentar-se de lágrimas é algo que ninguém deseja.

O salmista sentia-se oprimido e afrontado, porém o céu estava como se fosse fechado. "Onde está o teu Deus?", perguntavam-lhe. Àquela altura, ele mesmo se perguntava: "[Onde está o meu Deus?] A minha alma tem sede de Deus".

Jesus disse: "... bem-aventurados os que têm... sede... porque eles serão fartos" (Mt 5.6). Quem tem sede de Deus sempre será saciado. Esta sede é sentida pela alma, e quando conversamos com ela sobre esse assunto, algo maravilhoso acontece.

A conversa com a alma não é monólogo. É diálogo. No entanto, quando se conversa com a alma acerca daquilo que agrada a Deus, Ele mesmo entra na conversa e transforma o diálogo em uma reunião. Vejamos a conversa do salmista com sua alma.

Quando o servo de Deus diz à sua alma: "Espera em Deus, pois ainda o louvarei na salvação da sua presença", ele está profetizando para si mesmo. Pela profecia, Deus está falando ao salmista que ele terá vitória. O Senhor mesmo o salvará e será louvado por isso. Que glorioso: Deus está falando à alma de seu servo usando-o em profecia.

Possivelmente, estas palavras estão sendo lidas por alguém que está com sede de Deus. Está sentindo extrema necessidade de uma intervenção divina em sua vida. Ter sede de Deus é sentir uma necessidade que somente Ele pode preencher. Se é esse o seu caso, não deixe sua alma esmorecer. Fale com ela. Converse acerca do poder que Deus tem. Lembre-se dos grandes livramentos que o Senhor operou no passado. Lembre-se de que grandes servos de Deus também foram afligidos, mas obtiveram vitória porque não abandonaram a sua fé. Continue falando e ministrando. A qualquer momento estará profetizando para você mesmo. Sob a unção do Espírito de Deus, você dirá à sua alma: "Espera em Deus, pois ainda o louvarei na salvação da sua presença". Amém.

4 de julho

Contudo, o Senhor mandará de dia a sua misericórdia, e de noite a sua canção estará comigo: a oração ao Deus da minha vida.
Salmos 42.8

O "Deus da minha vida"! É tão bom poder chamar a Deus assim! Ele é o Deus da minha experiência pessoal, que me mantém vivo, a fonte da minha vida, aquEle que mantém acesa a chama do meu existir. Sem a atuação contínua do Senhor no meu dia-a-dia, certamente já estaria morto.

Cada dia temos lutas a travar. O dia começa e já temos inúmeros desafios a vencer. Dificuldades que podem avolumar-se à medida que o tempo avança. Há problemas que estão acima de nossa capacidade, de nossas forças para solucioná-los. O que fazer? Necessitamos da intervenção divina. Sem essa interferência, estamos perdidos. Mas temos pecado contra Deus, e por isso não merecemos que Ele aja em nosso favor. Há uma barreira entre nós e o nosso Deus. É uma situação que não podemos resolver por nós mesmos. Então, o Senhor envia a sua misericórdia na frente e vai destruindo toda a barreira. A misericórdia de Deus vai removendo todo o obstáculo que porventura haja entre nós e Ele. Feito isso, todos os recursos de Deus estão à nossa disposição.

Porque o Senhor envia "de dia" a sua misericórdia, enfrentamos todas as lutas com a sua ajuda. Não lutamos sozinhos. Por maiores e mais poderosos que sejam os nossos adversários, por mais complicadas que sejam as situações que tenhamos de confrontar, eles serão vencidos, com toda a certeza, porque os recursos do nosso Deus os ultrapassam.

Pode ser que cheguemos ao final do dia cansados. Talvez tenhamos tido muitos sustos. Contudo, a sensação é de vitória. Por isso cantamos. A canção em louvor ao nosso Deus estará em nossos lábios. Lutamos de dia, cantamos à noite. Se nos lembramos das lutas do dia, é apenas para valorizar as vitórias obtidas e darmos graças a Deus. E cantamos porque sabemos que no dia seguinte o Senhor enviará, novamente, a sua misericórdia. E vamos vencer. E louvamos também pelas vitórias que ainda vamos alcançar. É bom demais!

E você que vive lutando sozinho? Muitas vezes disfarça, age como se tudo estivesse bem, mas você sabe que está perdendo. Porém, o orgulho impede-o de vencer. Está morrendo por dentro, mas sorri e brinca, como se estivesse vencendo. Canta de dia e chora de noite, quando ninguém está vendo. E fica preocupado, pensando como será o dia seguinte. Vamos mudar essa história? Entregue sua vida ao Senhor Jesus. Antes que nascêssemos, Deus enviou seu Filho a este mundo, Ele que é a misericórdia em pessoa, para morrer pelos nossos pecados. Ele ressuscitou e está vivo para sempre, pronto a socorrer todo aquele que o buscar. Receba a Jesus como Senhor de sua vida. Você vai ver como tudo mudará. Seus dias serão diferentes do que são hoje. Continuará havendo lutas, mas você terá o Senhor ao seu lado. A sua misericórdia o acompanhará, porque "de dia" Ele a mandará; e à noite você cantará. A canção do Senhor estará em seus lábios porque Ele será o Deus de sua vida. Amém.

5 de julho

A graça seja com todos os que amam a nosso Senhor Jesus Cristo em sinceridade. Amém!
Efésios 6.24

Esta é uma das mais doces palavras de nosso vocabulário: graça. Quando a pronunciamos ou ainda que apenas pensemos nela, sentimentos agradáveis envolvem o nosso coração.

Pode ser que, pronunciando a palavra *graça* ou pensando nela, nos lembremos de uma outra parecida com ela: a palavra *engraçado*. Quando acontece algo *engraçado*, achamos *graça*. E o que é engraçado faz rir, descontrai, faz bem, mesmo que seja por pouco tempo.

Graça lembra também *beleza física* ou mesmo *simpatia*. Quando dizemos que determinada pessoa é *uma graça*, estamos afirmando que ela é bonita, simpática ou as duas coisas.

Há uma outra conotação desta palavra, e esta bem freqüente na Bíblia: *favorabilidade da parte de alguém. Achar graça* aos olhos de alguém é contar com sua amizade, solidariedade e favores. Foi, por exemplo, o que aconteceu com José no Egito. Diz a Palavra de Deus: "O Senhor, porém, estava com José, e estendeu sobre ele a sua benignidade, e deu-lhe graça aos olhos do carcereiro-mor. E o carcereiro-mor entregou na mão de

José todos os presos que estavam na casa do cárcere; e ele fazia tudo o que se fazia ali" (Gn 39.21,22). Rute achou graça aos olhos de Boaz (Rt 2.10), Ester achou graça perante Hegai, oficial do rei (Et 2.9) e Daniel também teve graça no ambiente em que vivia (Dn 1.9).

Da idéia de contar com os favores de alguém, vem uma outra ligada à palavra graça: receber algo sem precisar pagar. *De graça*, como dizemos. Como é bom receber as coisas de graça!

Tudo o que se disse sobre graça até aqui, encontra-se concentrado num outro conceito dessa palavra: a graça de Deus para com o ser humano. É algo tão sublime que a Bíblia chama simplesmente de *a graça*. Nada é superior a ela. Nada é mais belo que a graça de Deus. Nada pode produzir mais alegria que ela. Nada resulta em favores maiores e mais abundantes que ela. Bendita graça de Deus! Ela tem sido tema de uma quantidade inumerável de canções, poemas, livros e sermões. Entretanto, bom mesmo, é recebê-la, viver nela, ser envolvido por ela.

Pela graça somos salvos (Ef 2.8). Na graça podemos e devemos crescer (2 Pe 3.18). Se temos a graça do Senhor, temos tudo, pois sua graça nos basta (2 Co 12.9). A graça de Deus é multiforme (1 Pe 4.10). A graça de Deus é cheia de riquezas (Ef 2.7).

O que devemos fazer para achar graça aos olhos de Deus? Por incrível que pareça, tudo o que Deus quer é achar graça aos nossos olhos para que tenhamos graça aos olhos dEle também. Sim, o Senhor quer ser amado por nós, quer se relacionar com pessoas que o amem. Há quem ofereça culto a Deus, mas, por sentirem medo. Isso não lhe agrada. Há quem se aproxime do Senhor, mas é com a intenção de servir-se dEle. Isso também não lhe agrada.

O coração de Deus está aberto a todas as pessoas. No entanto, só quem pode encontrar a porta do coração do Pai celestial são aqueles que respondem ao seu amor com amor.

"A graça seja com todos os que amam a nosso Senhor Jesus Cristo em sinceridade. Amém!"

6 de julho

Então, irei ao altar de Deus, do Deus que é a minha grande alegria, e com harpa te louvarei, ó Deus, Deus meu.
Salmos 43.4

Para alguns, Deus não é nada. Nem existe (isso quando tudo está bem, porque, quando acontece algum problema, eles mudam de opinião). Para outros, Deus existe, sim, criou todas as coisas, mas abandonou o mundo à própria sorte. É um ser distante, inalcançável. Para outros ainda, Ele se interessa por nós, porém apenas para cobrar, castigar, vingar. Existem também pessoas que reconhecem Deus como o Criador, sabem que Ele é bom, todavia, mesmo assim, mantêm-se afastadas dEle. Finalmente, há pessoas para quem Deus é uma pessoa muito especial. Para elas, Deus é fonte de segurança, paz e alegria. Essas pessoas dizem que o Senhor é a sua grande alegria. Ao escrever em hebraico, o salmista disse: *O Senhor é a alegria da minha alegria.*

Existem muitas circunstâncias que podem nos entristecer. Às vezes, elas nos envolvem de tal maneira que apagam todas os outros momentos que poderiam nos alegrar neste mundo. A tristeza mata a alegria. Sim, as coisas desagradáveis, tristes, vão chegando e sufocando as que são boas, alegres. Vão sufocando, até que só nos restam tristezas. Não conseguimos ver nem mesmo nos lembrar de algo que nos faça reviver a alegria. Então, nos lembramos do nosso Deus querido. A simples lembrança de que Ele vive, nos ama e tem o controle de todas as coisas, faz retornar o prazer de viver. As circunstâncias ainda não mudaram, continuam difíceis como dantes, mas já começamos a nos alegrar. Temos certeza de que as coisas vão mudar. E mudam mesmo!

Conheci um irmão no Rio de Janeiro que nunca perdia a oportunidade de dizer: *Eu tô é alegre!* Ele tinha uma voz fanhosa, contudo muito forte, de maneira que é muito difícil ter convivido com ele e não se lembrar de sua maneira peculiar de dizer tais palavras. Ele era pobre, usava uma roupa muito simples, não tinha carro, não comia em restaurantes caros, mas nunca deixava de dizer: *Eu tô é alegre!* Há um corinho antigo que diz: *Não pode ser triste um coração que ama a Cristo...* Quem tem Jesus no coração tem uma fonte perene de alegria. A simples certeza de que Ele está ao nosso lado espanta e faz fugir toda a tristeza. Ele é a nossa grande alegria. A alegria de nossa alegria.

Tristeza mina as forças, atrapalha a nossa capacidade de raciocinar, funciona como lente de aumento para as dificuldades e como lente de redução para as nossas potencialidades. A tristeza é uma tristeza! A pessoa triste vive em desvantagem, torna-se fraca. A pessoa triste precisa se lembrar de Deus. No entanto, lembrar-se de Deus tal como Ele é: o Pai maravilhoso que nos ama e quer o melhor para nossas vidas. Se cometemos pecados que nos afastaram do Pai celestial, precisamos reconhecer essas faltas, pedir-lhe perdão, receber de novo sua comunhão, recuperarmos a alegria e seguir em frente. A alegria do Senhor é a nossa força. Sabe, estou feliz em poder lhe dizer estas palavras. *Eu tô é alegre!* Amém.

7 de julho

Deus é o nosso refúgio e fortaleza, socorro bem presente na angústia.
Salmos 46.1

Quando leio na Bíblia que Deus é refúgio, vejo-me correndo para Ele. Assim como alguém que é surpreendido por uma chuva no caminho e tem de correr para não se molhar. Ou como alguém que está realizando uma longa caminhada e vê-se cercado pela noite antes de chegar ao seu destino. Então, tem de procurar algum lugar para abrigar-se. O mais confortante é saber que Deus é um refúgio sempre acessível, sempre aberto. Como diz o hino 45 da Harpa Cristã: *Um abrigo sempre perto para todo o pecador. / Um refúgio sempre aberto é Jesus meu Salvador.*

Quando leio na Bíblia que Deus é fortaleza, vejo-me dentro dEle. Colossenses 3.3 afirma que nossa "...vida está escondida com Cristo em Deus". Existe segurança maior do que esta? Deus é uma fortaleza inexpugnável. Quem se refugia nEle está absolutamente seguro. Nada é mais seguro. Nem castelo de pedra, nem abrigo anti-atômico, nem sistema de segurança computadorizado...Absolutamente nada! Há certos perigos e males dos quais só Deus pode guardar.

Quando leio na Bíblia que Deus é socorro bem presente, vejo-o correndo em minha direção. Claro que o Senhor não precisa correr para resolver algum problema. Mas imagino isso apenas para reforçar minha sensação interna de segurança. A verdade é que, sendo socorro bem presente, o Senhor nunca nos deixa sozinhos nos momentos de angústia. Esta, quando chega, logo percebe que o Todo-Poderoso está comigo para me ajudar a enfrentá-la. Eu pereceria se tivesse de confrontá-la sozinho. A angústia me cerca com um sorriso zombeteiro nos lábios e me diz: *Você vai morrer.* O Senhor, meu socorro bem presente, toma-me em seus braços e carinhosamente me consola: *Você vai vencer. Eu estou aqui.* E em nome do Senhor venço.

Venha para o refúgio você também. O Senhor Jesus está chamando: "Vinde a mim, todos os que estais cansados e oprimidos, e eu vos aliviarei. Tomai sobre vós o meu jugo, e aprendei de mim, que sou manso e humilde de coração, e encontrareis descanso para a vossa alma" (Mt 11.28,29). A porta está aberta para você.

Se você já se encontra refugiado em Deus, a Fortaleza, não saia. Aconteça o que acontecer, confie no Senhor. Não deixe de confiar. Mesmo que as coisas pareçam não estar dando certo, permaneça firme. O Inimigo só pode alcançá-lo se não estiver dentro da Fortaleza, portanto não saia. Ele vai usar de todo o artifício para tentar convencê-lo a sair. Vai dizer que não adianta continuar refugiado porque a batalha já está perdida. Vai tentar persuadi-lo de que é melhor sair para procurar outro abrigo. Vai procurar convencê-lo de que o perigo já passou. Porém, não saia da Fortaleza que é Deus.

Você está cercado pela angústia, lágrimas incontáveis turvam seus olhos? Está cabisbaixo, sente-se humilhado, oprimido, enfraquecido? Levante a cabeça, enxugue as lágrimas e veja quem está bem pertinho de você. O Senhor. O "socorro bem presente na angústia". Não, Ele não está longe. Deus não se esqueceu de você. Ele está presente e é a garantia de sua vitória contra as aflições. Você vencerá. Abrace ao Senhor. Receba o consolo que só Ele pode dar. Receba forças renovadas. Receba das mãos dEle as armas de que necessita para vencer esta luta. Lute confiando na vitória. Lute como herói; como soldado da milícia que nunca perdeu uma batalha. Lute cantando, louvando ao Senhor, "socorro bem presente na angústia". Amém.

8 de julho

Tendo por certo isto mesmo: que aquele que em vós começou a boa obra a aperfeiçoará até ao Dia de Jesus Cristo.
Filipenses 1.6

O oficiante, seguindo a programação prevista para o culto, anunciou: *Agora vamos ouvir a apresentação do grupo musical Agora Vejo*. No princípio, fiquei curioso; em seguida, admirado por ver os componentes do tal conjunto subirem ao púlpito em fila indiana, cada um com a mão no ombro do companheiro à sua frente. Todos eram deficientes visuais. O grupo musical chamado *Agora Vejo* era composto por cegos. Porém, cegos que viam; capazes de *enxergar*, ou seja, perceber, compreender as coisas mais importantes da vida, sobretudo as que dizem respeito a Deus.

Certo astronauta russo, após cumprir sua missão no espaço, voltou achando-se com autoridade para declarar que Deus não existe, uma vez que ele não o encontrou no *céu*. Esse é alguém que enxerga, mas é cego. E nesse caso trata-se do pior tipo de cego: aquele que não quer ver.

Por todas as partes encontramos manifestações da sabedoria e do poder de Deus. As coisas mais simples, aquelas com as quais nos deparamos todos os dias, mesmo as que não prestamos atenção, a folha caída no chão, a pedra tão comum, o fio de cabelo, tudo nos fala de Deus. E que dizer da coleção infinita de estrelas, do mar imenso, das montanhas imponentes, da flor bela e delicada, da sinfonia dos pássaros? Tudo nos fala do Criador supremo, do Deus Onipotente, do Pai perfeito. No entanto, não é somente fora de nós que vemos as revelações do Criador. Há manifestações muito claras desse Deus glorioso dentro de nós. Cada ser humano é um milagre. O corpo humano é uma máquina maravilhosa e a vida é mantida em nós através da realização de um conjunto infinito de milagres. E nas partes mais profundas, ou seja, em nossa alma e no nosso espírito, encontramos ainda mais os prodígios de Deus. Sim, porque o Senhor é Espírito e sua comunicação conosco é mais intensa na área espiritual. Você sabia? Você tem se dado conta disso? Seja quem for, tenha a religião que tiver, ou mesmo não tendo religião alguma, Deus tem falado com você, tem operado em sua vida.

A comunicação de Deus com a parte espiritual de nosso ser se processa de diversas maneiras. A pregação do evangelho é uma delas. Muitas vezes uma pessoa ouve o evangelho sem querer, mas ouve. E a mensagem fica na alma, falando, repetindo cada palavra mencionada. Deus fala através da consciência humana, embora muitas vezes ela possa estar cauterizada; através de sonhos; conselhos de amigos e até desconhecidos.

Na verdade, depois que Jesus Cristo molhou a terra com seu sangue, este planeta nunca mais foi o mesmo. A morte e ressurreição do Filho de Deus liberou o Espírito Santo para atuar neste mundo como nunca antes. E quem está trabalhando dia e noite, em todas as partes do mundo, para que os homens conheçam a Deus é o Espírito Santo. Ele trabalha dentro e fora de cada um de nós para que possamos conhecer de forma melhor o Deus verdadeiro, e nos relacionemos bem com Ele.

A obra de Deus em nossas vidas já começou e está sendo aperfeiçoada. Quem conhece a Deus vai conhecê-lo cada vez melhor. Quem não conhece vai passar a *ver* as obras gloriosas do Senhor.

Quando foi que a obra de Deus começou em sua vida? Talvez tenha sido quando começou a ler esta mensagem. Talvez tenha sido antes. Uma coisa é certa: o Senhor aperfeiçoará mais e mais o que já começou em você. E esta obra continuará até o dia de sua partida deste mundo. Amém.

9 de julho

Pelo que não temeremos, ainda que a terra se mude, e ainda que os montes se transportem para o meio dos mares. Ainda que as águas rujam e se perturbem, ainda que os montes se abalem pela sua braveza. O Senhor dos Exércitos está conosco; o Deus de Jacó é o nosso refúgio.
Salmos 46.2,3,7

O normal do ser humano é ter medo de mudanças. Mudanças sempre implicam riscos, e estes trazem incertezas que produzem insegurança. Entretanto, temos de conviver com mudanças desde que nascemos. O próprio ato de nascer é uma mudança, e muito traumatizante. Ser desmamado, freqüentar uma sala de aula pela primeira vez, conseguir um emprego, casar-se, são tantas mudanças na vida!

O máximo que pode nos acontecer em termos de mudança de espaço físico, é a terra mudar de órbita. A terra se mudando, conosco e com tudo o que nela há, para outra região do universo. Se isso acontecer, não temeremos. É impressionante também o quadro de montes se transportando para o meio dos mares. Logo eles que são verdadeiros símbolos de firmeza e estabilidade! Mas se os montes se transportarem para o meio dos mares, não temeremos.

Às vezes, não somos nós que mudamos de uma para outra parte. São mudanças que ocorrem ao nosso redor e que podem representar ameaças à nossa integridade e bem-estar, como águas rugindo e vindo em nossa direção com aparência de que vão nos arrastar. Águas tão impetuosas que fazem até com que os montes tremam. Nada disso nos abala. Não temeremos!

Não temeremos as situações de instabilidade, não temeremos se grandes mudanças ocorrerem ao nosso redor, mesmo que elas nos envolvam, porque o Senhor está conosco. Os montes podem tremer, porém Deus não se abala. A terra pode mudar-se, mas Ele não muda. As águas podem rugir, todavia Ele nos garante a paz. O Senhor está conosco.

O Deus que está conosco é o Senhor dos Exércitos. Ele comanda os seus exércitos, que são muitos e poderosíssimos, e tem autoridade sobre o Adversário. Ele garante que as mudanças contribuem contribuirão para o nosso bem.

O Senhor que está conosco é o Deus de Jacó. AquEle que protegeu o moço que foi ameaçado de morte pelo próprio irmão. Que o acompanhou quando teve de fugir de casa para uma terra estranha e lá o fez prosperar. Que o trouxe de volta e o protegeu em todas as adversidades que teve de enfrentar. O Deus de Jacó é o nosso refúgio. Amém.

10 de julho

Aquietai-vos e sabei que eu sou Deus; serei exaltado entre as nações; serei exaltado sobre a terra.
Salmos 46.10

É preciso aquietar-se para saber que Deus é Deus. No desespero, não conseguimos entender o que significa ser Deus. Somente quando paramos, nos aquietamos, é que nos lembramos ou aprendemos que o Senhor é Deus porque é Todo-Poderoso, e inteiramente sábio. O Senhor é Deus porque é amor e é fiel.

É preciso aquietar-se para saber que Deus é Deus, e merece confiança. Depositar nossa confiança nEle é ter fé. Sem confiar nEle, é impossível agradar-lhe. Tentar resolver os problemas de qualquer jeito, por nossa conta, é mostrar que não confiamos em Deus. Nossa falta de fé bloqueia a ação dEle e, então, ficamos impedidos de vê-lo operar. Ficamos impedidos de ver, na prática, que Ele é poderoso.

É preciso aquietar-se para saber que Deus é Deus. Quando agimos a esmo, no desespero, atrapalhamos a ação divina. Sim, temos a possibilidade de embaraçar o trabalho de Deus. Parece uma contradição, mas não é. Deus pode fazer tudo o que quer, no entanto não quer fazer tudo o que pode. Sendo Deus, soberano, decidiu criar-nos dotados de livre-arbítrio. Somos livres até para contrariar a vontade de Deus. E como contrariamos! E por ser Deus, é coerente. Age somente onde lhe permitimos agir. Se não procedermos assim, Ele não age em nossa vida.

Quando estamos contrariando a vontade de Deus, precisamos parar, nos aquietar, mudar de atitude, submetermo-nos à vontade dEle e convidá-lo a agir. Então, o Senhor opera da forma como considera melhor para resolver o problema. Por isso, sabemos que o Senhor é Deus.

O Deus que "faz cessar as guerras até ao fim da terra; quebra o arco e corta a lança; queima os carros no fogo" (v. 9) quer estabelecer sua paz dentro de cada um de nós. A paz é estabelecida quando resolvemos baixar as armas; quando decidimos deixar de ser rebeldes; quando nos aquietamos. O Senhor virá a nós, com voz mansa e delicada, como fez com o profeta Elias, e nos encherá de paz.

O Deus que quer ser exaltado sobre as nações e sobre a terra será glorificado em sua vida, quando se aquietar e deixar que o poder dEle se manifeste em você e ao seu redor. Amém.

11 de julho

E em nada vos espanteis dos que resistem, o que para eles, na verdade, é indício de perdição, mas, para vós, de salvação, e isto de Deus.
Filipenses 1.28

Em um culto evangélico as pessoas estavam dando testemunhos de bênçãos alcançadas. Houve uma senhora que deixou o pastor, um grande amigo meu, atônito: *Dou graças a Deus porque, até há bem pouco tempo, meu marido me espancava toda a semana. Agora ele só me espanca uma vez por mês.*

Eu mesmo tenho acompanhado alguns casos de senhoras cujos maridos as espancavam simplesmente porque abraçaram a fé cristã. E, por incrível que pareça, ainda há muitos casos desses na igreja.

Conheci um jovem que tinha uma irmã prostituta e um irmão viciado em drogas. O pai dele costumava dizer-lhe: *Ao se tornar evangélico, você se tornou o pior dos meus filhos.*

Muitas pessoas não gostam dos cristãos por preconceito. Elas foram ensinadas que os protestantes são do Diabo. Receberam isso como verdade, não querem saber em que eles crêem. Essas pessoas, diversas vezes, perseguem os crentes pensando que estão, com isto, agradando ao Senhor. O apóstolo Paulo, autor da Epístola aos Filipenses, foi uma pessoa que perseguia os servos de Deus pensando que estava fazendo o bem. Até que chegou o dia em que, literalmente, as escamas caíram de seus olhos (At 9.18).

Há quem persiga os evangélicos por pura maldade. São pessoas que vivem dominadas pelas forças do mal e a simples presença de alguém que vive em comunhão com Deus as incomoda. A reação delas vem em forma de palavras ofensivas, prejuízos de diversos tipos e até agressões físicas. Muitas vezes os cristãos são assassinados por causa de sua fé.

Qualquer que seja o tipo de perseguição que uma pessoa sofra por causa de sua fé, ela é sempre dolorida. Às vezes, dói no corpo; mas na alma sempre dói. Não é fácil suportar a dor de ver um trabalho profissional seu, feito com toda a competência, não ser considerado somente porque você ama a Deus. São muito sentidas as lágrimas da esposa dedicada, fiel, que é trocada por uma outra mulher apenas porque quer ser obediente a Deus. E principalmente porque essa obediência em nada prejudica a atenção que a mulher deve dar ao seu marido. Pelo contrário, ajuda muito.

Se está sendo perseguido por causa de sua fé, no lar, no ambiente de trabalho, na escola, na vizinhança onde mora, quem sabe até na igreja que freqüenta, compreenda: isso é normal. Jesus foi perseguido. Os apóstolos foram perseguidos. Todos os servos de Deus que passaram por este mundo foram perseguidos, de uma forma ou de outra. O mundo sempre foi um ambiente hostil à fé cristã. Nosso Jesus nos advertiu: "Se o mundo vos aborrece, sabei que, primeiro do que a vós, me aborreceu a mim" (Jo 15.18). Não se assuste. É normal.

Sinto muito pelos perseguidores. Mais cedo ou mais tarde pagarão por todo o mal que fizeram. Sofrerão na terra, ou no inferno, ou em ambos lugares. Não temos prazer no sofrimento deles, como o próprio Deus não tem, mas isso não impede que eles padeçam por toda a injustiça que praticaram.

Quanto a você que é perseguido, saiba que esta luta terminará. A salvação chegará. "Porque o cetro da impiedade não permanecerá sobre a sorte dos justos..." (Sl 125.3) Você receberá a recompensa por tudo o que fizer e sofrer por amor a Deus. O Senhor é justo e fiel. Deus recompensará. Amém.

12 de julho

Porque este Deus é o nosso Deus para sempre; ele será nosso guia até à morte.
Salmos 48.14

No Salmo 48 a grandeza de Deus é mencionada. Sua fidelidade e os livramentos que Ele operou no passado também são narrados. Tudo isso vem entrelaçado com menções feitas ao Templo do Senhor, à cidade onde esse Templo se encontrava e a toda a terra onde vivia o povo de Deus. A tônica é esta: o povo que serve ao Deus vivo é abençoado. Sua terra tem proteção e há progresso geral.

Os últimos versos do Salmo nos convidam a observar como Deus tem abençoado o seu povo, e então ensinar nossos filhos a confiarem no Senhor, de modo que a fé nEle permaneça de geração em geração. Se algum filho perguntar: *Mas vale a pena mesmo confiar no Senhor?* A resposta tem de ser: *Olhe em volta. Tudo o que você está vendo é fruto da fidelidade dEle. Tudo o que você encontrou de bom, ao nascer, foi dado por Ele.*

Por que buscar refúgio em outro lugar? Por que pedir ajuda a outra pessoa? Já sabemos do que Deus é capaz, e que Ele é bom. Sabemos que quando confiamos nEle, tudo dá certo. Por que experimentar outra alternativa? Este "Deus é o nosso Deus para sempre". Ele será nosso guia até à morte.

Você notou que o verso de hoje fala de eternidade, *para sempre*, e de morte? Afinal de contas, Deus nos guiará somente nesta vida ou estará conosco por toda a eternidade? A resposta é simples: se permitirmos que Cristo nos guie até à morte, Ele estará conosco, ou melhor, estaremos com Ele para sempre.

Há outro detalhe: é importante que estejamos dispostos até a morrer, se necessário, para que a vontade de Deus prevaleça no meio do seu povo. Talvez seja necessário que alguns morram para que milhões sejam beneficiados. Se tivermos de morrer prematuramente, se tivermos de sacrificar alguns dos poucos anos que temos de vida nesta terra, que importa? Temos uma eternidade para viver ao lado de nosso eterno Pai! Esse "Deus é o nosso Deus para sempre". Ele será nosso guia até à morte. Amém.

13 de julho

Por que temerei eu nos dias maus, quando me cercar a iniqüidade dos que me armam ciladas?
Salmos 49.5

Dizem que alguém perguntou a um rabino: *Por que vocês, os rabinos, sempre respondem a uma pergunta com outra pergunta?* Ele respondeu: *Você acha que esta é uma boa maneira de responder?*

Jesus respondeu a muitas perguntas com perguntas. Ao longo da Bíblia, encontramos, muitas vezes, Deus nos ensinando através de perguntas. São questões muito bem formuladas e que têm o objetivo de nos levar a refletir e, portanto, a crescer.

No nosso versículo de hoje, o Espírito Santo nos encoraja, nos ensina a confiar em Deus, fazendo uma pergunta: "Por que temerei...?" Em centenas de oportunidades, a Palavra de Deus nos exorta a não ter medo de nada. Na maioria dessas ocasiões, ela nos diz de forma pura e simples: *Não temas*. Mas aqui, alguém, inspirado pelo Espírito de Deus, formula uma pergunta encorajadora: "Por que temerei...?"

Os dois primeiros versos do Salmo 49 convidam todos os moradores do mundo, os ricos e os pobres, para ouvir as palavras que se seguirão. Então, na verdade, o escritor está chamando cada um de nós para se colocar no lugar dele e fazer a mesma pergunta: "Por que temerei eu nos dias maus, quando me cercar a iniqüidade dos que me armam ciladas?"

Os dias maus chegam. Dias em que acontecem coisas desagradáveis. São dias de tristeza, angústia e medo. No entanto, quem tem comunhão com Deus nunca está só em tempo nenhum da vida, muito menos nesses dias. O Senhor nos consola, fortalece-nos, garante-nos vitória plena. E esses dias passam. Quando isso acontece, o crente está mais maduro, experiente e forte como nunca.

Há quem arme ciladas contra os servos de Deus. Normalmente, os iníquos escolhem, de maneira covarde, os dias em que os amados de Deus já se encontram fragilizados por outras adversidades. Todavia, quem cai nas ciladas que os ímpios armam são eles mesmos; caem nas covas que cavaram. E se o justo, por qualquer circunstância, cai nos laços dos ímpios, o Senhor o tira de lá. O laço se quebra e o servo de Deus escapa. Então, ele fica mais esperto e cada vez mais difícil de ser apanhado numa outra cilada.

"Por que temerei eu nos dias maus, quando me cercar a iniquidade dos que me armam ciladas?" Pergunte-se a si mesmo. E permita que o Espírito Santo o inspire a dar a resposta certa. Amém?

14 de julho

Regozijai-vos, sempre, no Senhor; outra vez digo: regozijai-vos.
Filipenses 4.4

Meus avós maternos, Heleodoro e Hozana, eram crentes fervorosos e muito hospitaleiros. Quando os irmãos passavam em frente à casa deles, no bairro de São Caetano, cidade de Salvador, Bahia, entravam com a maior naturalidade e ali oravam, liam a Bíblia, faziam verdadeiros cultos.

Certa vez, estava num dos cômodos do interior da casa quando ouvi as vozes de duas pessoas que, na sala, cantavam com uma alegria impressionante. Cantavam alto, muito bem afinado, e davam *Glórias a Deus* e *Aleluia*. Era realmente algo incomum. *Quem serão estes que cantam assim, com tanto entusiasmo?*, perguntei a mim mesmo. Assim que pude, fui à sala e eis o que vi: um homem cego, acompanhado de sua esposa que, vim a saber depois, era epiléptica. Ao observá-los, percebi que eram bem pobres. Mas tenho certeza de que nenhum dinheiro neste mundo pode comprar a alegria que estampavam no rosto!

A Epístola aos Filipenses tem quatro capítulos. Em uma carta tão curta, o escritor utiliza cinco vezes a palavra alegria ou um sinônimo (1.4,18; 3.17; 4.10) em relação a si mesmo. Sabe como o apóstolo estava quando a escreveu? Numa prisão em Roma. As condições não eram nada confortáveis. As perspectivas não eram nada animadoras. Pessoas fora da cadeia, dizendo-se cristãs e pregadoras do evangelho, procuravam irritá-lo, deixá-lo amargurado (1.17). Mas que nada! Ele vivia alegre e dizia: "... me regozijo e me regozijarei ainda" (1.18).

Paulo, escritor dessa epístola, tinha *moral* para declarar: "Regozijai-vos... no Senhor..." Se ele podia viver alegre, todos os cristãos também poderiam. Entretanto, será que ele tinha mesmo razão para viver alegre ou era louco? Louco não era, uma vez que os seus escritos têm servido de orientação e inspiração para milhões de pessoas através dos séculos.

Em primeiro lugar, o *apóstolo dos gentios* era um homem predisposto a ser alegre. Ele gostava disso. Há quem goste de ser triste. E quem quiser ter motivos para ser triste, certamente vai encontrar. Há muitos momentos ruins para se recordar. Quem nunca passou por experiências desagradáveis? É só trazê-las de volta à memória e sofrer outra vez. E também há muitas circunstâncias ruins acontecendo neste exato momento; basta apenas procurá-las. E isso pode acontecer com qualquer um.

Por outro lado, quem quiser encontrar motivos para alegrar-se, graças a Deus, vai encontrar muitos. Pode-se reviver os momentos agradáveis do passado, antegozar os que ainda virão e desfrutar as coisas boas do presente. Até um homem encerrado numa cela inóspita, sem poder ver a luz do sol, sofrendo injustiças, pode encontrar motivos para alegrar-se. Talvez até com mais facilidade do que alguém que viva com toda a liberdade e conforto. Para quem não tem nada, qualquer coisa é lucro: um raio de sol, o cântico de um pássaro, a visita de alguém.

Se alguém conseguir tirar de um crente todos os motivos para ser alegre, o principal motivo permanecerá: seu Senhor. O Senhor é a alegria de nossa alegria, e ninguém pode nos separar dEle a não ser nós mesmos. Podem nos tirar os bens materiais, a saúde, os amigos, o direito de ir e vir, mas não podem nos tirar a presença do Senhor. Ele está conosco onde estivermos, a qualquer hora. Portanto, meu querido irmão, alegre-se no Senhor. Alegre-se sempre no Senhor. Amém.

15 de julho

Não temas quando alguém se enriquece, quando a
glória da sua casa se engrandece.
Salmos 49.16

Um homem do interior, que nunca vira um trem em sua vida, foi colocado para tomar conta de vacas junto a uma ferrovia. Quando o veloz e pesado veículo apareceu no horizonte, o vaqueiro não soube o que fazer. O trem chegou, atropelou várias vacas e o rapaz perdeu o emprego. Dias depois, andando na vila, aquele moço viu um trenzinho numa loja de brinquedos e partiu para cima, dando chutes e paulada. *O que é isso rapaz, você enlouqueceu?*, perguntou alguém. *Esses bichos a gente tem que matar enquanto estão pequenos. Depois que ficam grandes, é muito difícil dar jeito neles*, respondeu o vaqueiro desempregado.

Há pessoas que gostaríamos de que nunca crescessem, isto é, prosperassem. São pessoas que conhecemos bem e que são ímpias. Se elas prosperam, ficamos em conflitos. A pergunta que paira em nossa mente é: *Como alguém que é desobediente a Deus, faz tudo errado e pode prosperar?* Ficamos tentados a abdicar de nossa honestidade, nossos princípios cristãos, já que, ao que parece, os ímpios é que se dão bem.

Ficamos torcendo para que o ímpio não prospere, porque se ele faz algo ruim enquanto está pobre, quanto mais quando crescer!! E tememos que ele cresça de forma a dominar tudo. Se isso acontecer, como ficará a sociedade! Em Provérbios 29.2, está escrito: "... quando o ímpio domina, o povo suspira".

No entanto, não devemos temer a prosperidade dos ímpios. É verdade que, muitas vezes, parece que eles triunfam, por um certo tempo, fazem planos com o objetivo de se tornarem senhores absolutos da situação, portam-se com arrogância, fazem ameaças, mas é tudo blefe. Deus sempre tem o controle da situação e a última palavra é dEle.

Os homens maus passam. A impiedade deles subsiste, no máximo, enquanto dura a vida deles. Todavia, um dia eles morrem. Hamã, filho de Hamedata, morreu; Belsazar morreu; Herodes morreu; Nero morreu; Hitler morreu; Stalin morreu, pois são mortais.

Os ímpios se atrapalham em sua própria impiedade. O sábio Salomão, em Provérbios 11.5, afirma: "... o ímpio, pela sua impiedade, cairá". O último verso do nosso Salmo de hoje diz: "O homem que está em honra, e não tem entendimento, é semelhante aos animais, que perecem".

Se você tem sido ímpio, ouça o conselho de Isaías 55.7: "Deixe o ímpio o seu caminho, e o homem maligno, os seus pensamentos e se converta ao Senhor, que se compadecerá dele; torne para o nosso Deus, porque grandioso é em perdoar".

Se você já está revestido com a justiça de Cristo, não tema a prosperidade dos ímpios. Ela não vai longe. Em Salmos 1.6, temos: "... o Senhor conhece o caminho dos justos; mas o caminho dos ímpios perecerá". Amém.

16 de julho

E invoca-me no dia da angústia; eu te livrarei, e tu me glorificarás.
Salmos 50.15

Há três grandes verdades em nosso versículo de hoje.

A primeira é chocante: o servo de Deus tem seu dia de angústia. Se somos instruídos a invocar o Senhor no dia da angústia é porque esse dia existe. Negar essa verdade é ir contra o bom-senso e contrariar a própria vontade de Deus. Sei que muitos servos fiéis de Deus estão lendo tais palavras agora, exatamente no seu dia de angústia.

A segunda verdade é penetrante; contém uma tremenda promessa: Deus livra os seus servos da angústia. Eis a promessa do Todo-Poderoso: "... eu te livrarei". Ele livrou José do cárcere, no Egito; Davi das perseguições de Saul; Ananias, Misael e Azarias da fornalha ardente; Pedro das mãos de Herodes. Ele também o livrará!

Deus não nos impede de entrar no vale da angústia. No entanto, Ele não nos deixa perecer nesse vale. O Senhor, com sua poderosa mão, nos tira de lá. Saímos vitorioso, fortalecido. Entramos chorando, porém saímos sorrindo. Entramos preocupados, todavia saímos confortados.

A terceira verdade é estimulante: mostra qual deve ser o resultado de passarmos por angústia e vencermos. O resultado deve ser a glória de Deus. Ela está contida nestas palavras do Senhor: "... tu me glorificarás".

É bom glorificar a Deus com base nas experiências dos outros. No entanto, é melhor ainda glorificá-lo com base em nossas próprias experiências. É maravilhoso poder dizer: *O Senhor cura enfermidades, porque me curou. O Senhor tem poder para libertar, porque me libertou. O Senhor resolve os problemas mais difíceis, porque solucionou os meus.* Assim, glorificamos a Deus e incentivamos os outros a confiarem nEle. Então, eles confiam em Deus e o glorificam pelas realizações maravilhosas.

Se você está vivendo um dia de angústia, tudo o que deve fazer é invocar ao Senhor. Invoque somente a Deus. Faça um propósito de glorificá-lo, quando o livramento chegar. O Senhor o livrará. Confie nisso.

Se já recebeu o livramento de Deus, glorifique-o. Não fique calado. Dê seu testemunho. Isso vai estimular outras pessoas a confiarem no Senhor, e as bênçãos que você recebeu se projetarão sobre elas. Você tem sido abençoado. Agora seja uma bênção. Seja um instrumento para a glória de Deus. Amém!

17 de julho

Não estejais inquietos por coisa alguma; antes, as vossas petições sejam em tudo conhecidas diante de Deus, pela oração e súplicas, com ação de graças.
Filipenses 4.6

Fica quieto, menino! Quem de nós não teve de ouvir inúmeras vezes esta frase? E depois que crescemos, cansamos de repeti-la sem cessar.

Criança é assim mesmo. Tem muita energia pra gastar. Há algumas cujas *pilhas* parecem não acabar nunca! Quem cuida de tais "anjinhos" freqüentemente se cansa. Não se sabe o que pode acontecer, se deixarmos de observá-las por um instante. Elas se cortam, se queimam, caem no chão, etc. Mas também pode *sobrar* para os outros: o gato pode ser levado ao forno de microondas para secar, a filha do vizinho perde as tranças, a casa pode pegar fogo, etc.

Temos de vigiar as crianças para o bem de todos, inclusive delas próprias. Contudo, a sua inquietude é sempre fruto de sua vitalidade; estão sempre se divertindo.

Problema, mesmo, é a inquietude dos adultos. Não há nada de divertido nela. É muito mais perigosa que inquietude de criança. Adulto inquieto se expõe a muitos perigos. Se expõe a quedas financeiras, morais e espirituais. Também pode prejudicar, e muito, outras pessoas. Pode fazer coisas das quais terá arrependimento pelo resto da vida.

Ser diligente, esforçado, é diferente de ser inquieto. Aquele dá o melhor de si, faz a sua parte e acredita que Deus dará a orientação correta para as nossas vidas. Ele confia no Senhor. O inquieto, contudo, nunca tem paz. Às vezes, faz a sua parte, outras vezes nem faz; mas está sempre *fiscalizando* o próprio Deus. E se ele acha que o Senhor não está fazendo a sua parte, reclama, fica se maldizendo, agride outras pessoas, o próprio Deus; faz o que não lhe cabe fazer.

É o Senhor quem nos diz: "Não estejais inquietos por coisa alguma". Nada, nada deve nos tirar a paz. A receita é esta: apresentar tudo o que nos preocupa ao Senhor em oração. Quando orarmos, o Senhor falará ao nosso coração o que devemos fazer. Sim, porque oração é diálogo. Se ela não for uma reza mecânica, um rosário de lamentações, mas uma oração serena, onde haja espaço para Deus falar à nossa alma.

Ao orarmos, seremos fortalecidos. Seremos preparados para fazer o que devemos fazer.

Uma das *fontes de energia* que temos é a gratidão. Quando damos graças a Deus por aquilo que Ele já fez por nós, nos damos conta de que Ele nos ama e do poder que Ele tem. Temos a nossa fé renovada.

Orou, deu graças, foi orientado, recebeu forças? Faça sua parte, confie no Senhor e espere que tudo vai terminar bem. *Fica quieto, mesmo!* Amém.

18 de julho

Mas eu sou como a oliveira verde na Casa de Deus; confio na misericórdia de Deus para sempre, eternamente.
Salmos 52.8

Um homem foi preso no Distrito Federal porque foi flagrado tirando as cascas de uma árvore. Ele alegou desconhecer que aquele ato tão simples consistia em crime. O fato foi tema de todos os noticiários do dia e gerou muita polêmica. Realmente, merece cadeia quem atenta contra o verde?

Uma das características mais marcantes da sociedade do nosso tempo é a disposição para defender o meio ambiente. As escolas procuram desenvolver nas crianças, desde a mais tenra idade, a *consciência ecológica*. Existem organizações não governamentais (as ONG's), algumas até de âmbito internacional, como a *Green Peace* (literalmente *Paz Verde*), que lutam pelo equilíbrio ecológico. Em muitos países existe o *Partido Verde*.

Sem verde não há vida. Sem verde não há esperança.

Você sabia que até ao redor do trono de Deus está o verde? Em Apocalipse 4.3 está escrito que "... o arco celeste estava ao redor do trono e era semelhante à esmeralda". A esmeralda é verde, não é? E um dos doze fundamentos da Jerusalém celestial é de esmeralda (Ap 21.19). Faz sentido, pois toda a nossa esperança se fundamenta no Deus do céu. O salmista disse: "... confio na misericórdia de Deus para sempre, eternamente".

Algumas passagens bíblicas utilizam as árvores como símbolos dos homens (Jz 9.8-15). As pessoas que têm comunhão com Deus são comparadas às árvores que nunca murcham (Sl 1.3; Jr 17.8). O texto de Jeremias afirma: "... não receia quando vem o calor, mas a sua folha fica verde". No nosso texto de hoje, o salmista diz: "... eu sou como a oliveira verde na Casa de Deus". A seiva que mantinha aquele cristão vinha do próprio Deus. Por isso, ele sempre tinha esperança, *sempre estava verde*.

Há árvores que não resistem muito às condições adversas. Outras, como a oliveira, resistem bem. O salmista era como a oliveira. Algumas árvores têm vida curta. Outras, vivem séculos, como as oliveiras. Algumas são milenares. Quem confia na misericórdia de Deus é como a oliveira.

Boas árvores dão bons frutos. As oliveiras dão frutos excelentes, que são de uma utilidade enorme. As azeitonas têm um valor nutritivo muito grande e, transformadas em óleo, servem de alimento, remédio, cosmético, lubrificante e até combustível. Quem confia na misericórdia de Deus é como a oliveira.

As oliveiras, por natureza, são muito resistentes, estão sempre verdes. As da casa de Deus, por serem bem tratadas, são mais viçosas, exuberantes e frutíferas. Os que confiam na misericórdia de Deus são "como a oliveira verde na Casa de Deus". Jamais murcham. Jamais morrem. Vivem eternamente.

Às vezes, aparece alguém querendo *tirar uma casquinha* das oliveiras de Deus. Pode até acontecer que consigam. Um homem muito mau chamado Doegue se levantou para prejudicar Davi. O Salmo 52 foi escrito em memória disso. Por certo que Davi sofreu muito, mas não foi destruído. Continuou verde, plantado na casa de Deus, confiando na misericórdia do Senhor. Deus, o grande defensor do *verde*, deve ter castigado aquele agressor. O Senhor protege os que confiam nEle.

As árvores naturais não podem escolher onde estar plantadas. Você pode. Venha ser uma oliveira verde na casa de Deus! Amém.

19 de julho

Eis que Deus é o meu ajudador; o Senhor está com aqueles que sustêm a minha alma.
Salmos 54.4

Um homem saiu para caçar. Antes de entrar na mata preparou sua espingarda, daquelas antigas que eram carregadas pela *boca*, ou seja, primeiro colocava-se a pólvora, depois o chumbo e uma bucha, e no final socava-se tudo com uma vareta. Claro que realizar uma operação dessas demora um pouco.

Depois de vaguear por um certo tempo, o caçador avista um animal ao longe. Aproxima-se vagarosamente até constatar que está diante de uma onça. Pelo fato de estar muito perto do bicho, percebe que não dá para fugir. Nervoso, aponta a arma, dispara e... erra. A onça se assusta, mas depois se volta ameaçadoramente para o seu agressor. Não vai dar tempo para carregar a espingarda. O homem então faz a seguinte oração: *Ó Deus, se o Senhor for meu amigo, faça com que essa onça resolva ir embora. Se o Senhor for amigo da onça, faça com que ela acabe comigo logo no primeiro golpe. Se o Senhor não for nem meu amigo nem amigo da onça, prepare-se para assistir à luta de um homem valente contra esse animal.*

Pensando bem, a neutralidade de Deus seria fatal para aquele homem. Ele nunca se sairia bem lutando sozinho e sem arma contra a onça.

Ao longo desta vida, muitas vezes nos encontramos em situações parecidas como esta, de enfrentar uma onça no mato. Situações de perigo, angústia, pavor. Felizmente Deus não é *amigo da onça*. Nem é uma pessoa neutra. É nosso amigo, nosso ajudador.

Às vezes, Deus faz a *onça* correr. Outras vezes, não. Há situações em que temos de enfrentá-la. No entanto, nunca lutamos sozinhos. O Senhor sempre envia alguém para nos ajudar. Pode ser alguém invisível, como os anjos. Não estamos vendo, mas eles estão conosco na luta. Eles são ajudadores da parte de Deus. Como disse o salmista, "o Senhor está com aqueles que sustêm a minha alma".

Muitas vezes o Senhor usa pessoas como nós para nos ajudar. Podem ser nossos parentes, amigos muito queridos; ou, quem sabe, alguém que nem é tão chegado assim. E sabe o que mais? Deus pode usar até pessoas desconhecidas para vir em nosso socorro. E ainda que sejam pessoas incrédulas e até ímpias, neste ato de nos ajudar o Senhor estará com elas. Deus operará nelas a vontade e a capacidade de auxiliar. As pessoas certas, nos lugares certos, no momento certo, serão usadas por Deus ainda que não saibam e não queiram. Farão a vontade de Deus e nos ajudarão. Deus estará nisso. E, se as pessoas atuarem de boa vontade, serão recompensadas. O Senhor não fica devendo nada a ninguém.

Quando você se encontrar com a onça, faça a oração certa: *Senhor, sei que és meu amigo. Por favor, faça a onça fugir. Mas se tiver de enfrentá-la, usa alguém para me ajudar.* Depois, diga como o salmista: "Eis que Deus é o meu ajudador; o Senhor está com aqueles que sustêm a minha alma". Amém.

20 de julho

E a paz de Deus, que excede todo o entendimento, guardará os vossos corações e os vossos sentimentos em Cristo Jesus.
Filipenses 4.7

Jesus deixou os seus ouvintes perplexos quando disse: "... o que contamina o homem não é o que entra na boca, mas o que sai da boca, isso é o que contamina o homem" (Mt 15.11). Depois o Senhor explicou: "... do coração procedem os maus pensamentos, mortes, adultérios, prostituição, furtos, falsos testemunhos e blasfêmias" (v. 19).

Há lições muito profundas nessas palavras do nosso Mestre. A exemplo do que aconteceu no tempo em que Jesus as proferiu, lamentavelmente poucas pessoas as entendem hoje em dia.

É louvável que as pessoas se preocupem com sua saúde. É bom que tenham cuidado com o que comem. Porém, é bom que saibam: há coisas que afetam muito mais a nossa saúde do que aquilo que comemos. Sim, e não estou me referindo apenas à saúde espiritual. Refiro-me à saúde física também.

Uma vida tensa, cheia de ansiedade, conflitos e rancor, certamente produzirá doença no corpo. Uma das partes mais vulneráveis é o coração. Até porque ele é a sede dos nossos sentimentos. É maravilhoso ler estas palavras, escritas há quatro mil anos: "O coração alegre serve de bom remédio, mas o espírito abatido virá a secar os ossos" (Pv 17.22).

Em Filipenses 4.7, encontramos a vacina contra as doenças do coração. Esta passagem fala de algo que guarda, ou seja, que imuniza o coração: a paz de Deus. Se dentro do coração há fé, confiança em Deus; por fora, haverá a cobertura de algo que o protege: a paz de Deus. Por dentro, fé. Por fora, paz.

Sempre haverá ao nosso redor acontecimentos desagradáveis e ameaçadores. Estamos imersos nas mesmas circunstâncias que têm trazido preocupação, medo e desespero à sociedade da qual fazemos parte. Todavia, não nos abalamos. Nada nos tira a alegria. Sempre temos esperança. Por quê? Porque a paz de Deus nos envolve e protege. Mas qual é a explicação para esta paz? Podemos dizer muito sobre esta paz: seus fundamentos, sua ação em nós, suas conseqüências. Contudo, as pessoas nunca entenderão. A paz de Deus excede todo o entendimento.

Para ser bem sincero, nós mesmos não entendemos muito bem como funciona esta paz. Ela excede todo entendimento, inclusive o nosso. Sabemos que ela nos envolve como brisa fresca quando o calor das apreensões se abate sobre o ambiente em que vivemos. Ela inunda o nosso interior de alegria quando a razão nos diz que deveríamos estar tristes. Então, sorrimos enquanto os olhos estão cheios de lágrimas. Compomos poesias, canções e as cantamos. *Os mais belos hinos e poesias / foram escritos em tribulação*, nos diz o hino 126 da Harpa Cristã.

Coração guardado, sentimentos guardados, tudo imerso na pessoa mais maravilhosa que existe: Jesus Cristo. Que maravilha: guardados em Cristo Jesus! Quem nos atingirá? Quem poderá nos fazer mal?

Se seu coração pertence a Jesus, sei que você já está imerso em sua paz. Se ainda não lhe fez a entrega de seu coração, faça-o agora e receba a *paz do Senhor!* Amém.

21 de julho

De tarde, e de manhã, e ao meio-dia, orarei; e clamarei, e ele ouvirá a minha voz.
Salmos 55.17

Para que nossa oração chegue ao coração de Deus, ela tem de atuar em três céus. Ela terá de penetrar os céus espirituais, lugar onde Deus habita. O outro céu é o físico; nossa oração terá de ultrapassá-lo. E qual é o outro? É o céu da boca, onde nossas palavras ressoam; nossa caixa acústica.

Deus quer ouvir a nossa voz. Foi Ele quem nos deu a habilidade de falar. E uma das maneiras de mostrar que tal capacidade está funcionando bem é conversando com Ele. Às vezes, Deus pergunta a um de seus filhos: *Ei, para que te dei a boca? Fale comigo.*

Há pessoas cujo problema é falar demais. Fala o dia todo e acaba cansando os seus ouvintes. Eis uma pessoa que nunca se cansa de nos ouvir: Deus. Você pode falar com Ele sem parar, e mesmo assim Ele não fica enjoado. Não se aborrece.

Os judeus religiosos tinham e ainda têm o costume de falar com Deus, orar, três vezes ao dia: de manhã, ao meio-dia e no final da tarde. No entanto, para eles, o dia começa quando o sol se põe. Então, a seqüência é: à tarde, pela manhã e ao meio-dia.

Deus quer ouvir a nossa voz à tarde, quando a noite vem chegando. As trevas vão cobrir a terra, e os perigos que se escondem na escuridão poderão nos cercar. Estaremos mais vulneráveis. Antes que a noite física chegue, ou antes que o crepúsculo da vida se aproxime, ou mesmo antes que se abatam sobre nós a escuridão das fases difíceis de nossa existência na terra, elevemos nossa voz aos céus. Deus nos ouvirá. Ele nos fortalecerá e nos protegerá. Garantirá que a noite seja apenas um período de repouso, bons sonhos, recuperação das forças.

Deus quer ouvir a nossa voz pela manhã, quando a noite tiver passado e a luz do sol nos envolver. A voz de alegria e gratidão. A voz de quem reconhece que precisa da bênção do Senhor para cumprir mais uma etapa da vida. O Senhor ouvirá a nossa voz e nos dará orientação em tudo o que tivermos de fazer, abençoando todas as atividades que haveremos de realizar.

Deus quer ouvir a nossa voz ao meio-dia, quando nossas atividades, sejam elas quais forem, estiverem em pleno andamento. Quando tudo estiver bem, para garantir-nos o pleno sucesso. Quando os nossos afazeres estiverem atrasados, para colocar em ação os seus recursos, dar-nos orientação e forças de forma que tudo possa fluir normalmente. Quando nossos planos estiverem sendo frustrados e e o resultado seja diferente do que queríamos, então elevamos nossa voz aos céus, e o Senhor nos ouve.

Não importa a que hora do dia você esteja, ou em que fase da vida se encontre, ou até mesmo que circunstância esteja envolvendo-o, é hora de clamar ao Senhor. Ele ouvirá sua voz. Amém.

22 de julho

Lança o teu cuidado sobre o Senhor, e ele te susterá; nunca permitirá que o justo seja abalado.
Salmos 55.22

Há pessoas que vivem em função do perigo. Por exemplo, há quem viva com uma cobra venenosa enrolada no braço a fim de atrair pessoas que paguem para vê-lo se expondo a levar uma picada fatal a qualquer momento. Outros atraem a atenção dos outros entrando numa jaula de feras. Também há aquele homem que fica debaixo da pata de um elefante enorme. Essas pessoas sabem que, qualquer dia, o animal vai matá-las. Mas não conseguem imaginar outra maneira de viver.

Há também os que ganham a vida pecando. Esses de igual forma não conseguem se imaginar vivendo de outra maneira. Vivem prostituindo-se, ou explorando o jogo, ou algum outro tipo de vício. Sentem um vazio enorme na alma, muitas vezes choram de remorso, porém não conseguem deixar a miséria moral e espiritual em que se encontram.

A questão é esta: as pessoas sabem que o tipo de vida que levam é perigoso, danoso para elas, todavia não conseguem imaginar um outro modo de viver.

Existem pessoas salvas, servas do Senhor Jesus, que vivem de maneira perigosa e insistem em continuar assim, mesmo sabendo que esse tipo de vida não é bom para elas. Carregam um fardo pesado, que não é o do pecado, mas que lhes rouba muita energia e até a alegria de viver. É o fardo das preocupações. Esse é realmente muito pesado e incômodo. E alguém carrega um fardo desses simplesmente por querer? Se uma pessoa conhece ao Senhor, conhece o amor que Ele tem por nós e o grande poder que só Ele possui; mesmo assim vive sofrendo debaixo do peso das preocupações.

Imagine um fardo cujo peso esteja bem próximo do limite das forças de uma pessoa. Esta o põe sobre os ombros, cambaleia para lá e para cá, até que consegue se equilibrar debaixo dele. Depois, o problema é se livrar dele sem causar prejuízos no próprio corpo. A pessoa tem medo de que o fardo lhe caia em cima dos pés, ou que lhe danifique a coluna vertebral. Tem medo até de perder o equilíbrio, cair e quebrar a perna.

Penso que quando a Bíblia diz: "Lança o teu cuidado sobre o Senhor, e ele te susterá", ela está nos tranqüilizando a respeito do processo de nos livrar do fardo das preocupações. Lance o seu cuidado sobre o Senhor. Você não vai cair quando fizer isso. O fardo não cairá em cima de você. O Senhor vai te sustentar.

Talvez já esteja vivendo tanto tempo com determinadas preocupações que nem consegue imaginar uma vida sem elas. Você tem apenas um pensamento: *Deixa pra lá. O fardo está pesado, mas vou carregá-lo enquanto agüentar. Tenho receio de que as coisas piorem, se eu tentar me livrar dele*. Observe bem: esse não é o tipo de vida que Deus escolheu para você. Jesus não morreu no Calvário, pagando um preço tão alto, para que você levasse uma vida tão sofrida. Livre-se desse fardo já!

"Lança o teu cuidado sobre o Senhor" é uma ordem, que às vezes parece difícil de ser cumprida. Entretanto, quem dá a ordem também tranqüiliza: "O Senhor... nunca permitirá que o justo seja abalado". Creia na promessa e obedeça à ordem. Amém.

23 de julho

Posso todas as coisas naquele que me fortalece.
Filipenses 4.13

Os heróis da literatura de ficção costumam dizer uma palavra ou frase, antes de se lançarem em alguma nova missão ou para marcar a saída de uma situação de perigo, sendo que cada um tem a sua particular. Os esquadrões militares, as equipes desportivas e diversos tipos de associações também têm os seus gritos de guerra e suas palavras de ordem.

Muitos cristãos utilizam Filipenses 4.13 como seu *grito de guerra*. Curiosamente, muitos pronunciam: "Posso todas as coisas" bem alto e bem forte, e quando observamos suas vidas, percebemos que vivem em situações muito difíceis. É o mesmo que alguém dizer que é milionário e não ter dez centavos para comprar um pão. Ou dizer que tem uma frota de automóveis, mas vive pedindo *carona* aos outros.

E como vivia o autor de Filipenses 4.13, o famoso apóstolo Paulo? Bem, antes de dizer "posso", ele diz, no verso 11, "já aprendi". No versículo 12, Paulo afirma "sei" e "estou instruído". Então, você descobre o que ele aprendeu, o que ele sabe e no que ele está instruído. O apóstolo aprendeu a contentar-se com o que tinha, sabia estar abatido e estava instruído a ter fome e a padecer necessidade. Francamente, que vantagem há nisso?

Pensando bem, saber viver na fartura e na abundância é que não é novidade. Vantagem mesmo é conseguir viver em situações adversas. Isso não é para qualquer um. Não é para quem quer; é para quem pode.

Vida cristã não é brincadeira. É algo muito sério. Vida cristã não é passeio. É trabalho. Vida cristã não é piquenique. É guerra. É um trabalho gostoso, mas é trabalho. É o bom combate, porém é combate.

Quem sai para a guerra tem de estar disposto a tudo. A coragem do combatente é testada em situações de perigo. Sua tenacidade é posta à prova nas batalhas prolongadas. Sua lealdade é provada nas tentativas de suborno do Inimigo. Assim é a vida cristã. Afinal, se não formos provados nesta vida, se não tivermos a oportunidade de mostrar nossa lealdade ao Senhor aqui, onde a teremos? Depois que temos *aula prática* de sofrimento, podemos dizer *aprendi, sei, estou instruído*. Então, faz sentido dizer "posso todas as coisas", mesmo que para alguns possa parecer um blefe.

Mas não pense que ficamos o tempo todo em aflição. Existem os momentos de refrigério. O que motivou Paulo a escrever Filipenses 4.13 foi o recebimento de provisões. A Igreja em Filipos enviou uma grande bênção ao apóstolo que sabia estar abatido, mas também sabia ter abundância. Temos de saber ter fartura porque ela nos acontecerá muitas vezes. E assim vamos *ensaiando* esta parte até que cheguemos à nossa eterna morada onde a fartura é absoluta. Amém.

24 de julho

No dia em que eu temer, hei de confiar em ti.
Salmos 56.3

A pessoa que escreveu as palavras que você acabou de ler admite a possibilidade de ser assaltado pelo medo algum dia. Seria essa pessoa uma criança, já que esta é mais suscetível a ter medo? Não, não era uma criança. Era uma pessoa adulta. Os homens, mais apressados e convencidos de que são mais corajosos, podem dizer: *"Então era uma mulher"*. Não, não era uma mulher. Era homem mesmo. Seria um *"incredão"*, alguém que não cria no poder do Senhor? Vou logo dizer quem era: Davi, aquele que derrotou o gigante Golias.

"Arrá", dirá o leitor, *"matei a charada: Davi admitiu que poderia vir a ter medo algum dia, mas ele não afirmou que teria. Admitiu que poderia ter, mas nunca teve"*. Errou. Davi teve medo sim.

As circunstâncias que cercavam Davi quando ele escreveu o Salmo 56, estão descritas em I Samuel 21.10-12: "E Davi levantou-se, e fugiu aquele dia de diante de Saul, e veio a Aquis, rei de Gate. Porém os criados de Aquis lhe disseram: Não é este Davi, o rei da terra? Não se cantava deste nas danças, dizendo: Saul feriu os seus milhares, porém Davi os seus dez milhares? E Davi considerou estas palavras no seu ânimo e temeu muito diante de Aquis, rei de Gate".

Davi estava em perigo fora de seu país e o perigo que o aguardava dentro de sua própria nação era maior ainda. Então ele teve medo.

Estas considerações não têm o objetivo de julgar se Davi era corajoso ou não. O objetivo é levar o leitor a pensar no seguinte: Se o próprio Davi, um herói bíblico tão admirável, foi um dia assaltado pelo medo, por que você e eu não seríamos? Sim, você e eu temos o dia do medo.

Mas medo faz mal. Medo prejudica a saúde. Medo prejudica a capacidade de raciocínio. Medo atrapalha a visão. Medo mata. E como foi que Davi escapou dele? Ele trocou o medo por outra coisa. Trocou pela confiança no Senhor. Na verdade, confiar no Senhor é uma decisão que se toma. Mas ela produz em nós um sentimento, uma sensação. Sensação de paz, de segurança, de otimismo. É uma sensação, benéfica. Esta, sim, faz bem à saúde. Aclara a mente, produz força física. Tudo isso respaldado por recursos do mundo espiritual.

Confiança em Deus mobiliza os recursos do céu para trabalhar em nosso favor. Recursos novos surgem na terra, os recursos do céu se juntam a eles e a vitória é certa.

Tudo isso pode parecer muito abstrato, irreal. Mas é só ler a Bíblia ou a própria história humana para ver que funciona. Ele saiu do beco que parecia não ter saída. Sobreviveu. Triunfou. Prosperou. Reinou.

Confiança em Deus tem funcionado na minha vida e na vida de milhões de pessoas por esse mundo fora. Funciona na sua vida também. Experimente. No dia que o medo chegar, hoje mesmo se ele já chegou, confie no Senhor. Você triunfará. Amém.

25 de julho

Em Deus louvarei a sua palavra; em Deus pus a minha confiança e não temerei; que me pode fazer a carne?
Salmos 56.4

Certa vez um crente estava expulsando o demônio de uma pessoa quando este então lhe disse: *"Eu saio, mas entro em você"*. O crente respondeu: *"Em mim você não entra porque em mim já vive Jesus"*. A resposta do espírito imundo: *"Sua sorte é esse Jesus"*.

O bicho estava certo: nossa sorte é que temos Jesus do nosso lado. A ele sempre poderemos recorrer. Sempre poderemos contar com ele.

Raríssimamente o Inimigo de nossas almas ataca um servo de Deus diretamente. O normal é ele induzir alguma pessoa humana a fazê-lo. O Inimigo coloca o ódio no coração da pessoa, põe idéias malignas na cabeça dela e lhe dá algum recurso para que possa executar os seus intentos. Mas isso tem os seus limites. O ser humano é limitado. Por mais que esteja dominado por forças malignas, a carne é limitada.

O servo de Deus, quando se vê ameaçado, foge para o seu Senhor. Como o coelho foge para dentro da toca. Como o pintinho foge para debaixo das asas de sua mãe. Só que a proteção aí é ilimitada. O abrigo é inexpugnável. O abrigo é invisível, mas é real. O crente está refugiado em Deus. Sente-se seguro. E canta. Cercado de perigos e ameaças, canta. Quando a dúvida tenta penetrar em seu coração ele se lembra da Palavra de Deus. Sabe que ela contém muitas promessas dirigidas a ele próprio. Recorda-se dessas promessas. Repete-as para si mesmo. E canta. Canta a própria Palavra de Deus.

Os emissários do inferno se enfurecem. Rosnam. Quanto mais o servo de Deus louva ao seu Senhor e à Palavra de Deus, mais os inimigos ficam bravos. Enquanto os inimigos se desgastam, consomem suas energias, vêm os seus planos sendo frustrados um a um, o filho de Deus tem suas forças renovadas. Até se esquece dos combates que lhe estão movendo. Ou melhor, estavam movendo. De repente, tudo se faz silêncio. Os emissários do inimigo se esgotaram. Uns morreram. Outros se afastaram. Outros estão ali, calados, sem saber o que fazer. Sabe o que o Filho de Deus faz? Canta. Louva a Palavra de Deus que, mais uma vez se mostrou fiel.

Que sorte é ter Jesus! Você já o tem? Então permaneça nele. Se não o tem, passe a tê-lo agora. Invoque-o como Senhor e Salvador pessoal. Refugie-se nele. Familiarize-se com a Palavra dele para que a possa louvar. Amém.

26 de julho

O meu Deus, segundo as suas riquezas, suprirá todas as vossas necessidades em glória, por Cristo Jesus.
Filipenses 4.19

Dizem que Átila, rei dos hunos, era um homem tão mau que onde sua cavalgadura pisava não nascia erva nunca mais. O homem devia ser muito mau mesmo. Causava muitos estragos por onde passava.

Há muita gente ruim neste mundo. Gente que faz mal às outras pessoas. Há pessoas que não fazem mal, mas também não fazem bem.

Felizmente há muitas pessoas que gostam de fazer o bem. São atenciosas, prestativas, solícitas. Pena que, mesmo entre estas, existam aquelas que, querendo fazer o bem, acabam fazendo mal. Às vezes dão uma esmola de um real a uma pessoa e causam um estrago de mil reais a essa mesma pessoa ou a outras pessoas. Fazem dez ações boas e um milhão de ações más.

Quem tem verdadeira comunhão com Deus não é apenas um fazedor de boas ações. É um abençoador. Abençoa orando em silêncio, abençoa orando em voz audível. Abençoa com o testemunho de sua vida com Deus, falado ou simplesmente visto. Quem se aproxima de Deus, através de seu Filho Jesus Cristo, torna-se uma bênção.

Eu não sei qual é o cúmulo da maldade. Mas eu sei qual é o cúmulo da bondade: é quando a pessoa exala bênção. Quem tem contacto com essa pessoa, seja direta ou indiretamente, é abençoado.

Mesmo entre as pessoas que exalam as bênçãos de Deus, existem as que abençoam muito e as que abençoam mais ainda. O apóstolo Paulo era dessas pessoas que abençoam ao máximo. E sabe por quê? Porque ele era uma pessoa completamente comprometida com o Evangelho. Ele vivia para o Evangelho. Nada mais lhe interessava. Por assim dizer, ele *se dissolvia* no Evangelho. Ele se fundiu com o Evangelho. Cooperar com ele era cooperar com o Evangelho.

Quando os crentes de Filipos enviaram uma oferta para o apóstolo Paulo, receberam esta promessa: *"o meu Deus... suprirá todas as vossas necessidades em glória.."*.

É um grande privilégio cooperar com quem está trabalhando em prol do Reino de Deus. Uma palavra de incentivo, uma oração intercessória, uma oferta de amor são coisas tão simples e que ajudam tanto. E têm recompensa certa. Você tem cooperado com a difusão do Evangelho?

É bom estar perto das pessoas que exalam a bênção de Deus. É bom nos envolver com elas. A principal bênção que elas exalam é o próprio evangelho. Receber o evangelho é receber a maior de todas as bênçãos. Você já o recebeu?

É bom ser uma pessoa que exala as bênçãos de Deus. Qualquer um pode ser. O primeiro passo é receber o Evangelho. À medida em que nos comprometermos com a difusão da Palavra de Deus estaremos sendo aperfeiçoados como fontes de bênçãos para com os nossos semelhantes. Que sua vida seja assim, meu caro leitor. Amém!

27 de julho

Em Deus tenho posto a minha confiança; não temerei o que me possa fazer o homem.
Salmos 56.11

O pneu furou numa estrada deserta. *"Tudo bem, é só colocar o pneu estepe e viajar até à próxima borracharia"*, pensava o condutor enquanto arregaçava as mangas da camisa e ia executando os procedimentos de praxe. Mas ele ficou vermelho de raiva quando percebeu que o macaco, ferramenta indispensável naquele momento, estava quebrado. E agora? Que fazer já que não passa ninguém a quem se possa pedir um macaco emprestado? Caminhar até aquela fazenda, lá longe. Por certo eles terão a ferramenta para emprestar.

Enquanto caminhava, o homem ia pensando. *"Pode ser que o dono da fazenda seja uma boa pessoa. Mas pode ser que não seja. E se ele for daqueles sujeitos mal-humorados? Pior ainda se ele estiver descansando quando eu chegar. Aí ele já vem atender com toda a má vontade. Eu pergunto se ele tem um macaco para me emprestar e ele me pergunta se eu não sei que o macaco é um equipamento obrigatório em qualquer veículo. Eu respondo que sei, mas não podia imaginar que o meu não estava funcionando. Ele vai me perguntar por que eu sou tão idiota a ponto de sair para uma estrada deserta sem testar o macaco"*. Absorto em seus pensamentos, o homem nem notou que já havia chegado à fazenda. De repente, ele já estava frente a frente com o dono da fazenda. *"Fique com o seu macaco, imbecil. Eu tenho como me arranjar sem você"*, disse o homem que vinha chegando. Virou as costas e saiu correndo.

Preocupar-se com o mal que o homem pode fazer não é um bom exercício. Causa tristeza. Causa irritação. Causa medo.

É bom pensar no que Deus pode fazer. Deus pode colocar gente boa no nosso caminho. Pode trazer para o nosso lado pessoas leais, pessoas prestativas.

Davi, o autor do Salmo 56, passou por uma experiência muito interessante e que tem a ver com o que estamos dizendo. Está registrada em I Crônicas 12.16-18: "Também vieram alguns dos filhos de Benjamim e de Judá a Davi, ao lugar forte. E Davi lhes saiu ao encontro e lhes falou dizendo: Se vós vindes a mim pacificamente e para me ajudar, o meu coração se unirá convosco; porém se é para me entregardes aos meus inimigos sem que haja deslealdade nas minhas mãos, o Deus de nossos pais o veja e o repreenda. Então entrou o espírito em Amasai, chefe de trinta, e disse: Nós somos teus, ó Davi! E contigo estamos, ó filho de Jessé! Paz, paz seja contigo! E paz com quem te ajuda! Pois que teu Deus te ajuda".

É bom pensar no que Deus pode fazer. Ele pode fazer com que os inimigos se reconciliem conosco. Labão, que perseguia Jacó com intenção de fazer-lhe mal, acabou fazendo uma aliança com ele (Gênesis, capítulo 31). O próprio Esaú, que havia jurado matar Jacó, foi ao encontro dele, lançou-se ao seu pescoço, beijou-o e chorou com ele (Gênesis 33.4).

É bom pensar no que Deus pode fazer. Ele pode destruir todo o mal que lançarem contra nós. E pode fazer mais: transformar o mal em bem. Quem põe sua confiança em Deus não tem medo do que lhe pode fazer o homem. Amém.

28 de julho

Uma coisa disse Deus, duas vezes a ouvi: que o poder pertence a Deus.
Salmos 62.11

Certo homem que se declarava ateu resolveu desafiar o próprio Deus. "Se tu existes mesmo, fulmina-me com um raio. Vamos, mostra que tu és o Poderoso de quem falam e faze com que a terra me engula". E assim prosseguia o homem em suas blasfêmias. Entre uma proposta e outra, ele esfregava o nariz. Sentia uma coceirinha que ia se intensificando cada vez mais. O local que ele coçava ia se tornando cada vez mais vermelho e depois ficou de cor escura. Nenhum raio caiu. Não houve terremoto. Nenhum leão veio devorar o homem. Mas ele parou de blasfemar e morreu de gangrena provocada pela picada de um minúsculo mosquito.

Deus é um ser que fala. Foi Ele quem fez a boca do homem e nos deu o dom da comunicação. Deus fala e fala de muitas maneiras. Deus se comunica conosco até quando faz silêncio.

Em tudo o que Deus falou e fala há uma mensagem central: Ele tem poder. O poder pertence a Ele. Ele tem o poder para governar o Céu, a Terra, o Universo e tudo o que existe. Tem poder sobre os anjos, sobre os demônios, sobre os homens, sobre todos os seres vivos e sobre os inanimados. Tem poder para dar vida, para curar, para matar e para ressuscitar. Poder para exaltar e para humilhar. Para pôr e para depôr. Para criar, até a partir do nada, e para destruir sem deixar vestígios.

Que importa o que dizem os demônios? Que importa o que diz a falsa ciência? Que importa o que diz o enganoso coração do homem? Deus disse e está dito: O poder pertence a Deus.

Eu ouvi Deus falar. Eu o ouvi através da Bíblia. Ouvi Deus falar através de homens e mulheres inspirados pelo Espírito Santo. Ouvi Deus falar no silêncio da madrugada e no burburinho do meio-dia. Eu o ouvi no suave soprar da brisa no vale e no estrondar das ondas do mar sobre as rochas. Eu ouvi Deus falar através dos seres microscópicos e através das imensas baleias. Eu ouvi a voz de Deus no resplendor do firmamento, na vitalidade das plantas e na severidade dos desertos. Deus falou comigo através das circunstâncias, usando as portas que estavam abertas e também as que estavam fechadas. Deus falou no céu e sua mensagem ecoou no mundo físico, na história e nas circunstâncias que me cercam. Uma vez disse Deus, duas vezes a ouvi: Que o poder pertence a Deus.

Como é bom ouvir isso! Deus tem o poder. Ele tem o controle. Ele tem o comando. É bom saber isso. Traz segurança. Traz paz.

Ouça você que se sente ameaçado por alguém que se julga poderoso: O poder pertence a Deus. Você que ouviu uma voz de desengano, disseram que para o seu caso não há solução. Ouça agora a voz que merece confiança: o poder pertence a Deus. Você que não consegue ser o que gostaria de ser. Desista de lutar com suas próprias forças. Deixe Deus operar em sua vida. O poder pertence a Deus. Amém.

29 de julho

Dando graças ao Pai, que nos fez idôneos para participar da herança dos santos na luz.
Colossenses 1.12

Um evangelista, amigo meu, contou-me que viveu o episódio que passo a descrever. Ele e alguns companheiros, ocasionalmente, passavam por um lugar de culto, muito famoso, localizado no Nordeste do nosso país. Lá estavam pessoas religiosas em atitude de profunda reverência. Repentinamente, um companheiro seu bateu palmas chamando a atenção de todos. Em seguida, perguntou às pessoas que, àquela altura estavam olhando para ele: *"Vocês gostariam de ouvir S. Francisco das Chagas falar-lhes? Bem, se for possível, gostaríamos sim"*, responderam. *"Pois então, prestem muita atenção. Este senhor que me acompanha se chama Francisco das Chagas e assevero-lhes que é um autêntico santo. Ouçam-no e verifiquem se não estou falando a verdade"*. Apanhado de surpresa, meu amigo, que realmente se chamava Francisco das Chagas, teve que fazer uma pregação improvisada na qual falou sobre a obra santificadora de Deus em nós.

Deus, o Pai, santifica homens e mulheres pecadores. Se alguém ficar surpreso com isso, eu lhe darei razão. Realmente não é pouca coisa.

Nenhum ser humano nasce santo. Pelo contrário, nascemos pecadores. Alguém já disse: *"O homem não é pecador porque peca. Ele peca porque é pecador"*. O salmista escreveu: "Eis que em iniqüidade fui formado e em pecado me concebeu minha mãe" (Sl 51.5). Também está escrito: "Todos pecaram e destituídos estão da Glória de Deus" (Rm 3.23). No entanto, Deus preparou um meio de nos libertar e nos purificar dos pecados. Esse meio é Jesus. A Bíblia diz, em Romanos 6.23: "O salário do pecado é a morte, mas o dom gratuito de Deus é a vida eterna por Cristo Jesus nosso Senhor". Jesus é o Filho Unigênito de Deus que se fez homem, morreu na cruz pelos nossos pecados e ressuscitou para nossa justificação. Através dessa obra maravilhosa é que somos santificados.

Ao falar da vida eterna que temos em Cristo, a Bíblia não está se referindo apenas à duração da vida que ele nos dá. Está também fazendo referência à qualidade dessa vida. Vida eterna é vida feliz para sempre.

Antes de começar a santificar os seres humanos, Deus já havia preparado os meios para fazê-lo. E havia também preparado as bênçãos para quem viesse a ser santificado. Isso é o que se chama de *"Herança dos Santos"*. Estava tudo prontinho. Só que nós nunca poderíamos, por nós mesmos, alcançar essa herança. Ninguém poderia. Mas Deus nos capacitou. Exclusivamente por sua misericórdia. Por sua graça, tal como está escrito: "Pela graça sois salvos, por meio da fé; e isso não vem de vós: é dom de Deus" (Ef 2.8). O Pai nos fez idôneos para participar da herança dos santos. Graças a Deus!

Quando alguém se torna participante da grande herança, os holofotes de Deus são focalizados nele. Só se recebe a herança dos santos na luz. E essa luz, a luz da glória de Deus, permanece sobre cada herdeiro. Santo de Deus não vive no escuro. Jamais.

Amém.

30 de julho

O teu Deus ordenou a tua força; confirma, ó Deus,
o que já realizaste por nós.
Salmos 68.28

Vamos filmar o Salmo 68. Cena 1: O cenário é o céu. Aí está Deus, Pai de órfãos e juiz de viúvas. Expedindo ordens para que o solitário viva em família e para que sejam libertos aqueles que estão presos em grilhões. Um poder tremendo emana do seu trono, dispersando seus inimigos, fazendo-os derreter como cera diante do fogo.

Agora vamos filmar a Cena número 2. Desçamos à Terra. Posicionemos as câmeras voltadas para o passado. Sim, esta cena se desenrola no passado. Atenção! Luz, câmera, ação! É Deus marchando à frente do seu povo. Terra tremendo, montes saltando, reis dos exércitos fugindo. O povo de Deus seguindo mansamente atrás, como um rebanho. Chuva caindo, o povo sendo confortado, alimentado e protegido por Deus.

Vamos filmar o presente agora. Ele está descrito nos versos 4, 19, 26, 34 e 35. É o povo louvando a Deus. Gente cantando, gente dando graças, congregações reunidas para adorar ao Senhor, servos de Deus sendo fortalecidos e capacitados para realizar os projetos de Deus.

Bem, as cenas do futuro, que ainda não gravamos, são também muito lindas. Elas estão descritas nos versos 21 a 24 e de 29 a 31. Lendo o script, sabemos que são cenas fortes. Os inimigos de Deus serão destruídos definitivamente. O povo de Deus prosperará. O reino de Deus encherá a terra. Nós estaremos lá, tomando parte de tudo. *"Epa, nós estaremos lá?*

Nós quem?" Nós, você e eu. Não se esqueça de que as cenas se referem ao futuro e de que nós já fazemos parte do povo de Deus. E olhe a promessa: "O teu Deus ordenou a tua força". Ele colocou você no filme.

Será que as cenas do futuro realmente serão filmadas? Será que elas realmente se tornarão realidade? A resposta está no nosso verso de hoje, o de número 28.

O Deus que aparece no início do filme é o que garante o futuro. Aquilo que Ele fez no passado pode fazer outra vez. Se você quiser, passe na tela a cena 1 que já filmamos. Olhe aí a confirmação do que Deus vai fazer.

Deus "chama as coisas que não são como se já fossem" (Rm 4.17). Isso me faz lembrar um episódio ocorrido com um grande escultor. Ao ver uma pedra bruta, sem forma definida, exclamou: "Que lindo anjo!" As pessoas pensaram que ele estava ficando louco. Ele, então, tomou aquela pedra e fez dela, com sua habilidade artística, a escultura de um lindo anjo.

Quem tem a habilidade de um sábio escultor, pode olhar para uma pedra bruta e já antever nela a forma de um anjo.

Quem tem a máxima autoridade sobre tudo e sobre todos pode olhar para você e para mim e ver o que ele quiser. "Bom dia, herói do meu filme", diz Ele olhando para você. Ele conhece muito bem o herói, o vencedor que você será, porque foi Ele mesmo que escreveu as cenas. E Ele tem poder para confirmar o que, desde a eternidade, já realizou por você e por mim. Glória a Ele, ao nosso maravilhoso Deus, para sempre. Amém.

31 de julho

Não temerás espanto noturno, nem seta que voe de dia, nem peste que ande na escuridão, nem mortandade que assole ao meio-dia.
Salmos 91.5,6

Como faz bem receber palavras de encorajamento! Elas são o melhor antídoto contra o bombardeio de informações ruins que nos atinge continuamente hoje em dia, provocando tristeza, preocupações e medo. Palavras desanimadoras abatem. Palavras depreciativas arrasam. Palavras de apreço edificam.

Em nenhum outro livro, em nenhum outro lugar, vamos encontrar palavras de ânimo em maior número ou com mais poder do que na Bíblia Sagrada. Livro bendito!

A Bíblia fala de segurança. A Bíblia promete segurança. A Bíblia provê segurança.

No Salmo 91 encontramos o cerne de todas as promessas de segurança da Bíblia. Existe expressão que traduza mais segurança do que "descansar à sombra do Onipotente"? Existe algo mais sublime do que imaginar-se coberto pelas "penas" de Deus? E que lugar seria mais seguro do que debaixo das asas do

Todo-Poderoso? Santo Espírito de Deus, só você poderia inspirar expressões tão maravilhosas!

O Salmo 91 é muito conhecido e amado pelos cristãos. Raros crentes seriam incapazes de citar, de cor, pelo menos o verso 1º: "Aquele que habita no esconderijo do Altíssimo, à sombra do Onipotente descansará". Infelizmente tem havido distorções graves no uso desta maravilhosa página sagrada. Por exemplo, eu ouvi falar de um assaltante que obrigou um crente a acompanhá-lo numa fuga, lendo o Salmo 91. Também sei de *videntes* que vendem pedaços de papel contendo partes deste Salmo para dar sorte! Aliás, isso não é novidade. O próprio Satanás citou o verso 11 do mesmo Salmo quando tentou a Jesus (Mt 4.6).

É bom ouvir o Salmo 91. É bom memorizá-lo. É bom lê-lo. É bom citá-lo. Mas nada disso terá valor se nossa vida não for coerente com sua mensagem. A primeira palavra do Salmo 91 é "aquele". As promessas do Salmo 91 são para "aquele". "Aquele" quem? Aquele que habita no esconderijo do Altíssimo, ou seja, aquele que tem comunhão com Deus. Veja bem: o verbo é habitar não é visitar. Não é ir lá de vez em quando. Até porque se você fica entrando no esconderijo e dele saindo, pode ser surpreendido pelo inimigo a qualquer hora.

O esconderijo é do Altíssimo, é de Deus. Para habitar lá, você precisa submeter-se às normas da casa. Precisa gostar do dono da casa. Precisa gostar dos hábitos dele. Mas quem conhece ao Senhor sabe que Ele é uma pessoa maravilhosa. Sua presença faz com que o esconderijo, além de seguro, seja um ambiente muito agradável.

No esconderijo do Altíssimo há proteção contra os perigos da noite (espanto noturno) e contra os do dia (seta que voe de dia). Há proteção contra males visíveis (seta) e invisíveis (peste). Há proteção contra males que agem na área espiritual (espanto) e na área física (seta).

Há quem despreze a proteção divina, seja por ignorância, seja por arrogância. Vive assustado. Vive amedrontado. Vive inseguro. Não seja um destes. Seja como aquele. "Aquele que habita no esconderijo do Altíssimo. Amém".

1º de agosto

Arraigados e edificados nele e confirmados na fé, assim como fostes ensinados, crescendo em ação de graças.
Colossenses 2.7

Eis aqui uma boa definição do que pode ser uma pessoa feliz: alguém grato.

Uma pessoa grata é feliz porque reconhece o valor daquilo que recebe, por mais simples que seja a dádiva. Vê a beleza das coisas, acha utilidade, sente o sabor e desfruta o aroma. Por isso, é feliz.

Uma pessoa grata é feliz porque reconhece o valor da solidariedade. Ela não se sente dona do mundo nem das pessoas. Sabe que aqueles que a ajudam o fazem por amor, bondade ou até mesmo piedade. Vê que em cada presente que recebe está um pedaço do coração de quem doou. Alegra-se quando recebe ou mesmo quando simplesmente vê gestos de amizade, fraternidade e caridade. Por isso, é feliz.

Uma pessoa grata é feliz porque a gratidão é um sentimento bom, gostoso, saudável. Tal sentimento ocupa o seu coração e não deixa espaço para aqueles que são ruins. Ela sorri, canta, ama, elogia, incentiva. E é feliz por isso.

Uma pessoa grata é feliz porque se sente sempre devedora. Sempre mais predisposta a dar do que a receber, a servir do que a ser servida. E para servir melhor está sempre ocupada em aprender, crescer, superar-se. Sente-se útil. E é feliz por isso.

Jesus era uma pessoa grata. Deu graças pelos pães antes de multiplicá-los (Jo 6.11); deu graças ao Pai por haver-se revelado aos pequeninos (Mt 11.25); deu graças antes de ressuscitar Lázaro (Jo 11.41); deu graças ao instituir a Ceia (Lc 22.19). Jesus abençoava e encorajava sempre. Jamais ficou se maldizendo. Nem mesmo durante os terríveis sofrimentos da crucificação. Ele é o nosso exemplo, e é nEle que devemos nos fundamentar, criar raízes, ser arraigados.

Já viu como é uma árvore que tem raízes profundas? Quando sopra o temporal, ela não é arrancada. O vento pode dobrá-la, arrancar suas folhas e até alguns dos seus galhos, mas não pode matá-la. Passada a ventania, a árvore se refaz rapidamente. Assim é aquele que está arraigado em Jesus, o produtor da seiva da gratidão e da felicidade.

Quem está verdadeiramente arraigado em Jesus já é grato por isso mesmo. Sabe que esta é a maior bênção que alguém pode ter. É o suficiente para louvarmos a Deus o tempo todo, sermos gratos e, portanto, felizes. Amém.

2 de agosto

Multiplicando-se dentro de mim os meus cuidados, as tuas consolações reanimaram a minha alma.
Salmos 94.19

Grupo Escolar Hélio Veloso. Este era o nome da escola onde estudei da segunda à quarta série do ensino fundamental. Os alunos chegavam e ficavam em fila, por ordem de altura, na frente da sala. Normalmente, eu era o segundo da fila. A diretora, Dona Zedite, ia liberando as turmas aos poucos para entrar em sala. Entrávamos e permanecíamos de pé até que a professora chegasse e nos mandasse sentar.

Mente de criança é muito irrequieta. Sente dificuldade em concentrar-se durante muito tempo na mesma coisa. Até que no começo da aula não era muito difícil porque a *cabeça ainda estava fresquinha*. Mas o tempo ia passando e a mente, cansando. Passada a primeira hora de aula, a situação ficava quase insuportável. De repente, no auge do cansaço mental, a sineta da escola tocava. Que maravilha! Era a hora do recreio. Sinal de que já podíamos ir para o pátio, brincar, correr, descansar a mente.

Hoje, como adulto, continuo entrando em salas de aula. Não mais para aprender geografia, história ou aritmética, mas para aprender a viver. Cada dia é uma nova aula. Há aulas que duram vários dias, meses, e até anos. Às vezes, tenho de participar de várias aulas simultaneamente. Tenho de entrar em muitas filas nas quais, em geral, ocupo uma das últimas posições.

Há lições que são muito difíceis. As lições da vida mexem com os meus sentimentos. Assim, não apenas a minha mente, mas também a minha alma vai se cansando. Dentro de mim, uma matemática perversa vai se desenvolvendo: é a multiplicação das preocupações. A situação vai ficando quase insuportável. No entanto, de súbito, uma campainha toca. Ela é suave. Seu som é agradabilíssimo. É a voz de meu querido amigo, o Espírito Santo. Ele é o Consolador, que tem acesso à minha alma. Ele lembra que o Pai celestial tem o controle de toda situação. Sim, Ele tem todo o poder e não vai deixar que nada me faça mal. O Espírito Santo derrama o seu bálsamo sobre as feridas de minha alma, dando-me alívio e bem-estar.

É hora do recreio, diz o Espírito Santo. É hora de esquecer as preocupações. O momento agora é para regozijar-se no Senhor, cantar, desfrutar de todas as provisões que há na salvação em Cristo Jesus. Vamos comer a porção especial da Palavra que foi preparada para o dia de hoje. Veja qual é a promessa de Deus para a sua vida.

Vamos desfrutar da comunhão uns com os outros, e juntos cultuarmos ao Senhor. Estamos no momento de refrigério para a alma. Amém!

3 de agosto

É ele que perdoa todas as tuas iniqüidades e sara todas as tuas enfermidades.
Salmos 103.3

O Salmo 103 é o salmo da gratidão. Como gratidão é algo relacionado com a alma, ele também é o salmo da alma. Este é o início desta linda porção bíblica: "Bendize, ó minha alma, ao Senhor, e tudo o que há em mim bendiga o seu santo nome. Bendize, ó minha alma, ao Senhor, e não te esqueças de nenhum de seus benefícios" (vv. 1,2).

"Não te esqueças..." Há certos esquecimentos que são fatais. Antes de atravessar uma rua movimentada, não se pode esquecer de olhar para os dois lados. Muitos já morreram porque esqueceram de fazer isto. Esquecer de apagar o fogo, antes de sair de casa, põe em risco a vida e o patrimônio de muitas pessoas.

Esquecer os benefícios que o Senhor nos tem feito também é muito perigoso. A pessoa que se esquece dos favores do Senhor fica com a sensação de que Deus não a ama. *Deus não tem me abençoado; então, Ele não me ama*, pensa o esquecido. *Se Ele não me ama, estou abandonado e, se estou abandonado por Deus, estou perdido*, é a conclusão a que ele chega. Então, vem o medo, a revolta... Satanás, vendo a pessoa assim, não perde a oportunidade. Encarrega-se de influenciar a mente da vítima com pensamentos negativos. Por isso, muitos são atingidos de tal forma na alma que acabam adoecendo.

Doenças da alma refletem-se no corpo. Da preocupação vem a insônia; da insônia, as doenças nervosas. Do medo vem o estresse; do estresse, as doenças cardíacas.

Doenças do corpo podem agravar as da alma. Por exemplo, um corpo debilitado acarreta mau desempenho profissional. Daí pode vir o medo do desemprego ou a própria perda do emprego. Novas tensões surgem e a alma fica mais enferma. Então, cria-se um terrível círculo vicioso. Como quebrar esse maldito círculo?

Ouça: Deus é bom; é misericordioso. Ele está pronto a perdoar todas as suas faltas, inclusive as ingratidões. Jesus, ao morrer na cruz, já pagou o preço do seu perdão. Arrependa-se. Recorra à misericórdia do Senhor. A obra realizada no Calvário será creditada em seu favor e você será completamente absolvido de suas culpas.

Uma vez purificada, sua alma será curada. A saúde dela se refletirá em seu corpo. Liberto e curado, louve ao Senhor. O que está sendo ministrado a você agora, ministre a outras pessoas. Bendiga com sua alma ao Senhor, e não se esqueça de nenhum dos seus benefícios. Amém.

4 de agosto

Porque já estais mortos, e a vossa vida está escondida com Cristo em Deus.
Colossenses 3.3

Mais uma história de onça. Um homem, tendo se encontrado com uma no meio do mato, fingiu estar morto. A onça chegou, deu-lhe umas *cheiradas*, mordeu o colarinho de sua camisa, jogou-o nas costas e começou a caminhar. Àquela altura, o cidadão não precisava mais fingir: estava praticamente morto, mas era de medo. Já acostumado com o peso, o animal começou a correr. Quando teve coragem de abrir os olhos, viu que a onça estava indo, velozmente, em direção a uma imensa moita de espinhos. Então, desesperado ele gritou: *Por aí não, bicha!* Tomada de surpresa, a onça largou o homem no chão e desapareceu.

Afinal, passar-se por morto tem as suas vantagens.

Todo cristão está morto e, ao mesmo tempo, vivo. Desfruta das vantagens de estar morto sem deixar de estar vivo. Mas quais são essas vantagens?

Primeiro: quem está morto não tem medo da morte. O máximo que lhe poderia acontecer seria morrer, porém, de qualquer forma, ele já morreu. O apóstolo Paulo, certa vez, passou por uma situação de grande perigo. E o que fez? A resposta está em 2 Coríntios 1.9: "Mas já em nós mesmos tínhamos a sentença de morte, para que não confiássemos em nós, mas em Deus, que ressuscita os mortos".

Segundo: quem está morto não tem apego a nada. Afinal, morto não é dono de nada, por isso não tem o que perder. Não tem preocupação. Não sofre.

No entanto, engana-se quem pensa que a vida acabou para nós. Nossa vida simplesmente está guardada. E veja onde: "com Cristo em Deus". Ninguém está tão vivo como nós, e tem a vida tão protegida quanto nós. Para nos atingir, alguém teria que primeiro arrancar Cristo de Deus e depois nos arrancar de Cristo. É simplesmente impossível.

Deus é o manancial da vida. Jesus é a própria vida. E estamos inseridos neles! Ou melhor: estamos mergulhados na fonte da vida. Logo, fica comprovado que a vida que temos é inesgotável e da mais alta qualidade.

Para o mundo, estamos mortos. Nada nos atrai nele. Não lamentamos a perda de nada dele, pois não temos compromisso com o mundo. Ele não pode contar conosco. Estamos mortos.

Para Deus, estamos vivos. Ele se comunica conosco, e também nos comunicamos com Ele. O que temos e o que somos pertencem ao Senhor. E, da mesma forma, o que Ele tem é nosso.

Jesus nos diz, em Mateus 10.39: "Quem achar a sua vida perdê-la-á; e quem perder a sua vida por amor de mim achá-la-á". Amém.

5 de agosto

E clamaram ao Senhor na sua angústia, e ele os livrou das suas necessidades.
Salmos 107.6

Os versos 6, 13 e 19 do salmo citado acima contêm, praticamente, as mesmas palavras. Eles mostram o povo de Israel clamando e o Senhor dando livramento. Falam de angústia, necessidades e livramento.

No versículo 6, as angústias e necessidades são provocadas por circunstâncias normais desta vida, às quais até os servos de Deus estão sujeitos. O importante é que eles clamaram e o socorro divino chegou. Então, o salmista, nos versos 8, 15, 21 e 31, nos convida a louvar ao Senhor pela sua bondade.

As angústias e necessidades mencionadas nos versículos 13 e 19 foram provocadas pelos pecados do povo de Deus. Israel pecou, o castigo chegou e, com ele, as angústias e necessidades. Reconhecendo o seu erro, Israel clamou a Deus e o Senhor teve misericórdia. O livramento veio, as provisões chegaram e o povo louvou ao Todo-Poderoso.

O versículo 28 se parece muito com os versos 6, 13 e 19. No entanto, os verbos estão no presente: "Então, clamam ao Senhor na sua tribulação, e ele os livra das suas angústias". O escritor está falando das experiências que cada um de nós, muitas vezes, enfrenta.

Em linguagem figurada, o salmista fala dos que "descem ao mar em navios, mercando nas grandes águas" (v. 23). Esta vida é como uma viagem em alto mar. Há fases em que tudo vai bem. O mar está tranqüilo, há bonança. Entretanto, há também períodos de tempestade, o mar está revolto. O escritor afirma que Deus "...manda, e se levanta o vento tempestuoso" (v. 25). Por que Deus faz isso?

Bem, no mar as tempestades são comuns. Quem navega por ele deve considerar as tempestades, e se preparar para enfrentá-las. Assim é a vida. Quem vem a este mundo deve preparar-se para enfrentar fases de dificuldades e angústias. Elas existem para os justos e injustos. A diferença é que os justos clamam e o Senhor se levanta para os socorrer: "Faz cessar a tormenta, e acalmam-se as ondas" (v. 29).

Há tempestades que o Senhor envia por causa da rebeldia e arrogância de certas pessoas. Foi o que aconteceu no episódio que envolveu Jonas. Deus enviou a tempestade porque aquele profeta estava no navio tentando fugir da presença do Senhor. Os marinheiros fizeram de tudo, tentando salvar a vida de Jonas, mas não teve jeito. O mar se acalmou somente quando eles fizeram o que precisavam fazer, começando com uma oração a Deus.

Às vezes, em virtude de nossa rebeldia, uma tempestade se abate com veemência sobre nós, a ponto de andarmos e cambalearmos como ébrios, como diz o versículo 27. Nossa sabedoria se esvai. Não somos capazes de escapar por nossos próprios recursos. Então, recorremos à misericórdia do Senhor. Ele nos perdoa e nos socorre. Devemos louvar ao Senhor pela sua bondade e pelas suas maravilhas para com os filhos dos homens. Amém.

6 de agosto

Em Deus faremos proezas, pois ele calcará aos pés os nossos inimigos.
Salmos 108.13

Um ateu perguntou a um crente: *Seu Deus pode criar uma pedra tão pesada que Ele próprio não possa transportar?* A armadilha era evidente. Se o irmão dissesse que Deus não poderia criar tal pedra, estaria admitindo que Ele não seria Todo-Poderoso. Se, por outro lado, a resposta fosse positiva, então, havendo uma pedra que Deus não pudesse transportar estaria comprovada a falta de onipotência em Deus. Então, o servo do Senhor respondeu: *Deus faz tudo o que lhe apraz.* Em outras palavras: Deus pode fazer tudo o que quer, mas não quer fazer tudo o que pode.

No uso de suas atribuições como ser Todo-Poderoso, Deus coloca limites a si próprio. Por exemplo: quando decidiu criar o homem dotado de livre-arbítrio, Deus impôs a si mesmo não obrigar o ser humano a obedecer-lhe. Ele não pôde impedir o primeiro casal de pecar. Poderia, se quisesse, mas abriu mão desse poder antes de criar o homem.

Após a queda do homem, o Senhor proveu, através de Jesus, o meio de salvá-lo. No entanto, Deus não salva ninguém que não queira ser salvo.

Outra coisa que Deus não pode fazer porque não quer: realizar, na vida de um de seus filhos, aquilo que ele não quer que seja realizado. O Senhor faz na minha vida apenas o que quero que Ele faça, pois Deus irá até onde eu permitir. É claro que, sendo meu Pai, Ele conversa comigo. Argumenta. Trabalha para convencer-me a fazer aquilo que Ele sabe que é bom para mim.

Às vezes, o Senhor quer operar algo grandioso através de minha vida, porém me oponho porque me acho incapaz. Meu medo de fracassar bloqueia a ação divina. Não esqueça de levar em consideração o fato de o Adversário não querer que o poder de Deus se manifeste em mim. Sabendo que, se eu me acovardar a ação divina estará bloqueada, esse Inimigo faz de tudo para me amedrontar. Deus me encoraja de um lado e Satanás tenta me desencorajar do outro.

Isto acontece com você também. Contudo, ouça a voz do seu Pai celestial; Ele lhe garante que a capacidade que você tem é muito maior do que imagina. Você tem um potencial, que no passado estava imobilizado por causa do pecado. Quando você se submeteu ao senhorio de Cristo, todo o potencial foi liberado. Tem mais: quando você está a serviço do Senhor, quem vai administrar os recursos que estão dentro de você é o próprio Deus.

Renda-se ao Senhor, e permita que os propósitos que Ele tem para a sua vida se realizem. Deixe o Senhor assumir o controle de tudo. Através de você Ele vai fazer proezas. O Inimigo vai ficar envergonhado.

Agora, atenção: Deus opera por seu intermédio. Sua inteligência, sua força física, todas as suas faculdades estarão trabalhando. Porém, tudo estará a serviço do Senhor. Assim você poderá dizer: em Deus farei proezas. Amém.

7 de agosto

E a paz de Deus, para a qual também fostes chamados em um corpo, domine em vossos corações; e sede agradecidos.
Colossenses 3.15

Muitos homens são dominados por suas respectivas esposas. Contam até que alguém teve uma visão alusiva a este fato. Esse alguém teria visto do outro lado da vida uma fila enorme de homens diante de uma placa que dizia: *Estejam aqui os homens que na terra eram submissos às suas esposas.* Também havia uma placa que dizia: *Estejam aqui os homens que na terra mandavam em suas mulheres.* Diante desta só havia um senhor. A pessoa que teve a visão aproximou-se de tal herói e foi dar-lhe os parabéns. Não pôde dizer muita coisa porque o cidadão o interrompeu dizendo: *Não sei do que o senhor está falando. Estou aqui porque minha mulher ordenou.*

Todos nós, homens e mulheres, precisamos ser comandados por uma senhora. Refiro-me à *senhora paz* de Deus. Já ouviu falar dela? Então, deixe-me apresentar-lhe *Sua Majestade Imperial Paz de Deus.*

Estou usando linguagem figurada, claro. A palavra *paz* pertence ao gênero feminino. Permita-me atribuir-lhe a personalidade de uma mulher. Como ela deve reinar em nossos corações, vamos dar-lhe a função de rainha. *Rainha Paz de Deus!*

Ela é muito simples. Nem sequer anda acompanhada de seguranças. Quero dizer... anda, porém seus seguranças, os anjos de Deus, são invisíveis. Ela gosta de citar o verso 7 do Salmo 34: "O anjo do Senhor acampa-se ao redor dos que o temem, e os livra". A paz de Deus depende inteiramente da proteção dEle.

A *Soberana* quando se dirige aos homens, o faz com voz mansa, mas convincente. Nesse caso, ela trata com doçura e carinho. Como fez com o profeta Elias, no Monte Horebe (1 Re 19.12). Porém, quando tem de tratar com seus adversários, simplesmente troveja. Os inimigos se aquietam e ela reina soberana.

Apesar de todo o poder que tem, *Sua Majestade Imperial* governa apenas onde é convidada e lhe deixam atuar. Ela não conquista súditos pela força nem reparte seu domínio com mais ninguém. Quando convidada, se instala no coração e não reparte o espaço com nada que não provenha de Deus. Também não aceita conviver com o medo, a incredulidade, ou a dúvida. Se essas entidades insistem em ocupar o seu espaço, ela se afasta.

Nossa *Rainha* também é muito humilde. Se alguém que a desprezou um dia a chama de volta, ela vem sorrindo. Não guarda rancor. Na verdade, rancor e paz nunca andam juntos.

Uma observação: chamamos a *Paz de Deus* para governar nossos corações, mas ela só aceita o pedido de quem aceitou o convite do próprio Deus para fazer parte do corpo espiritual chamado Igreja de Jesus Cristo. Primeiro, aceitamos o convite de Deus. Então, poderemos convidar a *Paz* para reinar em nossos corações.

Nossa *Rainha* gosta muito da companhia dos bons sentimentos. Uma das companheiras a quem ela mais preza se chama *Gratidão*. A outra se chama *Fé*. Esta sempre chega primeiro, abre a porta e estende o tapete vermelho para que entre a *Paz*.

Com estas minhas singelas palavras, espero ter colaborado para que a *Fé*, a *Paz* e a *Gratidão* estejam confortavelmente instaladas em seu coração. Amém.

8 de agosto

*Não temerá maus rumores; o seu coração está firme,
confiando no Senhor.*
Salmos 112.7

Seu Antônio, acabei de ouvir que caiu um pedaço do telhado da casa de vocês na cabeça de sua esposa. Disseram que ela está muito mal. É melhor o senhor apanhar o próximo barco para o outro lado do rio, senão o senhor, talvez, não a veja com vida. Desesperado, o homem tenta apanhar o próximo barco, mas descobre que ele só vai sair dali a meia hora. Ele se lança no rio e começa a fazer a travessia a nado. Quando faltam poucos metros para concluir a travessia, começa a raciocinar: *Espere aí. Eu nunca fui casado. Portanto não tenho esposa. Não moro deste lado do rio e minha residência é um apartamento.* Aliviado, Roberto volta nadando, sem se dar conta de que era muito mais cômodo terminar a travessia e voltar de barco.

Quem tem um coração firme e confia no Senhor não teme maus rumores.

Primeiro, porque rumores geralmente são meros boatos. Não faz sentido confiar no Senhor e se deixar abalar por boatos.

No Salmo 112 há, no mínimo, doze promessas para os que confiam em Deus. Veja algumas delas: 1) sua descendência será poderosa; 2) fazenda e riquezas haverá na sua casa; 3) sua justiça permanece para sempre; 4) nascer-lhe-á luz nas trevas; 5) disporá as suas coisas com juízo. E há várias outras.

Em que vamos confiar: nos boatos ou nas promessas de Deus?

Outra razão porque não vamos dar ouvidos aos rumores é que, em geral, eles são maus. Dificilmente aparecerá um boato bom. O comum é as pessoas começarem essas conversas com: *Dizem as más línguas...* Más línguas não dizem coisas boas. O escritor sagrado pergunta: "Porventura, deita alguma fonte de um mesmo manancial água doce e água amargosa?" (Tg 3.11). Quem confia no Senhor não vai garimpar onde sabe que só sai o que é ruim. Não temos compromisso com o que é mau, mas, sim, com tudo o que há de bom.

A terceira razão porque não tememos maus rumores é esta: não tememos o mal real, muito menos o hipotético. A maldade existe. Coisas más acontecem, de fato. Contudo, o nosso Deus, a fonte do bem, é maior que qualquer mal. Ele é infinitamente mais poderoso que qualquer coisa. Deus está conosco. Ele trabalha em nosso favor. Não faz sentido temer o mal. Muitas vezes, nosso Pai celestial nem permite que o mal se levante contra nós. Outras vezes, permite que o mal se levante, todavia o destrói antes que nos atinja. Há também ocasiões em que Ele permite que o mal nos atinja, mas os malefícios são transformados em benefícios. Nada diferente do que foi dito até agora pode nos acontecer.

Quem confia no Senhor, como diz Salmos 112.6, nunca será abalado. Isso não é boato. Pode conferir em sua Bíblia. Amém.

9 de agosto

O seu coração, bem firmado, não temerá, até que ele veja cumprido o seu desejo sobre os seus inimigos.
Salmos 112.8

De que lado do corpo está o nosso coração? Do lado esquerdo? Errou! A Bíblia diz, em Eclesiastes 10.2, que o "coração do sábio está à sua mão direita, mas o coração do tolo está à esquerda". E agora? Será que algumas pessoas têm o coração do lado direito e outras do lado esquerdo? É exatamente isso; porém o que está em evidência não é a posição física do coração, e sim o grau de controle que temos sobre ele.

Normalmente, as pessoas trabalham melhor com a mão direita. Os canhotos são exceção. Então, a Bíblia está afirmando que as pessoas sábias exercem controle sobre o próprio coração. As que não têm sabedoria o deixam fazer o que quiser.

Enchemos o nosso coração do que queremos e isso afeta o nosso falar (Mt 12.34). Somos nós que determinamos se o coração estará voltado para as coisas do céu ou para os tesouros da terra (Mt 6.21). Cada um de nós determina se o coração vai ficar sendo jogado de uma parte a outra como uma folha seca sobre as ondas do mar ou se ficará firme como uma âncora.

Quando alguém leva um susto muito grande, costumamos dizer que seu *coração quase saiu pela boca*. É uma força de expressão e quer dizer que o coração batia muito forte, ficou completamente descontrolado. Mas essa expressão é mais profunda do que parece. Na verdade, quando conversamos muito sobre coisas que nos assustam, os perigos e as ameaças que existem ao nosso redor, enchemos o coração de medo e a tendência é que ele fique abalado. A conversa deixou o coração descontrolado, *quase saindo pela boca*.

Vi, certa vez, uma historinha em quadrinhos que mostrava duas crianças e uma casa: uma estava no telhado e a outra em baixo, na varanda.

—Você duvida que eu seja capaz de pular daqui de cima? — perguntou uma delas.

— Não. Isso é tão simples — respondeu a que estava embaixo.

— Simples, nada. Eu posso quebrar uma perna, ferir minha cabeça, até mesmo morrer.

O quadrinho seguinte mostra a criança que estava em cima da casa gritando: *Mamãe!* Seu coração havia saído pela boca.

Há algum tempo, um compositor popular fez uma música em que amaldiçoava o próprio coração. Só que esse homem esqueceu de dizer que ele mesmo era responsável por toda essa situação.

Se você também tem um coração assim, tire-o das ruas. Dê-lhe um abrigo. Faça-o refugiar-se e firmar-se em Deus.

Um dos grandes problemas de quem vive sem rumo, à toa, é que está sempre correndo riscos desnecessários. Há sempre alguém disposto a atacar os errantes na certeza de que ninguém se preocupará em defendê-los. O coração que está sem direção também sofre esse tipo de problema. Um dos seus maiores inimigos se chama medo.

No entanto, o coração que se firma em Deus vence o medo. O coração que é bem firmado vence o medo pelo cansaço. Permanece decidido até que veja o seu desejo de vitória sobre os seus inimigos cumprido. Amém.

10 de agosto

Sabendo, amados irmãos, que a vossa eleição é de Deus.
1 Tessalonicenses 1.4

Certo servo de Deus, muito bem-sucedido em seu ministério, foi convidado a assumir um alto cargo no governo de seu país. O problema é que, para assumir tal posição, ele teria de renunciar ao seu ministério. O irmão gentilmente recusou a oferta. Aos amigos explicou a razão da recusa: Não queria rebaixar-se.

É lógico que há muitos cargos públicos, e um cristão pode aceitar tal proposta sem renunciar à sua fé ou abandonar o trabalho que realiza em prol do crescimento do Reino de Deus. No entanto, nem sempre isso é possível. Porém, podemos ter certeza de uma coisa: não há nada neste mundo que compense a perda de nossa salvação. Seja lá qual for a oferta que nos fizerem, se aceitá-la implica perder a nossa comunhão com Deus, a resposta deverá ser NÃO. Cargo público de alta projeção, negócios de enorme lucratividade, grande acréscimo salarial, invejável conquista amorosa, aquisição de bens materiais, tudo isso é sem valor diante do prazer de estar em paz com Deus.

O mais interessante da comunhão que temos com o Senhor é que ela é resultado da iniciativa dEle. Éramos seus inimigos e estávamos perdidos. Deus nos amou sendo nós ainda pecadores, e proveu os meios para que fôssemos salvos. Pacientemente, o Senhor esperou que abríssemos o nosso coração para que Ele entrasse. Deus perdoou os nossos pecados, libertou-nos da escravidão, deu-nos vestes de justiça, escreveu nosso nome no Livro da Vida e deu-nos vida eterna.

Faz sentido desprezar a salvação que nosso Pai celestial nos deu? Em primeiro lugar, seria uma grande falta de consideração para com Ele. Se o Senhor nos dá um presente que lhe custou tão caro e nós o recusamos, certamente estaremos incorrendo em grande ofensa. Não. Nosso Pai não merece isso.

Em segundo lugar, desprezar a salvação que Deus nos dá é falta de inteligência. Se Ele é bom e poderoso, não irá nos oferecer algo de pouco valor; não nos faria uma oferta que qualquer um pudesse cobrir. Se você trocar algo que Deus lhe deu por algo que outra pessoa ofereceu, com toda a certeza se arrependerá. É só uma questão de tempo. Então, não seja tolo. Não deixe que o enganem.

Eu disse que a iniciativa de nos salvar foi do próprio Deus. No verso de hoje está escrito que Deus nos elegeu. Mas elegeu quem? Quem foi escolhido por Deus para ser salvo? Leia os textos bíblicos abaixo, e tire suas próprias conclusões:

"Deus amou o mundo de tal maneira que deu o seu Filho unigênito, para que todo aquele que nele crê não pereça, mas tenha a vida eterna" (Jo 3.16).

"Porque isto é bom e agradável diante de Deus, nosso Salvador, que quer que todos os homens se salvem e venham ao conhecimento da verdade" (1 Tm 2.3,4).

"Porque a graça de Deus se há manifestado, trazendo salvação a todos os homens" (Tt 2.11).

O problema é que, às vezes, Deus elege as pessoas para serem salvas, mas elas não tomam posse da salvação. Como aconteceu com uma pessoa que foi eleita para governar o Brasil, porém não tomou posse e nunca ocupou o cargo para o qual foi eleita.

Valorize a salvação que Deus nos dá gratuitamente. Se você já a recebeu, não a troque por nada deste mundo. Se não, receba-a agora mesmo. Deus elegeu você. Tome posse. Amém.

11 de agosto

Volta, minha alma, a teu repouso, pois o Senhor te fez bem.
Salmos 116.7

O que faz uma alma quando está descansando? Senta-se? Deita-se? Dorme? Não estou falando de alma desencarnada. Não estou falando de assombração. Estou falando da alma de alguém que, vivendo neste mundo, após atravessar um período de turbulência, encontra-se numa fase de bonança, de tranqüilidade.

A alma do autor do Salmo 116, estando em repouso, compôs uma linda canção. "Amo ao Senhor" (v. 1) são as palavras iniciais de seu louvor.

Uma alma em repouso louva ao Senhor. Aos pés de seu Amado Benfeitor, ela contempla sua grandeza e glória, e se inebria com seu amor. Então, começa a descrever o que está contemplando: "Piedoso é o Senhor e justo; o nosso Deus tem misericórdia. O Senhor guarda aos símplices... Preciosa é à vista do Senhor a morte dos seus santos" (vv. 5,6,15). Nosso Deus é misericordioso, protetor, amoroso e recompensador.

Uma alma em repouso recorda-se e proclama as bênçãos que tem recebido do Pai celestial: "... ele ouviu a minha voz e a minha súplica" (v. 1); "...inclinou para mim os seus ouvidos" (v. 2); "estava abatido, mas ele me livrou" (v. 6); "...tu, Senhor, livraste a minha alma da morte, os meus olhos das lágrimas e os meus pés da queda" (v. 8).

Uma alma em repouso faz propósitos e prepara-se para corresponder melhor à bondade de Deus. Está descansando, se preparando para uma nova etapa em sua vida de comunhão com o Senhor. Deseja servir ao Senhor: "Andarei perante a face do Senhor na terra dos viventes" (v. 9); "Tomarei o cálice da salvação e invocarei o nome do Senhor" (v. 13); "Pagarei os meus votos ao Senhor, agora, na presença de todo o seu povo" (v. 14); "Oferecer-te-ei sacrifícios de louvor e invocarei o nome do Senhor" (v. 17).

E uma alma que não está em repouso, pelo contrário, encontra-se lutando e sofrendo, o que faz? Deve se esforçar, mesmo no meio da aflição, para ler o Salmo 116. A primeira observação que você perceberá é que o salmista também teve seus momentos de lutas e aflições. Ele nos contou: "Cordéis da morte me cercaram, e angústias do inferno se apoderaram de mim; encontrei aperto e tristeza" (v. 3). Em seguida, verá que ele clamou ao Senhor: "Então invoquei o nome do Senhor..." Você também notará que o homem de Deus fez votos. Se ele promete pagá-los é porque os fez. E, finalmente, vai constatar que a vitória foi grande. Uma alegria tão grande só pode corresponder a uma grande vitória.

Seguindo a mesma receita do salmista, a alma que está em luta terá a mesma vitória. Ela entrará em repouso, louvará ao Senhor e pagará os seus votos. Também será inspiração para que os outros confiem no Senhor. Amém.

12 de agosto

O Senhor está comigo; não temerei o que me pode fazer o homem.
Salmos 118.6

Há muito mal que o homem pode fazer contra mim, mas ele não fará porque Deus não vai deixar. Ele pode porque tem capacidade para fazer, porém não pode porque Deus não dá permissão para que faça.

Há outros tipos de males que o homem pode fazer contra mim, e fará, todavia são pequenas coisas. Deus já me deu capacidade para recuperar-me rapidamente desses leves ferimentos. Por isso, não tenho medo desse mal que o homem pode me causar.

Fisicamente falando, qual é maior mal que o homem pode me fazer? Tirar-me a vida. Mas fazendo isso, o que ele apenas conseguirá fazer é apressar a minha ida para Casa. Então, esse mal se transforma em bênção. Minha maior esperança, o que aguardo com muita ansiedade, é estar com meu Salvador, sem as limitações deste corpo. Como diz o apóstolo Paulo: "Pelo que estamos sempre de bom ânimo, sabendo que, enquanto estamos no corpo, vivemos ausentes do Senhor. Mas temos confiança e desejamos, antes, deixar este corpo, para habitar com o Senhor" (2 Co 5.6,8).

Então, os pequenos males não me amedrontam nem aquilo que poderia ser o maior de todos os malefícios — a perda da vida física. E o que dizer dos males, digamos, intermediários? Por exemplo, ficar muito ferido? Parece que o maior problema está aí. Nós não vamos para o céu e ainda ficamos sofrendo muito aqui na terra. Posso temer esse tipo de mal? Não, não posso e vou explicar por quê.

Em primeiro lugar, não tenho medo do que me pode fazer o homem porque Deus nunca permitirá que ele me maltrate mais do que posso suportar. Uma das coisas mais importantes para Deus, a sua própria fidelidade, está empenhada nisto. A Bíblia diz: "Não veio sobre vós tentação, senão humana; mas fiel é Deus, que vos não deixa tentar acima do que podeis; antes, com a tentação dará também o escape, para que a possais suportar" (1 Co 10.13).

Em segundo lugar, nunca vou sofrer inutilmente. Qualquer que seja o meu sofrimento, ele me trará um resultado muito compensador. Deixe-me dizer-lhe qual é o maior fundamento de tudo isso: Deus está comigo. Quando me salvou, fez-me um membro de sua Igreja. Esta é o Corpo de Cristo na terra (1 Co 12.12,13). O que Deus quer eu quero. Os interesses dEle também são os meus. Se é para alcançar os nossos objetivos comuns, tudo bem. É uma honra sofrer por quem já sofreu por mim. Ele sofreu em função de um projeto que idealizou para a minha vida. Cristo não sofreu para perder ou levar prejuízo. O profeta disse: "O trabalho da sua alma ele verá e ficará satisfeito..." (Is 53.11) Participando do trabalho, participarei também dos resultados. Um dia, faremos as contas e diremos com toda a certeza: Valeu a pena! Amém.

13 de agosto

Regozijai-vos sempre.
1 Tessalonicenses 5.16

Todos os que conhecem a Bíblia sabem que os últimos versículos da Primeira Epístola aos Tessalonicenses formam uma das mais belas páginas sagradas. Quem os lê sem prestar muita atenção ao conjunto pensa que eles são uma coletânea de pensamentos independentes. Se assim fosse, não haveria nenhum problema. Cada verso tem a força de um discurso. Vejam só quanto o escritor disse com as três únicas palavras que compõem o verso transcrito acima.

O versículo-chave de hoje não é um pensamento isolado. Ele tem muito a ver com o verso que o antecede: "Vede que ninguém dê a outrem mal por mal, mas segui, sempre, o bem, tanto uns para com os outros como para com todos" (v. 15). Espere aí, regozijar-se está relacionado com sofrer maus-tratos dos outros e ainda não revidar? Pois é, parece que são pensamentos antagônicos, mas não são.

Quando alguém nos trata mal, temos a tendência de tratá-lo da mesma forma. Um ser humano normal fica irado quando não consegue fazer isso. Mas os cristãos não devem ser assim; eles estão acima do normal. Estamos neste mundo para fazer diferença. Se fosse para tudo continuar como estava antes, não haveria necessidade de Jesus vir a este mundo. O cristão é verdadeiramente um servo de Deus quando age diferente das outras pessoas.

Não somos obrigados a ser cristãos. Somos, porque queremos ser. Temos alegria em ser. Por isso, temos prazer em agir diferente das outras pessoas, inclusive quando nos tratam mal.

Vamos complicar mais um pouco as coisas. O apóstolo está ministrando a uma igreja cristã. Ele afirma que os crentes não devem retribuir mal "tanto uns para com os outros como para com todos", o que quer dizer é que deveriam estar preparados para receber injustiças dos próprios irmãos. E, ainda assim, regozijar-se sempre.

Primeira observação: é possível que cristãos sinceros, verdadeiros, façam mal a seus próprios irmãos? Infelizmente, sim. Somos imperfeitos. Todos estamos em um processo de aprendizagem, e ainda estamos crescendo. Podemos cometer erros, injustiças. E se é possível que cometamos injustiças, é possível que as soframos também. Nem por isso devemos perder nossa alegria de viver. Pelo contrário, devemos nos alegrar por saber que o próprio Deus, o Ser perfeito, ama pessoas tão falhas como nós.

Segunda observação: dá, mesmo, para ser maltratado por um irmão e ainda assim viver alegre? Alguém já disse: *Viver com os santos lá no céu será a glória. Suportá-los aqui na terra é outra história.* Bem, para falar a verdade, parece difícil. No entanto, ser cristão é seguir os ensinamentos de Cristo. E perdoar o irmão — note bem: o irmão — foi o que Ele nos mandou fazer. E como ele insistiu nisso! Em Mateus 18.21,22 está escrito: "Então, Pedro, aproximando-se dele, disse: Senhor, até quantas vezes pecará meu irmão contra mim e eu lhe perdoarei? Até sete? Jesus lhe disse: Não te digo que até sete, mas até setenta vezes sete". Devemos nos alegrar por saber que o sentimento de perdão atua verdadeiramente na Igreja de Cristo nos beneficiando.

Nada deve nos abalar, quer dizer: nada deve nos roubar a alegria. Se mesmo quando maltratados pelas pessoas a quem mais amamos, ou injustiçados pelas pessoas de quem mais esperamos justiça, não perdemos a alegria de viver, o que nos abaterá? Nada, certamente.

Agora, pense: Num ambiente em que as pessoas tratam bem até a quem lhes trata mal, imagina como é que elas tratam a quem lhes trata bem? Esse é um ambiente em que devemos ter prazer de viver. Amém.

14 de agosto

Este é o dia que fez o Senhor; regozijemo-nos e alegremo-nos nele.
Salmos 118.24

Como uma boa parte dos salmos, o de número 118 é profético. Ele fala da vinda do Messias. Jesus o aplicou em referência a si mesmo (Mt 21.42). Ao visualizar o cumprimento de antigas e novas promessas de Deus para o seu povo, o salmista sente-se como se já estivesse vivendo o tempo que, na verdade, ainda estava para vir. É maravilhoso ver o servo de Deus trazer o futuro para o presente e dizer: "Este é o dia..."

É bom notar que o escritor sacro começa falando de sua própria experiência com Deus. Eis alguns dos seus testemunhos: "Todas as nações me cercaram, mas no nome do Senhor as despedacei"; "O Senhor é a minha força e o meu cântico, porque ele me salvou"; "Não morrerei, mas viverei; e contarei as obras do Senhor" (vv. 10,14,17).

Falando do que Deus fez em sua vida e louvando-o por tais benefícios, o salmista é conduzido pelo Espírito de Deus para um contexto mais amplo — o âmbito daquilo que o Senhor planejava realizar em benefício de toda a humanidade —, e se sente parte de todas aquelas coisas.

De fato, quem vive com Deus vive em vitória. Temos lutas? Sim. Às vezes, nos encontramos como que cercados: "Cercaram-me e tornaram a cercar-me" (v. 11). Não falta quem queira acabar conosco: "Com força me impeliste para me fazeres cair" (v. 13). Porém, sempre triunfamos. Então, nos alegramos: "Nas tendas dos justos há voz de júbilo e de salvação" (v. 15). Por isso valorizamos cada dia de nossa vida. Para nós, cada dia representa novas oportunidades para lutar e vencer. Não existe, como diz o provérbio, *começar o dia com o pé esquerdo*. De cada dia dizemos: "Este é o dia que fez o Senhor..."

Vivemos intensamente o presente, mas sabemos que o melhor ainda está para vir. Por melhores que sejam as experiências de hoje, as de amanhã as superarão. Talvez não de acordo com critérios meramente humanos. No entanto, como diz uma canção: *Cada passo que dou na vida é um degrau a mais que subo ao céu*. Vivemos a alegria do dia de hoje porque ele é uma dádiva do nosso Deus. Contudo, já vivemos a alegria do amanhã, sabendo que ele será ainda melhor do que hoje. Lembre-se: Cada dia nosso é melhor que o anterior, e hoje parece que já é amanhã.

Louvando a Deus pelo dia de hoje, o salmista, com mil anos de antecedência, viu os dias de Jesus: "A pedra que os edificadores rejeitaram tornou-se cabeça de esquina" (v. 22). O servo de Deus integrou-se à obra redentora que é eterna. Colocou o futuro no passado: *Os edificadores rejeitaram... Deus a tornou cabeça de esquina*. E hoje? Estamos integrados ao céu. Ainda não subimos para lá, porém o céu já está dentro de nós. A vida que temos hoje é eterna. Não será interrompida com a morte do corpo.

Tudo o que fazemos hoje tem vínculo com a eternidade. Tudo o que fazemos está relacionado com o Reino de Deus, de maneira direta ou indireta. Ouça o que Jesus disse: "... o Reino de Deus está entre vós" (Lc 17.21).

Quando o salmista faz esse convite, com quem ele está falando? Com as pessoas de seu tempo, da época de Jesus e as de hoje — você e eu. Então, "regozijemo-nos e alegremo-nos" em Deus. Amém.

15 de agosto

Tu estás perto, ó Senhor, e todos os teus mandamentos são a verdade.
Salmos 119.151

Acróstico. Isto é o que é o Salmo 119. Este salmo está dividido em grupos compostos por oito versos cada. Na seqüência em que as letras do alfabeto hebraico aparecem (alef, bete, etc.) dão início a cada um desses grupos.

Belíssima obra de arte é este salmo, o maior capítulo da Bíblia. Sua forma original também facilita a memorização.

Cada versículo nomeia a Palavra de Deus de forma diferente. Caminhos do Senhor é uma delas.

Deus é bom e sábio. Aproveita as próprias palavras com que o louvam para ensinar aos seus servos como serem bem-sucedidos na vida. Povo sempre feliz, Deus sempre louvado.

"**E**scondi a tua palavra no meu coração, para eu não pecar contra ti", declara o servo de Deus no versículo 11.

"**F**izeste bem ao teu servo, Senhor, segundo a tua palavra" (v. 65), testemunha ele, mostrando que vale a pena ser fiel.

Gratidão é o que se vê, mesmo quando o servo de Deus tem lutas. "Foi-me bom ter sido afligido, para que aprendesse os teus estatutos" (v. 71).

Honrado, próspero é aquele que ama a Palavra de Deus. "Tenho mais entendimento do que todos os meus mestres, porque medito nos teus testemunhos", (v.99).

Insistentemente a Palavra nos chama a atenção para as suas próprias qualidades. É doce (v. 103), fiel (v. 138), vivificadora (v. 94).

Justa, como está descrita no verso 172. Ela é pura (v. 140), fundada para sempre (v. 152), imutável. Os que a amam têm paz (v. 165).

"**L**âmpada para os meus pés é a tua palavra e luz, para os meus caminhos" (v. 105). Talvez seja o versículo mais conhecido do Salmo 119. Quem tem essa luz não vive desorientado.

Mandamentos. Assim a Bíblia é chamada mais de 25 vezes nesta passagem. Mas como amamos a lei do Senhor (v. 97), obedecer-lhe não será um peso.

Nada se compara ao valor que a Palavra de Deus tem. Ela vale mais do que todas as riquezas (v. 14), inclusive ouro e prata (v. 72).

Odre no fumo. Que expressão curiosa! No verso 83 refere-se ao estado de alguém que se sente muito mal. Mesmo se achando assim, o salmista não se afastou de Deus.

Palavra de Deus. É assim que a Bíblia se auto-denomina por quase quarenta vezes aqui. Comprovadamente, ela o é.

Querida pelo salmista e por milhões de pessoas em toda a terra e de século em século, a Bíblia não pode ser um livro comum.

Retidão (v. 138). Perfeição (v. 96). Sabedoria (v. 98). Eis o que encontramos na Palavra de Deus. Conheça-a. Viva-a.

Segurança. Deus está perto (v. 151). Não se esqueceu de nós e não nos abandonou. A maior prova: milagrosamente a Palavra de Deus está entre nós. Realmente Deus nos ama.

Testemunhando o amor de Deus por todos os homens está a Bíblia hoje circulando entre vários países e etnias. Ela é o livro mais traduzido, mais vendido e mais lido no mundo.

Unidade em sua mensagem: mais uma singularidade da Bíblia. Escrita por mais de 40 pessoas, ao longo de dois milênios, ela não se contradiz e converge para uma única pessoa: Jesus Cristo.

Verdade é o que a Bíblia é (vv. 142,160). Todos devemos muito às Sagradas Escrituras. O que seria deste mundo sem ela? Os valores que podem fazer felizes e prósperos os povos estão contidos nela.

Xícaras de lágrimas já seria muito, mas o verso 136 fala de "rios de águas" que correm dos olhos daqueles que se afastam dos caminhos do Senhor. Tomemos para nós esta advertência.

Zelosos sejamos (v. 139), de forma que a Palavra de Deus, que está tão perto de nós, seja divulgada, conhecida e vivida. Assim seremos felizes, bem-aventurados (v. 1). Amém.

16 de agosto

Em tudo dai graças, porque esta é a vontade de Deus em Cristo Jesus para convosco.
1 Tessalonicenses 5.18

Meu pai pastoreou igrejas no interior durante muitos anos. Ele contava que um colega passou bastante tempo comendo mandioca de manhã, no almoço e no jantar. Não tinha outra coisa para comer. Quando não agüentava mais nem ver mandioca na sua frente, resolveu visitar uma família da igreja, por volta das onze horas da manhã, na esperança de que o convidassem para o almoço. Assim o fez e assim aconteceu. Mas, coitado, naquela casa também só havia mandioca. Mesa posta, o dono da casa pede:

— Pastor, dê graças pela comida, por favor.

— Senhor, eu te dou graças por esta encrenca, abençoa-a por misericórdia.

Esse mandamento de dar graças por tudo não é fácil. Eu li recentemente num livro, que não é para dar graças por tudo e sim em tudo. De fato, se fôssemos nos basear somente em 1 Tessalonicenses 5.18, esta dúvida, de fato, poderia surgir. No entanto, em Efésios 5.20, temos: "Dando sempre graças por tudo a nosso Deus e Pai, em nome de nosso Senhor Jesus Cristo". Devemos levar em consideração o contexto bíblico geral. Não tenha dúvida: por mais que nos contrarie, devemos dar graças a Deus em tudo e por tudo.

Dar graças a Deus por tudo significa reconhecer que nada em nossa vida acontece fora do controle de nosso Pai celestial. Nosso Senhor não dorme: "Eis que não tosquenejará nem dormirá o guarda de Israel" (Sl 121.4). Nada nos acontece por acaso. Nunca poderemos dizer que Deus não teve poder para impedir que algo nos acontecesse. Se o Criador me ama e permitiu isso, deve haver uma boa razão. Então, graças a Deus.

Dar graças a Deus por tudo significa reconhecer que há coisas que me parecem más e que, aos olhos de Deus, são boas. Vejo apenas o que está ao meu redor, o que está acontecendo agora. Todavia, meu Deus vê tudo; o passado, o presente e o futuro. Só Ele sabe o que é realmente bom para mim. Se só tem mandioca para comer é porque preciso comer mandioca.

Ouvi contar a história de uma missionária que passou um bom tempo sem receber o dinheiro referente ao seu sustento em pleno campo de trabalho. Para complicar ainda mais a situação, ela foi acometida, nessa mesma época, de um terrível mal no estômago. Precisando de uma alimentação melhor, tudo o que a missionária tinha para comer era uma papa feita de farinha e água. Por milagre ela não morreu, e ainda ficou curada. Assim que o dinheiro chegou, a missionária viajou para seu país de origem. Ao consultar um médico, esse lhe disse que, para o mal que sofreu, a melhor dieta era papa de farinha e água. Qualquer outro alimento lhe faria mal.

Dar graças a Deus por tudo significa reconhecer que Ele tem poder para restaurar-nos perfeitamente se algum mal nos acontecer e deixar-nos até em melhor estado do que antes do sofrimento. Ainda fará com que nossa fé cresça e nosso preparo para o serviço do Senhor ficará melhor. No final, o mal nos resultará em bem.

Dar graças a Deus por tudo significa reconhecer que Ele tem poder para transformar o mal em bem. Já viu nas histórias em quadrinhos ou nos desenhos animados uma pessoa atirar em outra e do cano da arma sair flores em vez de bala? É mais ou menos o que Deus faz conosco.

Quer mais um bom motivo para dar graças por tudo? Então ouça: Esta é a vontade de Deus. Existiria motivo melhor do que este? Se Deus quer, é porque é bom. O Senhor sempre quer o melhor para nós.

O Inimigo quer nos ver murmurando. Ele quer que duvidemos do amor e do poder de nosso Pai celestial. Satanás sabe que se nos comportarmos assim, bloquearemos a ação de Deus em nossa vida. No entanto, não vamos lhe dar esse prazer. Amém.

17 de agosto

O Senhor te guardará de todo mal; ele guardará a tua alma.
Salmos 121.7

As pessoas que efetuam plantações, especialmente as que lidam com hortaliças, têm uma história de *plantar na lua boa*. Elas dizem que, para cada tipo de planta, alho por exemplo, há uma fase da lua mais adequada ao plantio. Parece superstição, não?

O que se passa é o seguinte: a luz da lua, na verdade, é a luz do sol. Ela simplesmente reflete a luz solar. A lua cheia reflete mais e a nova, menos. Para executar a fotossíntese, as plantas necessitam de luz. Então, a maior parte da fotossíntese é realizada durante o dia. Mas, à noite, esse processo também ocorre. Quando há mais luz da lua, há mais fotossíntese à noite.

As plantas, como os demais seres vivos, nascem, crescem, reproduzem-se e morrem. Em cada uma dessas fases elas necessitam de mais ou menos luz. Cada espécie de planta difere das outras com respeito a isso. Eis a explicação do mistério da *lua boa* para o plantio.

Assim como a fotossíntese, há coisas que acontecem à noite e nem suspeitamos. É por isso que em Salmos 121.6, está escrito: "O Sol não te molestará de dia, nem a lua, de noite". Eu diria que o Senhor nos guarda dos males comuns e dos incomuns. Dos visíveis e dos invisíveis. Dos que entendemos e dos que não entendemos. De coisas tais como desencontros, desacertos, defasagens e desajustes. O Senhor nos guarda de estar *na lua errada*.

À noite, quando pensamos que nada está acontecendo com as plantas, processos totalmente fora do controle delas estão ocorrendo no seu interior. Além disso, uma planta pode, mesmo à noite, ser pisoteada por um animal ou devorada por um inseto. Bem, os mesmos perigos existem durante o dia. E somos como as plantas: seres indefesos. Às vezes, rodeados de perigos e dificuldades, dizemos como o salmista: "Elevo os olhos para os montes: de onde me virá o socorro?" Que bom poder responder como ele respondeu: "O meu socorro vem do Senhor, que fez o céu e a terra".

O Senhor nos guarda de tropeçar. O Senhor nos guarda de dia e de noite. Guarda-nos quando entramos e quando saímos. Guarda a nossa alma e o nosso corpo. O Senhor nos guarda de todo o mal.

Se tu confiares tua vida ao Senhor, se pedires a direção e a proteção dEle, poderás contar com a sua ajuda todos os dias e em todas as circunstâncias. O Senhor te guardará de todo o mal. Amém.

18 de agosto

Orai pela paz de Jerusalém! Prosperarão aqueles que te amam.
Salmos 122.6

Em seu trabalho secular, minha esposa é bem conhecida como uma cristã evangélica. Não raro, ela cita trechos da Bíblia, procurando-os aplicar a situações que surgem nas tarefas profissionais ou na vida das pessoas com quem convive. Certa vez, surpresa com a citação de um versículo que nunca imaginou que existisse, uma colega exclamou: *Essa Bíblia da Herô tem versículo para tudo!*

De fato, as Escrituras sempre surpreendem. Por mais que a conheçamos, nela, sempre vamos encontrar coisas novas. Veja só o nosso versículo de hoje: quantos que se dizem seguidores da Palavra de Deus cumprem o que nele está ordenado? Por exemplo: qual foi a última vez que você orou pela paz de Jerusalém?

Será que o mandamento desse versículo está valendo ainda hoje? Mas por que orar pela paz de Jerusalém?

Jerusalém está localizada numa região muito importante, do ponto de vista estratégico. Quando não há paz nessa cidade, o mundo inteiro sofre as conseqüências. Isso já é um motivo, mais do que suficiente, para orarmos por sua paz.

Jerusalém é uma cidade sagrada para as três religiões monoteístas do mundo: judaísmo, islamismo e cristianismo. Em particular, nós, os cristãos, a amamos porque nela aconteceram fatos de grande importância para a nossa fé. Ali, nosso Salvador foi torturado, crucificado, morto e ressurreto. E também foi de Jerusalém que o cristianismo se propagou para todo o mundo. Bem, é preciso acrescentar um fato que ainda está para ocorrer: Ali, nosso Rei descerá quando vier estabelecer seu domínio sobre a terra. Jesus tinha um carinho tão especial por essa cidade que chorou sobre ela.

Jerusalém é muito importante também por sua simbologia espiritual. Nela estava o único Templo que os antigos israelitas possuíam. Quando eles pensavam em Jerusalém, pensavam no culto a Deus. Quando para lá se dirigiam, estavam envolvidos em algo de muita importância para eles: a adoração ao Senhor. É disso que trata o Salmo 122. Observe seu primeiro verso: "Alegrei-me quando me disseram: Vamos à casa do Senhor!"

O amor à Jerusalém terrena simboliza o amor à Jerusalém espiritual. Espiritualmente falando, amar Jerusalém significa amar o culto a Deus. Significa priorizar o relacionamento com o Senhor acima de todos os outros.

Vivemos em um mundo secularizado. As pessoas estão completamente presas às coisas materiais. Este é o tempo em que o que conta não é o que você é e sim o que você tem. E as pessoas estão sempre querendo mais. Nunca estão satisfeitas. É uma corrida tão desenfreada que elas nem têm tempo para desfrutar o que já possuem. Sem levar em consideração que acabam perdendo a possibilidade de desfrutar o que de mais valor tem na vida e que não é supérfluo: a amizade desinteressada, o amor familiar, o gosto e a beleza das coisas mais simples e que estão ao nosso redor o tempo todo.

A secularização da vida tem atingido muitos cristãos. Justamente aqueles que deveriam mostrar aos outros o verdadeiro sentido da vida. Quando oferecem algo ao Senhor, é daquilo que lhes sobra. Mesmo assim, sempre esperam uma compensação material pelo que dão.

Jerusalém é uma cidade muito antiga. As casas são de pedra e as ruas muito estreitas. Pelos critérios atuais de beleza arquitetônica, não há ali o que se admirar. Jerusalém tem uma beleza diferente e especial. Há algo que causa impacto, que produz uma sensação gostosa em quem a contempla. A beleza de Jerusalém não é exterior.

O mundo de hoje é de aparência. Amar Jerusalém significa valorizar um outro tipo de beleza. Significa fugir do lugar comum, resistir aos modismos e preservar valores verdadeiros e imutáveis.

"Orai pela paz de Jerusalém! Prosperarão aqueles que te amam". Amém.

19 de agosto

Mas fiel é o Senhor, que vos confortará e guardará do maligno.
2 Tessalonicenses 3.3

Há coisas em que nem é bom pensar. Coisas que preferiríamos não saber. Mas elas são reais, afetam a nossa vida e temos de saber. Quando tomamos conhecimento delas, ficamos tristes. Porém, temos um Pai celestial que está sempre por perto. Quando nos sentimos tristes, ameaçados, amedrontados, Ele vem em nosso socorro. Ele é fiel e nos conforta.

Há algo que é incômodo, mas precisamos saber: temos inimigos. Seria bom se todos gostassem de nós, todavia não é assim. Existem pessoas que nos odeia, e deseja o mal para as nossas vidas. Há quem trabalha vinte e quatro horas por dia apenas para nos ver infelizes. Estou falando das hostes espirituais do mal. Entretanto, os seres espirituais não nos atacam diretamente. Eles utilizam pessoas, até mesmo do nosso próprio convívio. Talvez você já desconfiasse disso, mas não queria que fosse verdade, não é mesmo? Contudo, não se assuste. Esta mensagem é enviada por Deus para confortar seu coração.

Sabe por que temos inimigos? Porque Deus tem inimigos. Ele decidiu criar os anjos e os seres humanos livres para amá-lo ou rejeitá-lo. Alguns anjos e alguns homens decidiram rejeitá-lo. E porque rejeitam o próprio Criador, rejeitam aqueles que o amam também. Há aqui pontos muito importantes a considerar. Primeiro: Se determinados seres odeiam a Deus conscientemente é porque eles, como nós, foram criados livres. Então, esse é o preço que pagamos para amar ao Senhor conscientemente. Na verdade, é o preço que pagamos para amarmos a Deus de verdade, uma vez que nosso amor não seria real se não fosse espontâneo.

É verdade que Satanás e seus demônios influenciam somente os homens que se deixam usar por eles. Essa permissão tanto pode ser dada deliberadamente como pode ocorrer por descuido. Por exemplo, o apóstolo Pedro foi usado por Satanás numa tentativa de impedir Jesus de prosseguir até o fim do seu ministério (Mt 16.23), embora amasse ao seu Mestre. Eis uma fonte de conforto: o Inimigo de nossas almas usa, para nos atacar, pessoas limitadas. Por mais que essas pessoas recebam um poder espiritual maléfico, elas continuam limitadas.

Alguém que esteja sendo usado pelo nosso Adversário para nos prejudicar pode se atrapalhar. Pode cair numa armadilha que preparou para nós, entrar em conflito com outrem que também nos queira fazer mal, etc. Pode até nos fazer bem pensando que está nos fazendo mal. Deus é fiel. Ele nos guarda do Maligno.

Quando fazemos parte da Igreja do Senhor Jesus Cristo, fazemos parte do Corpo dEle. Quem nos ataca, o ataca também. Nem precisamos nos preocupar em nos defender, pois ao fazer isso, o Senhor Jesus nos defende. Ninguém conseguirá nos destruir. Ele já declarou: "... as portas do inferno não prevalecerão contra [a minha Igreja]" (Mt 16.18).

Sabe o que mais? Uma pessoa que esteja empenhada em nos prejudicar pode se arrepender no meio do caminho. De repente, ela pára, e pensa no que está fazendo. Então, pede-nos perdão e, geralmente, se converte a Cristo. A inimizade se torna em amizade. As amizades criadas assim são fortíssimas. Quanto mais comprometida era a pessoa com o lado adversário, mais útil ela se torna. Segredos e táticas dos inimigos nos são revelados. Ficamos mais poderosos do que nunca. Nosso Deus é fiel.

Quem sabe essas palavras estejam alcançando alguém que tem combatido do lado errado. Se for esse o seu caso, desista disso. Quanto mais tempo e energia gastar nessa luta inglória, pior será para você. Venha, passe para o nosso lado. Deus também o ama. Você tem sido uma vítima do Inimigo de Deus. Mas o Senhor quer livrá-lo. Não tenha medo de represálias daquele a quem você tem servido até agora. Deus é maior. Ele o recebe com amor, conforta-o e o guarda do Maligno. Amém.

20 de agosto

Os que confiam no Senhor serão como o monte de Sião,
que não se abala, mas permanece para sempre.
Salmos 125.1

Deus não fala comigo. Assim pensa quem determina o meio pelo qual Deus deve lhe falar. Uns pensam que Deus só fala através de profecia. Outros acham que o pregador é obrigado a ter sempre uma mensagem específica para sua vida. Há também aqueles que gostam de abrir a Bíblia aleatoriamente e onde colocarem o dedo terá de haver um versículo relacionado com as circunstâncias que estão vivendo no momento. Isso pode provocar muita confusão!

Deus é soberano. Ele fala como quer. Nós, seus servos, é que temos a obrigação de estar atentos. Precisamos ter sensibilidade, ter "os sentidos exercitados", como diz o escritor sagrado (Hb 5.14), para receber tudo o que o Senhor nos queira comunicar.

Nosso Pai celestial pode nos falar através de uma canção, do testemunho de alguém, de uma pessoa que nem sabe que está sendo usada por Deus. O Senhor pode falar através das palavras de nossa própria oração, e até através das circunstâncias. Preste atenção: Deus pode estar falando com você!

Deus usa o mundo físico para nos falar do reino espiritual. Deus usa pedra para falar de fé. O Salmo 125 comprova isso.

Para qualquer israelita, o monte Sião era algo bem familiar. Assim como o Pão de Açúcar ou o Corcovado, para quem mora no Rio de Janeiro. Como as Montanhas Alterosas, em Belo Horizonte. O viaduto do Chá, na cidade de São Paulo. O edifício do Congresso Nacional, em Brasília.

Pois bem, Sião é um monte rochoso, firme. Várias vezes o salmista olhou para ele como olhava para qualquer outro elemento que compunha aquela paisagem em volta da cidade de Jerusalém: as árvores, as casas de campo, o próprio céu.

Um dia o Senhor queria falar com seu servo acerca da importância da fé. E o que Deus fez? Usou o monte de Sião como ilustração. Olhando para o monte, agora de modo diferente, o homem viu a importância da fé. E por que ela é importante? Qual é a utilidade da fé?

Vamos falar de utilidade. Coletes salva-vidas são feitos para nos ajudar a flutuar. Quando estamos em terra firme não precisamos deles. Quando a embarcação em que estamos funciona bem, não precisamos deles. No entanto, quando precisarmos, o colete tem de funcionar, senão não terá utilidade. Assim é a fé. Ela só tem utilidade nos momentos de crise. Precisamos dela na hora da dificuldade.

Quando os recursos normais falham, necessitamos de fé. Quando a razão diz que não há mais jeito para a situação, precisamos da fé. Quando não tivermos nada mais em que nos firmar, teremos de nos firmar na fé. Quem tem genuína fé, confia no Senhor, não se abala diante das adversidades. Fica firme como o monte de Sião. Deus disse isso ao salmista, e está dizendo para mim e para você.

Há muitas experiências pelas quais temos de passar nesta vida e que não podemos entender por quê. Quantas vezes acontece isso, mesmo entre nós e os nossos filhos, principalmente os pequenos? Então, tudo vai depender da confiança. Esperamos que nossos filhos confiem em nós e Deus espera que confiemos nEle.

A fé em Deus é como um muro protetor. Com ela somos protegidos da dúvida e, consequentemente, do medo. Como disse o salmista: "Como estão os montes à roda de Jerusalém, assim o Senhor está em volta do seu povo" (Sl 125.2). A fé traz o próprio Deus para perto de nós e a sua proteção. Amém.

21 de agosto

Aquele que leva a preciosa semente, andando e chorando, voltará, sem dúvida, com alegria, trazendo consigo os seus molhos.
Salmos 126.6

Ao longo de nossa existência terrena, estamos sempre semeando. Semear, assim como realizar qualquer outro empreendimento significativo na vida, envolve esforço físico e emoções, choro, suor e lagrimaas.

Mesmo na área das descobertas científicas, diz-se que se empregam 90% de esforços físicos e 10% de criatividade. Thomas Édson testou centenas de materiais antes de chegar ao tungstênio e inventar a lâmpada elétrica. Quem quiser ser bem-sucedido nesta vida, qualquer que seja a área a que se dedicar, deve se preparar para se esforçar bastante. Mesmo o sucesso no casamento, na criação de filhos, e até na comunhão com Deus depende de esforço físico.

Qualquer coisa que nos motive a gastar força física, tempo ou uma parcela significativa de nossos recursos materiais, acaba por envolver o nosso coração, nossa alma, nossos sentimentos. Então, surgem as lágrimas.

O mundo é movido pelos que andam e choram. E por que andam? Por que choram?

Porque crêem que vale a pena. Se plantam, crêem que vão colher muito mais do que plantaram.

Plantar é sempre um ato de fé. É esconder na terra aquilo que se poderia comer. É deixar para comer depois, e até correr o risco de nem comer. Para a realização de todo o processo há coisas que dependem de quem planta e outras que não dependem. Ele não sabe como a germinação funciona, não pode ver, pois ela ocorre em baixo da terra, mas planta com esperança.

Nem sempre o emprego de suor e lágrimas traz bons resultados. Tudo depende de dois fatores: em quê e para quê se gastam suor e lágrimas? Pode ser que isso produza ainda mais suor e lágrimas. Comparando com o plantio, depende da semente que se emprega.

Tem-se boa colheita quando a semente é boa. Mas esta custa caro. Plantar essa semente exige mais cuidado, atenção, esforço, lágrima. Quem se esforça e chora mais, também sorri mais. Sorrir e chorar: sentimentos tão antagônicos e tão juntos aqui. Se a semente é boa, ela vai germinar, prosperar. Ninguém usa semente boa por acaso. As pessoas experientes sabem que essas sementes sempre trazem bons resultados. E estes virão "sem dúvida", diz o salmista. A alegria da colheita farta encherá o coração de quem andou e chorou.

O que é *a preciosa semente*? É o evangelho, a Palavra de Deus. Disse Jesus: "... a semente é a Palavra de Deus" (Lc 8.11). Ela é poderosa e não volta vazia (Is 55.11).

A boa semente é tudo que é compatível com a Palavra de Deus. É a honestidade no trabalho, a fidelidade no casamento, a responsabilidade na criação dos filhos, a lealdade nas relações de amizade, o amor sacrificial.

Nossa lavoura está sujeita às estiagens e enchentes. Corre o risco de ser devorada pelas pragas e consumida pelas pestes. Mas há um Deus que é chamado de *aquEle que dá semente ao que semeia e pão para comer*. Esse Deus tem garantido a sobrevivência da humanidade que sempre dependeu da lavoura. Ele é o Autor da vida. O Criador inventou a germinação e produz o milagre do crescimento das plantas. Ele conhece o coração de quem semeia a boa semente. Deus é o maior empreendedor e semeador que existe. Ele quer que você semeie boa semente. Quer que ande e chore, mas tenha a certeza de que "voltará, sem dúvida, trazendo consigo os seus molhos". Amém.

22 de agosto

Ora, o mesmo Senhor da paz vos dê sempre paz de toda maneira.
O Senhor seja com todos vós.
2 Tessalonicenses 3.16

Eu sou feliz porque meu Cristo quer, diz uma antiga canção evangélica. É exatamente isso: Ele quer que eu seja feliz. Não importa se alguém se opõe a isso.

O mesmo Cristo que nos quer ver felizes e moradores do céu, também quer que tenhamos paz. Ele é o Senhor da alegria, do céu e da paz. Ele nos garante a soberania da paz.

Nosso versículo de hoje ressalta a questão da paz que o Senhor nos dá. Vamos chamar isso de perenidade da paz. Nada interrompe a paz que temos. É algo tão firme que um cristão tem paz mesmo estando em plena guerra. Bombas explodem, balas sibilam, a terra treme, mas o cristão não perde a paz interior. Veja o que aconteceu com o apóstolo Pedro: ele estava preso, morreria no dia seguinte e mesmo assim dormia tranqüilamente (At 12.6).

Além de soberana e perene, nossa paz é também versátil. Veja a expressão: "paz em toda a maneira". Aquilo que produz pavor nas outras pessoas, em nós produz paz. Para nós, tanto faz ir para a direita ou para a esquerda, a exemplo do que aconteceu com Abraão, (Gn 13.9). Tanto faz marchar com trinta e dois mil ou trezentos, como aconteceu com Gideão (Jz 7). Temos "paz em toda a maneira".

Um irmão nosso tem um pavor terrível de altura. Participando conosco de uma excursão a Israel, ele não sabe como acabou subindo ao monte Sinai. Só depois de estar lá foi que se deu conta do que havia feito. Então, pensou: *Agora só desço daqui amarrado*. Porém, ele desceu tranqüilo, da mesma maneira que subiu. Temos paz em toda a maneira: num lugar alto ou baixo, com comida ou sem, com emprego ou empregado, com ou sem saúde, de dia ou de noite, vivendo ou morrendo. Porque a fonte de nossa paz nunca se esgota.

A fonte da paz é o Senhor. Podem nos tirar tudo, todavia ninguém pode nos tirar a companhia de nosso Senhor. Os homens não podem impedir o sol de brilhar. Muito menos podem fazer com que a fonte da paz deixe de jorrar dentro de nós.

Em geral, os reservatórios ficam do lado de fora das cidades. Antigamente, quando os inimigos atacavam uma cidade, uma das primeiras coisas que faziam era entupir os canais de água. Cercados e sem água, o povo acabava se rendendo. Mas em muitas cidades, em Jerusalém por exemplo, os cidadãos escondiam os reservatórios e faziam com que as águas chegassem através de canais subterrâneos. Assim, os inimigos não tinham acesso às suas águas. Todo o servo de Deus deve tomar também essa providência: não podemos deixar que o Adversário de nossas almas interrompa as correntes que saciam a nossa alma. Não devemos nos expor. Não podemos nos queixar de Deus diante das pessoas. Nunca podemos deixar de orar e louvar ao nosso Deus.

Quem pode se beneficiar da Fonte da Paz? Todos os que quiserem. Quem já tem paz, que continue assim. Quem está sem paz, que a busque e receba. Baixe as armas, erga a bandeira da paz. Peça perdão a Deus, se tem estado em conflito com Ele. Deus quer se reconciliar com você. Ele pagou um preço muito alto para isso. A Bíblia nos diz, em 2 Coríntios 5.19: "Deus estava em Cristo reconciliando consigo o mundo..." Venha, receba o abraço do Pai que pacientemente tem esperado por você. O Senhor seja com todos vós. Amém.

23 de agosto

O Senhor, que fez o céu e a terra, te abençoe desde Sião!
Salmos 134.3

Algumas pessoas costumam dizer: *Minha vida está tão complicada que nem Deus dá jeito.* No entanto, que deus elas estão se referindo? Não pode ser ao Deus que fez o céu e a terra porque este pode solucionar qualquer problema.

É verdade que há situações extremamente difíceis. Voluntária ou involuntariamente uma pessoa pode contrair dívidas que não tem a mínima condição de pagar. Há perdas, materiais e imateriais, que são irrecuperáveis, humanamente falando. Há decepções insuportáveis para uma pessoa normal. Por outro lado, alguém pode decepcionar-se consigo mesmo. E a vergonha pode ser tão grande que a pessoa não terá coragem de aparecer diante dos outros, e por isso se isolará.

Há doenças que os médicos não podem curar. Há outras que até são curáveis, mas o tratamento é tão caro que são poucos os que podem pagar. E não é fácil uma pessoa saber que está morrendo, ou ver um ente querido ir se definhando dia a dia sem poder fazer nada para reverter a situação.

Há questões que doem na alma, e muito, como é o caso de se sofrer uma injustiça. É bastante difícil enfrentar alguém que é mais poderoso que você. Então, você recorre a uma pessoa mais poderosa e descobre que o caminho já está *minado.* Você já foi pré-julgado. A sentença foi dada antes mesmo que pudesse se defender.

Então, você pergunta: *O que Deus pode fazer?* O problema já está acontecendo, a causa está perdida, a morte está batendo à porta. Você perguntou o que Deus pode fazer? Eu respondo: Qualquer coisa. O que você espera e o que não espera. Tudo o que precisa e até mais, se for preciso. Então, você me pergunta: *Como?* E eu respondo: *Não sei.*

Não sei como foi que Deus criou o céu e a terra. Mas sei que Ele os criou. Note bem: Ele criou, fez aparecer. "Pela fé, entendemos que os mundos, pela palavra de Deus, foram criados; de maneira que aquilo que se vê não foi feito do que é aparente" (Hb 11.3).

O Deus que fez o céu e a terra fará aparecer na sua vida aquilo de que você precisa, a partir de elementos que você não está vendo. Creia nisto. Os mundos foram criados pela Palavra de Deus. E é esta Palavra que estou ministrando a você. Se ela encontrar guarida em seu coração, as coisas irão acontecer.

Recebi esta palavra em Sião, ou seja, em minha vida de comunhão com Deus. Sião é símbolo do culto a Deus. Foi cultuando ao Senhor que aprendi o quanto Ele é poderoso. Foi em Sião que recebi a incumbência de abençoar as pessoas. Receba a bênção de Deus em todo o seu ser e em todas as áreas de sua vida.

Em gratidão por tudo o que Deus já fez e irá fazer em seu favor, venha para Sião. Aproxime-se mais do Senhor. Venha conhecê-lo mais de perto. Desde Sião o Senhor abençoe sua vida sempre. Amém.

24 de agosto

Sem que haja uma palavra na minha língua, eis que, ó Senhor, tudo conheces.
Salmos 139.4

Vamos recordar uma antiga fábula: O lobo estava à beira do rio quando percebeu que um solitário e indefeso cordeiro também estava ali perto bebendo água.

— Ei, ei! Que negócio é esse? Você está sujando a minha água — vociferou ele.

— Como posso estar sujando a água que você está bebendo se estou abaixo do lugar onde você está? — respondeu inocentemente o cordeiro.

— Se não foi você, foi seu irmão — respondeu o lobo.

— Mas eu não tenho irmãos — ponderou o cordeiro.

— Então foi seu pai.

— Meu pai está longe daqui.

— Então foi seu avô.

— Não pode ter sido ele, pois já morreu há muito tempo.

A esta altura o lobo já estava muito irritado. Não tendo mais nada para argumentar, comeu o cordeiro assim mesmo.

Lobo matar cordeiro não é nenhuma novidade. Há coisas muito mais cruéis acontecendo no mundo real. Por exemplo: existe algo mais cruel e injusto do que uma mãe matar sua própria criança? Não existe nada mais bárbaro e covarde do que o aborto.

Comprovadamente, o feto, poucos dias depois de gerado, é um ser autoconsciente, que faz o que pode para defender sua vida. Entretanto, ele não pode fazer muito para se defender de uma mãe assassina aliada a alguém — um médico ou uma enfermeira.

A exemplo do lobo da fábula, os defensores e praticantes do aborto sempre inventam desculpas para o que fazem. Mas o que eles querem mesmo é matar. Uma das desculpas mais comuns é a de que o feto ainda não é uma pessoa. Porém, isso é um blefe. Há muitas evidências científicas de que o feto é uma pessoa. No entanto, o mais importante argumento não é este, mas, sim, o que a bíblia declara sobre isso.

O verso 16 do Salmo 139 diz que Deus nos acompanha e nos conhece quando o nosso corpo ainda nem tem forma, e o versículo 15 afirma: "Os meus ossos não te foram encobertos, quando no oculto fui formado e entretecido como nas profundezas da terra".

Há pessoas cujas mães tentaram abortá-las e escaparam milagrosamente. A tendência dessas pessoas é viverem amarguradas, em função da rejeição que sofreram. Se você foi, ou ainda é rejeitado por seus pais, tendo sofrido ou não uma tentativa de aborto, em vez de se deixar dominar pela tristeza de não ter sido amado por eles, alegre-se por ser amado pelo Pai celestial. Deus conhece você muito bem e o ama de maneira extraordinária.

Em cada um dos quatro primeiros versículos do salmo citado acima está escrito que Deus nos conhece. O verso dois, além de dizer que Ele conhece o nosso assentar e o nosso levantar, declara que o Senhor entende até o nosso pensamento. É esse Deus onisciente, que também é onipotente e onipresente, que nos ama de modo incomparável. Alegre-se nEle. Deixe que Ele guie sua vida. O Senhor tem um plano maravilhoso para realizar através de você.

Até mesmo as pessoas que agem como feras, lobos, são amadas por Deus. Tudo o que o criador quer é que elas se arrependam e mudem de atitude. Aos que se arrependem e pedem misericórdia, Deus perdoa.

Há pessoas que têm a consciência anestesiada. A Bíblia diz que elas têm a consciência cauterizada (1 Tm 4.2). O que essas pessoas precisam fazer é parar de ficar se escondendo atrás de justificativas e tomar para si a oração que encerra o Salmo 139: "Sonda-me, ó Deus, e conhece o meu coração; prova-me e conhece os meus pensamentos. E vê se há em mim algum caminho mau e guia-me pelo caminho eterno". Amém.

25 de agosto

Milita a boa milícia da fé, toma posse da vida eterna, para a qual também foste chamado, tendo já feito boa confissão diante de muitas testemunhas.
1 Timóteo 6.12

Há um certo provérbio que diz: *Dou um boi para não entrar numa briga; mas, se entrar, dou uma boiada para não sair.* Geralmente, quem faz uso desse pensamento são pessoas que gostam de brigar, ou *comprar briga*. Entretanto, há brigas que não vale a pena comprar, pois só causam prejuízos.

Em provérbios 26.17, está escrito: "O que, passando, se mete em questão alheia é como aquele que toma um cão pelas orelhas". No mesmo livro encontramos: "O homem sábio que pleiteia com o tolo, quer se perturbe quer se ria, não terá descanso" (29.9).

Há brigas que são inevitáveis. Vamos nos envolver de qualquer forma. Resta-nos apenas definir de que lado e como vamos lutar. Porém, teremos de lutar. Aquilo a que o apóstolo Paulo se refere, em 2 Timóteo 4.7 como "bom combate", e em 1 Timóteo 6.12 como "a boa milícia da fé", é um exemplo. A fé exige que nos aliemos a seu favor ou contra ela. Ao longo da vida, estaremos combatendo contra ou a favor da fé. Não existe posição neutra.

A fé penetra nos corações que estão abertos para recebê-la. Um coração sem fé se encontra assim porque está fechado. Como a fé flui de coração para coração, basta uma porta fechada para que a corrente da fé seja interrompida.

No tempo presente há um combate aberto contra a fé. Tudo conspira contra ela. A todo o momento chegam-nos mensagens, vindas de todos os lados, através dos mais diversificados meios, dizendo-nos que devemos crer somente naquilo que podemos ver, apalpar e compreender. Estão induzindo as pessoas para que mantenham seus corações fechados para a fé. Temos de lutar o tempo todo contra isso.

Aqueles que já têm fé precisam lutar para mantê-la. Isso é parte da "boa milícia da fé". O pastor Messias de Castro e Silva escreveu: *Grãos de mostarda são arrancados dos corações dos crentes.* A fé é uma chama que vive sendo assoprada pelos incrédulos. É uma brasa contra a qual não falta quem queira jogar um balde de água.

Há uma terceira área em que se trava a nossa batalha. É na difusão da fé. Não podemos guardá-la apenas para nós. A fé é como um rio impetuoso. Ele corre através de nós, flui para outras pessoas. Todavia, há quem queira detê-lo. Querem silenciar nossa voz, imobilizar-nos, impedir-nos de levar a fé a outras pessoas. Isso é uma guerra, um combate. Contudo, um bom combate.

Muitos deram tudo o que tinham para participar dessa batalha. Pagaram com algo que vale mais que tudo neste mundo: a própria vida. Mas não se arrependeram. Quem milita a boa milícia da fé nunca perde. Nunca é derrotado. É imortal. Tem vida eterna. Tome posse desta bênção você também. Seja um bom combatente. Amém.

26 de agosto

Não temas o pavor repentino, nem a assolação dos ímpios quando vier.
Provérbios 3.25

Antigamente as pessoas eram muito ingênuas. Assustavam-se com facilidade. Eu, quando menino, precisava apenas de um mamão verde, bem grande, e de uma vela, para assustar as pessoas. Descascava o mamão inteiro, fazia nele uns buracos, imitando os olhos, as fossas nasais e a boca de uma caveira. A iluminação pública era escassa. As pessoas eram obrigadas a passar por lugares escuros muitas vezes. Então, levava a *caveira* para um lugar desses, e me afastava um pouco para ver as pessoas correndo apavoradas.

Hoje em dia não é assim. Os parques de diversões costumam ter uma *casa mal-assombrada*, cheia de coisas feitas para assustar. Algumas usam até raio laser para criar *fantasmas*. As pessoas entram nesses lugares e saem rindo.

E o que dizer dos filmes de terror? Eles são mesmo aterrorizantes. Contudo, as pessoas ficam assistindo até horas avançadas da noite e depois vão dormir.

O que está assustando, de fato, as pessoas é um outro tipo de pavor. Os fantasmas agora são outros: abandono, doença, desemprego, falência, assalto, seqüestro. No entanto, esses fantasmas são reais. Eles aparecem, assustam e fazem mal. E o pior é que o medo desses fantasmas costuma atraí-los. Medo de adoecer faz ficar doente. Medo de ser abandonado faz ficar inseguro, agressivo e afasta as pessoas. Medo de ir à falência prejudica a serenidade, a capacidade de planejar bem e pode produzir a falência.

Minhas *caveiras* assustavam as pessoas, mas depois se via que era uma brincadeira e o medo desaparecia ali mesmo. Todavia, como afastar os fantasmas modernos? Quando é que as pessoas vão se sentir seguras outra vez?

A Bíblia é uma imensa fonte de segurança para nós. Ela nos leva a conhecer o Deus que tem poder sobre todas as coisas. O Senhor, que nos criou, sabe o que é melhor para nós.

Toda a Palavra de Deus é boa, maravilhosa. Nela encontramos as regras do bom viver. Entre os seus sessenta e seis livros, encontramos um que é uma coletânea de conselhos práticos. Estamos falando do livro de Provérbios. Ele vem logo depois dos Salmos. Em vez de gastar tempo e dinheiro com coisas inúteis como os horóscopos, as pessoas deveriam ler um capítulo dos Provérbios por dia. Ele é composto de 31 capítulos. Há um para cada dia do mês. Significa que você pode lê-lo 12 vezes ao ano.

Lendo esse livro, somos instados a confiar em Deus. Ao versículo que dá início à nossa reflexão de hoje, segue-se este: "Porque o Senhor será a tua esperança e guardará os teus pés de serem presos".

Em vez de assustar as pessoas, quero cooperar para que elas tenham paz e estejam seguras. Por isso, quero terminar minhas palavras com a mensagem que temos em

Provérbios 3.24:"Quando te deitares, não temerás; sim, tu te deitarás e o teu sono será suave". Amém.

27 de agosto

Torre forte é o nome do Senhor; para ela correrá o justo e estará em alto retiro.
Provérbios 18.10

Meus pais, como bons baianos que eram, tiveram dez filhos. Sou o primeiro da turma. Logo depois do meu primeiro aniversário, Jael nasceu. Nesse ritmo vieram Cláudia, Elizabete, Nilza, Manoel Filho, Abigail, Hozana, Jackeline e Paulo, formando a famosa *escadinha*. Passamos a vida mudando de uma cidade para outra. Tivemos muitos problemas. Mas quero relatar um que nunca tivemos: solidão.

Nunca faltava crianças para as brincadeiras. Brincávamos de igreja, esconde-esconde, e tantas outras coisas, inclusive de correr do boi bravo. O que fazia o papel do boi corria atrás dos outros. Quando um já estava cansado de correr e o boi quase alcançando-o, fingia entrar numa casa, gesticulava como se estivesse trancando a porta e exclamava: *Tranque, tranque, tranque!* Pronto. O boi já não podia fazer nada com aquele, pois estava seguro, dentro de casa.

Ainda hoje os bois bravos correm atrás de mim. No entanto, não são de *faz-de-conta*. São males que me perseguem e que, se me alcançassem, causariam estragos terríveis. Sabe o que faço? Corro e me escondo em minha casa invisível. Meu castelo. Minha torre forte. Apesar de invisível, esse abrigo não é de brincadeira. É real e seguro.

Para que o *boi bravo* me respeite e pare de me perseguir, não digo *tranque, tranque, tranque*. Pronuncio o nome do meu Deus. Digo: *JESUS!* E funciona. Há poder no nome do Senhor!

Esse nome reflete o caráter e o poder de Deus. Para que possamos compreender quem é o nosso Deus e como Ele opera, a Bíblia se refere a Ele de diversas maneiras. Chama-o de *Jeová Nissi*, que quer dizer: *o Senhor é a nossa bandeira*. *Jeová Jiré, o Senhor Provedor. Jeová Shalom, o Senhor é paz. Jeová Rafá, o Senhor que* sara. E assim por diante.

Dependendo do tipo de *boi*, invoco um dos nomes do Senhor. Imediatamente me acho em lugar seguro. Já estou na *Torre Forte*, olhando o problema, de cima para baixo. Pode parecer brincadeira, até mesmo loucura, mas funciona.

Agora, é preciso dizer que o nome do Senhor não é uma palavra mágica. Não basta decorá-lo. É preciso conviver com o dono do nome. Ter a vida sob o controle dEle.

Venha para perto de Deus. Confie sua vida a Ele. Invoque o seu nome para ser salvo. E conte com o Senhor em todas as circunstâncias que tiver de enfrentar nesta vida. Você pode se abrigar nesta *Torre Forte* sempre. Amém.

28 de agosto

Por este motivo, te lembro que despertes o dom de Deus, que existe em ti pela imposição das minhas mãos. Porque Deus não nos deu o espírito de temor, mas de fortaleza, e de amor, e de moderação.
2 Timóteo 1.6,7

Há um pensamento antigo que diz: *Há quem não sabe e pensa que sabe. Este é presunçoso, afasta-te dele. Há o que não sabe e sabe que não sabe: ajuda-o. Também existe o que sabe e não sabe que sabe: conscientiza-o. E há o que sabe e sabe que sabe: ajunta-te a ele.*

No interior do Brasil se usa um pensamento menos refinado, mas igualmente sábio: *Se o boi soubesse a força que tem, jamais seria dominado pelo homem.*

O apóstolo Paulo representa a pessoa que sabe e tem consciência disso. Por esse motivo, procurou ajudar Timóteo, o jovem que pertencia à categoria dos que sabem, mas ainda não perceberam tal fato. Ele não sabia quanta força tinha.

Quantos cristãos, como Timóteo, ignoram a força que têm? Quem é verdadeiramente cristão é possuidor do maior poder que existe: a fé. "Trazendo à memória a fé não fingida que em ti há...", (v. 5), escreveu Paulo a Timóteo. Todo cristão precisa lembrar-se de que tem fé. Esse é o nosso capital inicial. Para ser cristão você precisa crer que Deus se fez homem por amor a nós. Existe maior milagre do que esse? Se acredita que Deus operou esse milagre, você vai duvidar de quê?

Timóteo pensava que era fraco, mas Paulo disse que ele tinha o espírito de "fortaleza". Ele possuía um tremendo poder sobrenatural, porém não se dava conta disso. E tinha também o espírito de "amor". Se fosse necessário enfrentar hostes da maldade, entrava em ação a fortaleza. Quando surgissem dificuldades ligadas ao relacionamento com os irmãos, ele poderia acionar o amor. Para não exagerar nem misturar os elementos, havia o espírito de "moderação".

Timóteo tinha um dom, uma habilidade especial dada por Deus, contudo, isso estava *adormecido* dentro dele. "Desperta o dom...", disse-lhe Paulo. Aqui há uma importante lição: Deus nos dá os dons, todavia temos de acioná-los e exercitá-los. Todo cristão tem dons dados por Deus. Fomos salvos para servir. Serviço exige capacidade e o Senhor, sabendo disto melhor do que ninguém, nos capacita. No entanto, repito, essa capacidade precisa ser despertada, exercitada e aperfeiçoada por nós.

Você se parece com Timóteo? Sabe, porém não tem consciência disso? Então, a partir de agora, você faz parte do grupo que pode e sabe que pode. Portanto, desperte o dom de Deus que há em você. Amém.

29 de agosto

Então, o anjo do Senhor disse a Elias: Desce com este, não temas...
2 Reis 1.15

Se você tivesse poder para fazer descer fogo do céu e consumir seus inimigos, o que faria diante de uma patrulha que o fosse prender injustamente? Exterminaria todos? Pois foi o que o profeta Elias fez, por duas vezes. Destruiu, com fogo que desceu do céu, um grupo de cinqüenta e um homens que o foram prender. Depois fez o mesmo com outros cinqüenta e um homens. Quando chegou o terceiro grupo, Deus não permitiu mais que o profeta o destruísse, pois o seu líder se humilhou e o coração de Deus não resiste às súplicas de quem se humilha.

No entanto, o coração de quem enviou a tropa para prender o profeta não havia se humilhado. Elias tinha duas opções: destruir a patrulha ou render-se aos soldados e deixar que eles o levassem à presença do rei. Foi nesse momento que Deus interveio e disse: "... não temas..."

Na verdade, o servo do Senhor tem poder para abençoar e destruir. Se as pessoas soubessem disso, teriam mais cuidado ao lidar com os crentes. Há pessoas que só aprendem através do sofrimento. Já ouvi falar de um irmão que foi assaltado, e depois que os bandidos tomaram tudo o que ele tinha, deixaram-no ir embora. Após andar alguns passos, o irmão exclamou: *O sangue de Jesus tem poder.* Então, um dos bandidos o chamou de volta e disse: *Você é crente? Então, tome seu dinheiro de volta. Assaltar crente dá azar.* E dá mesmo. Fazer qualquer coisa que prejudique um servo de Deus sempre traz más conseqüências. Deus faz justiça; e sofrer em mãos é terrrível. Se você fez alguma coisa que prejudicou algum crente, volte lá o mais rápido possível e peça perdão. Faça como aquele capitão que foi prender o profeta Elias: Humilhe-se, peça misericórdia.

Se você está sendo perseguido por alguém, não ore para que Deus envie fogo do céu e destrua aqueles que o maltratam. Os discípulos de Jesus, Tiago e João, certa vez, quiseram fazer isso. Jesus não deixou. Veja esse episódio em Lucas 9.51-56. Não estamos aqui para destruir ninguém, mas, sim, para abençoar.

É verdade que, às vezes, temos vontade de fazer isso. Mas vamos refrear esse ímpeto. Primeiro, porque geralmente as pessoas nos perseguem por ignorância. Muitas vezes, nem sabem que estão sendo usadas pelo Inimigo. Elas são marionetes nas mãos do Diabo. Então, o nosso problema não é com elas, mas com o nosso Adversário. No caso do profeta Elias, o problema não era com o capitão de cinqüenta. Era com o rei Acazias, que o havia enviado. Destruir a pessoa não resolve nada. O nosso verdadeiro papel, como servos de Deus, é resgatar essas vidas, orar por elas e procurar esclarecê-las, de modo que deixem de ser instrumentos do Diabo.

O profeta Elias desceu do monte, acompanhou os soldados que o vieram prender e compareceu perante o rei Acazias. Este, o verdadeiro culpado pela confusão, morreu pouco tempo depois. Eis a segunda razão porque não devemos revidar quando as pessoas procurarem nos prejudicar: ninguém consegue nos fazer mal. O Senhor nos protege. E, se algum mal nos acontecer, Deus o transformará em bem. Vale a pena confiar no Senhor. Vale a pena vencer o mal com o bem. Amém.

30 de agosto

Em todo o tempo sejam alvas as tuas vestes, e nunca falte o óleo sobre a tua cabeça.
Eclesiastes 9.8

Muitas pessoas têm um conceito bem distorcido acerca da santidade. Há quem pense que, para ser santo, é preciso usar roupas velhas e sujas. Se caírem na fraqueza de tomar banho, que seja sem sabonete. Usar perfume, jamais!

Agora, preste atenção: Deus é santo. Como seria esse Deus se, para ser santo, tivesse que cheirar mal?

Utilizamos muito Eclesiastes 9.8 para desejar às pessoas uma vida espiritual sadia. Está certo. Porém, está certo somente porque a vida física sadia serve para simbolizar uma boa vida espiritual.

O óleo, nos tempos do Antigo Testamento, além de ser alimento, remédio, combustível e lubrificante, era também usado como cosmético. Era o creme de beleza da época.

O autor de Eclesiastes, um livro cheio de conselhos práticos para o bem viver, aconselha as pessoas a cuidarem bem de si mesmas. As pessoas deveriam andar bonitas e bem trajadas.

Há trechos desse livro que refletem a filosofia de uma pessoa que só pensa na vida terrena. Será que o versículo mencionado tem validade para o povo de Deus hoje em dia?

Vou citar apenas um verso do Novo Testamento. São palavras de Jesus: "Porém tu, quando jejuares, unge a cabeça e lava o rosto" (Mt 6.17). Agora, faço este comentário: Se até jejuando os cristãos devem ser bonitos, quanto mais em outras ocasiões!

Todos sabem que quando uma pessoa está abatida, a primeira coisa que faz é descuidar-se de si mesma. Se é mulher, não arruma os cabelos; se é homem, não faz a barba. Em geral, não se alimenta direito e pode ser que até deixe de tomar banho.

Às vezes, um simples banho já marca uma mudança importante no interior de uma pessoa. Barbear-se, cuidar dos cabelos, escolher uma roupa bonita são atitudes positivas.

O cristão precisa cuidar de sua auto-estima. Precisa amar a si mesmo. Quem não ama a si próprio como amará os outros? Se não nos amássemos, que sentido haveria no mandamento: "Amarás ao teu próximo como a ti mesmo?"

Deus é poderoso e glorioso. Foi Ele quem criou tudo o que existe de bonito. Ele gosta das cores, da boa música, dos bons perfumes e da boa comida. Quem gosta de tristeza e miséria é o Diabo.

Se você é filho de Deus, cuide de si mesmo. Seja bonito, bem trajado e cheiroso. Dentro de suas possibilidades, claro. Seja sadio e bonito por dentro e por fora. Amém.

31 de agosto

Por cuja causa padeço também isto, mas não me envergonho, porque eu sei em quem tenho crido e estou certo de que é poderoso para guardar o meu depósito até àquele Dia.
2 Timóteo 1.12

A expressão *morrer de vergonha* já está muito banalizada. As pessoas dizem com muita facilidade, apenas como força de expressão: *Ele vai morrer de vergonha*, ou *Ela quase morreu de vergonha*.

Muitas pessoas já morreram e outras tantas estão morrendo, em conseqüência desse sentimento chamado *vergonha*. Algumas morrem subitamente, outras enfrentam uma agonia que pode durar anos.

Vergonha está relacionada com a moral e o amor próprio. Uma pessoa pode, literalmente, morrer de vergonha em conseqüência de algum ato indigno praticado por alguém de sua família. É comum pais morrerem de vergonha em virtude dos atos praticados por seus filhos. Um homem ou uma mulher pode morrer de vergonha de seu cônjuge. Vergonha provoca doença cardíaca, nervosa e até câncer.

Calúnia também pode fazer uma pessoa ter tal sentimento. Isso ocorre quando a pessoa caluniada não resiste à rejeição injusta que lhe impõem.

Uma pessoa pode morrer com vergonha de si mesma. Fez algo muito errado, sente a rejeição dos familiares e amigos, sabe que é culpada e sente-se impotente diante da situação.

Toda situação que nos deixa fragilizados é explorada pelo Inimigo de nossas almas com o objetivo de nos destruir. Tudo o que nos deixa envergonhados, cabisbaixos, tristes nos torna também muito vulneráveis. E o Diabo não perde a oportunidade.

Satanás é tão sujo que tenta nos fazer sentir vergonha até de nossa própria fé. Apenas o crente que tem convicção do valor de sua comunhão com Deus não cai nessa armadilha. Somente aquele que pode dizer como o apóstolo Paulo: "Eu sei em quem tenho crido", escapa da artimanha diabólica.

Conhecer a Deus nos ajuda a superar qualquer tipo de vergonha. Qualquer que seja a vergonha, saberemos enfrentá-la com a convicção de que ninguém consegue prejudicar uma pessoa que confia em Deus. Deus é fiel, Ele cuida dos que confiam nEle.

Quando nos sentimos extremamente incomodados, com vergonha de erros cometidos pelo cônjuge, por algum filho ou outro parente, somos confortados ao nos lembrar de que nem Deus cobra de uma pessoa os erros cometidos por outra. Veja o que está escrito em Ezequiel 18.20: "...o filho não levará a maldade do pai, nem o pai levará a maldade do filho; a justiça do justo ficará sobre ele, e a impiedade do ímpio cairá sobre ele".

Se estamos envergonhados por causa de alguma coisa errada que fizemos, sabemos que o Senhor é misericordioso e perdoa todo o pecado, se nos arrependermos. Se Ele nos perdoa, "quem intentará acusação contra os escolhidos de Deus?" (Rm 8.33) O Todo-Poderoso nos dará forças e nos ajudará a superar os problemas causados pelos nossos erros.

Aproxime-se desse Deus. Procure conhecê-lo cada vez melhor. São felizes aqueles que conhecem o Deus verdadeiro e confiam nEle. Amém.

1º de setembro

E dize-lhe: Acautela-te e aquieta-te; não temas, nem se desanime o teu coração por causa destes dois pedaços de tições fumegantes, por causa do ardor da ira de Rezim, e da Síria, e do filho de Remalias.
Isaías 7.4

O irmão de minha esposa, teve uma fase de sua infância em que andava muito desastrado. Quebrava copos, xícaras, pratos e outros utensílios domésticos com muita freqüência. Como forma de disciplina, a mãe dele passou a mandá-lo ficar de joelhos, por algum tempo, todas as vezes que quebrava algo. Um dia, vários membros da família estavam em casa, quando algum utensílio caiu, provocando o ruído característico. Para a surpresa de todos, Samuel se ajoelhou imediatamente, quase que no mesmo momento em que a louça se quebrava. Todos riram e minha sogra teve de mudar seu método de disciplina.

O normal de quem anda errado é esperar por um castigo a qualquer momento. Ele disfarça, se esconde, mas sabe que pode ser descoberto e castigado de repente.

O pecador sabe que será castigado por Deus, só não sabe quando nem como. Afinal, de Deus ninguém se esconde e todas as pessoas têm consciência disso.

Acaz foi um dos piores reis que o povo de Judá teve. Em 2 crônicas 28 está a descrição do quanto ele foi ímpio. Um dia chegou uma notícia dando-lhe conta que dois exércitos estavam vindo guerrear contra ele. Na situação espiritual em que se encontrava, deveria ter pensado: *Eu bem que mereço. Sou culpado e Deus está me castigando.* O que o rei Acaz poderia fazer contra dois exércitos que o queriam destruir e ainda mais sem poder contar com a ajuda de Deus?

A misericórdia de Deus é sempre surpreendente. Sabe o que Deus mandou o profeta Isaías dizer? Palavras de conforto ao rei Acaz. Pois é. Deus *comprou* aquela briga para si mesmo. É muita misericórdia.

Acaz pensava que Rezim, rei da Síria, e Peca, rei de Israel, os chefes dos exércitos que lhe queriam fazer guerra, eram os tais. Ah, claro, a arrogância com que eles tratavam daquela guerra era notória. Eles diziam: "Vamos subir contra Judá, e atormentemo-lo, e repartamo-lo entre nós, e façamos reinar no meio dele o filho de Tabeal" (Is 7.6).

Deus zombou de Rezim e de Peca. Tratou-os pejorativamente, chamando-os de *dois pedaços de tições fumegantes*. Prometeu livramento ao seu povo e aproveitou para inserir, entre as palavras de conforto, uma profecia acerca do nascimento do Messias (v. 14), aquele que traria livramento a toda a raça humana.

Se você não está bem em seu relacionamento com Deus e está atravessando uma fase difícil em sua vida, não se desespere. Peça misericórdia ao Senhor e busque o socorro dEle. Confie nos méritos de Jesus, o Emanuel, Deus conosco. Não é por causa de nossa justiça própria que recebemos a bênção do Senhor. É por graça, é por causa da obra que Jesus já realizou por nós na cruz. Creia no que estou lhe dizendo. Veja o que Deus disse ao rei Acaz: "... se o não crerdes, certamente, não ficareis firmes (v. 9). Creia e fique firme. Amém.

2 de setembro

Não chameis conjuração a tudo quanto este povo chama conjuração; e não temais o seu temor, nem tampouco vos assombreis.
Isaías 8.12

O cidadão vai conduzindo seu velho carrinho quando uma voz do além lhe diz: *Pegue esta estrada aqui, à direita*. Sem ter a mínima idéia de quem é a voz, o cidadão obedece. Então, alguns quilômetros adiante, vê que a estrada é cortada por uma linha ferroviária e que o trem está vindo lá longe. *Pode cruzar a linha, que dá tempo*, diz a voz. O cidadão arranca e, quando está em cima da linha, o carro enguiça. *Pode ligar o carro e acelerar que dá tempo*, instrui-o novamente a voz. A pessoa tenta uma vez e o carro não pega. *Vai que dá*. Tenta outra vez e o carro não pega. O trem está cada vez mais perto. *Vai que dá*. Ele tenta mais uma vez e o carro não pega. O trem já está a poucos metros. *Ihh, não vai dar, não*, diz a voz do além.

Ser guiado por voz do além é muito perigoso. Todavia, está na moda consultar-se vozes do além. Pessoas famosas e cultas estão fazendo isso. Dizem ser porta-vozes de habitantes de outros planetas. Ou falam em nome de anjos. Há quem fale como se incorporasse entidades que teriam poder sobre áreas distintas da vida humana como amor, negócios, saúde, etc. E há quem fale como se fosse alguém que já morreu. Você sabia que isso é abominável aos olhos de Deus? Sim, Deus abomina quem fale em nome de tais entidades e também abomina quem os consulta.

Consultar *vozes do além* é uma prática muito antiga. O que não quer dizer que seja correto. Em Deuteronômio 18.10-12 está escrito: "Entre ti não se achará quem faça passar pelo fogo o seu filho ou a sua filha, nem adivinhador, nem prognosticador, nem agoureiro, nem feiticeiro, nem encantador de encantamentos, nem quem consulte um espírito adivinhante, nem mágico, nem quem consulte os mortos, pois todo aquele que faz tal coisa é abominação ao Senhor".

Nos tempos do profeta Isaías, o povo de Israel se encontrava em condição espiritual deplorável. O que estava em alta era mentir, roubar, adulterar, adorar ídolos, praticar feitiçaria, inclusive consultando os mortos. Então, o Senhor conclama o povo ao arrependimento. Pondera com ele que o fato de determinadas práticas terem-se tornado comuns não queria dizer que elas fossem corretas. Aqueles que quisessem agradar ao Deus verdadeiro não deveriam temer, nem servir às entidades espirituais que eram veneradas pela maioria do povo. Quem deve ser temido, adorado, servido é o Deus que criou o céu e a terra. Porém, como conhecer esse Deus para servi-lo da forma que lhe é agradável? Consultando sua Palavra escrita, a Bíblia Sagrada.

Eis o que diz Deus, em Isaías 8.19,20: "Quando vos disserem: Consultai os que têm espíritos familiares e os adivinhos, que chilreiam e murmuram entre dentes;— não recorrerá um povo ao seu Deus? A favor dos vivos interrogar-se-ão os mortos? À lei e ao testemunho! Se eles não falarem segundo esta palavra, nunca verão a alva".

Quem conhece o Deus verdadeiro não vive desorientado nem amedrontado. Se você já o conhece, firme-se nEle. Se não, aproxime-se dEle agora mesmo. Renuncie aos falsos deuses e confie apenas no Senhor. Ele o receberá, perdoará e orientará. Amém.

3 de setembro

Tu, pois, meu filho, fortifica-te na graça que há em Cristo Jesus.
2 Timóteo 2.1

O super-homem é um personagem de ficção muito conhecido. Nas revistas em quadrinhos, nos desenhos animados e nos filmes, ele voa pelo espaço, tem visão de Raios X e uma força impressionante. A única esperança para seus adversários reside numa substância chamada *kriptonita*, em cuja presença o super-homem perde toda a força.

Claro que aquele homem da capa esvoaçante e da camisa com um *S* no peito não existe. Mas todos os cristãos, têm algo de super-homens e supermulheres. Em cada um de nós há um poder especial que nos capacita a fazer coisas que as outras pessoas não fazem, ver o que elas não percebem e ter outras experiências que são exclusivamente nossas. Contudo, existem *kriptonitas* em nosso caminho.

Uma *kriptonita* terrível é a decepção, principalmente quando advinda de alguém do nosso convívio, alguém em quem depositávamos grande confiança. A deslealdade rouba as nossas forças.

O apóstolo Paulo, escrevendo sua Segunda Carta a Timóteo, menciona a decepção que teve com todos os irmãos da Ásia, especialmente da parte de Figelo e Hermógenes (1.15), certamente duas pessoas que gozaram de sua estima. Vemos uma sombra de tristeza nesta parte da epístola e parece que o gigante, o apóstolo Paulo, vai sucumbir diante da amargura. Mas não, o verso seguinte mostra um homem refeito da decepção, alegre. Paulo mostra que usou o antídoto contra a decepção. E que antídoto foi este?

Lembrar-se que ainda existem no mundo pessoas fiéis e leais. Paulo se lembrou de Onesíforo, um amigo muito querido. Alguém com quem o apóstolo sempre pôde contar. Um homem que não media sacrifícios para ajudar a Paulo.

Se o jovem pastor Timóteo fosse fixar sua lembrança na atitude covarde de Figelo e Hermógenes, poderia desistir do ministério e até da vida cristã. Paulo, seu pai na fé, o encoraja: "Fortifica-te na graça que há em Cristo Jesus". O remédio, o antídoto, o fortificante é a graça de Jesus. Graça que se manifesta de muitas maneiras, inclusive levantando pessoas boas para estarem conosco nas horas de dificuldade, os *Onesíforos* e as *Onesíforas*. Ao lembrarmos do amor desses irmãos, enchemo-nos de alegria e coragem. Queremos retribuir o carinho com que somos por eles tratados, queremos seguir o exemplo deles, queremos portarmo-nos dignamente para não os decepcionar. Tornamo-nos, outra vez, cristãos valentes, dispostos, fortalecidos na graça do Senhor.

Somos fortalecidos na graça de Cristo Jesus quando nos lembramos dele próprio, o nosso Salvador. Ele sofreu por amor a nós, foi fiel até à morte. Ele ressuscitou e está ao nosso lado em todos os momentos. Jamais nos abandona e nos decepciona. É sempre leal. Deixe esta lembrança encher seu coração e a graça de Jesus fortalecer todo o seu ser. Amém.

4 de setembro

Pelo que assim diz o Senhor Jeová dos Exércitos: Não temas, povo meu, que habitas em Sião, a Assíria, quando te ferir com a vara e contra ti levantar o seu bordão, à maneira dos egípcios.
Isaías 10.24

As manchetes dos jornais são redigidas de forma a chamar a atenção do leitor, ao mesmo tempo em que dão um resumo da notícia a que se referem. Algumas delas são realmente geniais.

Os nomes dos filmes também são escolhidos para atrair as pessoas e também para dar uma idéia do enredo contido na fita.

Dois nomes de filmes me chamaram a atenção: *Dormindo com o Inimigo* e *Inimigo Íntimo*. Em ambos os filmes, alguém convive estreitamente com uma pessoa que lhe quer destruir.

Todos temos inimigos íntimos e, não raro, dormimos com um deles. Não estou me referindo a inimigos de carne e osso. Refiro-me a problemas que andam conosco vinte e quatro horas por dia. Os problemas são nossos inimigos. Uns são mais mortais, outros menos, mas se não soubermos lidar com eles e se não tivermos a ajuda de Deus, causam-nos prejuízos.

Alguns problemas nos acompanham há tanto tempo e nos atacam tão intensamente que acabamos por nos acostumar com eles. São os *inimigos íntimos*.

O povo de Israel tinha vários desses *inimigos*. Os Assírios pertenciam a essa categoria. Por décadas e séculos, aquele povo prejudicou a Israel. E os assírios são reconhecidos como um dos povos mais cruéis da antigüidade. Foi por isso que o profeta Jonas se recusou a pregar na capital deles, Nínive. Jonas cria que um povo ruim como aquele tinha mesmo que sumir do mapa. Mas dizem que vaso ruim não se quebra e pessoa má não morre. Lá estavam os Assírios como pedras no sapato do povo de Israel.

Na época em que a perseguição assíria estava no auge, Deus confortou o seu povo. O Senhor lembrou a Israel que já havia sido liberto da ação de outros *inimigos íntimos* como os egípcios e os midianitas. Israel havia cometido muitos erros, mas o Senhor haveria de manifestar sua misericórdia e poder, tal como fizera em outras épocas da história.

O *não temas* de hoje é para aqueles que estão sofrendo há muito tempo as agruras de um mesmo problema e já se resignaram à situação. Acomodaram-se. Já não têm esperança de ser libertos do flagelo.

Um pensamento que costuma nos acompanhar quando sofremos é este: *Eu mereço mesmo. Eu tenho mesmo que sofrer para pagar pelos meus erros.* Olha, existe outra alternativa a essa de sofrer até morrer. Existe a alternativa de receber a misericórdia de Deus. Apele para ela. A misericórdia de Deus é infalível. Se você está sofrendo as conseqüências de erros que cometeu no passado, peça perdão ao Senhor. Ele vai te aceitar e vai operar grandes livramentos. Vamos, experimente!

Deus quer que nos lembremos dos livramentos que já nos deu no passado. O poder de Deus não diminuiu; continua o mesmo. Se ele um dia livrou, sarou, libertou, socorreu, pode fazer o mesmo agora também. Por que não? Creia e receba o livramento do Senhor. Amém.

5 de setembro

Eis que Deus é a minha salvação; eu confiarei e não temerei porque o Senhor Jeová é a minha força e o meu cântico e se tornou a minha salvação.
Isaías 12.2

Quando queremos descrever o céu como um lugar muito bom dizemos que lá não existe dor. Isso mostra que consideramos a dor como um dos piores mal que existe neste mundo. Realmente, dor é o próprio mal-estar; sinônimo de desconforto.

Olhando por outro ângulo, a dor é, quase sempre, uma bênção. Ela é uma espécie de alarme e nos avisa que alguma coisa não está bem em nosso corpo ou mesmo na parte espiritual de nosso ser. A dor nos força a tratarmo-nos. Quanto mais forte a dor, mais rápido buscamos o tratamento.

A dor serve também para nos forçar a fugir do fogo e de outras situações que, se não fossem evitadas, poderiam nos causar grandes prejuízos. Há doenças que bloqueiam o mecanismo da dor e, como resultado, a pessoa se mutila toda sem perceber.

Nada do que foi dito até agora elimina o fato de que a dor é sempre sofrimento. Enquanto a dor persiste, estamos sofrendo. Não é bom nem pensar em dor de dente, dor nos rins, dor de parto e como deve ser ruim a tão comum enxaqueca! Mas qual deve ser a pior das dores? Com certeza, é a dor da separação de Deus. Ela começa no espírito e se alastra por todo o ser de uma pessoa. É por isso que o inferno é o lugar do máximo sofrimento: ali a separação de Deus é absoluta e eterna.

Até a dor da separação de Deus pode ser benéfica se levar a pessoa a se reconciliar com o seu Criador. Neste caso, como em qualquer outro, a dor será benéfica se levar a pessoa que a sofre a remover sua causa antes que seja tarde demais. Também como nos demais casos, quando a causa da dor é removida a pessoa sente um alívio tão bom! Sim, porque quanto maior for a dor, maior é o alívio que se sente quando ela se vai.

O capítulo 12 de Isaías é o capítulo do alívio. Por ter estado separado de Deus, Israel estava sofrendo. Apareceram a dor da separação e a dor do castigo. Arrependeu-se, reconciliou-se com Deus e comemorou: "Graças te dou, ó Senhor, porque, ainda que te iraste contra mim, a tua ira se retirou, e tu me consolaste" (v. 1). O versículo 2 mostra um povo salvo, alegre, fortalecido. Deus agora não está longe, mas no meio do seu povo. Não é adversário, pelo contrário, trabalha a favor, fortalece e faz mais do que isso: torna-se na própria força dos que antes andavam errados.

Cada pessoa que hoje sofre a separação de Deus pode sentir o mesmo alívio que Israel sentiu. Em primeiro lugar, é preciso confiar no amor, no perdão e nos meios que o Senhor proveu para nos restaurar. É isso que está implícito na expressão: "... eu confiarei e não temerei..." Quem confia no amor de Deus e na eficácia de sua obra restauradora não vive amedrontado. Vive alegre, feliz e cantando. E o tema de suas canções é o amor de Deus, o seu poder e o próprio Deus.

Para terminar, medite em Isaías 12.6: "Exulta e canta de gozo, ó habitante de Sião, porque grande é o Santo de Israel no meio de ti". Amém.

6 de setembro

Palavra fiel é esta: que, se morrermos com ele, também com ele viveremos; se sofrermos, também com ele reinaremos; se o negarmos, também ele nos negará; se formos infiéis, ele permanece fiel; não pode negar-se a si mesmo.
2 Timóteo 2.11-13

Há pessoas que, quando querem dizer que algo é muito antigo, diz que *é mais velho do que o rascunho da Bíblia*. Antes de mais nada, é preciso que se esclareça que a Palavra de Deus não foi escrita de uma vez. Ela foi escrita ao longo de mil e seiscentos anos.

Sabemos que cada escritor da Bíblia, cerca de 40 pessoas, foi inspirado pelo Espírito Santo ao produzir a parte das Escrituras que lhe coube. Mas não sabemos como essa inspiração lhe chegou. É fácil constatar que o Espírito Santo respeitou a formação intelectual, o temperamento e o estilo de cada escritor, ou seja, não se serviu deles como meras *máquinas de escrever*.

Não sei se algum escritor teve de fazer um esboço, escrever e reescrever seu livro? Pode ser.

Na minha imaginação, um texto bíblico candidato a ter sido escrito e reescrito é 2 Timóteo 2.11-13. Imagino Paulo escrevendo acerca das respostas de Jesus às nossas posturas para com Ele: "... se morrermos com ele, também com ele viveremos; se sofrermos, também com ele reinaremos..." E se o negarmos? "Também ele nos negará." Então, Paulo é levado a aprofundar-se ainda mais na questão. Chega ao caráter. Vai abordar o aspecto de ser ou não ser fiel. *Se formos infiéis para com Ele, Ele será infiel para conosco, pois é o que merecemos*. Ei, Paulo, você está ficando louco? Jesus nunca será infiel. Apague o que você escreveu e escreva a coisa certa: "... se formos infiéis, ele permanece fiel; não pode negar-se a si mesmo".

Jesus infiel não seria o Filho Unigênito de Deus. Não seria Deus, pois Ele é fiel. Se não fosse onipotente, onisciente e onipresente, não seria Deus. Mas Jesus Cristo é o Senhor, Ele é fiel!

Deus é fiel aos pactos que faz. Ele jamais rompe, unilateralmente, a aliança que tenha feito com alguém. E se alguém quebra o pacto que fez com Ele, se voltar vai encontrá-Lo no mesmo lugar. A aliança é restaurada. Veja o caso de Israel. Esse povo já fez muitas coisas erradas contra o Senhor e, mesmo assim, Ele ainda o ama. A respeito disso, nos diz Romanos 11.29: "Porque os dons e a vocação de Deus são sem arrependimento". É por isso que uma pessoa que se afastou dos caminhos do Senhor pode se reconciliar com Ele até no último minuto de sua vida. Se houver arrependimento sincero, Deus perdoará.

Às vezes, dentro da aliança que temos com o Todo-Poderoso, recebemos promessas particulares. Por exemplo: ministério, casamento ou mesmo questões de ordem material. Se a pessoa que recebe uma promessa dessas se afasta do Senhor, comprometerá o cumprimento da tal promessa. Às vezes, compromete pouco; outras vezes, muito; e outras, tudo. Quando a pessoa se volta para Deus, o que for possível aproveitar da promessa, Ele aproveitará. Dependendo do caso, Ele fará até mais do que estava originalmente previsto.

Palavra fiel é esta. Amém.

7 de setembro

Tu conservarás em paz aquele cuja mente está firme em ti; porque ele confia em ti.
Isaías 26.3

Um cidadão estava parado diante de um aquário na praça de um centro comercial. Observava os peixes multicoloridos em seus movimentos graciosos até que concentrou sua atenção em um deles. A partir daí passou a controlar aquele peixe, fixando seu olhar nos olhos do animal. Se levantava a cabeça, o peixe subia; se baixava o olhar, ele descia. Com o olhar fazia o peixe deslocar-se para a direita ou para a esquerda. Outra pessoa chegou e perguntou: *Como você consegue fazer isso? Muito fácil: o homem tem a mente forte. O animal tem a mente fraca. Simplesmente a mente do homem domina a do peixe,* respondeu o outro. Passado algum tempo, o homem que chegou por último estava lá, sozinho junto ao aquário, com os olhos fixos no olhar do peixe, abrindo e fechando a boca. Quando o peixe se deslocava, ele andava na mesma direção.

É exagero dizer que a mente de um homem pode ser dominada pela de um peixe. Mas é verdade que uma mente fraca é dominada com muita facilidade. E não estou falando de doentes mentais. Estou me referindo a pessoas consideradas normais, mas que têm os pensamentos vulneráveis, impressionam-se com qualquer coisa ainda mais se for algo negativo. Facilmente perdem a paz. Uma mente fraca é arrastada até pelo vento. Não tem firmeza. Ora está voltada para coisas puras, em seguida já está na lama. Num momento se sente segura, refugiada em Deus. No momento seguinte, está assustada com o barulho de uma folha. Com a mesma facilidade com que abraça a esperança se rende ao pessimismo. O pior é que a mente fraca passa a maior parte do tempo justamente onde não deveria. Viaja para o meio dos conflitos. Não tem paz.

O que determina o tipo de mente que uma pessoa possui são as informações que ela recebe através dos sentidos do corpo, principalmente visão e audição. Aquilo que você vê e ouve determina a mente que você terá.

Quer ter uma mente firme e forte? Selecione bem o que você vê e ouve. O escritor sacro disse: "Não porei coisa má diante dos meus olhos" (Sl 101.3). Não gaste seu tempo com literatura ruim. Não veja qualquer programa de televisão, ou qualquer filme.

Não *empreste* seu ouvido a qualquer pessoa. Não receba mensagens de derrota, ou ouça a voz da maledicência. Não dê ouvidos à fofoca.

Leia a Bíblia. Aprenda mais sobre Deus. Ouça as pregações e canções que falam do amor de Cristo, do seu poder, da sua sabedoria e grandeza. Sua mente será fortalecida, e poderá ficar firme mesmo que ocorram terremotos e furacões. Você terá a perfeita paz. A paz dos que confiam no Senhor. Amém.

8 de setembro

Senhor, tu nos darás a paz, porque tu és o que fizeste em nós todas as nossas obras.
Isaías 26.12

Daqui a um mês vou começar a arar meu campo.

Era o compadre com a arrogância de sempre.

— Compadre, diga: *Se Deus quiser.*

— Se Deus quiser, aro a terra; se Ele não quiser, aro assim mesmo. Antes que as chuvas comecem, já terei feito todo o meu plantio.

— Compadre, diga: *Se Deus quiser.*

— Se Deus quiser, planto; se Ele não quiser, planto assim mesmo.

Como castigo por sua teimosia, o compadre foi transformado num sapo e viveu à beira da lagoa por muito tempo. Terminado o castigo, ele voltou a ser gente e continuou a sua vida de lavrador.

— Para recuperar o tempo perdido, vou preparar uma área de terra bem grande e fazer o maior plantio de todos os tempos.

— Compadre, diga: *Se Deus quiser.*

— Se Deus quiser, planto; se Ele não quiser... a lagoa está aí mesmo...

Há pessoas muito teimosas neste mundo. Mesmo fora das anedotas, há algumas que teimam até com o próprio Deus. Então, surge a questão: será que temos mesmo o tal de *livre-arbítrio*? Será que somos realmente livres para obedecer ou desobedecer a Deus? Claro que somos. Se o Senhor não quisesse que fôssemos seres livres, poderia nos criar como robôs programados para simplesmente cumprir a sua vontade.

A cruz do Calvário é a maior prova de que Deus leva a sério o livre-arbítrio com que nos criou, a ponto de pagar por isso um altíssimo preço. Se Ele não nos tivesse criado livres, não teríamos pecado e o Filho de Deus não precisaria morrer na cruz.

Mas, por que o profeta Isaías diz que Deus "[fez] em nós todas as nossas obras"? As obras são realizadas através de nós, mas é Deus quem as fez. Como é isto?

O Senhor capacita o ser humano a fazer as obras. Deus sugere ao homem que faça. Quando o homem resiste, o Senhor argumenta com ele. Os métodos que Deus vai utilizar, a duração do trabalho de persuasão, tudo depende do grau de intimidade que esse homem tem com Deus. Mas se a resistência é absoluta, se é definitiva, Deus desiste. A obra não será feita.

Agora, resistir à vontade de Deus nunca é um bom negócio. A primeira coisa que a pessoa perde é sua paz interior. Isso porque a vontade de Deus é sempre boa, agradável e perfeita (Rm 12.2). Contrariar a vontade do Todo-Poderoso é se opor àquilo que é bom. Então, vêm os conflitos íntimos e a perda da paz.

Quando Deus nos chama para fazer algo, é porque Ele já preparou o que é necessário para que essa obra comece e vai providenciar tudo o que seja preciso para que ela continue até ao fim. Ele estará trabalhando em nossas vidas o tempo todo. Ele dá as idéias, as forças e os recursos. Tudo caminha bem e temos paz. Só fazendo a vontade de Deus temos paz.

Deixe de ser teimoso. Disponha-se a ser uma bênção neste mundo. Coisas maravilhosas vão acontecer na sua vida. Amém.

9 de setembro

Todavia, o fundamento de Deus fica firme, tendo este selo: O Senhor conhece os que são seus, e qualquer que profere o nome de Cristo aparte-se da iniqüidade.
2 Timóteo 2.19

Que privilégio para mim poder contar com sua atenção neste exato momento! É muito importante este livro estar sendo lido por você. Pessoas muito poderosas estão disputando comigo este espaço. Estão pagando muito caro para ter alguns segundo de sua atenção. Sem que você perceba, estão lhe fazendo ouvir, ler ou ver, uma infinidade de coisas.

Lamentavelmente, muito do que você está ouvindo e lendo faz mal. Coisas como falatórios profanos que, segundo está escrito em 2 Timóteo 2.16, produzem impiedade. No verso 17, o escritor menciona pessoas cujas palavras roem como gangrena.

Há um outro problema. As coisas que estão dizendo, através de centenas e milhares de mensagens, são contraditórias. Um diz que é bom seguir numa direção. Outro diz que não, que aquela direção é ruim. É uma imensa confusão. Em quem acreditar? Em quem devemos nos firmar? Há pessoas dizendo que ninguém pode firmar-se em nada, que tudo é relativo.

Tenho algo para dizer-lhe e que lhe fará bem, algo em que você pode firmar-se e que é absolutamente seguro. Um fundamento estabelecido pelo próprio Deus: sua a fidelidade. Ele jamais negligencia os contratos que faz conosco.

Se uma pessoa se rende ao amor de Deus e se submete ao senhorio dEle, o Senhor o recebe como propriedade particular. A partir daí, a pessoa está sob os cuidados dEle de dia e de noite. Na terra, no ar e debaixo d'água. Seja rica, seja pobre. Seja douta ou indouta. Em sua própria pátria ou em terra estranha. Deus a distingue e lhe dá uma atenção exclusiva, específica e personalizada, quer ela esteja sozinha ou no meio de centenas, milhares ou milhões de pessoas.

Alguém lhe disse algo diferente disso? Não creia. Alguém que tem muito prestígio lhe disse que não é assim? Não creia. Existem milhares, milhões de pessoas negando isso? Apóie-se no fundamento de Deus e esqueça o resto. Se você pertence a Deus, Ele está cuidando de você. Que o mundo se abale, que as correntes filosóficas se contradigam, que os sistemas políticos se engulam uns aos outros, fique firme. Que as circunstâncias melhorem ou piorem, apóie-se no fundamento de Deus. Você pertence a Deus. Ele o ama e jamais vai abandoná-lo.

Se você ainda não pertence a Deus, entregue-se a Ele. Seja você quem for, não importa o que tenha feito ou deixado de fazer. Se vier a Deus Pai, através de Jesus, Ele te recebe. Jesus nos diz em João 6.37: "e o que vem a mim de maneira nenhuma o lançarei fora". Aparte-se da iniqüidade e venha para Jesus. Ele o perdoará, libertará e o receberá. E não se esqueça: o Senhor conhece os que são seus! Amém.

10 de setembro

Porque o Egito os ajudará em vão e para nenhum fim; pelo que clamei acerca disto: No estarem quietos, estará a sua força.
Isaías 30.7

Uma instituição cristã que trabalha em função de restaurar e fortalecer lares tem o seguinte lema: *Nenhum casamento pode estar tão ruim que não possa ser ajudado e nem tão bom que não possa ser aperfeiçoado.* Claro, o que se pressupõe é que se estará buscando recursos no verdadeiro Deus. E, sendo assim, aquele princípio pode ser aplicado a qualquer área de nossa vida.

Agora, com objetivos que vou expor mais adiante, gostaria de fazer aqui um acréscimo àquele slogan: *Nenhuma situação pode estar tão ruim que não possa piorar se buscarmos recursos em fontes que sejam antagônicas ao Deus verdadeiro.*

O que acabei de dizer pode ser útil a cristãos que estão passando por momentos de provação. Há momentos em que precisamos de uma intervenção divina e ela não acontece. Falamos com Deus e Ele não responde. Então, sentimos uma tentação muito forte de buscar ajuda em outro deus. Vou-lhe dar duas razões para você não fazer isso. Primeiro: você não precisa. Deus está provando a sua fé. Ele quer ver até onde vai sua confiança nEle. Fique quieto. Não faça nada. Não se mova. É assim que se exercita a fé em Deus. Quando ela é exercitada, se torna forte. Uma fé robusta sempre triunfa.

Aqui vai a segunda razão para você não recorrer a outro deus: não adianta. Vai piorar. Lembre-se: nenhuma situação é tão ruim que não possa piorar. Não faça como os israelitas que, em certo momento de sua história, buscaram a ajuda dos egípcios, contrariando a vontade de Deus, e ficaram em situação pior.

Se você se considera um cristão sem ser ou se não se considera cristão, é normal que recorra a qualquer deus que aparecer quando se encontra em aperto. Você já viu que não dá certo, não é mesmo? Às vezes melhora um pouco, mas depois fica muito pior. É isso aí: Não há situação tão ruim que não possa piorar. Não pense que o suicídio resolve alguma coisa. Por pior que esteja a situação nesta vida, o inferno será, no mínimo, um milhão de vezes pior.

Você quer que seu problema seja realmente solucionado? Então, recorra ao Deus certo da maneira correta. Em primeiro lugar, pare tudo o que você está fazendo. Não desperdice mais seu tempo nem suas energias e dinheiro. Entregue sua vida ao Senhor. No meio dessa entrega estão os seus problemas. Deus vai cuidar de você e, conseqüentemente, dos seus problemas. Agora aguarde novas instruções. Não faça nada antes de receber instruções do céu através dos meios que Deus estabeleceu. Você já está caminhando pela estrada da fé e aprendendo a confiar no Senhor. Agora vai melhorar cada vez mais porque não há situação, em nossa vida, que esteja tão boa que não possa melhorar. Amém.

11 de setembro

Dizei aos turbados de coração: Esforçai-vos e não temais; eis que o vosso Deus virá com vingança, com recompensa de Deus; ele virá, e vos salvará.

Isaías 35.4

É louvável o esforço que tem sido feito, em todo o mundo, para facilitar a vida dos chamados *deficientes físicos*. Os edifícios têm de ter rampas de acesso, os semáforos estão sendo adaptados com sinais acústicos para orientação dos deficientes visuais; banheiros públicos, orelhões, transportes coletivos, tudo está sendo adaptado à nova realidade.

Quem bom! Tecnologias estão sendo desenvolvidas para oferecer veículos, ferramentas, instrumentos musicais e uma série de outros aparatos para tornar mais agradável e produtiva a vida desses nossos companheiros.

Deus criou o ser humano perfeito, com um potencial inesgotável para aprender e fazer coisas. Mas o pecado nos atingiu e nos degenerou. Hoje, todos nascemos com alguma deficiência. Todos somos deficientes. Uns mais, outros menos. Uns em determinadas áreas, outros noutras. Há fases da vida em que somos mais deficientes e, em outras, não somos tanto. Mas sempre somos deficientes.

A pessoa que mais se preocupa com os deficientes de todas as naturezas e não apenas com os deficientes físicos, é o próprio Deus. Desde que o primeiro casal foi expulso do Éden, Deus tem procurado ajudar aos deficientes.

No capítulo 35 de Isaías são mencionados os que têm as mãos fracas, os que têm os joelhos trementes, os turbados de coração, os cegos, os surdos, os coxos, os mudos e até os loucos. E as notícias são alvissareiras. Deus está prometendo abençoar, socorrer, ajudar.

Deus se preocupa com os que se encontram em desvantagem. Figuradamente, Ele promete abençoar o deserto, os lugares secos, o ermo e até as casas que se tornaram em morada de chacais. Digo que a linguagem é figurada porque o que o Senhor quer abençoar, mesmo, são pessoas humanas cujos corações estão em situação calamitosa. É claro que, se as pessoas são abençoadas, o ambiente ao redor delas também muda para melhor.

A boa notícia é esta: Através de Jesus, Deus criou novas perspectivas para todas as pessoas humanas. Sim, para todas, inclusive para as mais deficientes. Há uma porta aberta, há um novo caminho, há uma nova esperança para todos. Jesus é o Caminho. Jesus é o alto caminho. Jesus é o caminho santo, mas está acessível para todos os que o queiram caminhar, para os que se recusam a viver imobilizados. Está escrito no verso 8: "E ali haverá um alto caminho, um caminho que se chamará O Caminho Santo; o imundo não passará por ele, mas será o povo de Deus; os caminhantes, até mesmo os loucos, não errarão".

Se sua vida está como um deserto, seu coração como terra seca e se sua esperança murchou, há boas notícias para você: "O deserto e os lugares secos se alegrarão...; e o ermo exultará e florescerá como a rosa. [...] E a terra seca se transformará em tanques, e a terra sedenta, em mananciais de águas..." (vv. 1,7)

Não tenha medo. Confie no Senhor. Ele vai salvar você das deficiências e suprir o que lhe falta. Você não está fadado a viver uma vida de constante desvantagem. A promessa do Senhor para todos os que decidirem andar em seu santo caminho é esta: "... alegria eterna haverá sobre a sua cabeça; gozo e alegria alcançarão, e deles fugirá a tristeza e o gemido" (v. 10). Amém.

12 de setembro

E o Senhor me livrará de toda má obra e guardar-me-á para o seu Reino celestial; a quem seja glória para todo o sempre. Amém!
2 Timóteo 4.18

Dizem que, para quem não estabelece um destino à sua caminhada, qualquer lugar a que chegar está bom. Para sermos mais exatos, deveríamos colocar as coisas nos seguintes termos: Quem não planeja a caminhada não pode se queixar de nenhum destino a que chegar.

Mas como se queixam aqueles que nem sabiam onde queriam chegar! Se não gostam do lugar onde chegaram, e geralmente não gostam, ficam imaginando como seria melhor se tivessem chegado a outra parte.

Estamos falando de planejamento, do estabelecimento de metas. Isso se aplica às atividades do dia-a-dia, a coisas simples como um passeio, à vida profissional e até à nossa vida como um todo. Nunca é demais lembrar que Deus nos fez pessoas inteligentes e responsáveis. Deus, está sempre pronto a orientar-nos, a fortalecer-nos, a colaborar conosco, mas quem decide o que fazer da vida somos nós mesmos.

O apóstolo Paulo foi um homem exemplar nessa questão de se saber o que se quer da vida, Ele sempre sabia onde queria chegar. E alcançou os propósitos que estabeleceu para sua vida.

Como todo cristão consciente, Paulo tinha como meta principal da vida manter-se em comunhão com seu Senhor até ao final da carreira aqui, de forma a estar com Ele para todo o sempre. Ao final da vida terrena diz: "Porque eu já estou sendo oferecido por aspersão de sacrifício, e o tempo da minha partida está próximo. Combati o bom combate, acabei a carreira, guardei a fé. Desde agora, a coroa da justiça me está guardada, a qual o Senhor, justo juiz, me dará naquele Dia" (2 Tm 4.6-8).

Paulo se converteu a Cristo num dia inesquecível para ele, porém não ficou parado esperando a morte chegar para ir morar no céu. Nos primeiros dias após sua conversão passou na casa de um homem chamado Judas, na cidade de Damasco. Ele orou muito naqueles dias e fez propósitos muito sérios diante de Deus e estabeleceu as metas que queria alcançar na vida. Em conseqüência disso, Jesus disse a um outro cristão chamado Ananias: "… este é para mim um vaso escolhido para levar o meu nome diante dos gentios, e dos reis, e dos filhos de Israel" (At 9.15).

Paulo passou a vida lutando para alcançar as metas que havia estabelecido para si mesmo. Enfrentou muitos obstáculos, mas nunca desistiu. Ele dizia: "… uma coisa faço, e é que, esquecendo-me das coisas que atrás ficam e avançando para as que estão diante de mim, prossigo para o alvo…" (Fp 3.13,14)

Na reta final, as dificuldades aumentaram. Queriam silenciar a voz do grande evangelista. Houve pessoas que se levantaram contra ele até dentro da própria comunidade cristã. Mas ficou firme, sabia onde queria chegar.

O último e mais duro teste foi este: solidão. Todos me desampararam, disse ele (2 Tm 4.16). Então, estava em jogo a própria salvação do apóstolo. Se permitisse que a amargura, revolta, tristeza o dominasse, poria em risco sua comunhão com Deus. Pensa que isso seria impossível? Pois veja o que ele escreveu em 1 Coríntios 9.27: "Antes, subjugo o meu corpo e o reduzo à servidão, para que, pregando aos outros, eu mesmo não venha de alguma maneira a ficar reprovado".

Olhando sempre para o alvo, Paulo manteve-se fiel ao Senhor, e venceu. Eis o seu grito de vitória: "Mas o Senhor assistiu-me e fortaleceu-me, para que, por mim, fosse cumprida a pregação e todos os gentios a ouvissem; e fiquei livre da boca do leão" (v. 17).

O Senhor Jesus assiste, fortalece, livra e guarda aqueles que estabelecem bons propósitos para sua vida e lutam para alcançar esses objetivos. Amém.

13 de setembro

E Isaías lhes disse: Assim direis a vosso amo: Assim diz o Senhor: Não temas à vista das palavras que ouviste, com as quais os servos do rei da Assíria de mim blasfemaram.
Isaías 37.6

A Bíblia diz que os pés dos que anunciam boas novas são formosos (Rm 10.15). Porém, o que tem a ver anunciar boas novas com beleza dos pés? O sentido aí é figurado. A idéia é: Quem traz boas novas é sempre bem-vindo. Como o arauto que vem trazido por seus pés, quando a notícia é muito boa.

Quem traz boas notícias é querido. Recebe aplausos. Todos querem agradá-lo. Já quem traz notícia ruim... esse é indesejável.

Por incrível que pareça, há aquele que gosta de dar notícia ruim. Sente um prazer mórbido em fazer os outros sofrerem. Onde tem coisa ruim, desastre, briga, sofrimento, ele lá está. Só pelo prazer de levar notícias ruins para os outros.

No entanto, há pessoas que dão notícias ruins sem gostar. Não é que a pessoa goste, ela é obrigada. Por alguma circunstância, ela tem que desempenhar o indesejável papel. Como se sente uma pessoa assim? Talvez seja quem mais sofre porque recebeu a notícia ruim antes dos outros. Quando os outros começam a sofrer, ela já estava sofrendo.

O portador de más notícias sofre também por causa da rejeição dos outros. Possivelmente alguém vai agir em relação a ele como se ele fosse culpado pelos acontecimentos ruins. Ninguém gosta de ser rejeitado muito menos quando a rejeição é injusta.

Nos dias do rei Ezequias, três homens — Eliaquim, Sebna e Joá — tiveram de ser porta-vozes de notícias ruins. Coitados, além de sofrerem o trauma de ameaças e passarem por humilhações provocadas pelos emissários do arrogante rei Senaqueribe, tiveram de comunicar tudo ao soberano de seu país. Viram o rei sofrer, rasgar seus vestidos e se cobrir de saco. O sofrimento era grande para eles também porque Senaqueribe queria destruir toda a nação de Judá e eles eram parte daquela nação.

A sorte desses homens foi que o rei Ezequias os enviou para falar com o profeta Isaías. Então, o quadro se inverteu. Pela boca do profeta, Deus prometeu livramento ao seu povo e Eliaquim, Sebna e Joá foram os porta-vozes. Assim como eles foram os primeiros a sofrer, foram também os primeiros a receber o consolo de Deus.

Sabe o que aprendo com os três servos do rei Ezequias? Que o Senhor não quer que fiquemos conhecidos como arautos de notícias ruins. Se, por alguma circunstância, tivermos que transmitir alguma informação que faça alguém sofrer, Ele haverá de nos dar algo bom para comunicar depois. O que temos de fazer é ir até à "casa do profeta Isaías", ou seja, buscar a presença do Senhor, para que Ele ponha em nossos lábios algo de bom para transmitir àqueles que, involuntariamente, fizemos sofrer. Que bom será voltar e dizer a quem está sofrendo: "Não temas".

Estou feliz porque sei que o Senhor me está usando para falar com alguém que foi portador de más notícias. Se é esse o seu caso, digo-lhe, em nome do Deus de Isaías: Não temas. Você será portador de algo bom. Deus usará você para abençoar os que estão sofrendo. Amém.

14 de setembro

Tu, anunciador de boas-novas a Sião, sobe a um monte alto. Tu, anunciador de boas-novas a Jerusalém, levanta a voz fortemente; levanta-a, não temas e dize às cidades de Judá: Eis aqui está o vosso Deus.
Isaías 40.9

Quando me perguntam onde nasci, costumo responder: *Eu, pela graça de Deus, sou baiano.* Mas, às vezes, é preciso graça de Deus para suportar as brincadeiras de mal gosto que fazem com os nascidos na terra de Rui Barbosa.

Os baianos, porém, costumam ser pessoas muito comunicativas. Eles gostam de conversar e envolver o maior número possível de pessoas em suas conversas. Isso faz parte da cultura deles.

Sim, a forma como as pessoas se comunicam depende da cultura à qual pertencem. Depende também do temperamento, do tipo de criação que tiveram e de outros fatores. Mas, de uma forma ou de outra, todos nos comunicamos.

A comunicação é um dom de Deus, é algo que herdamos do nosso Criador. Deus é um ser que gosta de se comunicar. Ele é a única pessoa auto-suficiente que existe. Ele poderia viver para sempre sem comunicar nada a ninguém. Mas gosta de compartilhar o que Ele é e o que tem com outros seres. Por isso criou os anjos e os seres humanos como pessoas capazes de se comunicar com Ele.

Viver só, fechado em si mesmo, não é bom. É contra a nossa natureza. É contrário aos propósitos de Deus para conosco. Viemos ao mundo para nos comunicar com Deus e com os nossos semelhantes. Comunicar não somente informações mas também afeto, bens materiais, esperança, fé, enfim tudo o que Deus nos der para administrar.

Às vezes não comunicamos nada porque pensamos que não temos nada. Mas cada um de nós tem algo a comunicar. Há coisas que pensamos não ter nenhum valor, mas podem ser tão úteis a alguém! Às vezes, há pessoas morrendo ao nosso lado só porque não tem ninguém que lhes dê uns poucos minutos de atenção, um sorriso, um *bom dia*, ou lhes faça uma observação elogiosa acerca da roupa que estão vestindo, apenas para que se sintam notadas.

E se for pouco o que tivermos, vamos buscar algo mais para comunicar, vamos aprender coisas novas e boas, vamos trabalhar e conquistar. Isso é bom. Dá sensação de realização pessoal e deixa-nos mais parecidos com o nosso Criador.

Há muitas coisas ruins acontecendo no mundo, mas há muitas coisas boas também. É só procurar que se vai achar. E se somos cristãos verdadeiros, como temos boas notícias para dar! Cristianismo e evangelho são coisas que se fundem. E sabe o que significa evangelho? *Boas notícias.* Comunique-o. Fale do amor de Deus. Não existe nada mais precioso do que isso. As pessoas precisam saber que são amadas pelo Criador.

Procure ter boas notícias para dar. E quando as tiver, publique-as. Transmita-as ao maior número possível de pessoas. Mesmo que você não seja baiano. Amém.

15 de setembro

A Tito, meu verdadeiro filho, segundo a fé comum: graça, misericórdia e paz, da parte de Deus Pai e da do Senhor Jesus Cristo, nosso Salvador.
Tito 1.4

— Ordinário, marche! — ordenou o comandante.

O soldadinho, além de não marchar, ficou muito ofendido.

—Viemos aqui com a melhor das intenções, desejando servir a pátria, e é assim que nos tratam: nos xingam de ordinários!

Foi muito difícil convencer o soldadinho de que ninguém o estava xingando. A origem de todo o problema foi o fato de que na região em que foi criado a palavra *ordinário* significava *coisa ruim, de baixa qualidade.* Todavia, realmente, o significado não é esse. Ordinário é aquilo que não é extraordinário, que é normal, natural. *Ordinário, marche,* subtende-se como *passo normal, marche!*

Uma palavra irmã de *ordinário* é a *comum.* Esta, para muitas pessoas, é aquilo que tem baixa qualidade. O equívoco é similar ao outro. Comum é aquilo que é compartilhado por duas ou mais pessoas.

Quando a Bíblia fala da "fé comum", está se referindo a algo que todos os cristãos verdadeiros possuem. É comum por isso. É a fé normal. Fé diferente dela é fé suspeita.

Paulo e Tito possuíam uma fé comum. A fé que havia no coração de um era a que havia no coração do outro. Tito era considerado filho espiritual de Paulo porque foi do coração deste apóstolo que a fé fluiu para o coração dele. Aqui aprendemos algo muito importante acerca da "fé comum": ela nos faz pessoas frutíferas. Tendo-a no coração, geramos filhos para o Reino de Deus. Mesmo que sejamos pessoas muito jovens, idosas ou incapazes de gerar filhos físicos por outros motivos, podemos ser pais e mães espirituais.

Com a maior naturalidade, Paulo ministra a Tito "graça, misericórdia e paz". Essas coisas também fazem parte da "fé comum". Se você tem algum tipo de fé, mas vive sem graça, com medo da justiça de Deus e, portanto, não tem paz, sua fé é muito estranha. Mas não vamos começar aqui uma discussão infrutífera. Não estou aqui para maltratar ninguém. Deus me enviou para abençoar. Se você tem vivido à margem da graça de Deus, sem paz, abra o seu coração. Deus ama você. Por sua misericórdia, Ele vai salvá-lo, perdoá-lo e dar-lhe a verdadeira paz. A você eu ministro, agora mesmo, graça, misericórdia e paz segundo a "fé comum". Amém.

16 de setembro

Dá vigor ao cansado e multiplica as forças ao que não tem nenhum vigor.
Isaías 40.29

Certo líder evangélico de grande influência foi participar de uma reunião com pastores em uma cidade do interior do Brasil. Ao desembarcar, a corrente de ar produzida pelas hélices do avião fez com que a ponta de sua gravata fosse lançada para cima do ombro, mas ele nem se deu conta disso. Ao chegar ao saguão do aeroporto, foi recepcionado por um grupo de homens, todos com a gravata jogada para cima do ombro.

Líder é assim mesmo: influencia a maneira de ser de seus liderados. Alguns exercem uma influência inofensiva; alguns, de forma positiva; e outros o fazem para o mal.

O líder que mais influencia uma pessoa é o deus a quem essa pessoa adora. Claro, se ele é o líder máximo exerce a influência máxima.

Referindo-se aos deuses que "têm boca, mas não falam; têm olhos, mas não vêem; têm ouvidos, mas não ouvem; nariz têm, mas não cheiram. Têm mãos, mas não apalpam; têm pés, mas não andam; nem som algum sai da sua garganta" (Sl 115.5-7), a Bíblia diz: "Tornem-se semelhantes a eles os que os fazem e todos os que neles confiam" (v. 8). Em 2 Reis 17.15 também está escrito: "... andaram após a vaidade e ficaram vãos..."

Esta é uma grande verdade: a pessoa fica parecida com o deus a quem adora. Quem adora um deus promíscuo, fica promíscuo. Quem adora um deus mentiroso, fica mentiroso. Quem adora um deus cruel, fica cruel. Quem adora um deus feio, fica feio. Quem adora um deus imóvel, fica imóvel.

No capítulo 40 de Isaías há mais uma pregação contra os falsos deuses. O profeta enfatiza o quanto os ídolos feitos pelas mãos dos homens são inúteis. Por outro lado, ele mostra como Deus, que criou todas as coisas e chama as estrelas pelo seu nome. É um Deus dinâmico, empreendedor, forte. É o Deus que "nem se cansa nem se fatiga". Quem adora a esse Deus fica parecido com Ele.

Quando uma pessoa, se acha cansada, exausta, sem nenhum vigor, se lembra desse verdadeiro Deus, e já é fortalecida, pois se lembrou do Deus forte. Se essa pessoa busca a Deus, adora a Deus, não tenha dúvida: vai ter seu vigor multiplicado.

Quem conhece o dinamismo de Deus e o glorifica por isso, torna-se dinâmico. Quem admira a criatividade do Deus verdadeiro, também fica criativo. Quem gosta da fidelidade de Deus vai querer e ser também fiel. Quem ama a Deus porque Ele é verdadeiro, ama a verdade e a praticará. Quem gosta de Deus porque Ele é amor, se encherá de amor, amará a Deus e ao próximo.

Aqui está o segredo para ser forte: lembrar-se de que Deus é forte e glorificá-lo por isso. Quem sabe que Deus é forte confia e espera nEle: "Mas os que esperam no Senhor renovarão as suas forças e subirão com asas como águias; correrão e não se cansarão; caminharão e não se fatigarão" (Is 40.31). Amém.

17 de setembro

Não temas, porque eu sou contigo; não te assombres, porque eu sou o teu Deus; eu te esforço, e te ajudo, e te sustento com a destra da minha justiça.
Isaías 41.10

Em seu livro *É tempo de rir*, Josué Silvestre fala de um rapaz que era noivo de uma moça da igreja, mas ela nem sabia disso.

Há muitas pessoas que estão chamando o Senhor de *meu Deus* e o Senhor nem sabe que é o Deus deles. Com isso quero me referir às pessoas que pensam que basta chamar o Senhor de *meu Deus* e tudo já está resolvido. Não é assim! Para ter o Criador como Deus, é preciso entregar-lhe a vida.

Descobri que poderia ter o Deus que criou o céu e a terra como o meu Deus. Descobri que, para isso, deveria chegar-me a Ele através de Jesus, seu Filho Unigênito, que morreu por mim. Rendi-me ao grande amor do Senhor e cheguei-me a Ele através de Jesus. Fiz um pacto com Deus. Agora Ele é o meu Deus. Quem quiser ter o Senhor como seu Deus, deve fazer o mesmo.

Agora vou dizer-lhe uma coisa muito interessante: Às vezes, o Senhor diz a uma pessoa: *Eu sou o teu Deus*, e ela não sabe. Isso acontece quando a pessoa recebeu a Deus como seu Senhor, cometeu coisas erradas e pensa que Deus desistiu delas. Escute: Deus não desiste de você muito fácil.

Deus constituiu Israel como seu povo. Ocorre que Israel se afastou de Deus, cometendo muitas coisas erradas. Deus enviou os seus profetas para chamar aquele povo ao arrependimento. Às vezes o povo ouvia, às vezes não ouvia. Deus castigava Israel com pestes, secas e derrotas diante dos seus adversários. E quando Israel pensava que o Senhor o tinha abandonado de vez, lá estava o Senhor declarando seu amor para com aquele povo. No tempo do profeta Isaías foi assim.

Você começa a ler o profeta Isaías. Logo no primeiro capítulo, verso 3, você lê: "O boi conhece o seu possuidor, e o jumento, a manjedoura do seu dono, mas Israel não tem conhecimento, o meu povo não entende". Você vai lendo o livro e vai se inteirando de como aquele povo se rebelou e foi admoestado e castigado pelo Senhor. Então, você chega no capítulo 41 e fica atônito. Aqui você encontra esta declaração incrível: "Eu sou o teu Deus..."

Eis a questão: Deus não desiste de nós facilmente. Talvez você nem saiba, mas Ele está dizendo: *Eu sou o teu Deus*. Volte. Arrependa-se. Deixe o pecado. Essa sua teimosia só vai-lhe dar prejuízo. Volte antes que seja tarde demais. Deus ainda ama você. Ele não se esqueceu daquela entrega que você fez a Ele. Existe uma aliança entre você e Deus. Mas o inimigo também viu e quer impedir os bons propósitos que o Senhor tem para a sua vida. Se você insiste em ficar longe do Senhor, o inimigo pode acabar com você. Volte logo.

Às vezes, enfrentamos lutas nesta vida. Não, por rebelião. É guerra que o Inimigo faz contra nossas vidas por causa de nosso compromisso com Deus. O Senhor permite para que exercitemos a nossa fé. Mas pensamos que o Senhor se esqueceu de nós. Pensamos que a aliança que fizemos com Ele não foi válida. Pensamos que Ele não se considera como nosso Deus. E quando tudo parece perdido, Ele chega e nos diz: "Não temas, porque eu sou contigo; não te assombres, porque eu sou o teu Deus; eu te esforço, e te ajudo, e te sustento com a destra da minha justiça". Que maravilha!

Diga comigo: *Obrigado, Senhor, porque és o meu Deus.* Amém.

18 de setembro

A graça de nosso Senhor Jesus Cristo seja com o vosso espírito. Amém!
Filemom 25

O pai de família reuniu as pessoas de sua casa para realizar o culto doméstico. Cantaram louvores a Deus, leram a Bíblia e preparam-se para a oração. Nesse momento, alguém se lembrou de uma outra família da igreja que estava padecendo necessidades. Então, decidiram orar por aquela família. Quando terminaram, uma criança sugeriu: *Que tal se nos tornássemos na resposta de nossa oração por aquela família?* Enquanto todos tentavam entender o que a criança estava dizendo, ela própria explicou: *Se levarmos comida para os nossos irmãos, estaremos sendo os instrumentos de Deus para atender à oração que nós mesmos fizemos.*

Todos temos sido abençoados por Deus. Muitas das bênçãos que temos recebido chegam-nos através de pessoas humanas. Em suma: a graça de Deus flui neste mundo através de pessoas humanas. Nesse fluir da graça, às vezes somos os beneficiados e às vezes somos os abençoadores.

No princípio de nossa era, a escravidão era comum e aceita até pelos cristãos. Onésimo, por exemplo, era escravo de um cristão proeminente chamado Filemom. Contudo, Onésimo fugiu da casa de seu senhor. Ele devia saber que as leis romanas eram muito severas para aquele tipo de atitude. Mas fugiu assim mesmo e foi preso. As perspectivas eram as piores possíveis. Quando fosse devolvido ao seu senhor, seria severamente castigado e poderia até ser morto. Então, a graça de Deus o alcançou, literalmente no fundo do poço, no fundo da prisão.

Na prisão onde Onésimo foi colocado estava o apóstolo Paulo, preso por causa do evangelho. Para ser um instrumento da graça de Deus para Onésimo, Paulo tinha de estar ali. Não era uma situação agradável, mas, para serem instrumentos da graça de Deus, muitos são expostos a situações de desconforto.

Paulo pregou o Evangelho para Onésimo e este se converteu. Conversa vai, conversa vem, Paulo descobre que o senhor de Onésimo era outro seu filho na fé. Então, ele se permite continuar sendo instrumento da graça de Deus, fazendo uma carta a Filemom, intercedendo por seu escravo fugitivo. Isso é o livro de Filemom, uma obra belíssima, bem curtinha, fácil de ler. Leia o livro de Filemom. Veja como funciona a graça de Deus.

Todos somos escravos em apuros como Onésimo. Jesus fez por nós o que Paulo fez por Onésimo: foi nosso companheiro de prisão, embora não merecesse, e intercede por nós. Nesse sentido somos Onésimo.

Olhando por outro ângulo, Filemom era um cristão que tinha contas a receber. Paulo pede a ele que perdoe aquela dívida e que não guarde rancor contra Onésimo. Lembra a ele que havia sido agraciado um dia por Deus, recebendo o perdão do Senhor e a salvação eterna por sua instrumentalidade. Paulo estava como que dizendo a ele: *Você foi abençoado. Agora abençoe também.* Filemom haveria de ser um instrumento da graça de Deus. Então, neste sentido, somos Filemom. Fomos alcançados pela graça de Deus. Agora, deixemos que essa mesma graça flua através de nós. Aprendamos essa lição.

A graça de nosso Senhor Jesus Cristo seja com o espírito de meu querido leitor. Amém.

19 de setembro

Porque eu, o Senhor, teu Deus, te tomo pela tua mão direita e te digo: não temas, que eu te ajudo.
Isaías 41.13

Gosto de fazer casamentos. E não é só para participar da festa. Casamento é um momento muito feliz. Primeiro porque é resultado do mais nobre dos sentimentos: o amor. E tudo é tão bonito: a alegria estampada nos rostos, a igreja ornamentada, o povo elegantemente vestido, a música especial, a beleza e a felicidade dos noivos.

O momento em que os nubentes juram fidelidade um ao outro sempre é muito emocionante. Gosto de pedir a eles que façam o juramento de mãos dadas, olhando um na face do outro. A voz deles sai embargada, normalmente os olhos estão cheios de lágrimas.

Em muitos lugares da Bíblia Deus compara o relacionamento dEle com o seu povo a um casamento. Talvez nenhuma passagem da Bíblia ilustre melhor essa comparação como o nosso versículo de hoje. Então, Deus está segurando na minha e na sua mão, e está dizendo: *Eu não vou abandonar você.*

A iniciativa de segurar na mão é dEle. Gosto das canções que nos mandam segurar na mão de Deus. Mas o melhor mesmo é que ele segure a nossa mão. Quando seguramos na mão de Deus, pode ser que alguma força nos puxe e acabemos nos separando do Senhor. Pode nos faltar força nos dedos, a mão pode escorregar. Mas se é Ele quem está segurando, não tem perigo. Nada vai nos arrancar das mãos do Senhor.

Você notou o detalhe de que o Senhor nos toma pela nossa mão direita? É a mão em que a maioria das pessoas tem mais força. Não se preocupe: se você é canhoto, Ele vai segurar na sua mão esquerda. O que Deus quer é que nos sintamos seguros.

O Senhor segura na sua mão e lhe diz: "Não [tenha medo], que eu te ajudo". Nada pode nos dar maior segurança do que isso, não é mesmo? Mas preste atenção: Deus aí está lhe dizendo duas coisas. A primeira está bem explícita: Você não deve ter medo. Não deve se assustar com nada que esteja ameaçando a sua vida ou o seu bem-estar. O Deus que está segurando sua frágil mão lhe garante proteção e vitória. A outra coisa que Deus está falando está debaixo de uma promessa.

A promessa que Deus nos faz é a de nos ajudar. Se Deus ajuda é porque Ele não faz tudo. Você faz, Ele ajuda. Você tem que fazer alguma coisa. Pode ser que você só possa fazer pouquinha coisa. Mas você deve fazer o que pode. Talvez você faça 10% e Ele 90%, ou ainda, você faça 1% e Ele 99%. Não importa, porém, a sua parte você terá de fazer. O maravilhoso de tudo isso é que, ainda que Cristo faça 99%, a parte dEle é contada como *ajuda*. Uma parceria dessas vale mesmo a pena.

E, então, você quer mesmo ter a amizade de Deus? Se aproxime dEle agora mesmo, através da fé em Jesus Cristo, deixe que Ele o tome pela mão direita e ouça o que tem a dizer neste momento tão solene. Amém.

20 de setembro

Não temas, ó bichinho de Jacó, povozinho de Israel; eu te ajudo, diz o Senhor, e o teu Redentor é o Santo de Israel.
Isaías 41.14

Ao chamar Israel de bichinho e de povozinho, o Senhor, além de mostrar-se carinhoso com aquele povo, usa um artifício muito inteligente para encorajá-lo. Israel, àquela altura da história, era um povo sofrido, debilitado. Deveria se sentir muito pequeno, sem condições de enfrentar as lutas que surgiam ao seu redor. O povo se sentia como um animal assustado. Como um bichinho diante de grandes feras. Então, entendo que Deus está dizendo: *Você é pequeno mesmo. É um povozinho. É um bichinho. Mas amo você e posso ajudá-lo. Comigo você é um povo poderoso, é como um leão.*

A maneira como Deus chama e se apresenta a Israel é muito interessante. Ele se apresenta como Redentor e Santo.

Deus é Senhor, soberano. Ele é Senhor de Israel e de tudo. Tem o controle de todas as coisas. Irá socorrer seu povo por uma deliberação soberana sua. E faz isso porque quer. Garante a vitória porque pode.

Ao se apresentar como Redentor de Israel, Deus está falando de um processo de compra. Quem redime paga um preço. E quem é redimido fica sendo propriedade de seu redentor. Israel pertence a Deus. Deus vai livrá-lo porque é propriedade sua. Ninguém vai destruir o que é dEle, sem mais nem menos.

O Santo de Israel é o Deus que se revelou ao mundo através daquele povo. O mundo conhecia o Deus que criou os céus e a terra porque Israel o adorava e falava dEle. Cada nação tinha o seu deus. Eram deuses falsos, diminutos, fraquinhos. O povo de Israel servia ao Todo-Poderoso. O conhecimento do poder, da sabedoria e do amor de Deus estava intimamente ligado à história de Israel. Ele é o Santo de Israel. Logo, Deus tinha um forte compromisso com aquele povo. Quando o Senhor se diz: "... o Santo de Israel", Ele está afirmando que não se esqueceu do vínculo que tem com o seu povo.

Através de Jesus Cristo, o Filho de Davi, pessoas oriundas de todas as nações do mundo podem fazer parte do povo de Deus (1 Pe 2.9,10). As palavras de Isaías 41.14 são válidas para todos os que fazem parte do povo de Deus. Através de Jesus, o Senhor nos redime, passa a ser nosso Redentor. O Santo de Israel é quem nos ajuda nas horas de dificuldade. Por Ele somos protegidos, nEle somos mais do que vencedores. Amém.

21 de setembro

Ora, a suma do que temos dito é que temos um sumo sacerdote tal, que está assentado nos céus à destra do trono da Majestade.
Hebreus 8.1

É mais fácil falar com o Governador do que com certas pessoas. Há pessoas que são ou se dizem tão ocupadas, que é mais fácil ter uma audiência com o Presidente da República do que dispor de alguns minutos da atenção delas. Bem, quem é a pessoa mais ocupada que existe? Deus. Pois bem, é mais fácil falar com Deus do que com certas pessoas.

Pensando bem, é mais fácil falar com Deus do que com qualquer autoridade humana, parente ou amigo nosso. Claro: Deus é Onipresente e Onipotente. Ele está em todo o lugar ao mesmo tempo e não precisa interromper o que estiver fazendo para atender a quem quer que seja. Além disso, por ser também Onipotente, Ele nunca se cansa.

Observe que interessante: a pessoa mais ocupada que existe é também a mais disponível. Mas há um problema. Tudo bem que Deus está perto de todas as pessoas em todos os lugares, Ele ouve tudo o que temos a dizer e pode atender a todos os nossos pedidos. Mas Ele quer atender às nossas petições? Sim. A questão é: Deus tem mesmo de atender a todos os que recorrem a Ele? Deus faz o que quer.

Voltamos à estaca zero. Deus não é acessível. Ele é Deus; somos humanos. Ele é Espírito; vivemos num corpo material. Ele é santo; somos pecadores. Como poderíamos ter acesso a Ele e sensibilizá-lo com nossas necessidades?

Tenho boas notícias. Deus colocou em ação sua própria Onipotência para tornar-se inteiramente acessível para cada um de nós. Deus é um só, mas as pessoas divinas são três. Isto faz parte da Onipotência de Deus: ser um e ser três ao mesmo tempo. Pois bem. Uma das pessoas divinas se fez homem (lembre-se Ele é Onipotente!), viveu na terra e, quando voltou para o céu, continuou sendo "o Filho do Homem" (At 7.56). Agora há um homem no céu que nos conhece e nos entende. Vive para interceder por nós (Hb 7.25). E quanto aos nossos pecados? Eles não nos separam de Deus? Separam, mas Jesus Cristo, o Filho de Deus, quando veio ao mundo, pagou pelos nossos pecados. Não podíamos pagar, Ele pagou. Não se esqueça: Ele é Onipotente.

Então, tudo clareou de novo! A pessoa mais ocupada, de fato, é a mais acessível.

O livro de Hebreus foi escrito para demonstrar que Jesus é superior a qualquer outro intermediário que pudéssemos imaginar: superior aos anjos, superior a Moisés e superior aos sumos sacerdotes do Antigo Testamento. Tratando dessa questão, o escritor aborda assuntos muito profundos. Algumas pessoas se perdem na análise desses assuntos. Mas, já prevendo isso, o escritor deu um resumo de tudo o que escreveu. E "a suma", como ele diz, é exatamente a grande verdade que temos apresentado aqui: Deus, a pessoa mais importante que existe, é a mais acessível para mim e você. Aproveitemos! Amém.

22 de setembro

Mas, agora, assim diz o Senhor que te criou, ó Jacó, e que te formou, ó Israel: Não temas, porque eu te remi; chamei-te pelo teu nome; tu és meu.
Isaías 43.1

Este versículo bíblico é completamente maravilhoso. Contudo, o que me chama mais a atenção é a expressão "Mas, agora". Sim, as duas primeiras palavras que o introduzem.

Estou aqui como alguém que tem um sorvete saboroso nas mãos e o que mais quer, é: comer *a casquinha*.

O capítulo 42 de Isaías contém uma profecia messiânica. Nessa passagem, Jesus é chamado de "o Servo do Senhor". Ele é apresentado, não apenas como aquEle que vem para restaurar o povo de Israel, mas também como "luz dos gentios". O mundo todo se encontrava corrompido. A impressão que se tinha era a de que o Criador havia se esquecido da humanidade. O próprio Deus declara: "Por muito tempo, me calei, estive em silêncio e me contive" (v. 14). Todavia, no mesmo versículo, aparece um primeiro "mas, agora". O Senhor anuncia: "... darei gritos como a que está de parto, e a todos assolarei e juntamente devorarei". Ou seja, para introduzir o Salvador no mundo, Deus faria um grande alvoroço em toda a terra. Fronteiras internacionais seriam alteradas, lideranças mundiais seriam remanejadas, tudo para favorecer a vinda do Messias a este mundo.

Após se referir às nações em geral, a palavra profética se volta para Israel, o povo de Deus. A situação ali também não é nada boa. Deus havia castigado muito aquele povo, tentando levá-lo ao arrependimento, mas sem sucesso. O último verso desse capítulo é este: "Pelo que derramou sobre eles a indignação da sua ira, e a força da guerra, e lhes pôs labaredas em redor, mas nisso não atentaram; e os queimou, mas não puseram nisso o coração". E, então, começa o capítulo 43 com mais um "mas, agora".

Nessa segunda expressão, Deus está dizendo ao seu povo que os castigos que lhe enviou não foram para matar, mas para salvar. Deus não se esqueceu do seu povo. Os castigos são prova de amor e não de abandono.

Desprezo dói muito. Ser tratado com indiferença é algo que nos fere terrivelmente. Se uma pessoa é importante para nós, é melhor que ela nos bata, que grite conosco, do que ela finja que não nos conhece.

Como Deus é muito importante, seria terrível se Ele nos ignorasse. O "mas, agora" dos capítulos 42 e 43 de Isaías nos fazem lembrar disto: Deus não nos ignora. Os tumultos em que somos envolvidos nesta vida não querem dizer que Ele nos esqueceu. Pelo contrário, algumas fases turbulentas da vida são resultado de algumas mudanças que nosso Pai celestial promove para cumprir sua vontade em nós. E não nos esqueçamos: sua vontade é sempre boa, agradável e perfeita. Ainda que no princípio tudo pareça confuso, ainda que a seqüência dos acontecimentos nos tire o fôlego, no final tudo vai dar certo.

Às vezes, fazemos coisas erradas e ainda apanhamos do Papai do Céu. Mas isso é bom para nossas vidas. Tratando disso, o escritor aos Hebreus nos diz: "Porque o Senhor corrige o que ama e açoita a qualquer que recebe por filho. Se suportais a correção, Deus vos trata como filhos; porque, que filho há a quem o pai não corrija?" (12.6,7)

Então, vamos terminar de comer nossa *casquinha de sorvete*. No primeiro "mas, agora", temos a garantia de que quando há um alvoroço em nossa vida não é porque Deus se esqueceu de nós. Ele simplesmente está trabalhando para que sua vontade se cumpra. No segundo "mas, agora", somos informados de que, quando o Senhor nos castiga, não é para nos destruir, e sim para o nosso bem. Amém.

23 de setembro

Quando passares pelas águas, estarei contigo, e, quando pelos rios, eles não te submergirão; quando passares pelo fogo, não te queimarás, nem a chama arderá em ti.

Isaías 43.2

Minha avó paterna, Constantina Maria da Silva, era uma mulher de oração. Ainda bem criança, tive que fazer-lhe companhia em suas andanças para a igreja que não eram poucas. Creio que isso influenciou muito a minha formação. Porém, ela era uma mulher do campo, gostava de realizar pequenas plantações e de criar animais. Não sei até que ponto isso influenciou minha opção pelo curso de Engenharia Agronômica mais tarde. Mas também nessa área minha avó fazia coisas que me deixavam fascinado.

Uma das coisas que ela fazia era colocar galinhas para chocar ovos de outras aves como patas, peruas e galinhas africanas. Ela sabia o tempo que cada tipo de ovo precisava para produzir os filhotes e, simplesmente, os colocava no ninho da galinha no tempo certo.

Era engraçado quando uma galinha tinha patinhos entre os seus filhotes. Eles corriam para dentro das lagoas e riachos, deixando a mãe adotiva deles desesperada. Ela os via lá no meio das águas, pensava que eles estavam em perigo e não sabia o que fazer para salvá-los.

Água, normalmente, é uma bênção. Mas, dependendo das circunstâncias, pode ser um grande problema, pode causar morte e destruição. Algumas pessoas têm mais capacidade de lidar com água, outras têm menos. Umas sabem nadar, outras não sabem. Umas têm barco, outras não têm. Se você enfrenta a água dispondo de coletes salva-vidas, a situação é uma. Sem coletes salva-vidas, a situação é outra.

Problemas podem ser comparados com a água. É impossível se viver sem enfrentar dificuldades. Nós precisamos enfrentar desafios, o tempo todo, para aprender coisas novas, para crescer. Mas há situações que podem ficar fora de controle. Há problemas que podem, literalmente, nos engolir. Um montão de problemas, vindo de uma vez, é como uma enxurrada. Isso pode nos destruir, pode arrasar tudo o que construímos com tanto carinho. Há situações das quais só escapamos com muita graça e poder de Deus. Ou Deus nos socorre, ou estamos perdidos.

Agora, preste atenção. Antes de nos convertermos, não éramos filhos de Deus. É a Bíblia, a Palavra de Deus, que nos diz isto (Jo 1.12; 1 Jo 3.2). Não tínhamos como enfrentar as famosas "águas do mar da vida". Todavia, quando reconhecemos a nossa situação de pecadores perdidos, arrependemo-nos da vida que vínhamos levando e recebemos Jesus como Senhor e Salvador, fomos gerados de novo (Jo 3.3; Tt 3.5). Agora somos novas criaturas. Sabemos flutuar sobre os problemas da vida.

Mesmo sabendo nadar sobre as tribulações que se nos apresentam, às vezes, nos encontramos em grandes dificuldades. Mas é bom saber que o nosso Deus não fica a margem, sem fazer nada por nós. Ele vem ao nosso socorro e nos livra. Em Salmos 124.2-4, está escrito: "Se não fora o Senhor, que esteve ao nosso lado, quando os homens se levantaram contra nós, eles, então, nos teriam engolido vivos, quando a sua ira se acendeu contra nós; então, as águas teriam transbordado sobre nós, e a corrente teria passado sobre a nossa alma". Note bem que a Palavra de Deus diz: o Senhor está ao nosso lado.

Há situações que são tão terríveis, que se parecem com um forno. Mas o nosso Deus é especialista nisso também. Assim como Ele esteve ao lado de Ananias, Misael e Azarias (Dn 3.19-27) na grande fornalha construída por Nabucodonozor e não permitiu que ficasse nem cheiro de fogo neles, assim também Ele nos livra das fornalhas em que somos lançados hoje em dia.

Somos filhos de um Deus que anda conosco no fogo e na água. Às vezes pensamos que seria melhor não ter de andar em ambientes tão complicados. No entanto, se nosso Pai nos privasse de andar neles, não teríamos como exercer as nossas habilidades. Mas, se em algum momento algo sair errado, precisamos apenas olhar para o lado: nosso Pai celestial está bem pertinho. Amém.

24 de setembro

Tendo, pois, irmãos, ousadia para entrar no Santuário, pelo sangue de Jesus, pelo novo e vivo caminho que ele nos consagrou, pelo véu, isto é, pela sua carne, e tendo um grande sacerdote sobre a casa de Deus, cheguemo-nos com verdadeiro coração, em inteira certeza de fé; tendo o coração purificado da má consciência e o corpo lavado com água limpa.
Hebreus 10.19-22

— Zé, você sabe por onde anda o Antônio?

— Parece que alguém ouviu falar que ele foi visto não sei onde.

Só pode ser brincadeira, porque nessa frase tão grande não há nada de concreto, não há informação alguma.

Há uma expressão que muitos usam e que também não significa nada. É a expressão *tenho quase certeza*. Quando se tem certeza a respeito de algo é porque não se tem nenhuma dúvida. Quando alguém diz que tem *quase certeza* está dizendo que tem dúvida. A palavra *certeza* nesse contexto não tem valor algum.

Gosto de Hebreus 10.22 porque fala de fé. Fé é certeza e firme fundamento, nos diz o escritor do mesmo livro (11.1). Entretanto, ele vai mais longe, pois fala de "certeza de fé". É uma redundância. Fé já é certeza. Quem tem fé não tem dúvida. Então, "certeza de fé" é *certeza de certeza*.

Agora olhe com mais atenção para Hebreus 10.22. Ele não só fala de certeza de fé, mas de *"inteira certeza de fé"*. Toda certeza é inteira. Não existe meia certeza, nem um terço de certeza. Podem existir 95% de probabilidade. Mas certeza é 100% de probabilidade. Esta é a situação de quem confia em Cristo. Vive num estado de certeza absoluta.

Toda certeza precisa ter um fundamento. Quando alguém diz que tem certeza, é porque tem elementos para isso. Em que se baseia a certeza dos cristãos? Em primeiro lugar, temos um grande Sacerdote, e este Sacerdote fez o melhor sacrifício, infinitamente superior a todos os outros sacrifícios que alguém já fez neste mundo. Sem ter cometido, jamais, qualquer pecado, ele ofereceu-se a si mesmo a Deus para pagar as nossas culpas. Foi rasgado o véu, quando sua carne foi rasgada, tivemos acesso a um caminho novo. Quando seguimos por esse caminho, temos acesso ao próprio santuário celestial. Temos acesso ao próprio Deus Todo-poderoso e chegamos diante do trono do Senhor, vindo através desse novo caminho. Rei da Glória vê em nós a marca do seu próprio sangue. Não há barreira, não há impedimento, não há nenhuma limitação em nossa *audiência* com o Deus que nos criou, nos resgatou e nos adotou como filhos seus.

Desfrute desta provisão sem igual. Confie no Sacerdote certo. Entre pelo caminho certo e fique firme nesta segurança. Confie. Creia na verdade. Chegue-se ao santuário celestial em inteira certeza de fé. Amém!

25 de setembro

Não temas, pois, porque estou contigo; trarei a tua semente desde o Oriente e te ajuntarei desde o Ocidente.
Isaías 43.5

A Bíblia adverte: desobedecer a Deus é prejudicial para a saúde. É prejudicial para a saúde do espírito, da alma assim como toda a vida financeira. Na maioria dos casos, é prejudicial também para a saúde do bolso. Quanto aos raros casos em que se possa ter vantagens financeiras, é bom refletir sobre a pergunta de Jesus: "Que aproveita ao homem ganhar o mundo inteiro, se perder a sua alma?"

Por que desobedecer a Deus nos faz mal? A pergunta, praticamente, contém a resposta. Se Deus é a fonte do bem, opor-se a Ele significa abrir-se para o mal. Se o mal acha lugar na vida de uma pessoa, ele penetra, ocupa o espaço disponível e *cava* mais espaço. Nada de bom pode vir dele. Enquanto a pessoa não reage, o pecado vai dominando, vai se espalhando, e se perpetuando.

Para entendermos bem como essa coisa funciona, basta que examinemos a história de Israel. Quando aquele povo não estava bem com Deus, males e males o acometiam. Ele se enfraquecia e seus inimigos o dominavam. A última etapa do processo, já apontada, desde os primórdios, pelo profeta Moisés, era a expulsão de Israel de sua própria terra (Lv 26.33). Então, Israel se encontrava numa situação extremamente difícil. Fora de sua terra, trabalhando como escravo para outros povo, e em geral, tendo que adorar aos deuses pagãos.

Agora vem a parte boa de nossa conversa de hoje. A Bíblia promete: arrepender-se diante de Deus faz bem para a saúde, tanto do espírito do quanto da alma e corpo. Geralmente, também é benéfico para as finanças. Só não traz prosperidade material em duas situações: quando a pessoa, consciente e deliberadamente renuncia aos bens terrenos para dedicar-se a um serviço que seja incompatível com a manutenção deles, ou quando a pessoa é submetida a uma prova de fé para, depois, recuperar tudo em dobro.

O arrependimento de pecados abre as portas para a entrada do bem. Deus nunca ignora o arrependimento sincero. O rei Manassés afrontou a Deus durante décadas. Praticou todo o tipo de maldade. Chegou a ser levado cativo para Babilônia. Mas um dia ele se arrependeu e sua sorte mudou completamente (2 Cr 33.1-13). Lá no monte Calvário, perto da cruz onde Jesus estava, um homem se arrependeu, nos últimos minutos de vida que lhe restavam. E foi perdoado, tornando-se uma das primeiras pessoas que entraram no Paraíso (Lc 23.39-43).

Através do arrependimento, o bem penetra na vida de uma pessoa. E sabe o que mais? O bem é mais poderoso do que o mal. A recuperação é muito mais rápida do que a queda. Mesmo que a pessoa se encontre *no fundo do poço* ela é tirada da situação de calamidade e é exaltada, posta em lugar de destaque. Leia a parábola do Filho Pródigo, registrada em Lucas 15.11-24.

Se você está afastado de Deus, seja há cinqüenta anos ou há cinco minutos, o melhor é arrepender-se. Desista do pecado e peça perdão ao Senhor. Faz bem para a sua saúde. Amém.

26 de setembro

Ainda antes que houvesse dia, eu sou; e ninguém há que possa fazer escapar das minhas mãos; operando eu, quem impedirá?
Isaías 43.13

Certa vez, fiz uma caminhada pelas montanhas, à beira-mar, com meus filhos pequenos e uns priminhos deles. A aventura era fascinante: embrenhávamo-nos pelo meio da vegetação, escalávamos pedras enormes e, lá de cima, contemplávamos as ondas chocarem-se com fúria contra os rochedos. Os meninos olhavam tudo aquilo maravilhados. Havia um pequenino que sempre estava próximo de mim. *Tio, me ajuda aqui*, pedia ele constantemente.

A noite chegou e ainda estávamos por lá, fazendo trilhas por onde nunca havíamos andado antes. Numa certa hora, a aventura se tornou mais perigosa. Tivemos de passar por cima de uma vala muito profunda, e o pequenino pediu: *Pastor, me ajuda aqui!* Todos achamos muita graça, notando a mudança da forma como ele pediu apoio.

Costumamos nos dirigir a Deus usando os títulos que nos parecem mais apropriados para o momento. Um dos nomes de Deus que os crentes mais gostam é *Já*. Ele aparece em Salmos 68.4. Diferentemente do que as pessoas pensam, não significa *agora* como em Português. É apenas uma abreviatura de Jeová ou Javé, do Hebraico. Mas quando as pessoas estão com pressa, logo invocam o *Deus Já*.

Quando pedimos alguma coisa a Deus e nos parece que ela está demorando a chegar, ficamos com medo de que o Senhor perca a hora. Foi, por exemplo, o que aconteceu com aquele homem do relato de João 4.43-54. O filho dele estava gravemente enfermo. Quando Jesus disse: "Se não virdes sinais e milagres, não crereis", o homem responde: "Senhor, desce, antes que meu filho morra". Ele realmente tinha medo de que Jesus chegasse tarde.

É assim mesmo. Somos humanos e condicionados pelo tempo. Sempre temos que levar o fator tempo em consideração. Deus nos entende. Foi Ele mesmo que nos criou dentro do tempo. Jesus curou o filho do homem apressado. Mas, nunca devemos perder de vista que o nosso Deus não está condicionado pelo tempo. Ele é Senhor do tempo. Ele o pára tempo, como fez em atenção ao pedido de Josué (Js 10.12,13). Ele faz o tempo voltar, como fez na época do rei Ezequias (2 Rs 20.8-11) e, claro, pode acelerá-lo. Hoje em dia, a própria ciência humana sabe que o tempo é um fator relativo.

"Ainda antes que houvesse dia, eu sou", nos diz o nosso Deus. Portanto, não se preocupe. É impossível que Ele perca a hora. Se algum dia a perdesse, simplesmente atrasaria o tempo e pronto. Deus sabe qual o melhor momento para agir. Até porque já conhece o futuro.

Outra preocupação que temos, quando pedimos alguma coisa a Deus, é que alguém interfira e atrapalhe a nossa bênção. Mas, por favor, nunca deixe que uma preocupação dessas lhe maltrate o coração. Os pagãos, os adoradores de diversos deuses, é que têm de oferecer sacrifício a um deus, para que este o ajude, e a vários outros, para que não atrapalhem.

Não há ninguém que possa resistir ao nosso Deus Todo-poderoso. Ninguém tem tanto poder e é tão sábio quanto Ele. Quando Ele age, ninguém impede. Confie no Senhor. Amém.

27 de setembro

Ora, a fé é o firme fundamento das coisas que se esperam e a prova das coisas que se não vêem.
Hebreus 11.1

O menino se movimentava para um lado e para o outro, olhando para cima, agitando o braço, aparentemente segurando alguma coisa na mão. Alguém se aproximou dele e perguntou:

— O que você está fazendo?

— Manobrando minha pipa.

A pessoa olhou para a mesma direção que ele e disse:

— Mas não estou vendo nada!

— Eu também não, porque ela já está muito alta, mas estou sentindo-a.

Eis uma boa ilustração do que é a fé. Ela é aquilo que nos faz ter certeza da existência de algo que não podemos ver com nossos olhos físicos. Não vemos, as outras pessoas muito menos, mas nos movimentamos impulsionados por ela.

Existem diversos tipos e níveis de fé. O lavrador planta porque tem fé. Quem investe seu tempo, dinheiro e suas energias em qualquer empreendimento está exercendo fé. Ela gera força, cura e faz ressuscitar. A fé cria, constrói, reconstrói, abre caminhos, ilumina, muda vidas.

Ela é uma arma muito poderosa que existe no mundo. Ao mesmo tempo, e paradoxalmente, a fé é muito frágil. Ela é frágil porque depende dos seres humanos e estes são frágeis. Para piorar as coisas, a fé lida, essencialmente, com o que é invisível, imperceptível para os sentidos do nosso corpo. No entanto, o que há de mais importante para nós está, justamente, fora do alcance dos nossos sentidos. O centro da questão é este: a felicidade do ser humano depende da maneira como ele se relaciona com o seu Criador que é espírito; portanto invisível.

O capítulo 11 de Hebreus é o maior tratado de fé que existe. Ele se inicia definindo o que é este sentimento. Poucas linhas depois diz taxativamente: "Ora, sem fé é impossível agradar-lhe, porque é necessário que aquele que se aproxima de Deus creia que ele existe e que é galardoador dos que o buscam" (v. 6). É preciso crer que Deus existe para, então, buscá-lo e servi-lo. Precisamos agradar àquEle que nos criou, conhecê-lo, viver bem com Ele. Tudo isso só é possível através da fé. Mas como obter fé?

Em primeiro lugar, precisamos saber que a fé é um dom de Deus. E aqui vai algo que considero muito importante: todo ser humano nasce com a capacidade de ter fé e todos vêm ao mundo com um *capital inicial* de fé, que denominamos ser fé natural. Quando a noite chega e as trevas nos envolvem, temos certeza de que, passadas algumas horas, um novo dia virá. Dormimos com a certeza de que a luz do sol voltará. Isso é fé natural. Sempre contamos com a primavera depois do inverno. Isso é fé natural. Enterramos as sementes no campo, crendo que elas vão germinar, crescer e frutificar, embora não saibamos como tudo isso acontece. É fé natural.

O que precisamos é dar uma dimensão espiritual à nossa fé natural. Se somos capazes de crer em coisas do mundo natural às quais não entendemos nem podemos explicar, por que não seríamos capazes de crer nas do mundo espiritual?

Outra coisa que nos ajuda a crer e confiar em Deus é o exemplo de fé dado por outras pessoas. Hebreus 11 contém uma lista de pessoas que confiaram em Deus e foram felizes. Não são pessoas da mitologia. São personagens históricas que influenciaram o mundo e o influenciam até hoje como Abraão, Moisés e Davi. Se ter fé deu certo para eles, então, dá certo para mim e você.

Busque a Deus. Procure conhecê-lo cada vez mais e servi-lo cada vez melhor. Assim, você será uma pessoa plenamente sadia e feliz. Amém.

28 de setembro

Assim diz o Senhor que te criou, e te formou desde o ventre, e que te ajudará: Não temas, ó Jacó, servo meu, e tu, Jesurum, a quem escolhi.

Isaías 44.2

Tenho duas coisas boas: a memória e a outra não me lembro o que é.

A minha memória, como a de qualquer outra pessoa, é seletiva. Há algumas coisas que tenho maior facilidade de memorizar, outras menos. Há fases da vida e há situações em que minha memória funciona melhor ou pior. E assim somos todos nós. Há coisas que gosto de recordar e outras de que não gosto.

Geralmente, temos a tendência de gravar com mais facilidade as coisas desagradáveis. Acidentes, agressões, ingratidões e coisas dessa natureza não costumam sair facilmente de nossa memória.

Ninguém possui uma memória melhor que a de Deus. Ninguém é tão puro quanto Deus. Logo, quando alguém peca, Deus jamais esquece, certo? Errado.

Uma das coisas mais maravilhosas que sei a respeito de Deus é que, quando Ele perdoa uma pessoa, esquece as ofensas para sempre. Deus sabe tudo, mas não se lembra dos pecados que cometi contra Ele.

No final do capítulo 43 de Isaías estão registrados a rebelião do povo de Israel e o perdão que o Senhor lhe concedeu. Nos versos 25 e 26, encontramos esta pérola: "Eu, eu mesmo, sou o que apaga as tuas transgressões por amor de mim e dos teus pecados me não lembro. Procura lembrar-me..."

E por que Deus perdoa? Porque ama. Quem ama perdoa. Quanto maior o amor, mais forte o perdão. O amor faz esquecer as ofensas.

O capítulo 44 de Isaías contém lindas declarações do amor de Deus para com o seu povo e várias promessas de bênçãos. No verso 2, que introduz nossa meditação de hoje, o Senhor declara que o amor que nutre por seu povo não é superficial. Ele existe antes mesmo que Israel existisse. O povo ainda estava em formação e Deus já o amava! E Deus chama Israel de Jesurum que quer dizer *o amado*.

O Deus de Israel é o nosso Deus. O Deus que nos ama. Ele nos ama antes de nascermos. Antes de nos convertermos. Está escrito em Romanos 5.8: "Mas Deus prova o seu amor para conosco em que Cristo morreu por nós, sendo nós ainda pecadores".

Deus nos ama e nos perdoa, verdadeiramente, quando nos arrependemos dos nossos pecados e nos submetemos ao poder purificador do sangue de Jesus. Deus olha para o pecador arrependido como se ele nunca houvesse pecado. Então, Paulo pergunta, em Romanos 8.33: "Quem intentará acusação contra os escolhidos de Deus?" Ele mesmo argumenta: "É Deus quem os justifica".

Se você fez alguma coisa que ofendeu ao Senhor, arrependa-se, peça-lhe perdão. Tenha certeza: Ele o perdoará porque ama você. Se já pediu perdão, não tenha dúvida: seus pecados não mais existem. Guarde na memória Isaías 44.22: "Desfaço as tuas transgressões como a névoa, e os teus pecados, como a nuvem; torna-te para mim, porque eu te remi". Amém!

29 de setembro

Pode uma mulher esquecer-se tanto do filho que cria, que se não compadeça dele, do filho do seu ventre? Mas, ainda que esta se esquecesse, eu, todavia, me não esquecerei de ti.
Isaías 49.15

Promoveram um retiro apenas para pastores. A programação incluía um bom período de descanso, atividades recreativas, momentos de confraternização e palestras acerca da vida e do trabalho dos ministros de Deus. Houve uma palestra que ficou para ser dada, justamente, após o almoço. O momento era ótimo... para se tirar uma soneca. Coitado do palestrante! Mas quando ele viu que uma parte de sua assistência dizia *sim* o tempo todo (balançando a cabeça para frente) e a outra dizia *não* (com a cabeça pendendo para os lados), enquanto outros permaneciam imóveis, com os olhos fechados, em atitude de profunda... desconcentração, ocorreu-lhe uma idéia. Com voz grave, quase inaudível, ele começou a dizer: *Colegas, encontramo-nos aqui entre amigos. Sei que as confidências que aqui surgirem serão tratadas com o máximo sigilo. Tenho algo a partilhar com vocês que, espero, fique só entre nós.* Então, a turma já começou a acordar. *O que tenho a dizer é o seguinte: os melhores momentos de minha vida passei nos braços de uma mulher que não é a minha esposa.* Pronto, já estava todo mundo de olhos arregalados, ouvidos atentos, esperando o que viria em seguida. E o que veio em seguida foi: *Os melhores momentos de minha vida passei nos braços de minha querida e inesquecível mãe.* Todos caíram na gargalhada e, daí em diante, estavam atentos à palestra.

Muito tempo depois, um daqueles pastores estava pregando em sua igreja, e com dificuldades para manter seu povo acordado. Foi então, que se lembrou do recurso utilizado por seu colega no retiro. Com voz grave e pausada, começou: *Meus irmãos, eu sou pastor de vocês há muito tempo e sei que há entre nós uma confiança mútua a toda prova. Tenho algo a partilhar com vocês que, tenho certeza, ficará só entre nós.* Então, todos começaram a acordar, inclusive sua esposa que se encontrava no primeiro banco à sua frente. Satisfeito e corajoso, foi em frente: *Quero dizer-lhes que os momentos mais agradáveis de minha vida passei nos braços de uma mulher que não é a minha esposa.* A reação da igreja foi de ira. A esposa dele estava de pé, pronta para fazer o maior escândalo. Diante da situação, o pastor teve um branco na memória e tudo o que conseguiu dizer foi: *E quem era a tal mulher mesmo?*

Agora é minha vez. Sem desmerecer o amor e o carinho de minha esposa, que é realmente uma mulher fenomenal, quero dizer-lhes que nunca vou esquecer o amor daquela que tinha a mim em seus sonhos antes mesmo que eu fosse concebido. Devotava-me carinho e orava por mim antes que eu nascesse. Cuidou de mim com todo o desvelo enquanto pôde. Minha querida mãe, Nilza Silva. Ela nunca se esqueceu de mim.

Fui uma criança feliz, um adolescente feliz, um jovem feliz e um adulto feliz porque sempre fui amado por minha mãe. Mas a minha maior felicidade é saber que Deus sempre me amou e me ama muito mais que minha própria mãe.

Se você foi mais amado ou foi tão amado quanto eu, parabéns. Se não foi amado por sua mãe tanto quanto eu, ou se não foi amado de nenhuma forma, saiba que Deus o ama tanto quanto a mim e nunca se esquecerá de você. Confie neste amor. Desfrute deste amor. Amém.

30 de setembro

Sejam vossos costumes sem avareza, contentando-vos com o que tendes; porque ele disse: Não te deixarei, nem te desampararei.
Hebreus 13.5

Há uma frase de pára-choque de caminhão muito interessante: *Não tenho tudo o que amo, mas amo tudo o que tenho.*

A primeira parte da frase contém um pensamento não muito bom. Ao dizer que há coisas que ama, mas não possui, a pessoa está afirmando que há uma certa frustração em sua vida. Sim, porque o uso do verbo *amar* é muito forte. Apreciar, admirar, alimentar um certo desejo de alcançar, tudo bem. Mas amar sem poder ter é uma situação muito difícil. E se a pessoa se acostumar com isso, vai ser eternamente infeliz porque há tanta coisa inatingível ou inadequada para qualquer um de nós! Infelizmente, a sociedade de consumo à qual pertencemos é tão propícia a isso! Estão sempre surgindo novos produtos que os fabricantes e vendedores nos pressionam a comprar e, em sua maioria, são absolutamente dispensáveis.

Amar o que não se tem pode prejudicar o amor ao que se tem. A pessoa pode ficar olhando para cima o tempo todo, cobiçando algo que está lá no alto, sem ver o que está ao seu lado, às vezes muito melhor do que aquilo que se cobiça. E, mesmo que não seja melhor, tem seu valor, e isso é mais do que suficiente.

É feliz quem ama o que tem. Ele desfruta do que já possui. Descobre prazeres inesperados. Dizem que a feijoada, um prato tão apreciado em todo o Brasil, era comida dos escravos. Quando os senhores matavam um porco, davam aos escravos aquilo que julgavam não ter valor algum: os pés, as orelhas, a cauda e o focinho do animal. Que faziam os escravos? Temperavam aquilo muito bem e cozinhavam com feijão. Assim, inventaram uma comida muito saborosa e nutritiva.

Quem ama o que tem agrada a Deus. Tudo o que temos vem das mãos do Senhor. Ele se agrada ao nos ver alegres com aquilo que Ele nos dá. Imagine como se sente alguém que dá um presente que é recebido sem nenhum prazer, sem nenhum contentamento! A boa educação recomenda que quando uma pessoa receber um presente, deve abri-lo imediatamente e mostrar a sua alegria. Deus também espera isso de nós.

Se você ama ao que Deus já lhe deu, está deixando a porta aberta para que mais bênçãos lhe cheguem às mãos. Alegre-se e fique tranqüilo. O Deus que cuidou de você até agora, não vai abandoná-lo jamais. Amém!

1º de outubro

E os reis serão os teus aios, e as suas princesas, as tuas amas; diante de ti, se inclinarão com o rosto em terra e lamberão o pó dos teus pés, e saberás que eu sou o Senhor e que os que confiam em mim não serão confundidos.
Isaías 49.23

Lembro-me, agora, de um episódio ocorrido com um servo de Deus, morador da zona rural, a quem conheço muito bem e de quem ouvi este relato. Ele foi, outrora, animador de festas em sua região. Depois que se converteu a Cristo, deixou de freqüentar aqueles ambientes, contrariando, assim, antigas amizades.

Um dia, esse meu amigo estava à beira de uma estrada deserta, tentando conseguir um meio de transporte, para ir das cercanias da cidade até próximo à fazenda onde morava. Um caminhão parou, ele combinou o preço com o motorista e subiu para o compartimento de carga. Ao se acomodar ali, percebeu que não viajaria sozinho. Um antigo companheiro de farras havia embarcado no mesmo caminhão. Foi terrível. Esse homem se considerava agora seu inimigo e, por causa disso, o agrediu muito com palavras, e por pouco não o fez fisicamente.

Quando chegou ao destino combinado, nosso irmão desceu e pagou sua passagem. Enquanto isso, seu companheiro de viagem *saiu de fininho*, tentando enganar o condutor do caminhão. Percebendo o que se passava, o caminhoneiro sacou um revólver e o mandou parar. Queria bater nele e até matá-lo. Aquele homem só não morreu nem apanhou porque nosso irmão intercedeu muito por ele.

Quando o caminhoneiro se foi, o homem teve de acompanhar nosso irmão por um bom tempo, ouvindo pacientemente conselhos, inclusive acerca da necessidade de converter-se a Cristo.

Muitas vezes, servos de Deus são humilhados nesta vida. Em casa, no local de trabalho, na escola, nas ruas, sempre haverá alguém — movido por preconceito, intolerância, inveja ou pelo simples prazer de fazer alguém sofrer — que perseguirá um filho de Deus. É sempre uma experiência desagradável.

O servo do Senhor não pode retribuir o mal com o mal. Não pode retrucar com o mesmo tom de voz. Muitas vezes, sente o gosto amargo da rejeição, e não pode defender-se. O coração dispara, as pernas tremem e lágrimas quentes molham o seu rosto. Não é fácil.

O que nos leva a submetermo-nos à humilhação é o reconhecimento de que o nosso Mestre também foi humilhado. Sendo Deus, foi maltratado pelos homens e sofreu a maior de todas as humilhações. E se submeteu a isso por nos amar.

Outra coisa que nos dá força quando somos humilhados é a certeza de que, mais cedo ou mais tarde, o Senhor nos exaltará. O mesmo Deus que exaltou a Jesus soberanamente e lhe deu um nome que está acima de todo o nome (Fp 2.5-11) tem poder para nos exaltar e irá fazê-lo. Ele assim promete em sua Palavra. E os que confiam nEle não serão confundidos. Amém.

2 de outubro

Quem há entre vós que tema ao Senhor e ouça a voz do seu servo? Quando andar em trevas e não tiver luz nenhuma, confie no nome do Senhor e firme-se sobre o seu Deus.
Isaías 50.10

Quando você se candidata a um emprego, além de se submeter a provas de conhecimentos gerais e específicos da área em que se propõe a trabalhar, tem de passar por um exame psicotécnico. Se quiser tirar carteira de motorista, também terá de ser aprovado no teste psicotécnico, além de se sair bem no exame escrito e na prova de direção.

Você fica preocupado ao saber que precisará ser aprovado num exame psicotécnico porque, para ele, não adianta estudar. Esse teste não avalia o que você sabe, mas o que você é e como reage diante de certas situações.

Psicotécnico vem de *psiquê*, alma. O que está implícito é que nossas ações e reações estão relacionadas com o nosso estado interior.

No exame que fiz para tirar minha carteira de motorista, havia uma parte em que fiquei fazendo um risco entre duas linhas paralelas, assim como se estivesse conduzindo um carro por uma faixa da estrada. De repente, o instrutor cobriu os meus olhos e mandou-me continuar fazendo o tal risco. Creio que foi para avaliar minha reação diante de situações imprevistas no trânsito.

Depois de habilitado, já me ocorreu ter o pára-brisa do carro quebrado, em plena estrada, três vezes. Ele quebrou-se e, por alguns segundos, tive de continuar dirigindo.

Pilotos de navio são treinados para conduzir embarcações em alto mar, sem nada ver e sem dispor de instrumentos. Pilotos de aeronaves têm de pilotar, algumas vezes, sem auxílio de bússolas e altímetro, em plena noite ou no meio das nuvens. Ninguém quer passar por situações como estas, mas quem conduz barcos e aeronaves sabe que elas podem ocorrer.

Os profissionais têm conhecimentos práticos, algo que eles chamam de *macete*, que os ajuda quando precisam andar às cegas. Além disso, cada um de nós conta com recursos internos como a intuição, senso de direção e outros que surgem nos momentos de emergência. Mas com determinadas pessoas, por algum motivo, tais recursos não funcionam muito bem. Elas entram em pânico facilmente, ficam paralisadas, tornam-se agressivas, ou fazem coisas que agravam ainda mais a situação. É isso que os exames psicotécnicos tentam detectar.

Não é só viajando pelas estradas, ou pelo ar, ou nas águas, que ocasionalmente temos de andar às escuras. Situações de emergência podem ocorrer em qualquer área da vida. Momentos em que nos vemos desprovidos dos meios normais de orientação. É a isso que o profeta chama de "andar em trevas e não [ter] luz nenhuma". Então, o *macete* é um só: confiar no nome do Senhor e firmar-se em Deus. Quem assim faz não perde o rumo, não entra em pânico, não diz nem faz coisas erradas.

Tudo isso está não somente relacionado com a alma, mas também com o espírito. Para avaliar nossa condição em relação a isso, teríamos de fazer um exame *espiritotécnico*. No entanto, para esse exame, você pode se preparar. Procure conhecer a Deus cada vez melhor, leia sua Palavra, freqüente lugares onde o conhecimento dEle seja ministrado de forma verdadeira. Aprenda a confiar no nome do Senhor e experimente o seu poder. Você vai ser aprovado no teste *espiritotécnico*. Amém!

3 de outubro

E, assim, com confiança, ousemos dizer: O Senhor é o meu ajudador, e não temerei o que me possa fazer o homem.
Hebreus 13.6

Os irmãos de minha esposa, quando iam para a escola primária, formavam um verdadeiro *bando*. A marcha do grupo para a escola já era uma festa. Um dia, a imaginação fértil deles inventou uma forma de diversão muito esquisita. Chegaram em frente ao portão de uma casa e gritaram em alto e bom som: *Zé mulher!* E saíram correndo, morrendo de rir. Foi uma ousadia e tanto!

No dia seguinte, no mesmo horário, sucumbiram à tentação de repetir a façanha. *Zé mulher!*, gritaram eles em frente ao portão da mesma casa. A ousadia agora fora maior e, portanto, maior a emoção. Eles se sentiam verdadeiros heróis.

Fazer a mesma coisa pela terceira vez seria o máximo da ousadia. Aproximaram-se do portão, encheram os pulmões de ar e... surgiu um homem, por trás do muro e agarrou o primeiro que pôde. *Zé homem, Zé homem, Zé homem*, gritava o que foi capturado.

É preciso ousadia para dizer certas coisas. Somente os ousados dizem: "O Senhor é o meu ajudador, e não temerei o que me possa fazer o homem". Primeiro porque algum *Zé homem* pode ouvir e não gostar. É verdade que, dificilmente, vamos precisar gritar isso em frente ao portão de alguém. Mas quem tem certeza absoluta de que o Senhor é o seu ajudador, se precisar gritar, grita.

Fazer tal declaração desagrada aos demônios. São eles que induzem os homens para que nos façam ameaças. Os homens que não guiados pelo Espírito Santo são fantoches nas mãos deles. Geralmente, as pessoas não têm consciência de que estão sendo manobradas por seres espirituais. E nós, servos de Deus, pressionados, ameaçados, dominados pelas tensões, não nos damos conta de que algumas pessoas não sabem que estão a serviço do Inimigo de nossas almas. Então, de repente, as coisas clareiam para nós e passamos a entender o que está ocorrendo. Por isso, sentimos vontade de fazer a nossa declaração de fé em Deus. No entanto, pode ser que fiquemos preocupados com a reação dos demônios. Todavia, temos de nos lembrar de que o nosso Deus é mais poderoso do que toda a força infernal e, confiantemente, podemos declarar que Ele é o nosso ajudador.

Sabe quem primeiro deve ouvir a confissão de nossa confiança em Deus? Nós mesmos. Essa confissão deve corresponder à realidade; nossa confiança tem de estar apoiada em Deus. Porém, nossa natureza pecaminosa resiste a isso. Queremos nos apegar a recursos palpáveis, visíveis. Nossa carne não entende de fé; esta é sobrenatural e nasce no espírito. Interiormente, sabemos que o nosso Deus é poderoso e fiel. Sabemos que nunca abandona os que confiam nEle, pois é o "socorro bem presente". Então, lutando contra as fraquezas de nossa natureza humana, ousemos dizer com confiança: "O Senhor é o meu ajudador, e não temerei o que me possa fazer o homem". Amém.

4 de outubro

Ouvi-me, vós que conheceis a justiça, vós, povo, em cujo coração está a minha lei; não temais o opróbrio dos homens, nem vos turbeis pelas suas injúrias.
Isaías 51.7

A idéia de "homens com vergonha de ser honestos", mencionada pelo grande jurista Rui Barbosa, causa-nos grande perplexidade. Numa situação dessas, a sociedade se encontra no nível mais baixo da depravação, pessoas honestas são elogiadas, admiradas, citadas como exemplo a ser seguido.

Coloquemo-nos no lugar de alguém que ama a verdade, respeita o direito das outras pessoas, cumpre seus deveres, é leal, fiel e, em conseqüência de ser assim, é rejeitado, tratado com desprezo, visto como se fosse a escória do mundo. Quanta tristeza teria em seu coração e como se sentiria em conflito!

Não nos admiremos se soubermos que isso aconteceu, ou está acontecendo, em qualquer parte do mundo. Todos são pecadores. Algumas pessoas são mais propensas ao mal. Em determinados lugares e momentos, o mal se estabelece de maneira mais intensa e generalizada. Essas tragédias acontecem em conseqüência de as pessoas se afastarem de Deus, a fonte do bem e o referencial maior de justiça. Sem Deus não há justiça.

A prevalência do mal pode fazer com que o justo, além de ser legado ao opróbrio, seja também maltratado, perseguido. Ele pode perder o emprego, os seus bens e até a liberdade.

Mesmo que não esteja havendo uma depravação geral, qualquer um de nós pode sofrer opróbrio ou até prejuízos materiais por querer viver de acordo com os princípios da Palavra de Deus. Sei que muitas pessoas poderão estar lendo estas palavras e passando, exatamente, pelas circunstâncias amargas aqui descritas. A essas pessoas quero dizer que ninguém perde por querer fazer aquilo que é agradável a Deus. Se você tem procurado agradar ao Senhor, tenha certeza de que está procedendo de forma correta. A justiça de Deus sempre prevaleceu e sempre prevalecerá.

Deus dá salvação, livramento, aos que sofrem por amor a Ele. Pode ser que, em algum momento de sua luta, o justo apanhe, sofra danos. Mas o jogo vai virar e ele vencerá. A mão de Deus o salvará porque a Palavra de Deus assim garante. Em Isaías 51.6 está escrito: "Levantai os olhos para os céus e olhai para a terra de baixo, porque os céus desaparecerão como a fumaça, e a terra se envelhecerá como uma veste, e os seus moradores morrerão como mosquitos; mas a minha salvação durará para sempre, e a minha justiça não será quebrantada".

Quem é adepto do mal deve se envergonhar. É melhor que se envergonhe agora e mude seu procedimento, senão se envergonhará quando estiver diante de Deus. Sobre estes está escrito: "... a traça os roerá como a uma veste, e o bicho os comerá como à lã" (Is 51.8).

Agora vou lhe mostrar o outro lado da *moeda do Rui Barbosa*: Haverá um dia em que todos os homens desonestos terão vergonha de todas as desonestidades que praticaram. Amém.

5 de outubro

Eu, eu sou aquele que vos consola; quem pois és tu, para que temas o homem, que é mortal, ou o filho do homem, que se tornará em feno?
Isaías 51.12

Certo rapaz rico ficou noivo de uma moça pobre. Um dia, tiveram um desentendimento e o moço, muito zangado, disse-lhe: *Tenho vários imóveis. Possuo carros luxuosos. Sou dono de empresas. E você, o que tem?* A donzela respondeu: *Tenho você, querido. Portanto, tenho seus imóveis, seus carros e suas empresas.*

Quando alguém nos pergunta: *O que você pensa que está fazendo?*, ou *Para onde você pensa que vai?*, ou ainda, *Quem você pensa que é?*, geralmente o faz para nos contrariar, ou mesmo nos humilhar. Não são perguntas feitas para serem respondidas; são feitas para serem *engolidas*.

Vejo Deus perguntando, em Isaías 51.12: "... quem pois és tu?" não para humilhar, mas animar e despertar. Poderíamos responder a Ele, que é tão grande e sublime, e nós nada somos. No entanto, a resposta que o Senhor quer ouvir é esta: *Senhor, eu sou teu filho. Sou filho do Rei da glória, por isso sou rico. Sou filho do Deus Todo-poderoso, por isso sou forte. Sou filho do Deus soberano, por isso sou uma pessoa cheia de esperança.*

O tom da pergunta de Isaías 51.12 não é de ironia, mas de carinho. Não é de reprovação, mas de aceitação. Não é para ficarmos cabisbaixos, mas para mantermos a cabeça erguida. Não é para chorar, mas para cantar.

O servo de Deus que vive com medo dos homens desonra ao seu Pai e passa a impressão de que Ele é menor do que os mortais.

Ao contrário, Deus é glorificado quando um homem ou uma mulher triunfa, prospera e diz que Ele é o seu Pai. Quando o rei Saul perguntou a Davi, logo depois que este derrotou o gigante Golias: "De quem és filho, mancebo?", e ele respondeu: "Filho de teu servo Jessé, belemita", o pai de Davi foi honrado. Porém, Deus foi mais glorificado, porque antes Davi havia declarado ao seu adversário: "... eu vou a ti em nome do Senhor dos Exércitos, o Deus dos exércitos de Israel, a quem tens afrontado" (1 Sm 17.45).

Qualquer filho de Deus enfrenta desafios nesta vida. Estamos na mesma situação. Temos de lidar com doenças, desemprego, incompreensões, ameaças e diversos perigos. Há momentos em que nos sentimos assustados, apreensivos e até feridos. Mas o nosso Pai Celestial não é uma pessoa distante. Ele nos diz: "Eu, eu sou aquele que vos consola". Se Ele consola, é porque, às vezes, choramos. O consolo de Deus é real, completo e eficaz.

Quem tem o verdadeiro Deus como seu Pai não tem por que temer. Sabe que é amado. Sabe o seu valor. Amém.

6 de outubro

Sujeitai-vos, pois, a Deus; resisti ao diabo, e ele fugirá de vós.
Tiago 4.7

Um grupo de irmãos lutava para expulsar o demônio de uma pessoa. Uns diziam: *Tá amarrado!* Outros: *Sai dele!* A confusão durou um certo tempo até que o demônio falou: *Ei, dá para vocês entrarem num acordo. Afinal, é para ficar amarrado ou é para sair?*

Ouvi um pregador dizer que certas práticas evangélicas são verdadeiros *videogames espirituais*. Há muito barulho, cenas espetaculares, mas quando o *jogo* termina, continua tudo como antes.

Isso é muito mais sério do que se pensa. O Diabo não está amarrado coisa nenhuma. Ele será amarrado no período que chamamos de *Milênio*, de acordo com Apocalipse 20.1-3.

Não se pode superestimar o poder de Satanás, mas também não se deve subestimá-lo. Não se pode agir levianamente em relação a ele. Veja o que está escrito em Judas 9: "Mas o arcanjo Miguel, quando contendia com o diabo e disputava a respeito do corpo de Moisés, não ousou pronunciar juízo de maldição contra ele; mas disse: O Senhor te repreenda".

Quando se quer vencer o Diabo, a primeira coisa que se deve fazer é sujeitar-se a Deus. Ninguém vence esse Inimigo com força humana, pois ele é um ser sobrenatural. Somente em Deus há proteção e força para lidar com os poderes do mal.

No entanto, não se pode querer que Deus seja um mero guarda-costas para nos proteger dos ataques do inferno. O Senhor protege quem vive com Ele. A proteção divina é para quem está comprometido com os interesses do Reino de Deus.

Quer livrar-se do Diabo? Submeta-se a Deus. Sujeitar-se a Deus não é simplesmente dizer que acredita na existência dEle. Até os demônios crêem na existência de Deus (leia Tg 2.19). Também não é afirmar que o ama. Quem ama a Deus faz a sua vontade, a começar por arrepender-se dos pecados e receber a Jesus como Senhor e Salvador. Uma vez sujeito a Deus, é preciso resistir ao Diabo. Até porque não faz sentido estar sujeito a Deus e fazer a vontade do Diabo. Jesus disse: "... se aproxima o príncipe deste mundo e nada tem em mim" (Jo 14.30).

Se você já se sujeitou a Deus e resiste ao Diabo, ele já fugiu de você. Se o Inimigo tentar algo contra você, simplesmente diga: *O Senhor te repreenda*. E quando for expulsar algum demônio, faça-o em nome de Jesus, conforme está escrito em Marcos 16.17. O poder está no nome de Jesus! Amém.

7 de outubro

Porque não saireis apressadamente, nem vos ireis fugindo, porque o Senhor irá diante de vós, e o Deus de Israel será a vossa retaguarda.
Isaías 52.12

Um grupo de manifestantes, irado e hostil ao governo, gritava palavras de ordem perto de uma calçada, onde iria passar um representante governamental. Assustado, o motorista pergunta à autoridade: *Em que velocidade o Senhor quer que nos desloquemos?* O representante respondeu: *Nem tão devagar que pareça provocação, nem tão rápido que pareça fuga.*

Bem, naquele caso era só uma questão de parecer ou não parecer. Porém, muitas vezes, cada um de nós se depara com a questão de ser ou não ser o caso de estar fugindo ou agredindo alguém mais forte do que nós.

Acredito que seja muito bom seguir a carreira da vida em ritmo normal. Uma pessoa pode até morrer se for constrangida a correr mais do que suas condições permitem. Corridas abruptas, forçadas por situações inesperadas, são muito desagradáveis e perigosas. Entretanto, se o Senhor estiver à sua frente, as coisas vão acontecer naturalmente, no tempo certo. Siga caminhando, e não tente passar à frente do Senhor. Primeiro, porque, se fizer isto, você não vai saber qual o caminho a seguir. Segundo, porque você perde a proteção de Deus.

Todavia, se Deus vai à minha frente, quem protegerá a minha retaguarda? Bem lembrado, precisamos de alguém que nos proteja de ataques traiçoeiros. E agora, como ficamos? Protegidos pela frente e vulneráveis pelas costas? Porém, o nosso Deus é onipresente. Ele está em todos os lugares ao mesmo tempo. Desde o primeiro momento em que confiamos nossa vida a Ele até o último minuto de vida sobre a terra. Ele sempre está conosco, com aqueles que confiam nEle.

O Deus de Israel será a vossa retaguarda. Que coisa preciosa! O Inimigo chega pelas nossas costas, aproveitando-se de que não o estamos vendo. Mas o nosso Deus está lá e vê tudo. Às vezes, o Senhor nos avisa, para que tomemos precaução; e em outras, destrói o ataque sem que tomemos conhecimento.

Quando Satanás planeja nos atacar pelas costas, também conta com nossa dificuldade de reagir a um ataque desses. Até que nos virássemos para enfrentá-lo, já estaríamos feridos ou mortos. Contudo, antes que tenhamos de nos virar, nosso defensor já tomou as providências. Que maravilhoso *Guarda-Costas!*

Somente não se esqueça de uma coisa: o grande Protetor de quem estou falando é o Senhor e Deus de Israel, e Ele tem compromisso com aqueles que se submetem ao seu senhorio. Se você, seja quem for, se submeter a estas condições, terá direção segura para os seus passos e proteção completa contra todos os perigos. Amém.

8 de outubro

Não temas, porque não serás envergonhada; e não te envergonhes, porque não serás confundida; antes, te esquecerás da vergonha da tua mocidade e não te lembrarás mais do opróbrio da tua viuvez.

Isaías 54.4

Lembro-me bem do primeiro sorvete que tomei, e do local onde isso aconteceu e da pessoa que me proporcionou essa experiência maravilhosa. Eu era uma criança. A pessoa que ia pagar o sorvete fez uma brincadeira antes.

—Você já tomou isto alguma vez? — perguntou-me.

— Não — respondi.

— Quem nunca tomou antes não pode tomar — disse-me ela.

— Então, como é que se começa?

Criança já tem um raciocínio rápido. Quando está ansiosa por tomar sorvete então...

Há certos condicionamentos que limitam e até impedem nossa felicidade. Eles precisam ser quebrados.

Experiências negativas do passado tendem a prejudicar nossa felicidade no presente e, conseqüentemente, o bem-estar futuro.

Isaías 54.4 mostra a quebra de um círculo vicioso: uma vergonha produzindo confusão, a confusão produzindo medo e o medo produzindo vergonha. Então, Deus, que é poderoso e misericordioso, diz: *Vamos quebrar este círculo.*

Mas como interromper este processo? Como é que se começa?

Primeiro: é preciso esquecer o passado. Num certo dia, numa fase de sua vida que o profeta chama de "mocidade", você cometeu algo que lhe causa vergonha até hoje. É possível que tenha perdido algo que afetou muito sua alma e da qual se sente culpado (no versículo, isso se refere à "viuvez"). Triste vergonha. Perda irreparável. Por que foi assim? Por que não foi diferente? Será que Deus me ama mesmo? Você fica confuso e com medo do futuro. Você quer acreditar num futuro feliz, mas não consegue, porque não se sente digno de tal coisa. Você lembra-se dos erros do passado, sente vergonha e desanima.

Veja bem: você não pode voltar ao passado para modificá-lo. O que passou, passou. Para as experiências ruins do passado só há um remédio: esquecer. O mesmo Deus que nos deu a capacidade de nos lembrar das coisas também nos fez capazes de esquecer. Há situações em que esquecer é uma bênção. Eis a bênção do Senhor: "...te esquecerás da vergonha da tua mocidade e não te lembrarás mais do opróbrio da tua viuvez". Receba essa bênção. Esqueça tudo de ruim que já lhe aconteceu. Pense no presente.

Não tenha nenhuma dúvida: Deus ama você. Ele quer a sua felicidade. Com a bênção dEle, você vai escrever uma bela história para sua própria vida. História que você construirá vivendo um dia de cada vez. Enfrente os obstáculos com coragem e certeza da vitória. Se algum revés lhe acontecer, não se abata. Refaça-se, prepare-se melhor e volte a lutar. Não dê lugar à dúvida. Não permita que nenhuma confusão se instale em sua mente.

Estas palavras provêm da Bíblia. O mesmo Deus que nos amou a ponto de dar-nos o seu próprio Filho para nos salvar continua nos amando, perdoando e ajudando. Creia nisso. Amém.

9 de outubro

Confessai as vossas culpas uns aos outros e orai uns pelos outros, para que sareis; a oração feita por um justo pode muito em seus efeitos.
Tiago 5.16

Sua oração tem mais poder do que você pensa. Tiago, no versículo seguinte ao que citamos acima, compara a eficácia da sua e da minha oração à eficácia da oração do profeta Elias. Que tal controlar a meteorologia através da oração? Elias o fez. Você e eu também podemos fazê-lo.

Ei, pastor, o senhor está louco? Quer me comparar com o profeta Elias? Não, eu não estou louco. Tiago é quem faz a comparação. E diz que "Elias era homem sujeito às mesmas paixões que nós". Quando lemos a história do profeta Elias, em 1 Reis 17-19, percebemos que ele era um homem como nós. Mas que poder tinham suas orações!

Meu amigo José Luiz Tatagiba de Carvalho contou-me que, quando criança, foi instantaneamente curado através da oração de um pastor que não cria na cura divina! O pastor foi constrangido a orar porque ficou sem jeito de dizer à criança que não acreditava em cura sobrenatural. Quando terminou a oração, a dor que atormentava terrivelmente o menino desapareceu. Então ele disse: *Deus operou por causa da fé da criança.*

Há um detalhe muito importante em tudo isso: sua oração tem mais poder quando você ora pelas outras pessoas. Que fazer? Sair orando por todas as pessoas. Se todos nos dispusermos a fazer assim, estaremos intercedendo e seremos beneficiados pela intercessão de alguém.

Quando digo *todos*, estou me referindo aos que fazem parte da Igreja do Senhor Jesus. Tiago escreveu aos seus irmãos em Cristo, pessoas que se arrependeram de seus pecados e se submeteram ao senhorio de Jesus. Se você ainda não preenche esta condição, não se desespere. Jesus também o ama. Ele morreu por você, e quer que faça parte de sua Igreja. Quando você se render ao amor do Senhor e à sua obra salvadora, o sangue de Jesus vai operar em sua vida e você será declarado justo.

Se já faz parte da Igreja, prepare-se para servir melhor Senhor. Isto inclui ser um bom intercessor. Disponha-se a ouvir as necessidades dos seus irmãos para apresentá-las a Deus. Procure ser paciente, estar disponível para ouvir a descrição de problemas e a confissão de fraquezas a fim de ajudar com suas orações. Aprenda a ser discreto, lute com a tentação de ser fofoqueiro e ajude quem precisa de conselhos e oração.

Você vai ministrar milagres e ser beneficiado através deles. Deus ouvirá suas orações em favor de seus irmãos e as de seus irmãos em seu favor. Experimente e veja se é verdade ou não o que estou dizendo. Amém.

10 de outubro

Com justiça serás confirmada e estarás longe da opressão, porque já não temerás; e também do espanto, porque não chegará a ti.
Isaías 54.14

Um antigo provérbio afirma: *Quando o Diabo não vem, envia um secretário.*

Em Isaías 54.14, descobri o nome de dois secretários do Diabo: "temor" e "espanto". Embora os dois trabalhem para o mesmo chefe, usam métodos diferentes. Antes de descrever o método particular de cada um, deixe-me dizer qual é a razão pela qual eles vêm para tentar atuar em nossa vida.

Deus nos conhecia antes mesmo que nascêssemos. Ele nos trouxe ao mundo com propósitos bem definidos. Há um plano divino para o universo como um todo e para cada um dos seus componentes. Os animais irracionais e os seres inanimados cumprem seu papel automaticamente; não podem alterar nada. Nós, seres humanos, somos diferentes, podemos interferir no processo. Então, o Inimigo pode se aproveitar disso. Ele vem, ou envia um *secretário*, para prejudicar o cumprimento da vontade de Deus em nossa vida.

Agora, vamos ver como trabalha o *secretário* chamado "temor". Este gosta de fazer com que não confiemos em Deus. Quanto menos confiamos nEle, mais inseguros nos sentimos. A ação do medo fica maior na vida da vítima. O que está acontecendo? O temor está levando a pessoa a um estado de opressão cada vez mais intenso. É assim que ele trabalha.

O outro *secretário*, o "espanto", é como se fosse um espantalho ambulante. Você já viu um espantalho na roça ou mesmo o desenho de um? Eles são feitos para assustar os pássaros. Normalmente, eles imitam a figura de uma pessoa. Têm uma cabeça — onde colocam um chapéu —, um tronco e dois braços móveis, fáceis de serem agitados pelo vento. Eles não fazem nada além de assustar. E os pássaros fogem, amedrontados, quando os vêem. Se os pássaros raciocinassem, não se importariam com eles.

Seres humanos, pouco esclarecidos, também se assustam à toa. Ficam em estado de choque diante de circunstâncias ou pessoas que nenhum mal pode lhes fazer. O Inimigo de nossas almas, conhecendo esse nosso ponto fraco, tenta nos atemorizar, com o intuito de nos maltratar.

No entanto, não estamos abandonados à própria sorte, para que os adversários nos afrontem. Temos *o meio* para superar tudo isso: a fé em Deus.

Confie em Deus. Creia que os propósitos dEle para sua vida são os melhores possíveis. Deixe que a vontade do Senhor se cumpra em você. Foi Ele quem nos criou e pagou o preço de nossa redenção. Portanto, é justo que demos a Ele o lugar que merece em nossa vida. Com justiça você será confirmado como instrumento de Deus neste mundo.

Diga não ao "temor". Em 1 João 4.18, está escrito: "[No amor], não há temor..." A opressão não pode envolver quem já está envolvido pelo amor de Deus.

Quanto ao "espanto", deixe bem claro que você confia em Deus, e com certeza ele não se aproximará. Deus o abençoe. Amém!

11 de outubro

Porque assim diz o Alto e o Sublime, que habita na eternidade e cujo nome é Santo: Em um alto e santo lugar habito e também com o contrito e abatido de espírito, para vivificar o espírito dos abatidos e para vivificar o coração dos contritos.
Isaías 57.15

Certa vez, li num jornal uma história em quadrinhos muito engraçada. No primeiro quadro, o homem pede à esposa que lhe traga seus chinelos. No seguinte, a mulher está transferindo a tarefa ao filho. No terceiro e último quadrinho, o cachorro está entregando o chinelo ao homem.

Por incrível que pareça, muitas pessoas encaram o relacionamento com Deus como algo bem burocrático, envolvendo a ação de vários intermediários. Na verdade, há uma certa razão para isso.

Todo ser humano tem algum conhecimento de Deus, por mais inculto que seja o grupo social ou a civilização a que pertença. Sobre isso nos fala o apóstolo Paulo em Romanos 2.1-16. Cada homem, no seu interior, sabe que há um Ser Supremo que criou todas as coisas, e que é grande, poderoso e justo. Como todo homem é pecador e sabe disso, tem medo de Deus. Então, fica imaginando a existência de intermediários que o ajudem a relacionar-se com o seu Criador.

Deus se fez homem para eliminar toda barreira que havia entre Ele e nós. Jesus é Emanuel, isto é, Deus conosco.

Cristianismo é o homem relacionando-se diretamente com o verdadeiro Deus, sem intermediários.

Neste mundo mau em que vivemos, muitas vezes nos sentimos abatidos. Abatido quer dizer *para baixo*. Certos problemas nos deixam assim, caídos, deprimidos, pessimistas. São nesses momentos em que mais precisamos do socorro de Deus que menos nos sentimos em condições de chegar perto dEle. Que situação difícil!

Entretanto, desde que Jesus morreu e ressuscitou, nosso acesso a Deus está aberto, permanentemente. Cristo prometeu que estaria conosco todos os dias, e Ele é fiel e está sempre ao nosso lado quando nos sentimos fortes ou fracos.

O "Alto e Sublime", que habita na eternidade, cujo nome é "Santo", continua sendo o mesmo. Todavia, por causa da obra que Jesus realizou em nosso favor, Ele agora está com os pecadores, para salvar, dirigir, ajudar. Confie no amor de Deus, por pior que você se considere. Peça-lhe socorro. Ele vai atendê-lo. Ele habita com os que têm o coração quebrantado, e faz questão de lhes vivificar, consolar, fortalecer, abençoar. Receba a bênção do Senhor, agora e sempre. Amém.

12 de outubro

Como Sara obedecia a Abraão, chamando-lhe senhor, da qual vós sois filhas, fazendo o bem e não temendo nenhum espanto.
1 Pedro 3.6

Minha esposa, certa vez, deixou escandalizada sua colega de trabalho ao afirmar que o apóstolo Pedro era um homem casado. O problema é que Pedro é considerado o primeiro papa da Igreja Católica Romana, e a colega de minha esposa não podia imaginar um papa casado, muito menos o primeiro deles.

— Você já leu a Bíblia? — Herô perguntou.

— Só os santos Evangelhos — respondeu sua colega.

— Pois bem, se você já leu os Evangelhos sabe que Jesus curou a sogra de Pedro. Como ele podia ter sogra sem ser casado?

— É mesmo, nunca havia pensado nisso antes — respondeu, já conformada.

Por uma referência que o apóstolo Paulo faz ao seu colega Pedro, em 1 Coríntios 9.5, parece que a esposa deste participava ativamente do ministério do marido.

No entanto, fugindo da polêmica, a verdade é que o apóstolo Pedro, vivendo ou não com uma esposa, era um pastor que se preocupava muito com a forma como os cristãos se relacionavam uns com os outros, inclusive em seus próprios lares. Quando lemos 1 Pedro 3, se não tivermos determinados cuidados, poderemos achar que ele foi muito duro com as mulheres. Os cuidados que devemos ter são dois: primeiro, levar em consideração a cultura a que ele pertencia; segundo, observar as recomendações que ele faz aos maridos.

O apóstolo afirma que, se os maridos não tratarem bem suas respectivas esposas, as orações deles não serão recebidas por Deus. A recomendação é esta: "Igualmente vós, maridos, coabitai com ela com entendimento, dando honra à mulher, como vaso mais fraco; como sendo vós os seus co-herdeiros da graça da vida; para que não sejam impedidas as vossas orações" (1 Pe 3.7).

Como são oportunos os ensinamentos do apóstolo Pedro neste tempo em que as famílias, especialmente as cristãs, têm sido tão terrivelmente combatidas! Muitas pessoas estão apostando na falência da instituição familiar. Mas quem assim faz já perdeu a aposta. Pelo simples fato de que o Deus supremo é o maior defensor da família, pois Ele mesmo a instituiu.

Muitas famílias estão em crise. Porém, outras têm triunfado em meio às crises. Uma família em crise não precisa ser eliminada. É possível vencer, principalmente quando buscamos o socorro divino.

Muitas famílias têm se desfeito. Todavia outras têm sido restauradas. Graças a Deus, tenho testemunhado muitas reconciliações entre casais. Tenho visto até pessoas divorciadas se reconciliando com seu antigo cônjuge.

O verdadeiro amor vence. Mulheres conseguem ganhar seus maridos para Cristo e para elas próprias, como diz o apóstolo Pedro — "sem palavras". Sem discussões, sem agressões verbais, sem briga.

Ninguém perde por aplicar os princípios da Palavra de Deus aos seus relacionamentos familiares, pelo contrário: só tem a ganhar. Faça o que a Bíblia ordena. Amém.

13 de outubro

E o Senhor te guiará continuamente, e fartará a tua alma em lugares secos, e fortificará teus ossos; e serás como um jardim regado e como um manancial cujas águas nunca faltam.
Isaías 58.11

Das canções que os corais de nossa igreja cantam, uma de minhas preferidas é aquela que menciona as dádivas de Deus presentes em nosso próprio corpo. Ela menciona as mãos, a voz, o sorriso e até os pés. Sempre me emociono quando o coral entoa: *Mas este foi pra nós o maior presente: um coração deu-nos para amar.*

Somos criaturas feitas para amar. O Deus que nos fez colocou em nós a capacidade de amar.

A palavra *filantropia* vem de *phileo* e *antropos*, dois vocábulos gregos que significam *amor* e *homem*, respectivamente. Então, filantropia significa amor ao ser humano, amor ao próximo.

Quem ama o próximo pratica filantropia. Isso não quer dizer, necessariamente, dar esmola. Nem se restringe a isso. É toda expressão prática de amor, em especial aos menos favorecidos.

Sei que muitas pessoas estão se perguntando: *Vale a pena praticar a filantropia?* A pergunta se deve ao fato de que há muitas pessoas que se fazem passar por necessitadas quando, de fato, não são. Às vezes, até são necessitadas, mas isso se deve à preguiça e a vícios. Outras vezes, achamos que as necessidades do mundo são tantas que aquilo que podemos fazer é como uma gota no oceano.

Esta não é uma questão simples, contudo algo que posso dizer com toda a segurança: Deus quer que pratiquemos a filantropia.

Nunca é demais enfatizar que dar esmolas não garante a salvação de ninguém. A única maneira de ser salvo é crer que Jesus morreu e ressuscitou pelos nossos pecados e submeter-se ao senhorio dEle. Quem pretende comprar a salvação de sua alma com esmolas está fazendo um grande mal a si mesmo.

O capítulo 58 de Isaías começa condenando o formalismo religioso. Deus não se deixa enganar por rituais ou qualquer tipo de aparência exterior. Ele quer manter conosco um relacionamento dinâmico, cheio de vida e amor. Quanto mais profundamente nos relacionarmos com o Senhor, mais ficaremos parecidos com Ele. E como Deus ama os seres humanos, amaremos as pessoas sem nos preocuparmos em receber algo em troca.

Antes de fazer a promessa com que iniciamos a mensagem de hoje, o Senhor declara: "E, se abrires a tua alma ao faminto e fartares a alma aflita, então, a tua luz nascerá nas trevas, e a tua escuridão será como o meio-dia" (Is 58.10). Amém.

14 de outubro

Então, temerão o nome do Senhor desde o poente e a sua glória, desde o nascente do sol; vindo o inimigo como uma corrente de águas, o Espírito do Senhor arvorará contra ele a sua bandeira.
Isaías 59.19

Numa das viagens que fiz a Jerusalém, tive minha atenção despertada para a figura de um leão que aparece nas placas que contêm os nomes das ruas de lá. Informaram-me que aquilo se deve ao fato de o leão ser o símbolo da tribo de Judá, em cujo território está a cidade de Jerusalém.

"Judá é um leãozinho", disse Jacó ao abençoar aquele filho. E acrescentou: "Encurvase e deita-se como um leão e como um leão velho; quem o despertará?" (Gn 49.9) Mais tarde, quando os descendentes de Jacó se organizaram em tribos, cada uma tinha a sua bandeira, ou estandarte (Nm 2.2). A bandeira da tribo de Judá deveria conter a figura de um leão.

Uma bandeira sempre evoca um poder, real ou imaginário. Sua forma, suas cores, figuras e dizeres costumam significar algo importante.

Fico impressionado quando leio na Bíblia que o Espírito do Senhor arvora uma bandeira. Fico mais impressionado ainda ao me dar conta de que Ele faz isso para nos defender. Agora, se é necessário que o próprio Espírito de Deus faça isso, significa que sofremos grandes ameaças.

Sim, às vezes, o Inimigo vem contra nós como uma corrente de água. Há situações em que nos sentimos como que arrastados, sem controle da situação, como numa grande correnteza.

Em alguns momentos, fico imaginando as cores da bandeira do Espírito Santo. Ela deve conter o vermelho do sangue de Jesus, com o qual fomos comprados; o azul, cor do céu, nossa verdadeira pátria; e o verde, da esperança. Quem conhece o Espírito de Deus sempre espera pelo melhor. Sabe que depois da noite vem o dia, depois da tempestade vem a bonança.

Também acredito que a bandeira do Espírito Santo contém a cor branca, da paz. E com a paz do Senhor o deixo, querido leitor. Que ela reine sempre em seu coração. Amém.

15 de outubro

Mas também, se padecerdes por amor da justiça, sois bem-aventurados. E não temais com medo deles, nem vos turbeis.
1 Pedro 3.14

Ao longo de sua vida aqui na terra, Jesus deparou-se com muitas pessoas de mau caráter. Houve quem lhe negasse hospedagem (Lc 9.53), e até quem quisesse lançá-lo do alto de um monte a baixo (Lc 4.29). Certa vez, foi *gentilmente* convidado a retirar-se de uma cidade (Mt 8.34). Havia aqueles que ficavam fazendo perguntas a Jesus apenas com o intuito de o colocar em dificuldade (Mc 12.13-15). E, no final, houve os que o prenderam, esmurraram, chicotearam, pregaram na cruz e zombaram dEle enquanto agonizava. Como vamos classificar tais pessoas?

Pedro usa uma linguagem mais polida. Ele chama as pessoas que maltratam os servos de Deus de "os que fazem males" (1 Pe 3.12).

Quando lemos o versículo-chave de hoje, levamos um choque. Nesta passagem está escrito que somos felizes se padecemos por amor da justiça. Considerar o sofrimento como privilégio não é nada agradável, muito menos agora quando estão ensinando que o verdadeiro cristão não sofre. Pode ser que o apóstolo Pedro não entendesse muito bem de fé cristã!

Bem, mas vamos terminar de ler o versículo. Pedro não nos deixou no sofrimento. Na segunda parte, ele escreve: "... não temais com medo deles, nem vos turbeis" (v.14). Eles quem? "... os que fazem males" (v. 12).

Com base em que o apóstolo nos encoraja? Com base no que aconteceu com Jesus. Ele sofreu, mas triunfou: "Porque também Cristo padeceu uma vez pelos pecados, o justo pelos injustos, para levar-nos a Deus; mortificado, na verdade, na carne, mas vivificado pelo Espírito... [e] está à destra de Deus, tendo subido ao céu, havendo-se-lhe sujeitado os anjos, e as autoridades, e as potências" (vv. 18,22).

Judas e os religiosos que perseguiram a Jesus e todos os outros que lhe fizeram mal desapareceram. No entanto, Cristo está vivo para sempre. Se padecemos por amor da justiça, identificamo-nos com Jesus. Somos bem-aventurados porque o triunfo de Jesus será o nosso e vice-versa. Os que fazem males passarão e nós permaneceremos para sempre. Portanto, não tenha medo deles, nem se turbe. Amém.

16 de outubro

Porque desde a antiguidade não se ouviu, nem com ouvidos se percebeu, nem com os olhos se viu um Deus além de ti, que trabalhe para aquele que nele espera.
Isaías 64.4

Você faz uma ligação telefônica para falar com determinado funcionário público. A pessoa que atende à ligação lhe diz: *Olhe, o paletó dele está aqui na cadeira, mas ele não está na sala no momento. Você quer deixar um recado?* Então, você desliga, aborrecido, porque sabe que, na verdade, ele não está lá.

O profeta Isaías, no versículo que escolhemos para a nossa meditação de hoje, faz uma declaração muito profunda acerca do verdadeiro Deus e uma denúncia bastante grave, que se refere a milhares de pessoas que são pagas para trabalhar e não trabalham. Ele está se referindo aos deuses. Dizem que só na Índia existem 30 milhões deles. Isaías está afirmando que eles não trabalham. Recebem oferendas, orações, o aconchego de templos, muitos destes suntuosos, e não fazem nada.

A Bíblia é a Palavra de Deus. Os resultados que ela tem produzido em milhões de pessoas e famílias e, conseqüentemente, em muitas nações, são a maior prova disso. As Escrituras são verdadeiras. Ela afirma que há um só Deus que trabalha. Se está *pagando* a algum outro deus, com o objetivo de que trabalhe para você, está jogando dinheiro fora. Tudo o que estiver investindo nele está perdido. Seu deus não está fazendo nada por você.

No entanto, o Deus de Isaías trabalha para quem nEle espera. Mas há um probleminha.

Não dizemos que Deus é o Senhor? Sim. Então, se Ele é o Senhor, nós, os servos, é que temos de trabalhar, não Ele. Pois é: o Todo-Poderoso não tem a obrigação de trabalhar em nosso favor, porém trabalha.

Em primeiro lugar, há coisas de que necessitamos e só Ele pode fazer. Não sabemos fabricar oxigênio e não podemos viver sem ele. Nosso Senhor faz o sol brilhar, a chuva cair, o coração bater. Somente Deus pode impedir que as forças do mal nos destruam. Ele trabalha para aqueles que nEle esperam.

Em segundo lugar, Deus trabalha para aqueles que nEle esperam porque simplesmente gosta de trabalhar. Num dia de feriado, Jesus declarou: "Meu Pai trabalha até agora, e eu trabalho também" (Jo 5.17). "Eis que não tosquenejará nem dormirá o guarda de Israel" (Sl 121.4).

Em terceiro lugar, Deus trabalha para aqueles que nEle esperam porque é fiel. Se alguém espera e confia nEle, o Senhor corresponde a essa confiança. Ele é fiel porque é Deus. É Deus porque é fiel.

17 de outubro

Não temas diante deles, porque eu sou contigo para te livrar, diz o Senhor.
Jeremias 1.8

A lembrança mais antiga que tenho de minha infância é do dia em que *o velho do saco* veio me buscar. Estava chorando muito e alguém ameaçou chamar o temível cidadão. Não parei de chorar e, para meu desespero, ele chegou com um saco nas costas, pronto para levar-me consigo. Parei de chorar, e então ele se foi.

Ninguém nunca me disse, mas, com o passar do tempo, compreendi que alguém se disfarçou de *velho do saco* para fazer com que me calasse.

As crianças sentem medo facilmente. Como conhecem muito pouco do mundo, acreditam em tudo o que lhes dizem. Acreditam no *bicho-papão*, no *saci-pererê*, na *mula-sem-cabeça*, em qualquer coisa.

Quando Jeremias disse a Deus: "Eu sou uma criança", ele estava assustado. Primeiro, porque deveria ser, realmente, muito jovem. Depois, porque estava recebendo do Senhor uma missão muito difícil. Ele sabia que encontraria muita oposição, e, conseqüentemente, muitos perigos. Ele se sentia como uma criança no escuro.

No entanto, muitos perigos que assustam as crianças são apenas imaginários. Não existem de verdade, como o *velho do saco* que um dia assustou-me. Outros perigos, contudo, são reais, mas podem ser superados se houver algum adulto por perto. É por isso que as crianças, quando se vêem em perigo, gritam logo pela mamãe, pelo papai ou por alguma outra pessoa "grande".

Que pessoa jovem, como Jeremias, adulta ou mesmo anciã, não se sente como uma criança diante de certas situações nesta vida? Há circunstâncias que não entendemos, e por isso sentimos medo. Às vezes, determinadas pessoas utilizam alguns artifícios para nos intimidarem.

Quem conhece ao Senhor, sabe que não há nada que seja mais forte do que Ele. O Senhor tem poder para dominar qualquer pessoa ou circunstância que nos ameace. Podemos contar com esse Pai celestial a qualquer momento. A Jeremias e a qualquer pessoa que se sinta como uma criança, diante de situações que estejam acima de sua capacidade, o Senhor declarou: "Não temas... porque eu sou contigo para te livrar..."

Há algo que Jeremias não sabia: Deus já estava trabalhando em sua vida, quando ele ainda estava no ventre materno. O Senhor deu a Jeremias uma missão difícil para cumprir, mas também lhe deu capacidade para realizar tal missão. "Antes que eu te formasse no ventre, eu te conheci; e, antes que saísses da madre, te santifiquei..." (Jr 1.5) Houve um preparo anterior. E Deus continuou trabalhando na vida do profeta. "E estendeu o Senhor a mão, tocou-me na boca e disse-me o Senhor: Eis que ponho as minhas palavras na tua boca" (v. 9).

É maravilhoso saber que o Senhor nos capacita para enfrentar os desafios. Sentimo-nos como crianças incapazes e indefesas, porém Deus já tomou as providências para que tenhamos vitória. Assim como o Senhor disse àquele profeta, Ele fala a você: "Não digas: Eu sou uma criança; porque, aonde quer que eu te enviar, irás; e tudo quanto te mandar dirás" (v. 7). Receba a Palavra de Deus e siga em frente. Amém.

18 de outubro

Lançando sobre ele toda a vossa ansiedade, porque ele tem cuidado de vós.
1 Pedro 5.7

Quando eu tinha 15 anos de idade, comecei a escrever um diário. Hoje, quando tomo em minhas mãos aquelas páginas amarelecidas pelo tempo e as leio, vejo como um adolescente pode ter o seu coração cheio de preocupações e inquietudes. Sim, até os adolescentes padecem do mal das preocupações.

Nosso versículo de hoje, embora possa se aplicar a pessoas de todas as idades, foi originalmente escrito para os jovens. Há uma seqüência de pensamentos que começa no versículo 5 ("Semelhantemente vós, jovens...") e termina no versículo 7.

Deus nos criou e por isso nos conhece muito bem. Ele conhece o coração dos jovens, e das pessoas em todas as idades. Sabe que a ansiedade nos faz mal e quer nos livrar desse flagelo.

Milhões de pessoas têm atendido ao maravilhoso convite do Senhor Jesus: "Vinde a mim, todos os que estais cansados e oprimidos, e eu vos aliviarei" (Mt 11.28). Essas pessoas não têm sido decepcionadas. Elas são socorridas e recebem o alívio que só Jesus Cristo pode lhes dar.

Por outro lado, muitas pessoas que já caminham com Jesus vão adquirindo novos fardos, preocupações que insistem em carregar. Isso me faz lembrar do caso daquele homem que carregava um pesado fardo nos ombros enquanto puxava um animal de carga sobre o qual não havia nada. Então...

— Este animal está doente? — alguém lhe perguntou.

— Não — respondeu ele.

— Meu amigo, este bicho tem capacidade para carregar você e sua carga. Por favor, use o recurso que tem.

O homem, feliz da vida, subiu no animal. Todavia, a parte difícil foi se equilibrar com o fardo nos ombros. É, o homem continuou com o fardo sobre os ombros, porém em cima do animal. Agora, ficaram ele e o animal carregando o fardo.

Quantos cristãos estão fazendo o mesmo? Sabem que Jesus pode e quer carregar suas cargas, contudo transferem esses fardos para Jesus, mas continuam com o peso deles sobre si mesmos! Seria este o seu caso? Espero que não, mas se for, é hora de livrar-se disso.

Confie no amor do Senhor. Ele se preocupa com você e quer ajudá-lo. Lance sobre Jesus a ansiedade e a preocupação, e descanse. Amém!

19 de outubro

Não desanimes diante deles, porque eu farei com que não temas na sua presença.
Jeremias 1.17b

Os pentecostais costumam fazer muito barulho quando oram. Eles têm o hábito de orar em voz alta e todos ao mesmo tempo. Nas reuniões mais animadas, falam e cantam em línguas sobrenaturais.

Dizem que uma pessoa se aproximou de uma igreja e ficou assustada com o barulho que lá se fazia. *O que está havendo aí dentro?*, perguntou a um crente. *É Deus que está operando*, foi a resposta. *E Ele opera sem anestesia?*, perguntou ainda sem entender nada.

Esta é uma das nossas *anedotas evangélicas*, mas ela contém uma pergunta muito interessante: Deus opera sem anestesia? Respondo que às vezes sim e outras não.

Para explicar melhor minha resposta, deixe-me acrescentar a informação de que um filho de Deus chora, basicamente, por um de quatro motivos possíveis.

Primeiro, ele pode chorar de alegria. Quem não entende isso pensa que ele está triste. Está escrito em 1 Coríntios 2.14: "Ora, o homem natural não compreende as coisas do Espírito de Deus, porque lhe parecem loucura; e não pode entendê-las, porque elas se discernem espiritualmente".

Segundo, ele pode chorar em conseqüência de erros que tenha cometido. Por exemplo, se resolve, por conta própria, enfiar o dedo na tomada elétrica, vai levar um choque. Então, não poderá reclamar.

Terceiro, o choro pode ser de arrependimento. O filho de Deus errou, tem consciência de que falhou e está triste porque isso. Essa tristeza é boa. A Bíblia afirma: "Porque a tristeza segundo Deus opera arrependimento para a salvação, da qual ninguém se arrepende..." (2 Co 7.10) Neste caso, não se precisa de anestesia.

Quarto, um filho de Deus pode chorar porque se recusou a receber a anestesia de Deus ou nem sabia que podia ser anestesiado. E existe mesmo a tal anestesia? Existe. Preste atenção às palavras de nosso texto de hoje: "... eu farei com que não temas..." Então, Deus está prometendo anestesiar-nos contra a dor do medo. Ele também pode nos anestesiar contra a dor do ódio. Já ouvi, muitas vezes, alguns irmãos dizendo: *Provocaram-me de maneira terrível, mas não reagi. Não senti nada. Parecia que estava anestesiado.* E estava mesmo. Deus nos anestesia também contra outros sentimentos ruins.

Ter medo é como ter uma dor. É desagradável. No caso da dor física, às vezes, é necessário. Mas ninguém quer ficar sentindo dor o tempo todo. E, muitas vezes, é melhor evitar.

O profeta Jeremias foi chamado por Deus para fazer algo que, em condições normais, lhe faria sofrer muito. Todavia, Deus o preparou antes. O Senhor operou na vida do jovem profeta, e com anestesia.

Não tenha medo do que Deus quer fazer em sua vida. O Senhor deseja moldar você de forma que seja mais útil nas mãos dEle. Talvez Ele tenha de fazer cirurgias muito drásticas. Os *cortes* podem ser bem profundos. Não sei que instrumentos Ele usará, que tipos de *bisturis, agulhas,* etc. Apenas sei que Deus operará em você com anestesia. Não precisa se preocupar. Não vai doer. Amém.

20 de outubro

E pelejarão contra ti, mas não prevalecerão contra ti; porque eu sou contigo, diz o Senhor, para te livrar.
Jeremias 1.19

É curioso como gostamos de nos comparar com o ferro. Às vezes dizemos: *Tenho que descansar porque ninguém é de ferro.* Outras vezes, afirmamos: *Fulano parece ser de ferro.* Ou: *Ele administra com mão de ferro.* No final das contas, nós, que somos feitos de carne e osso, às vezes manifestamos uma resistência e uma força *de ferro*. Isso pode ser conseqüência de mobilizarmos recursos que trazemos conosco ao nascer ou que desenvolvemos ao longo da vida. Nos momentos críticos essa força interior aparece. Ou pode ser que Deus nos dê uma força especial, de forma instantânea, em momentos de dificuldade.

Veja o que Deus fez com o profeta Jeremias: "Porque eis que te ponho hoje por cidade forte, e por coluna de ferro, e por muros de bronze..." (Jr 1.18) O rapaz foi transformado numa coluna de ferro!

Jeremias receberia ataques. As pessoas tentariam destruí-lo. Algumas, muito poderosas, mobilizariam todos os meios que estivessem ao seu alcance para tentar acabar com ele. Entre tais pessoas estão incluídas autoridades religiosas (28.1; 29.26,27) e civis (36.26; 37.13), e até os próprios parentes daquele servo de Deus (12.6). No entanto, Deus lhe deu uma força *de ferro*.

Deus pode fazer conosco o que fez com Jeremias. Nos dias atuais, os servos do Senhor são feitos como "colunas de ferro" e "muros de bronze". Tal experiência pode ser física. Por exemplo, o servo de Deus pode receber um livramento de morte por "balas perdidas". A força e a resistência que recebemos de Deus podem não se restringir somente ao mundo físico. Pode ser moral e/ou espiritual. Muitos tentam nos destruir moralmente, difamando-nos, criando verdadeiras ciladas contra nossa honra, e nada conseguem.

Querem destruir a nossa fé, nos afastar de Deus e roubar a herança gloriosa que temos em Cristo Jesus. Porém, não conseguem. Somos indestrutíveis. Sabe por quê? Porque a força do Senhor está em nós. Ele reveste o nosso ser. Sua santidade compensa e sobrepuja a nossa pecaminosidade. Seu poder se aperfeiçoa em nossa fraqueza. O Senhor é conosco e nos livra. Amém.

21 de outubro

Graça e paz vos sejam multiplicadas, pelo conhecimento de Deus e de Jesus, nosso Senhor.
2 Pedro 1.2

Um novo convertido foi atacado por uma vaca no pasto. Enquanto fugia do animal feroz, tentava se lembrar do que os irmãos dizem quando estão em perigo. Correndo o mais rápido que podia, e com muito pavor, não conseguia lembrar-se de uma frase, ou mesmo uma palavra sequer, para aquela ocasião. Já não estava mais agüentando quando recordou algo. Virou-se para o animal e com todas as forças que ainda lhe restavam gritou: *Paz do Senhor, vaca!* Assustada, surpresa com aquilo, a vaca saiu correndo, deixando nosso irmão em paz, mas quase morto de cansado.

Muitos crentes têm o hábito de se saudarem com a paz do Senhor. A origem disso está em Lucas 10.5: "E, em qualquer casa onde entrardes, dizei primeiro: Paz seja nesta casa". E o Senhor Jesus acrescenta: "E, se ali houver algum filho de paz, repousará sobre ele a vossa paz; e, se não, voltará para vós" (v. 6).

Desse texto, deduz-se que a saudação que se formula para alguém depende de quem a faz e da pessoa para quem é feita. Só quem tem paz pode transmitir paz. E só quem está predisposto a receber paz, chamado por Jesus de "filho de paz", pode recebê-la. Esse acolhe em sua casa alguém que lhe pode transmitir paz. Ele quer a paz e trabalha por ela.

O apóstolo Pedro começa e termina sua segunda epístola falando da *graça de Deus*. No versículo 2, ele deseja que a graça de Deus seja multiplicada para com os seus leitores. No último verso, que são as suas últimas palavras registradas na Bíblia, ele deseja que seus leitores cresçam na graça e no conhecimento de nosso Senhor e Salvador Jesus Cristo.

As saudações do apóstolo Pedro para conosco são realmente muito boas. A graça de Deus para nós é tudo. Pela graça somos salvos (Ef 2.8); uma vez salvos, devemos reter a graça e através dela servir a Deus (Hb 12.28); e a graça de Deus nos basta quando estamos em dificuldades (2 Co 12.9).

Normalmente, imaginamos a graça de Deus para conosco como algo estático. No entanto, os escritos de Pedro nos revelam que ela é dinâmica; é algo que vem de Deus para nós e opera em nós.

As palavras de Pedro para conosco são válidas porque ele tinha a graça de Deus em sua vida. Agora, se elas vão realmente cumprir-se, depende de cada um de nós. Todavia, o que devemos fazer? O apóstolo nos dá algumas pistas.

As duas referências que Pedro faz à dinâmica da graça de Deus em nossa vida, estão associadas ao conhecimento do Senhor: "Graça e paz vos sejam multiplicadas, pelo conhecimento de Deus e de Jesus, nosso Senhor". Então, o "conhecimento de Deus" faz com que a graça se multiplique na vida de quem o tem. Por isso, Pedro, inspirado pelo Espírito Santo, escreveu muito a respeito do nosso Deus. Lendo a sua epístola, nosso conhecimento sobre o Senhor aumenta e a graça de Deus em nós, também.

O apóstolo encerra sua epístola reafirmando que é preciso crescer tanto na graça quanto no conhecimento de Deus: "Antes, crescei na graça e conhecimento..." É como se ele estivesse dizendo: *Vão, busquem o conhecimento e a graça de Deus lendo também os outros livros da Bíblia. Procurem conhecer cada vez mais ao Senhor, por experiência própria, vivendo com Ele dia a dia.* Isso tudo é muito maravilhoso!

Então, termino nossa reflexão de hoje desejando a você, meu querido leitor, muita *graça* e abundante *paz* do Senhor. Amém!

22 de outubro

São como a palmeira, obra torneada, mas não podem falar; necessitam de quem os leve, porquanto não podem andar; não tenhais receio deles, pois não podem fazer mal, nem tampouco têm poder de fazer bem.
Jeremias 10.5

O linguajar popular contém algumas expressões muito curiosas. Às vezes, dizemos que algo ou alguém *é tão bom que dói*. Outras vezes falamos que *é tão bonito que mete medo*. Tais expressões ressaltam o fato de que nossas emoções, em alguns momentos, nos levam a ter reações imprevisíveis, e até paradoxais.

Nosso texto de hoje faz referência a algo que *é tão bonito que mete medo*. Lendo-o com atenção, dentro de seu contexto, vê-se que o escritor está falando dos ídolos. No verso anterior, o profeta diz: "Com prata e com ouro o enfeitam..." (v. 4) O ouro e a prata sempre impressionam. E, de qualquer forma, seja de ouro, prata, marfim, gesso, madeira ou qualquer outro material, um ídolo é sempre uma obra de arte. E, apenas por ser uma obra de arte, já impõe um certo respeito. No entanto, a questão é: Isso resolve o seu problema? Essa imagem bonita, pela qual você tem o maior respeito e tanto venera, sacia a sua fome interior? Ela lhe traz verdadeira paz, alegria e segurança? Produz algo que o leve a crescer, a realizar-se plenamente como pessoa? Não? Então, não se impressione com ela. Deixe-a de lado e vá buscar um relacionamento verdadeiro com o Deus vivo.

Há sistemas filosóficos que são muito bonitos. Há religiões que parecem conter muita sabedoria. Eles parecem ter respostas para todas as questões, e tudo é muito bonito. Tão bonito que as pessoas têm medo de deixá-los e não encontrar nada que os substitua. Entretanto, a questão é: Eles satisfazem os mais profundos anseios da alma humana? Eles levam as pessoas ao Deus que as criou e a se sentirem preenchidas por Ele, ou as levam para uma falsa autoconfiança que as deixam cada vez mais perdidas e vazias?

O verdadeiro cristianismo é muito simples, tão simples que parece loucura (1 Co 1.18-25). A beleza do verdadeiro cristianismo é espiritual, não material. É interior, não exterior. Mas funciona.

A pessoa central do cristianismo é Jesus. Ele viveu neste mundo como um judeu, criado na Galiléia e carpinteiro de profissão. Todavia, Cristo é o Verbo de Deus que se fez carne. Morreu pelos nossos pecados, ressuscitou e vive para sempre. Jesus salva perfeitamente os que por Ele se chegam ao Pai, e nos une ao Deus vivo. O Salvador sacia a sede e a fome de nossa alma. Ele, e somente Ele, preenche o vazio que há dentro de cada ser humano.

Cristo nos faz ver, com os olhos espirituais, o verdadeiro Deus. Observe o que o profeta escreveu sobre Ele: "Ninguém há semelhante a ti, ó Senhor; tu és grande, e grande é o teu nome em força. Ele fez a terra pelo seu poder; ele estabeleceu o mundo por sua sabedoria e com a sua inteligência estendeu os céus. Fazendo ele soar a voz, logo há arruído de águas no céu, e sobem os vapores da extremidade da terra; ele faz os relâmpagos para a chuva e faz sair o vento dos seus tesouros" (Jr 10.6,12,13).

O verdadeiro Deus é poderoso, maravilhoso, lindo. Tão bonito que enche a nossa alma de paz. Amém.

23 de outubro

E levantarei sobre elas pastores que as apascentem, e nunca mais temerão, nem se assombrarão, e nem uma delas faltará, diz o Senhor.
Jeremias 23.4

Certa vez fui convidado para pregar em minha cidade natal, Feira de Santana, Bahia. Ao término de uma das reuniões, fui abordado por uma senhora que me perguntou: *Esta é a sua fábrica de doces?* Ao ver que eu não estava entendendo nada, ela disse-me que freqüentava a casa de meus pais quando eu ainda era criança (meu pai era pastor naquela cidade). Quando me perguntavam se queria ser pastor quando crescesse, respondia que não. Queria ser dono de uma fábrica de doces.

Não sabia que uma pessoa pode ser, ao mesmo tempo, pastor e fabricante de doces, tal como sou hoje.

Ser pastor é cuidar de almas, o bem mais precioso que existe na terra. O trabalho de um pastor se resume a isto: alimentar as pessoas com a Palavra de Deus. Quando prego num púlpito, aconselho alguém no meu gabinete, vou a uma residência para dar assistência à família, ou visito alguém em um hospital, o que as pessoas esperam de mim é que lhes ministre a Bíblia Sagrada.

Ministrar a Palavra de Deus é como fabricar um doce. Deus me dá os elementos básicos, os ingredientes que comporão o produto final. Cabe a mim combiná-los na dosagem certa, adequada a cada situação. Primeiro, tenho de processar tudo dentro de mim, como se estivesse levando ao forno ou deixando *em banho-maria*; depois, dar um toque de arte na apresentação final e servir. Sinto-me realizado vendo as pessoas comendo, com prazer, os *doces* que faço. O triste é consolado, o angustiado recebe alento, o fraco é fortalecido, o afastado é trazido de volta ao bom caminho; sim, meus *doces* são saborosos e nutritivos.

Gosto de ser pastor e cuidar das ovelhas do Senhor Jesus Cristo. Não que meu trabalho seja destituído de agruras. Filho de pastor, convivo com os *ossos* deste ofício desde a mais tenra idade. Talvez fosse por isso que dizia às pessoas que não seria pastor quando crescesse.

Como foi que Deus me encaminhou para ser *fabricante de doces*? Usando outros *fabricantes de doce*. Papai foi meu primeiro pastor. Certamente, ele exerceu forte influência sobre mim. Mas lembro-me do pastor Antônio Inácio, em Goiânia, que costumava incentivar a igreja dizendo: *De quando em vez, demos o nosso glória e o nosso aleluia*. Não posso me esquecer do pastor Esdras, em Nerópolis, Goiânia. Ele cantava bem alto o hino 157 da Harpa Cristã, protegendo o próprio ouvido com a mão direita. O pastor Francolino Rodrigues da Mata que, após doze anos de convívio, tornou-se meu sogro, marcou para sempre a minha vida com suas ilustrações e comparações tiradas da vida na lavoura. O pastor Manoel da Penha Ribeiro, maquinista aposentado, era dotado de uma sabedoria impressionante e foi quem me confiou os primeiros cargos de liderança na igreja. O pastor Túlio Barros Ferreira me conduziu a um envolvimento mais profundo com a Palavra de Deus e me incentivou quanto à evangelização. O pastor Elizeu Menezes de Oliveira, num momento decisivo de minha vida, alertou-me para não ser *desobediente à visão celestial*, apanhou-me como uma pedra bruta, lapidou-me e me fez seu sucessor. Graças a Deus por estes e por tantos outros ministros do Senhor que Ele usou para moldar-me e fazer de mim um pastor.

A Bíblia nos diz que os pastores são dádivas do Senhor Jesus (Ef 4.11), Sumo Pastor (1 Pe 5.4). As ovelhas são suas, mas Ele nos dá o sublime privilégio de ser seus cooperadores na tarefa de alimentá-las e apascentá-las. Ele pastoreia através de nós. Sem Deus, nada podemos fazer. Somos pastores nEle, por Ele e para Ele. Do Senhor le emana toda a doçura que vence as amarguras e dissabores próprios desta vida. Aos pastores cabe, tão somente, distribuir aquilo que vem dEle. Somos ministradores da doçura de Jesus, o meigo Salvador. Somos *fabricantes de doces*. Amém.

24 de outubro

*Eu vos escrevi, pais, porque já conhecestes aquele que é desde o princípio.
Eu vos escrevi, jovens, porque sois fortes, e a palavra de Deus está em vós,
e já vencestes o maligno.*
1 João 2.14

Dois capitães vão escolher os atletas que irão compor os seus times. A expectativa é muito grande porque, em seguida, esses dois times se enfrentarão num jogo que afetará a vida das pessoas em todo o mundo e durante muitos séculos.

A tensão no rosto de Satanás é aliviada quando, por sorteio, é-lhe dada a oportunidade de começar o processo de escolha. Ele não deixa por menos: *Eu chamo para compor o meu time o chefe do Império Romano, quero o César*, diz ele com o sorriso de satisfação. A situação para Jesus, o outro capitão, já parece ser bem desfavorável. Mas quem será que Ele vai escolher para tentar compensar essa desvantagem? *Eu escolho Mateus, funcionário do quinto escalão do Império*, diz Cristo sem hesitar. O quê? Será que Ele está falando sério? Estaria Ele querendo perder o jogo antes de começar? No entanto, o Mestre está tranqüilo, não deixa transparecer nenhuma hesitação. Ele quer Mateus, o cobrador de impostos.

Bem, mas o jogo é para valer, já foi anunciado e vai ter de acontecer. Satanás escolherá seu segundo atleta. *Quero Caifás, sumo-sacerdote dos judeus*. Está vendo só o atleta que Jesus perdeu? E agora, a quem Ele vai escolher? *Eu quero Tomé*, foram suas palavras, como que respondendo à pergunta que estava na mente das pessoas. Mas logo o Tomé, aquele sujeito sem expressão e ainda por cima tão desprovido de convicções firmes?

Satanás não está brincado. Ele acaba de convocar para o seu time ninguém menos que o maior empresário de todo o mundo da época. E Jesus, a quem escolhe em seguida? Deixe o barulho da gargalhada do povo diminuir para que possa lhe dizer. Espere um pouco porque eu mesmo tenho de fazer muito esforço para não rir. Pronto, prepare-se e controle-se para não ter uma crise de riso também. Cristo escolheu João, aquele rapazinho, filho de Zebedeu, morador daquela região de pescadores, a Galiléia, terra de pessoas pobres e incultas. O Joãozinho?! Sim, moço bem-intencionado, mas sem nenhuma experiência dos grandes embates da vida.

Quando terminaram, o resultado do campeonato já parecia estar definido. Aparentemente, ninguém tem dúvida de que Jesus não tem nenhuma chance de vencer.

O jogo começa. Começa dramático e difícil. Mas... em seguida, o que se vê é a perene vitória do time de Jesus. O representante do Império Romano joga duro, com violência. Porém, sempre perde. O representante da religião judaica gosta de intimidar, fazer *tabelinha* com o atleta romano, mas também não prevalece. Os torcedores de Satanás começam a mudar de time.

Quando João, o jovem defensor das cores do time de Jesus, escreveu suas epístolas, o jogo já estava bem adiantado. Ele faz uma avaliação de tudo o que se passou com ele e chega à conclusão de que os componentes da equipe de Jesus não perdem nunca. Os mais maduros, os *pais* como ele chama, são vencedores porque são lutadores bem conscientes, conhecem bem o Capitão do seu time e as técnicas que Ele usa para vencer. Os mais *jovens* também são muito úteis à equipe e já entram no time com o título de campeões, porque jogam com muito amor no coração, são apaixonados por seu Capitão e não se esquecem de nenhuma de suas recomendações.

Você que entrou no time de Jesus mais recentemente, não se deixe intimidar com a cara feroz do capitão do outro time nem com as jogadas sujas de seus comandados. Se a torcida do time adversário fizer muito barulho, também não se impressione com isso. A vitória é nossa. Com Jesus sempre somos campeões! Amém.

25 de outubro

Porque eu bem sei os pensamentos que penso de vós, diz o Senhor; pensamentos de paz e não de mal, para vos dar o fim que esperais.
Jeremias 29.11

Dizem que um político brasileiro bem conhecido quando tomava um táxi dizia ao motorista: *Vá devagar porque estou com pressa*. Imagino que o taxista, logo de início, pensava que estava conduzindo um maluco. Depois, pensando bem, dava-se conta de que tinha um sábio em seu veículo.

Às vezes, são os condutores que nos deixam um pouco confusos. Depois que você lhes diz qual é o destino de sua viagem, eles perguntam: *O senhor está com pressa? Se estiver, teremos que tomar o caminho mais longo*. Em seguida, explicam que o caminho mais curto, o trajeto que custaria mais barato a você, está congestionado àquela hora. Então, você entende que o percurso mais rápido, talvez o mais seguro, é o mais longo.

Quem tem comunhão com o Senhor é guiado por Ele. Sente-se seguro porque sabe que Deus é o condutor mais competente que existe. Quando vamos começar qualquer jornada, Ele vê, instantaneamente e nos mínimos detalhes, todos os caminhos possíveis. Cuidadoso como só Ele é, escolhe o caminho que, de fato, é o melhor.

Às vezes, ficamos um pouco contrariados com os trajetos que o Senhor escolhe para nós. Ele escolhe uns caminhos que parecem não se relacionar com o destino que queremos atingir. No entanto, se quisermos ser felizes, devemos sempre confiar nEle. O Mestre nos diz: *Eu quero lhe dar o fim que você espera*. Em outras palavras: *Eu sei qual é o melhor caminho para chegar onde você quer e vou conduzi-lo*.

Então, não se esqueça: a estratégia de Deus para traçar um percurso é exatamente o contrário da nossa. Ele vê a viagem *do fim para o começo*.

Para ser bem honesto, nem sempre Deus nos leva aos destinos que esperamos. Todavia, não é por incompetência ou ruindade. O destino que nossa alma mais deseja é o céu, a própria morada de Deus. Todas as jornadas que fazemos nesta vida são partes da jornada principal. Há certos *passeios* que queremos fazer, entretanto são incompatíveis com os planos de Deus para as nossas vidas. Se os fizéssemos, comprometeríamos nossa viagem principal. Então, o Senhor, que conhece o verdadeiro desejo de nossa alma — estar em sua companhia para sempre — contraria nossas vontades secundárias para cumprir o nosso objetivo principal.

Deus ama você e quer o melhor para sua vida. Os planos que o Senhor tem para você são bons. Creia no amor dEle. Entregue-se a Ele. Deixe-o conduzir sua vida. Se confiar inteiramente no Todo-Poderoso, tenha certeza: Você vai chegar onde deseja. Amém.

26 de outubro

Não temas, pois, tu, meu servo Jacó, diz o Senhor, nem te espantes, ó Israel; porque eis que te livrarei das terras de longe, e a tua descendência, da terra do seu cativeiro; e Jacó tornará, e descansará, e ficará em sossego, e não haverá quem o atemorize.
Jeremias 30.10

Você, meu caro leitor, que é uma pessoa tão especial para mim, sabe por que existe uma mensagem tão repetida no- versículo acima? Você sabe por que o profeta duplica pensamentos, dizendo-os com palavras sinônimas? Porque isso é uma característica específica da língua hebraica.

O livro de Jeremias e praticamente todo o Antigo Testamento foram escritos na língua hebraica. É natural que, mesmo traduzida para outros idiomas, como o português, a Bíblia contenha muitas características de seu idioma original.

Observe no versículo de hoje: Jacó e Israel são nomes de uma mesma pessoa. "Não temas" e "nem te espantes" são pensamentos idênticos; "terras de longe" e "terra do seu cativeiro" referem-se à mesma região geográfica; "Jacó tornará, e descansará, e ficará em sossego, e não haverá quem o atemorize" é uma frase cheia de redundâncias.

Considero muito interessante essa característica da língua hebraica. E acredito que sua permanência em nossa língua é resultado de uma ação divina.

Quando um ensinamento é repetido, mesmo com outras palavras (talvez até por ser repetido com palavras diferentes), sua aprendizagem se torna mais fácil. A Palavra de Deus é sábia!

Quando uma afirmação importante é repetida, sua relevância é ressaltada e quem a recebe sente-se mais seguro.

Quando uma promessa é repetida, seu cumprimento se torna mais firme. Imagine uma promessa do Senhor repetida!

As repetições que encontramos em Jeremias 30.10 são para reforçar uma promessa de Deus feita ao seu povo, que se encontrava em grande aperto e angústia, e distanciado do seu Deus. No entanto, o Todo-Poderoso promete livrar aquela nação errada e repete a promessa para que não haja dúvidas.

Agora, há uma outra observação a considerar nas repetições de que estamos tratando. Afirmei que a língua hebraica utiliza muitas palavras sinônimas para produzir ênfases e dar mais clareza ao que diz. Ocorre que, de fato, em nenhuma língua existem palavras que sejam perfeitamente sinônimas. Elas podem ter significados quase idênticos, mas não são exatamente a mesma coisa.

Veja em nosso versículo de hoje: as palavras *Jacó* e *Israel*, no contexto, referem-se à mesma pessoa e, por extensão, ao mesmo povo. Mas o nome Jacó refere-se ao patriarca antes de seu acerto com Deus no vau de Jaboque (Gn 32.24-28). É o nome que se refere a uma pessoa bem-intencionada, porém cheia de conflitos na vida. Já o nome Israel, ele recebeu ao colocar sua vida de forma correta na presença de Deus. Entretanto, Deus amou aquele homem em sua fase de *Jacó* e de *Israel*.

O uso desses nomes, acompanhado de uma promessa, no mesmo versículo, nos mostra uma grande lição. A bênção de Deus sobre nós, seus servos, não depende de nossos méritos. Ele nos ama como somos, embora queira a nossa perfeição.

Convido você, servo ou serva de Deus, que esteja vivendo no momento a fase de *Jacó* ou de *Israel*, a tomar posse das promessas contidas em Jeremias 30.10. Tenha certeza de que elas se aplicam a você. Fique seguro de que elas têm validade para a sua vida. Você que é muito especial para Deus. Amém.

27 de outubro

Filhinhos, sois de Deus e já os tendes vencido, porque maior é o que e stá em vós do que o que está no mundo.
1 João 4.4

Você embarca em um grande avião. Ele levanta vôo, alcança mais de 10.000 metros de altitude e cruza os céus a mais de 1.000 quilômetros por hora. Você voa uma hora, duas, dorme, acorda, come, vê filmes, e depois de sete horas de vôo ainda não chegou ao destino. Você diz: *Eta mundo grande!*

No país estrangeiro, andando no meio de tanta gente desconhecida, você entra num parque de diversões superlotado. De repente, depara-se com um ex-colega de escola. Então, você diz: *Esse mundo não é tão grande como parece.*

Às vezes, o mundo parece tão grande que nos assusta. E o que nos causa medo não é tanto sua extensão física. É que percebemos nele um certo poder, algo inexplicável, sentimos alguma coisa ameaçadora nele.

Os próprios elementos físicos do mundo podem ser aterrorizantes. Pense no estrondo do trovão, no poder destruidor de um relâmpago, numa grande pedra rolando morro abaixo, na fúria das ondas do mar. No entanto, as piores ameaças do mundo não vêm dos elementos físicos. Difícil é encarar a própria sociedade humana, que é egoísta, injusta e violenta.

Nossa sociedade é o que é por causa de Satanás. Sob o comando dele, a humanidade tornou-se hostil a Deus, organizou-se e estruturou-se de forma a tentar impedir que os projetos do Criador prosperem. A esse sistema organizado e dirigido por Satanás, a Bíblia chama de *mundo*. O apóstolo João diz: "... o mundo está no maligno" (1 Jo 5.19b).

Quando observamos a expansão da violência, dos vícios e de tantos outros tipos de opressão, assustamo-nos e dizemos: *É, este sistema é poderoso mesmo.*

Entretanto, o Senhor não está alheio a estas coisas. Ele não abandonou a humanidade. Através de Jesus, Deus se *infiltrou* na sociedade humana. Neste mundo decaído, Jesus estabeleceu seu povo, sua Igreja.

Como Igreja de Jesus Cristo, não apenas somos resgatados, retirados do sistema organizado pelo Diabo, mas também somos arregimentados para combatê-lo. Parafraseando o que o apóstolo João disse: *Não se impressionem com esse mundão. Ele não é tão grande quanto parece.*

O mundo está no maligno? A Igreja está em Jesus. Se você pertence à Igreja, você está em Jesus.

João, inspirado pelo Espírito Santo, nos chama de "filhinhos". Ele nos vê como pessoinhas muito especiais. E João ainda acrescenta: "Sois de Deus". Quem tentar nos prejudicar se deparará com Deus.

Quando nos incorporamos à Igreja do Senhor Jesus, passamos a fazer parte do grupo vencedor. Jesus já venceu por nós. Venceu Satanás no deserto e em todos os embates que com ele travou: na cruz e ao ressuscitar. Esta questão já está resolvida. Cristo é mais forte, maior e campeão. E nós pertencemos ao seu grupo. Sabe de uma coisa? Este mundo não é tão grande como parece. Maior, muito maior, é Jesus. Amém.

28 de outubro

Há muito que o Senhor me apareceu, dizendo: Com amor eterno te amei; também com amável benignidade te atraí.
Jeremias 31.3

Cada cidade costuma ter algo que lhe é peculiar e que, reproduzido na forma de cartões postais e peças de artesanato, ajuda a divulgá-la e a mantê-la na recordação das pessoas. Brasília tem o Palácio da Alvorada com os seus inconfundíveis pilares; o Rio de Janeiro, o Pão de Açúcar; Nova Iorque, a Estátua da Liberdade; Jericoacoara, no Ceará, a Pedra Furada, e assim por diante.

Certas cidades situadas à margem do rio São Francisco oferecem como lembrança aos seus visitantes umas figuras horríveis, feitas de madeira, chamadas *carrancas*. Dizem que os barcos que navegam pelo *Velho Chico* trazem as tais carrancas, em posição de destaque, para assustar os maus espíritos. Elas são feitas para, de fato, amedrontar.

Já vi várias figuras de deuses. É curioso como geralmente elas representam entidades assustadoras. Parece que as pessoas associavam o poder à feiúra. Quanto mais feio fosse um deus, mais poderoso haveria de ser.

Não creio que alguém pudesse amar aqueles seres tão horríveis. Seus adoradores deveriam ser pessoas dominadas pelo terror. Os tais deuses, se intimidavam seus adversários, enchiam de medo também os seus adoradores.

Deve ser muito ruim adorar um deus a quem não se ama. Que desgraça deve ser adorar um deus do qual se tem medo. Imagine o absurdo que é alguém dizer ao seu deus: *Eu te adoro porque, se não o fizer, tu me matas. Eu te adoro porque morro de medo de ti.*

O verdadeiro Deus não inspira medo, mas, sim, amor. Um oceano de amor emana dEle. E sempre foi assim desde a eternidade. O amor que Ele tem por todos nós é eterno. Somos alcançados por esse amor agora, mas ele já existia antes que viéssemos ao mundo.

Todo ser humano anda em busca de Deus porque todos precisam de amor. Mesmo as pessoas que parecem não querer nada com Deus estão à procura dEle. Como um imenso ímã, Deus nos atrai a todos.

Se Ele é essa fonte inesgotável de amor, por que muitas pessoas não a encontram? Porque não sabem o que é o verdadeiro amor. Alguém as enganou, fez com que imaginassem o amor como algo totalmente diferente do que ele é. Elas passam por cima do amor e não desfrutam dele, como alguém que perece de sede às margens de um grande rio.

Acredite no amor de Deus. Renda-se incondicionalmente a esse amor. Você verá como ele é maravilhoso. Só faz bem. Deus quer envolvê-lo em sua "amável benignidade".

Você não precisa se preocupar com questões teológicas. Nem envolver-se em discussões filosóficas. Simplesmente renda-se ao amor do Deus verdadeiro. E você o conhecerá de maneira prática, inconfundível. Amém.

29 de outubro

Clama a mim, e responder-te-ei e anunciar-te-ei coisas grandes e firmes, que não sabes.
Jeremias 33.3

Você chega em casa cansado, triste e desesperançado, depois de ter batido a várias portas na busca da solução para o seu problema. Todas as portas estavam fechadas. Você só ouviu como resposta aos seus pedidos a palavra *não*.

Enquanto você remói suas mágoas, angústias e decepções, ouve um BIP insistente, aumentando sua irritação. Você está no fundo do poço. Mas o BIP continua soando. Nesse momento, se dá conta de que sua secretária eletrônica está avisando que há uma mensagem para você. Quase mecanicamente você aciona o botão que libera as mensagens e seu rosto *resplandece* ao ouvir um recado, justamente de um dos lugares onde a decepção foi maior. Porém, agora, a informação é que eles reconsideraram e têm uma proposta para você. E a proposta é melhor do que aquilo que você estava procurando!

Quem confia em Deus sempre encontra uma saída.

Esta é uma das lições mais importantes do livro de Jeremias: há sempre uma esperança que ultrapassa as tragédias da vida. Um servo de Deus deve ser capaz de enxergar além das situações ruins que parecem ser definitivas. Como diz uma canção: *Atrás da montanha sempre há um vale, / após a noite há sempre um novo dia, / depois da chuva vem o arco-íris, e há vida até depois da morte!*

No capítulo 32 de Jeremias, o profeta está preso. Sua cidade, Jerusalém, está cercada pelos caldeus e será destruída, segundo o próprio Jeremias havia profetizado. O país já está completamente arrasado. Então, Deus dá ao profeta uma ordem muito estranha: *Compre um imóvel, na cidade de Anatote, aqui perto.* Jeremias fica sem entender nada. *Será que Deus quer que eu jogue meu dinheiro no lixo?*, pensa. Mas a mensagem de Deus para ele é esta: *Eu vou restaurar o que está arrasado. Vou encher de gente as cidades desabitadas. Vou levantar das cinzas um país próspero. Quando você olhar para os papéis da compra do imóvel em terra arrasada, lembre-se disso.*

Quando tudo parecer perdido, que você chegou ao fundo do poço, clame ao Senhor. Ainda que tenha a impressão de que não adiantará. Exatamente quando parecer que não vai haver solução, gaste um tempinho fazendo isto: clame ao Senhor.

Ele mostrará o que você não está vendo. Mostrará a esperança para além do desespero. O começo em vez do fim. Algo grande e firme, bem melhor do que você possa imaginar. O Deus de Jeremias fará isso. Amém.

30 de outubro

Na caridade, não há temor; antes, a perfeita caridade lança fora o temor; porque o temor tem consigo a pena, e o que teme não é perfeito em caridade.
1 João 4.18

Certo rapaz estava gostando de uma moça. Ela também parecia gostar do jovem, mas andava muito indecisa, com medo de seu sentimento crescer muito o relacionamento não dar certo e os corações ficarem partidos. O rapaz, então, teve uma idéia: resolveu enviar um bilhete à moça para encorajá-la. O bilhete deveria ser escrito nos seguintes termos: *Ofereço-lhe 1 João 4.18. Assinado: Fulano.*

Ao escrever o bilhete, o moço esqueceu-se de um detalhe. Em vez de colocar 1 João 4.18, colocou João 4.18. Ao receber o bilhete, a moça foi verificar na Bíblia o versículo enviado. Encontrou: "Porque tiveste cinco maridos e o que agora tens não é teu marido; isso disseste com verdade". A moça nunca mais falou com o rapaz e ele até hoje não sabe por quê.

Para um rapaz apaixonado e uma moça indecisa, 1 João 4.18 não tem nada que ver com João 4.18, mas, de maneira geral, aqueles dois versos estão fortemente relacionados entre si.

As palavras de João 4.18 foram ditas por Jesus à mulher samaritana. Ao ouvi-las, aquela mulher exclamou: "Senhor, vejo que és profeta". A partir daí, sua atitude em relação a Jesus mudou completamente e sua vida sofreu uma verdadeira revolução. De pessoa problemática, ela se transformou numa anunciadora de boas novas, uma bênção para o seu povo.

O curioso é que Jesus não voltou a falar a respeito da conduta moral da mulher. Em vez disso, fala de adoração a Deus e da pessoa do próprio Deus. "Deus é Espírito, e importa que os que o adoram o adorem em espírito e em verdade", disse o nosso Mestre à samaritana (Jo 4.24).

A conduta moral dessa mulher não era o verdadeiro mal. Era o sintoma do mal. Ela sentia-se vazia, buscava algo que preenchesse sua vida. Em relacionamentos amorosos inconsistentes, tentava satisfazer aquele anelo de sua alma. Porém, não dava certo. Ela buscava outro, e mais outro, e estava sempre vazia. Foi então que Jesus foi ao seu encontro, a colocou em contato com Deus e a procura acabou.

A mulher samaritana tinha conceitos muito errados acerca de Deus. Era isto que a mantinha separada dEle. Quantas pessoas se encontram na mesma situação? Há algumas, inclusive, que têm medo dEle. Imaginam-no como alguém que só pensa em castigar as pessoas. Deus não é nada disso. "Deus é caridade [amor]", nos diz o apóstolo João (1 Jo 4.16). O que o Senhor quer manter conosco é um relacionamento baseado no amor. Ele não quer que ninguém lhe sirva por medo, nem por interesses materiais imediatistas e inconseqüentes.

Deus nos ama e quer ser amado por nós. Amá-lo é algo que se aprende e se cultiva. Isto é fundamental para qualquer pessoa e está ao alcance de todos nós. Lancemos fora todo o medo, acheguemo-nos ao Senhor com os corações cheios de amor e vivamos com Ele um relacionamento bonito, feliz e construtivo. Amém.

31 de outubro

Não temais o rei da Babilônia, a quem vós temeis; não o temais, diz o Senhor, porque eu sou convosco, para vos salvar e para vos fazer livrar das suas mãos.
Jeremias 42.11

Quando fazemos uma consulta a Deus e há um conflito entre o que queríamos ouvir e o que Ele aconselha, quem tem a última palavra?

O capítulo 42 de Jeremias narra um acontecimento cheio de lições acerca de consultar a Deus.

Um grupo de pessoas, passando por grande aperto, procura Jeremias com o intuito de receber uma orientação de Deus através daquele profeta. Procuramos ajuda sobrenatural quando nos encontramos em grandes dificuldades, especialmente quando os recursos do mundo natural se mostram impotentes.

Aquelas pessoas juraram que fariam qualquer coisa que Deus ordenasse. Isso também é normal. Quando alguém quer algo do Senhor, promete tudo, sem pensar nas conseqüências, sem se dar conta de que não se brinca com Deus.

O grupo que consultou ao Senhor através do profeta Jeremias já havia decidido o que fazer. A consulta era apenas para ver se Deus daria respaldo à decisão tomada. Se a resposta fosse *sim*, eles passariam por obedientes e, ainda por cima, se sentiriam mais seguros quanto à decisão tomada. Se fosse *não*, acusariam o profeta de ser mentiroso e fariam o que já haviam decidido fazer. Nisto, eles também não foram os primeiros nem os últimos. Muitas pessoas fazem isso.

O profeta entrou num grande conflito porque sabia o que estava na mente daquela nação. Talvez, por causa desse conflito, somente após dez dias (v. 7) o profeta se sentiu seguro para dar uma resposta àquele povo em nome do Senhor. E a resposta não era mesmo aquela que os consulentes queriam ouvir. Quem fala em nome do Senhor e quer ser fiel a Ele passa, muitas vezes, por momentos difíceis. Agradar a Deus, às vezes, significa desagradar muitas pessoas.

A orientação de Deus, dada por intermédio de Jeremias, não era a que as pessoas queriam ouvir, mas a melhor possível. Deus sempre quer o melhor para nós.

Mesmo sabendo que o povo era rebelde, o Senhor não deixou de amá-lo. Exortou-o à obediência e prometeu abençoá-lo, caso fizesse o que era correto. Deus sempre está comprometido com aqueles que fazem a sua vontade. Quem faz a vontade de Deus nunca está só. Tem sempre a proteção do Senhor e pode contar com sua bênção.

Contudo, Deus não obrigou o povo a fazer sua vontade. Disse qual era a melhor alternativa, prometeu abençoá-lo, caso obedecesse, porém o deixou livre para fazer a opção que quisesse. É assim que Deus faz: Ele dá a orientação e deixa a última palavra com o homem. A resposta pode ser *sim* ou *não*. Todavia, cada um receberá as conseqüências da resposta que der.

Deus quer que você tenha a vida eterna. Para isso, Ele preparou um único meio: Jesus Cristo, seu Filho (Jo 14.6; At 4.12; 1 Tm 2.4,5). Você aceita ou rejeita a salvação em Jesus Cristo. A opção é sua. A palavra está com você.

Ter Jesus como Salvador equivale a tê-lo como Senhor. Ter Jesus como Senhor significa nos submetermos a todas as suas orientações. Mesmo àquelas que não nos pareçam tão agradáveis. Entretanto, Ele não nos obriga a segui-las. Apenas nos diz o que é melhor. Você obedece se quiser. Porém, lembre-se que arcará com as conseqüências. Amém.

1º de novembro

Não temais o rei da Babilônia, a quem vós temeis; não o temais, diz o Senhor, porque eu sou convosco, para vos salvar e para vos fazer livrar das suas mãos.
Jeremias 42.11

O Exmo. Primeiro Ministro foi acometido de um pequeno resfriado. Seus funerais estão marcados para amanhã, às 16 horas. Esta é uma frase um tanto exagerada, mas bem que ilustra um problema muito comum na atualidade.

Os ocupantes e os aspirantes a cargos políticos importantes e outros tipos de pessoas famosas costumam ocultar do público, ao máximo, suas enfermidades. Às vezes, procedem assim pelo desejo sincero de defender a segurança de seus países; outras vezes, para preservar a carreira, e outras ainda por motivos econômicos. O que não impede que um deles possa morrer em conseqüência de um simples *resfriado*.

Pessoas comuns também têm a tendência de esconder seus problemas. É normal e até louvável que as pessoas defendam sua privacidade e zelem pelos seus nomes e imagens. O amor próprio, desde que não seja exagerado, é necessário.

É ruim quando algumas pessoas se esforçam demasiadamente para ocultar seus problemas de forma que possam comprometer um tratamento, às vezes, vital. Ocultar acaba sendo mais importante do que tratar. No final, o problema fica tão grande que não dá mais para esconder; o tratamento fica mais difícil, senão, impossível.

Normalmente, doença não é o tipo de problema que causa mais estragos à nossa imagem. O que nos incomoda são os problemas causados pelas nossas falhas espirituais e morais. Ficamos com vergonha de Deus, dos familiares e amigos, e por isso *guardamos esses problemas em nossos armários*. Dizemos para nós mesmos que vamos corrigir as falhas cometidas, e que tudo se resolverá direitinho.

É muito difícil tratar certos problemas sem expô-los, como algumas doenças. O simples fato de estarem escondidos não vai contribuir para que sejam sanados. Às vezes, contribui para que eles cresçam. É preciso coragem para encarar os problemas, expô-los tanto quanto necessário e tratá-los.

O capítulo 42 de Jeremias mostra um grupo de pessoas com medo de encarar as conseqüências de seus erros. Erros que não eram deles, mas que poderiam lhes trazer conseqüências. Algumas pessoas ligadas a eles haviam feito algo que poderia despertar a ira do temível Nabucodonosor. A idéia que tiveram: fugir.

Tentar fugir das conseqüências dos nossos erros não resolve nada. O certo é ser honesto, admitir os erros e encarar as conseqüências. Deus abençoa quem age assim. Ele nos dá graça, sabedoria e forças para encarar os nossos *Nabucodonosores*.

Deus é tão bom e maravilhoso que nos ajuda até quando erramos. Ele não concorda com os nossos erros, porém não nos abandona quando erramos e queremos, sinceramente, reparar os erros.

Se buscarmos o perdão de Deus e quisermos pôr tudo nos devidos lugares, o Senhor nos diz: "Não temais... porque eu sou convosco". Com a ajuda do Senhor, somos restaurados e vencemos as dificuldades criadas pelos nossos erros, até mesmo as mais complicadas. Amém.

2 de novembro

O Senhor, teu Deus, está no meio de ti, poderoso para te salvar; ele se deleitará em ti com alegria; calar-se-á por seu amor, regozijar-se-á em ti com júbilo.
Sofonias 3.17

Os norte-americanos são engraçados. Um legítimo pregador dos Estados Unidos sempre inicia sua fala com uma história engraçada.

Os norte-americanos gostam de rir até nos enterros. É comum nas cerimônias fúnebres alguém ser designado para falar sobre acontecimentos cômicos relacionados com o morto. O ponto alto é o momento em que as pessoas mais achegadas ao defunto — cônjuge, filhos, irmãos e pais — sorriem entre lágrimas.

Na verdade, o gosto deles pelas risadas está relacionado com as raízes cristãs de sua cultura. O verdadeiro cristianismo é alegre, feliz. Afinal, o que Jesus Cristo veio fazer neste mundo foi reconciliar o homem com Deus. Existe algo melhor do que isso? Além do mais, o Deus a quem estamos ligados é a fonte da verdadeira alegria.

Quando nos lembramos dos feitos do nosso Deus, sua criação, suas espetaculares intervenções na história da humanidade, os milagres que tem realizado em favor daqueles que nEle confiam, inclusive em favor de nós mesmos, nosso coração se enche de alegria.

Nos deleitamos no nosso Deus, e nos alegramos nEle.

Agora, há uma grande verdade que é pouco anunciada: o Senhor se deleita no seu povo. Quando é que Deus tem mais prazer em nós? Quando estamos alegres.

Como Deus gosta de se sentir alegre, Ele faz coisas que nos deixam contentes e, então, se sente mais alegre por nos ver felizes.

Se for capaz de perceber o que estou ministrando agora, você estará, constantemente, fechando o que vou chamar aqui de *círculo da felicidade*. Como diz o corinho: *Não pode ser triste o coração que ama a Cristo*. Amém.

3 de novembro

Não temas, pois, tu, servo meu, Jacó, nem te espantes, ó Israel; porque eis que te livrarei mesmo de longe e a tua semente da terra do seu cativeiro; e Jacó voltará, e descansará, e sossegará, e não haverá quem o atemorize.
Jeremias 46.27

O meu sogro, Francolino Rodrigues da Mata, converteu-se quando era lavrador no Estado de Goiás, por volta do ano de 1952. Naquele tempo, as Assembléias de Deus estavam numa fase de enorme crescimento. Quando alguém se convertia, era imediatamente convocado para trabalhar em prol da expansão do evangelho. Se o novo convertido tivesse alguma desenvoltura, e era o caso do irmão Francolino, logo era convidado para pregar a Palavra. Aqueles pregadores ilustravam suas pregações com coisas do dia-a-dia da lavoura.

Meu sogro hoje é pastor no Distrito Federal, mas nunca deixou de utilizar em seus sermões as ilustrações de seu tempo de lavrador. Veja só esta: *Os pés da galinha não matam os pintinhos*.

Não sei se o meu leitor já teve a oportunidade de observar uma galinha caminhando em companhia de seus filhotes. Mamãe galinha é muito cuidadosa. Tudo o que faz é realizado com o objetivo de alimentar e defender sua prole. Com movimentos fortes, ela revolve a terra, tentando achar minhocas ou qualquer outro tipo de alimento para os seus pintinhos. Quando acha algo, os chama com a emissão de um som bem característico e expõe o alimento usando seu próprio bico.

Os pintinhos costumam formar uma turma bem numerosa, andando de forma desajeitada e sem direção definida. Por mais que a galinha seja cuidadosa, não é raro ela pisar em cheio um de seus filhotes. Ele grita desesperado, e logo pensamos que o pintinho morreu. Mas ela tira a pata de cima dele, e este sai correndo como se nada tivesse acontecido. É interessante mesmo: não fica nenhum ferimento, nenhuma marca.

Jesus comparou os cuidados que tem com o seu povo aos da galinha para com os seus pintinhos (Mt 23.37). Originalmente, a comparação se refere aos moradores da cidade de Jerusalém, mas pode se aplicar a nós também.

Veja bem, o ponto é este: trabalhando em benefício de seus filhotes, a galinha pode provocar neles dor, todavia, nem por isso, eles ficam prejudicados.

No texto do livro de Jeremias que introduz nossa reflexão de hoje, Deus está consolando o seu povo que foi ferido por Ele mesmo. O Senhor feriu, trabalhando em benefício daquela nação. Deus entregou seu povo ao cativeiro, mas não o abandonou.

Antes mesmo de o castigo chegar ao fim, o Todo-Poderoso promete que tudo vai terminar bem. Aos que lhe pertencem, o Senhor castiga para corrigir. Ele faz isso com o intuito de remover o mal, dar saúde e prosperidade.

Creio ser bem oportuno encerrar nossa reflexão de hoje com Hebreus 12.6,11: "Porque o Senhor corrige o que ama e açoita a qualquer que recebe por filho. E, na verdade, toda correção, ao presente, não parece ser de gozo, senão de tristeza, mas, depois, produz um fruto pacífico de justiça nos exercitados por ela".

4 de novembro

Não temas, servo meu, Jacó, diz o Senhor, porque estou contigo; porque porei termo a todas as nações entre as quais te lancei; mas a ti não porei termo, mas castigar-te-ei com medida e não te deixarei de todo impune.
Jeremias 46.28

Quando vir a barba do seu vizinho arder, coloque a sua de molho. Este adágio popular quer dizer o seguinte: *Aquilo que acontece com alguém que vive em circunstâncias semelhantes àquelas em que você vive, pode acontecer a você também. Portanto, prepare-se.* Será que este provérbio se aplica ao nosso relacionamento com Deus? Às vezes, parece que não.

Dois homens foram crucificados com Jesus, um a sua direita e o outro à esquerda. Os dois morreram no mesmo dia, praticamente na mesma hora. Um foi para o paraíso e o outro, para a perdição eterna. Há quem diga que o que se salvou era bom. Deram-lhe até um nome: *Dimas, o bom ladrão*. Inventaram uma história fantasiosa sobre ele, dizendo que teria protegido o menino Jesus. Na verdade, deram um jeito de ele merecer a salvação. No entanto, ele mesmo declarou que merecia ser crucificado (Lc 23.41).

A verdade pura e simples é esta: os dois homens mereciam ir para a perdição eterna. Entretanto, um foi e o outro não. E este não é um caso isolado. Há muitas pessoas que andaram roubando neste mundo e hoje estão no paraíso. Outras estão no inferno. Pessoas que adulteraram estão no inferno. Mas houve quem praticou o mesmo pecado e está no paraíso. Saulo de Tarso torturou muitos cristãos e, hoje, onde ele está? No paraíso.

Se disser que os que foram salvos *colocaram a barba de molho* antes, terei de concordar com você. Na verdade, eles mergulharam no sangue de Jesus. Por outro lado, os seus *vizinhos* não fizeram o mesmo, e agora estão sofrendo as conseqüências.

Bem, mas do texto de hoje quero tirar outra lição. Às vezes, vemos pessoas padecendo conseqüências de pecados que nós mesmos já cometemos. Então nos bate um desespero terrível. *Se cometi os mesmos erros que ele, vou sofrer os mesmos castigos*, pensamos. É nesse momento que Jeremias 46.28 entra em ação. Deus não trata aqueles que lhe pertencem da mesma maneira que trata os outros. Os que pertencem ao Senhor são castigados quando necessário, porém jamais da mesma forma como são castigados os ímpios.

Aos seus, Deus sempre trata com carinho, mesmo quando erram. Com que doçura o Senhor diz: "Não temas, servo meu..." E de igual forma Deus nos diz o mesmo.

Você não precisa *colocar a barba de molho* quando a do vizinho começar a arder, porque você já foi lavado pelo sangue de Jesus. Ou não foi? Bem, se não, aceite a Cristo como seu Salvador. Amém.

5 de novembro

E esta é a confiança que temos nele: que, se pedirmos alguma coisa,
segundo a sua vontade, ele nos ouve.
1 João 5.14

Dizem que um anjo apareceu a um homem e lhe disse: *Você pode me pedir o que quiser. Atenderei prontamente. Seja o pedido que for. Só leve em consideração o seguinte: tudo o que eu der a você, darei em dobro àquele vizinho do qual você não gosta.* O homem ficou um pouco pensativo. Por um lado, realmente era fascinante poder pedir o que quisesse ao anjo. Havia tanta coisa boa para pedir! Só não lhe agradava, nem um pouco, a idéia de ver o seu inimigo receber o dobro do que ele recebesse. Depois de passar um bom tempo pensando, formulou o seguinte pedido: *Quero ficar cego de um olho.*

Seria cômico, se não fosse trágico!

De fato, não dá para atender a todos os pedidos dos homens sem estabelecer limites bem calculados.

A condição que o Espírito Santo estabelece em 1 João 5.14 é muito sábia. Podemos pedir qualquer coisa desde que seja segundo a vontade de Deus.

Quem faz isso nunca pedirá algo para prejudicar alguém. Não é vontade do Senhor que prejudiquemos a quem quer que seja.

Há muitas pessoas boas pedindo a Deus algo que causa prejuízo ao seu próximo. Isso é verdade? Sim, mas elas não sabem que o que estão pedindo é prejudicial. E o que é pior: é prejudicial a elas mesmas. No entanto, o Senhor não lhes concede tais pedidos.

Às vezes, pedimos ao Todo - Poderoso algo que de certa forma é bom para nós, porém não no momento. Se Deus nos desse agora, nos faria mal. Então, Ele dá depois.

Aqui surge uma grande questão: como conhecer a vontade de Deus? Há algo essencial para isso: conhecer a Bíblia. Nela estão as linhas gerais da vontade de Deus. É necessário conhecê-las para aplicá-las às situações específicas que encontrarmos. Por exemplo, se quero saber se é da vontade de Deus que eu pague uma dívida que tenho com algum irmão, leio Romanos 13.8: "A ninguém devais coisa alguma, a não ser o amor com que vos ameis uns aos outros..." Agora, aplico esse versículo à situação que estou vivendo e percebo que é da vontade do Senhor que eu pague a minha dívida.

Às vezes, a aplicação dos ensinos gerais da Bíblia a situações específicas não é tão simples. Por exemplo: a Bíblia deixa claro que todos os cristãos devem cooperar para a evangelização de todo o mundo. Mas como saber se é da vontade de Deus que eu vá pessoalmente evangelizar nalgum país estrangeiro? Nesta, e em muitas outras situações, é preciso viver uma comunhão profunda com o Senhor para conhecer sua vontade.

Comunhão profunda com Deus se tem quando se dedica bastante tempo ao cultivo da amizade com Ele.

Bem, mas surge outra questão quanto a esse assunto. É o fato de concordar com a vontade do Altíssimo. É muito complicado pedir algo que não se quer. Imagine Deus querendo uma coisa que não quero. Como vou pedi-la?

Quanto mais conhecemos a Deus, mais nossa vontade vai se conformando com a dEle. Lembre-se de que a vontade do Senhor é boa, agradável e perfeita (Rm 12.2), e vamos desejar o bem até para aqueles que nos querem mal. Amém.

6 de novembro

E não se enterneça o vosso coração, nem temais pelo rumor que se ouvir na terra; porque virá, num ano, um rumor, e depois, noutro ano, outro rumor; e haverá violência na terra, dominador contra dominador.
Jeremias 51.46

Se acontecesse uma guerra mundial que acabasse com todos os seres humanos, claro que os animais pereceriam também. Mas está provado que um certo bichinho dificilmente se extinguiria. Sabe qual é? A barata. Ela tem uma capacidade incrível de se adaptar a situações adversas. Sobrevive no frio mais intenso e no calor mais escaldante. Adapta-se à muita umidade e à extrema secura. Ingere, digere e aproveita qualquer coisa. Resiste até à radiação nuclear!

O ser humano também tem uma grande capacidade de se adaptar às situações adversas. Não tanto como as baratas, mas tem.

É bom poder adaptarmo-nos às situações difíceis, porém é preciso ter cuidado com uma coisa: o comodismo. Os animais não podem mudar, conscientemente, os ambientes inóspitos em que, às vezes, têm de viver. O homem pode. O perigo está relacionado, quando nos adaptamos, ao fato de nos acomodarmos e não termos vontade de mudar as coisas.

Veja o que aconteceu com Israel: foi vencido na guerra. Teve suas cidades destruídas e foi levado cativo para a Babilônia. O livro do profeta Jeremias bem descreve os horrores desses acontecimentos. Lamentações de Jeremias mostra o transporte de Israel para o cativeiro de maneira ainda mais dramática.

O estado dos israelitas nos primeiros anos de seu cativeiro é descrito no Salmo 137: "Junto aos rios da Babilônia nos assentamos e choramos, lembrando-nos de Sião. Nos salgueiros, que há no meio dela, penduramos as nossas harpas. Porquanto aqueles que nos levaram cativos nos pediam uma canção; e os que nos destruíram, que os alegrássemos, dizendo: Cantai-nos um dos cânticos de Sião. Mas como entoaremos o cântico do Senhor em terra estranha? Se eu me esquecer de ti, ó Jerusalém, esqueça-se a minha destra da sua destreza. Apegue-se-me a língua ao paladar se me não lembrar de ti, se não preferir Jerusalém à minha maior alegria" (vv. 1-6).

Mais de meio século se passou. Os judeus continuavam no cativeiro babilônico, mas já acomodados. Ao ler Jeremias, o profeta que previu que Israel seria vencido pelos caldeus e transportado para o exílio, aquele povo podia encontrar até a previsão do número de anos que duraria o cativeiro: setenta anos. Sim, pelas palavras do *profeta chorão*, o cativeiro não duraria para sempre. Israel voltaria para a sua amada pátria e, por assim dizer, tinha até data marcada para o regresso.

O profeta Jeremias descreveu, com impressionante clareza, os acontecimentos que antecederiam o fim do cativeiro de Israel. Disse que haveria rumores, e encorajou os filhos de seu povo: "E não se enterneça o vosso coração, nem temais pelo rumor que se ouvir na terra..." Em outras palavras: *Não tenham medo quando chegar a hora de mudar para melhor, quando chegar o momento de deixarem de ser escravos para serem homens livres.*

Não tenha medo quando chegar esse momento. Haverá reação contrária. Dúvidas vão surgir no seu coração. Contudo, tenha fé em Deus. Siga em frente. Toda essa agitação é necessária, todavia ela acabará, e você vai sorrir e agradecer ao Senhor. Amém.

7 de novembro

As misericórdias do Senhor são a causa de não sermos consumidos; porque as suas misericórdias não têm fim. Novas são cada manhã; grande é a tua fidelidade.
Lamentações 3.22,23

Bem-vindo a bordo do nosso super-jato. Construído com a mais avançada tecnologia, ele é inteiramente à prova de defeit... à prova de defeit... à prova de defeit...

Tudo nesta vida está sujeito a falhas. Se tem participação humana, pode falhar.

Temos de conviver com as falhas das outras pessoas. O problema é que elas falham e sofremos os prejuízos. Então, somos maltratados pelos prejuízos que nos dão e pela raiva que domina o nosso coração e mente.

O pior é conviver com as nossas próprias falhas. Elas também nos causam prejuízos e nos levam ao aborrecimento. Então, o prejuízo é triplo: Primeiro, o dano direto causado por nossa falha. Segundo, sentir raiva, pois faz mal. Terceiro, a autopunição que nos impomos. Em geral, desenvolvemos em nós um processo autodestrutivo, na tentativa de aplacar a ira que estamos sentindo contra nós mesmos. É uma situação muito desagradável que pode durar meses, anos ou até ao final da vida. Normalmente nos leva a cometer outros erros e, em conseqüência, a desencadear outros processos de autopunição.

Há um outro aspecto dessa questão que ainda não foi abordado. É o que diz respeito a Deus. Sempre que erramos, prejudicamos os projetos que o Senhor tem para nossas vidas. Às vezes, prejudicamos também seus planos para outras pessoas. Deus fica irado, e nos castiga. Ficamos envergonhados e tristes, afastamo-nos de nosso Pai celestial. Então, estamos isolados da única pessoa que poderia nos ajudar.

Tenho uma boa notícia para você: o problema tem solução. Há um jeito infalível de sair do círculo vicioso que mencionei há pouco. Apele para as misericórdias do Senhor. Elas não falham porque não têm fim. Deus está sempre renovando seu estoque de misericórdias. Elas são novas cada manhã.

Elas existem para que não fiquemos eternamente perdidos quando falhamos. Por assim dizer, nossas falhas são o *material* com que as misericórdias de Deus trabalham. Quer uma prova de que elas funcionam? O próprio fato de estarmos vivos. Diante da santidade perfeita de Deus, qualquer pecado nosso seria suficiente para sermos condenados. As misericórdias do Senhor são a causa de não sermos consumidos.

Você pecou ou falhou? Peça perdão a Deus. Sabe o que a Bíblia diz em Isaías 55.7? "Deixe o ímpio o seu caminho, e o homem maligno, os seus pensamentos e se converta ao Senhor, que se compadecerá dele; torne para o nosso Deus, porque grandioso é em perdoar. Então, você pergunta:"E quem me garante que isso vai funcionar?" A fidelidade do Senhor. Deus é fiel e cumpre o que promete. Ele promete perdoar e ajudar quem se arrepende e pede sinceramente o seu perdão. O único que pode falhar nesta história é você. Será uma grande falha não aproveitar as misericórdias do Senhor. Você não acha? Amém.

8 de novembro

Sabemos que todo aquele que é nascido de Deus não peca; mas o que de Deus é gerado conserva-se a si mesmo, e o maligno não lhe toca.
1 João 5.18

Foi na cruz, foi na cruz, / onde um dia eu vi, / meu pecado castigado em Jesus. / Foi ali, pela fé, / que meus olhos abri / e agora me alegro em sua luz. Assim diz um dos hinos mais cantados pelos evangélicos de todo o Brasil, o número 15 da Harpa Cristã.

Ser cristão é vir das trevas para a maravilhosa luz do Senhor, segundo está escrito em 1 Pedro 2.9. Jesus disse que veio ao mundo "a fim de que os que não vêem vejam" (Jo 9.39).

Quem é salvo em Jesus Cristo sente-se como quem estava num quarto escuro e, de repente, é colocado para fora, em plena luz do dia. Nossa tendência ao sair das trevas para a luz é a de fechar, total ou parcialmente, os olhos. É que precisamos de algum tempo para nos adaptar à luz.

Uma das coisas que muitos cristãos demoram a enxergar é a sua própria condição, a importância que têm, como filhos de Deus que são. Eles não compreendem que, ao serem trazidos à luz pelo poder do evangelho, nasceram de novo.

Certos cristãos dão muita atenção ao Diabo. Acabam até prestigiando-o. Proclamam muito os seus feitos. Falem das obras maravilhosas do nosso Salvador. Falem de seu poder e amor.

É um erro subestimar o poder do nosso Inimigo. Não podemos ignorar seus ardis nem lhe dar trégua. Mas é outro erro superestimá-lo. Ele tem poder, porém nosso Jesus tem todo o poder. Ele rouba, mata e destrói aqueles que não têm defesa. Todavia, contra os servos de Jesus ele não pode fazer nada.

Você sabia disso? Se não, aprenda agora. E diga como o apóstolo João: "Sabemos..." Abra os olhos para tudo de maravilhoso que Jesus fez e está fazendo em sua vida; regozije-se no Senhor, diga *não* ao pecado e cante o final do hino 15 da Harpa: *Quão ditoso, então, este meu coração, / conhecendo o excelso amor...* Amém.

9 de novembro

Bom é ter esperança e aguardar em silêncio a salvação do Senhor.
Lamentações 3.26

O médico, com voz pausada e baixa, diz ao paciente: *Sr. Fulano, analisando os últimos exames a que o senhor se submeteu, observando a evolução do seu caso e conhecendo os recursos existentes na medicina, tenho a informar-lhe que, infelizmente, o seu mal é incurável e lhe restam poucos dias de vida.* Como reagirá esse paciente?

Se ele for *desesperado*, vai sentir o mundo girar à sua volta e, em seguida, começará a chorar e a se lamentar até morrer.

Se for *realista*, sentirá o impacto inicial, mas depois procurará certificar-se de que sua doença seja realmente incurável. Se isso for confirmado, vai preparar-se para morrer, despedindo-se dos amigos, cuidando do inventário, das apólices de seguro e até do funeral.

Se for *esperançoso*, sentirá o impacto inicial, depois agradecerá ao médico e sair silenciosamente. Vai comentar com poucas pessoas a situação e sair em busca de sua cura. Procurará tratamento para a doença onde existir, inclusive na área sobrenatural. Pode ser até que não morra, mas, se morrer, morrerá lutando.

Qual é a melhor postura? A do *desesperado* certamente não é. E que dizer do *realista*? Alguém pode dizer: *Este é que está certo. Não adianta lutar contra a realidade dos fatos.* Mas pergunto: Que realidade? Aquilo que ouvimos não é, necessariamente, a realidade. Quem dá a informação pode estar enganado. Quem ouve pode entender errado. Aquilo que vemos também pode não ser a realidade. Quantas vezes os nossos olhos nos enganam?

E que dizer do sobrenatural? Ele também faz parte da realidade. Uma outra realidade. E vou mais além: digo que o sobrenatural é uma realidade mais real que o mundo físico. Sim, porque este veio do sobrenatural, de Deus.

Crer no sobrenatural não é deixar de ser realista.

Quem espera a salvação do Senhor é bem realista, porém, *esperançoso*.

Está registrado em Salmos 3.8 que "a salvação vem do Senhor". Ele pode usar meios naturais ou sobrenaturais, mas a salvação vem dEle.

Sabe, a melhor postura é a de quem tem esperança. Movido por ela, o homem acaba acionando recursos que os *desesperados* e os *falsos realistas* jamais encontram. Vence barreiras que pareciam intransponíveis.

Quem espera no Senhor fica firme e aguarda. Uma força interior lhe dá paz e o sustenta em seu combate contra as impossibilidades. Ele triunfa e, então, pode glorificar a Deus. Isso é muito bom. Amém.

10 de novembro

Tu te aproximaste no dia em que te invoquei; disseste: Não temas.
Lamentações 3.57

A torcida de uma equipe desportiva é, naturalmente, constituída de seus admiradores. Ela comparece às competições com o objetivo de incentivar sua equipe. Dizemos que uma torcida *empurra* a equipe desportiva.

Quanto mais difícil for a competição, mais útil será a atuação da torcida. Às vezes, fico chocado com certas torcidas que vaiam sua equipe quando ela não está se saindo bem. São nesses momentos que a equipe vai mal e que mais precisa de apoio. Uma boa torcida pode *virar* o resultado de um jogo. É por isso que jogar *em casa* é muito diferente de jogar no *campo do adversário*.

Saber que alguém está torcendo por nosso sucesso nos faz muito bem. Há uma ação psicológica que acaba produzindo efeitos físicos. Assim é nos esportes, nos estudos, na carreira profissional, na convalescença, nas crises conjugais, enfim, em todas as áreas do nosso viver.

Não conheço você, não sei que tipo de competições enfrenta, não sei de suas habilidades, porém vou lhe dizer algo: você tem um fã. Alguém que é fiel e sempre torce por você. Sabe quem é? É o próprio Deus.

Então, você pergunta: que torcedor fiel é esse que não vejo nem ouço quando estou competindo, quando mais preciso de incentivo?

Talvez você não o ouça porque fica muito concentrado na competição. Você presta tanta atenção ao jogo que nem consegue ouvi-lo. Mas Ele está lá, torcendo por você.

Se procurar por seu Torcedor, vai encontrá-lo. Lembre-se dEle. Chame por Ele. Sabe o que acontecerá? Você o ouvirá, não das arquibancadas, mas bem pertinho de você. Esse Torcedor é diferente. Ele vem para dentro do campo, para dizer palavras encorajadoras: *Não tenha medo*, diz Ele. Entretanto, faz mais do que isso. O Senhor nos orienta em plena competição, atrapalha o nosso Adversário. Ele, de fato, participa do jogo. Isso é que é Torcedor! Amém.

11 de novembro

Olhai por vós mesmos, para que não percamos o que temos ganhado; antes, recebamos o inteiro galardão.

2 João 8

Em caso de despressurizarão súbita, máscaras de oxigênio se desprenderão, automaticamente, dos compartimentos localizados acima de sua cabeça. Puxe a que estiver mais próxima de si, ponha-a sobre o nariz e a boca, e respire normalmente. Se estiver acompanhado de criança ou de alguém que necessite de ajuda, ponha primeiro a sua e depois ajude a outra pessoa.

Essas palavras são sempre proferidas como parte das instruções de segurança que são dadas no início de qualquer viagem aérea comercial. Confesso que, quando as ouvi pela primeira vez, fiquei chocado. *Que egoísmo!*, pensei. *Como podem estimular as pessoas a cuidarem de si próprias para depois ajudar as crianças?* Depois, raciocinando melhor, entendi. É preciso estar bem para poder ajudar os outros. Senão, perecemos todos.

Há quem nunca se preocupe com as outras pessoas. Quando o fazem, é para tirar vantagens para si próprias. De início, parecem que querem ajudar, mas, ao final, querem sair lucrando.

Há os que gostam de ajudar, porém não sabem fazê-lo. No final, acabam prejudicando quem queriam ajudar e sofrem prejuízos também. Em Mateus 25.1-13, na parábola das dez virgens, encontramos a seguinte frase: "Não seja o caso que falte a nós e a vós; ide, antes aos que o vendem e comprai-o para vós". A parábola foi contada por Jesus e a frase é das virgens prudentes.

Se você gosta de ajudar os outros, cuide primeiro de si mesmo. Se você está sempre ajudando alguém financeiramente, por prazer ou por pressão, cuidado! Não deixe que suas finanças entrem em colapso, porque senão poderá ser mais um necessitado pedindo ajuda.

Pastor, líder espiritual, familiar, comunitário: cuide-se! Não deixe que o excesso de trabalho acabe com você. Lembre-se: você precisa estar vivo e bem para ajudar os que carecem de auxílio. Procure descansar. Durma e se alimente com regularidade. Tire férias. Permita-se algum luxo. A aparente perda de tempo e dinheiro resultará em benefício para você e, conseqüentemente, para aqueles a quem você ajuda.

"Olhai por vós mesmos", diz o apóstolo João. Depois ele acrescenta: "... para que não percamos o que temos ganhado". Veja como está o verbo: "percamos". Quando um membro de nossa comunidade perde, ou se perde, todos temos prejuízo. Entenda isso na área espiritual, psicológica, física e financeira, e cuide-se! Amém?

12 de novembro

E tu, ó filho do homem, não os temas...
Ezequiel 2.6a

Deve ser bem conhecido aquele pensamento: *Deus me livre dos meus amigos porque dos meus inimigos me livro eu.* Há um grave erro. O de afirmar que não se precisa da ajuda de Deus para livrar-se dos inimigos. Precisamos de Deus para tudo. No entanto, há uma grande verdade embutida nesse pensamento.

Muitas vezes corremos mais perigo entre pessoas que aparentam ser nossas amigas do que entre os nossos inimigos declarados. Primeiro, porque elas têm mais acesso a nós. Depois, porque, normalmente, estamos despreparados para enfrentar qualquer mal que possa vir delas, uma vez que não contamos com essa possibilidade.

O profeta Ezequiel passou pela amarga experiência de enfrentar malefícios oriundos das pessoas que lhe estavam mais próximas. Enfrentou a oposição, a hostilidade, os ataques traiçoeiros de pessoas pertencentes ao seu próprio povo. A boa notícia é que ele não foi apanhado de surpresa nem passou pela situação sozinho.

Antes que Ezequiel começasse a sofrer as incompreensões de seu próprio povo, como conseqüência de seu ministério profético, Deus o preveniu. Avisou-o desse problema, porém encorajou o jovem profeta: "... não os temas", disse o Senhor. E prometeu dar-lhe proteção, forças, capacidade para superar toda a dificuldade.

Às vezes, é mais difícil ser um instrumento de Deus para com as pessoas que nos são mais achegadas do que com as estranhas. Entretanto, devemos cumprir a nossa missão onde Deus mandar. Quer as pessoas nos compreendam, quer não compreendam. Quer nos apóiem, quer nos combatam. Quer nos agradem, quer nos agridam.

Se formos fiéis ao Senhor, Ele estará conosco. E, diante de inimigos disfarçados ou declarados, sempre nos dirá: "... não os temas". Amém.

13 de novembro

Nem temas as suas palavras; ainda que sejam sarças
e espinhos para contigo...
Ezequiel 2.6b

Os espinhos e os cardos surgiram na terra como conseqüência do pecado (Gn 3.18). São símbolos de maldição, e existem com uma única finalidade: ferir.

Feridas produzidas por espinhos doem, podem ocasionar infecções e estas, por sua vez, podem produzir mutilações e até morte.

Por que nos ferimos nos espinhos? É sempre por descuido. Não contamos com eles. Até nos esquecemos de que existem. E, de repente, ai! Fomos feridos.

Infelizmente, há pessoas que ferem como espinhos. Com palavras que dilaceram, não a nossa carne, mas nossa alma. E é sempre assim: de repente.

Às vezes, nem sabemos que a pessoa é um *espinheiro*. Descobrimos quando já estamos feridos, atingidos por uma agressão verbal, uma calúnia ou seus comentários maldosos. E dói.

Pode ser até que já saibamos que se trata de alguém assim, mas nos descuidamos de seu poder de fazer mal. Lembramo-nos do problema quando já estamos feridos. Então, é tarde demais.

Às vezes, uma palavra ferina fica martelando em nossa memória como um espinho na carne. Tentamos nos esquecer dela, arrancar da memória como quem arranca um espinho, todavia não conseguimos. Sabe, uma situação dessas pode levar alguém a adoecer e até a morrer de desgosto.

Felizmente, nosso Deus nos promete proteção contra os espinheiros. Ele põe uma carapaça em nós. Se alguma vez formos feridos, o Senhor nos sarará. Ele é Jeová-Rafá, o Senhor que cura.

Se tentarem nos prender dentro de uma cerca de espinhos, o "fogo consumidor" (Hb 12.20), que é o nosso Deus, acaba com ela.

Não tenha medo, pois, se tiver de enfrentar cardos e espinhos nesta vida, o Deus que protegeu Ezequiel também o protegerá. Amém.

14 de novembro

Amado, desejo que te vá bem em todas as coisas e que tenhas saúde, assim como bem vai a tua alma.
3 João 2

Certo cristão, pouco esclarecido, dizia que há cinco pessoas chamadas *João* na Bíblia: João, o evangelista; João, o apóstolo; o 1º João, o 2º João e o 3º João. Ele, naturalmente, não sabia que o apóstolo João é o mesmo autor do evangelho que leva o seu nome e das três epístolas encontradas no final do Novo Testamento, chamadas 1ª, 2ª e 3ª Epístola do Apóstolo João.

A Epístola de João, da qual tiramos o nosso texto de hoje, foi endereçada a uma pessoa chamada Gaio, um servo de Deus muito querido pelo apóstolo.

Nem tudo o que o apóstolo escreveu está na Bíblia, mas tudo o que o Espírito Santo permitiu que fizesse parte das Escrituras Sagradas é de proveito geral. Assim, as palavras dirigidas "ao amado Gaio" se aplicam a todos aqueles que pertencem à Igreja do Senhor Jesus.

Então, Deus quer que sejamos bem-sucedidos "em todas as coisas" e que tenhamos saúde? Sim. Mas preste atenção: primeiro, é preciso que nossa alma esteja bem. Se estiver mal, o resto não vale nada. Então, todos os que cuidam bem da alma são ricos e nunca adoecem? Vamos devagar.

Uma coisa precisa ficar bem clara: Quem cuida bem de sua alma, normalmente, tem mais saúde e prospera em todas as áreas de sua vida. Esta é a regra. Mas existem de exceção. Estas estão ligadas às etapas de nossa missão neste mundo e ao aprendizado de determinadas lições. Contudo, repito, são situações de exceção.

Veja bem o que disse: o crente fiel tem mais saúde e prospera em todas as áreas de sua vida. Não quer dizer, necessariamente, que fica rico. Fica bem melhor do que seria se não servisse a Jesus. Deve sempre prevalecer a premissa básica: "... como bem vai a tua alma".

É bom servir a Jesus, Ele nos devota um amor especial e coloca o verdadeiro amor para em nosso coração para amarmos a Ele e o próximo. Quando algo de anormal acontece, é por pouco tempo. E, depois de tudo, nos espera uma eternidade feliz.

Quero terminar estas reflexões desejando a você o que o apóstolo João desejou ao amado Gaio. Desejo que você cuide bem de sua alma, entregando-a aos cuidados do Senhor Jesus, aquele que morreu para salvá-la e está vivo para protegê-la. Amém.

15 de novembro

[Ainda que] tu habites com escorpiões, não temas as suas palavras...
Ezequiel 2.6c

O escorpião é um animal muito esquisito. Enquanto a maioria dos outros animais ataca ou se defende utilizando a cabeça, a boca, as patas ou as garras, ele o faz com a cauda. Alguns outros também utilizam a cauda como arma. No entanto, o escorpião lança a cauda por cima da cabeça. O golpe vem de traz para frente. Mas o problema não é bem o impacto da cauda: é o veneno que sai dela. É uma terrível peçonha, que provoca dores terríveis.

O capítulo 9 de Apocalipse fala de demônios aos quais é dado "poder como o poder que têm os escorpiões da terra" (v. 3). Tais demônios causam sofrimento "semelhante ao tormento do escorpião quando fere o homem" (v. 5). Eis uma terrível associação entre o mundo espiritual e uma criatura terrena.

Certas pessoas são traiçoeiras como os escorpiões. Seus ataques ocorrem em momentos inesperados e de forma inesperada. Causam dores terríveis na alma de suas vítimas: vergonha, tristeza, solidão, frustração. Dores profundas e duradouras.

Um certo amigo sentiu uma picada no pé quando calçou suas botas em uma manhã. Em seguida, sentiu dor e vertigens. Quando conseguiu examinar o interior do calçado, foi tomado de pavor. Dentro da bota estava um escorpião. Socorrido a tempo, escapou do pior.

Os escorpiões são assim: estão onde não se espera. Escorpiões com rosto de pessoas também estão onde se espera e onde não se espera. E estes têm uma predileção por aqueles que servem a Deus. Não gostam do Criador e, por extensão, também não gostam de quem anda com Ele.

Todavia, se você anda com Deus, não se assuste. Ao profeta Ezequiel, o Senhor disse: "Não temas, [ainda que habites] com escorpiões". Há uma cortina de fogo que nos protege contra os seres peçonhentos. Porém, se algum deles conseguir nos atingir, não nos causará nenhum dano: já estamos vacinados contra o seu veneno.

Nossa vitória contra os escorpiões não se resume à proteção de que dispomos. O Senhor Jesus, nosso Mestre, nos assevera: "Eis que vos dou poder para pisar serpentes, e escorpiões, e toda a força do Inimigo, e nada vos fará dano algum" (Lc 10.19). Não estamos na defensiva. Estamos na ofensiva, pisando serpentes e escorpiões. Por onde passamos, desmanchamos os ninhos dos seres peçonhentos. Nossa comunhão com Deus e a sua unção que está sobre nós são como um veneno para eles. Lugar de escorpião é debaixo dos pés daqueles que estão calçados com a preparação do evangelho da paz! Amém.

16 de novembro

[Não] te assustes com o rosto deles, porque são casa rebelde.
Ezequiel 2.6d

Desde que somos bebês nos ensinam a ter medo de cara feia. Quando éramos crianças, sempre ouvíamos a ameaça: *Fique quieto senão o bicho feio vem te pegar.*

Depois que crescemos, percebemos que o semblante das pessoas costuma refletir os seus sentimentos, principalmente os negativos como ira, desdém e tristeza.

Se sentimos que alguém representa uma ameaça para nós, estamos sempre *fiscalizando* o seu semblante. Nesse caso, um semblante fechado sempre nos coloca em estado de alerta.

Quando isso acontece, perdemos o apetite, o sono, a carreira profissional, e até nossas esperanças. Às vezes, nosso coração fica como que sintonizado com o semblante de alguém.

Deus nos conhece como ninguém. Ele é o psicólogo por excelência, e nos conforta durante esses momentos.

Lembro-me de Jacó, o patriarca. Certa vez ele teve problema de relacionamento com Labão, seu sogro. Jacó fez o seguinte comentário com suas esposas, que eram irmãs: "Vejo que o rosto de vosso pai para comigo não é como anteriormente" (Gn 31.5). Mas ele próprio acrescentou: "... porém, o Deus de meu pai esteve comigo". Deus cuidou do semblante feio de Labão. Houve fuga, perseguição, mas ao final houve paz (Gn 31.44). A inimizade foi transformada em festa.

Às vezes, uma cara feia não passa de uma máscara. Por trás dela há um coração aflito, uma alma triste, um ser amedrontado. A pessoa que nos parece tão valente, que pensamos ser uma ameaça para nós, não passa de alguém que está morrendo de medo. Com a coragem que o Senhor nos dá, conseguimos nos aproximar e até abençoar aquela vida.

Creio que podemos terminar estas reflexões com o seguinte pensamento: *Quem confia em Deus não tem medo de cara feia*. Amém.

17 de novembro

Mas vós, amados, edificando-vos a vós mesmos sobre a vossa santíssima fé, orando no Espírito Santo, conservai a vós mesmos na caridade de Deus, esperando a misericórdia de nosso Senhor Jesus Cristo, para a vida eterna.
Judas 20,21

Qual é a profecia mais antiga registrada na Bíblia? Muitos dizem que são as palavras registradas em Gênesis 3.15: "E porei inimizade entre ti e a mulher e entre a tua semente e a sua semente; esta te ferirá a cabeça, e tu lhe ferirás o calcanhar". Para mim, não é esta.

O que considero ser a mais antiga profecia está registrado num dos últimos livros da Bíblia — Judas. É uma profecia de Enoque, homem pertencente à sétima geração a partir de Adão e está registrada no verso 14: "Eis que é vindo o Senhor com milhares de seus santos".

Isto é muito interessante: a mais antiga profecia da Bíblia se refere a uma das últimas coisas que estão para acontecer antes que se pare de contar o tempo. É o anúncio da volta de Jesus à terra após o arrebatamento da Igreja.

Enoque viu Jesus em companhia de muitos servos seus. Será que você estava na profecia de Enoque? Vamos nos transportar para o futuro: será que você estará entre os que viverão com Cristo para sempre? Veja só: o que Enoque viu no passado, acontecerá no futuro, mas é afetado por decisões que você e eu tomamos no presente.

Depende de nós porque Judas nos aconselha a tomar cuidado conosco mesmos: "Edificando-vos, orando, conservai-vos, esperando".

Disse que depende de nós, porém não disse que depende apenas de nós. Vê-se, pelas palavras de Judas, que não temos de lutar sozinhos, nossa salvação não poderia apenas depender de nossas forças tão limitadas. Quando nos submetemos à obra salvadora de Jesus e fazemos o que nos compete fazer, Ele nos protege e fortalece.

Vamos terminar nossas reflexões de hoje com as palavras finais da Epístola de Judas: "Ora, àquele que é poderoso para vos guardar de tropeçar e apresentar-vos irrepreensíveis, com alegria, perante a sua glória, ao único Deus, Salvador nosso, por Jesus Cristo, nosso Senhor, seja glória e majestade, domínio e poder, antes de todos os séculos, agora e para todo o sempre. Amém!"

18 de novembro

Fiz como diamante a tua fronte, mais forte do que a pederneira; não os temas pois, nem te assombres com o seu rosto, porque casa rebelde são.
Ezequiel 3.9

Que título daríamos a Ezequiel, o profeta que não apenas pôde ver, com uma clareza impressionante, fatos que ocorreriam séculos à sua frente, mas também a queda de Lúcifer que ocorreu antes de existir o próprio tempo? Como chamaríamos esse homem que viu a nação de Israel renascer como a ressurreição de um monte de ossos secos, que viu a glória do Senhor como nenhum outro do Antigo Testamento e o governo do Messias na terra?

Com base em nosso texto de hoje, chamaria Ezequiel de *o profeta da cara-de-pedra*. Ele foi o homem que teve de lidar, dramaticamente, com uma geração constituída de pessoas *caras-de-pau*. Contra estes, Deus levantou o seu profeta.

O povo não tinha vergonha de pecar, adorar ídolos, ser infiel a Deus e colocar em risco o plano divino de abençoar todas as nações através de Israel. A corrupção era geral. O cinismo estava profundamente arraigado no coração daquela nação. No entanto, Deus, em seu inexplicável amor, quis operar purificação, restauração e a continuidade de seu projeto de reinar em todas as nações.

Àquela altura, o depoimento de Deus foi este: "E busquei dentre eles um homem que estivesse tapando o muro e estivesse na brecha perante mim por esta terra, para que eu não a destruísse; mas a ninguém achei" (Ez 22.30). Deus precisava de alguém para uma missão muito difícil. E chamou Ezequiel.

Ele sofreu muito, passou por experiências muito difíceis, mas cumpriu sua missão. Deus o preparou para isso. Deu-lhe firmeza, determinação, coragem. Nada o abalou.

Como foi que Deus fez de Ezequiel o profeta da cara-de-pedra? Em primeiro lugar, mostrando-lhe sua glória. Quem conhece a majestade e o poder de Deus não se impressiona com qualquer coisa. Em segundo lugar, mostrando-lhe a verdadeira origem do mal que operava nos homens de seu tempo. Não adianta querer combater contra pessoas humanas. O problema real não está nelas. Ezequiel não desperdiçou suas energias brigando com elas. Finalmente, Deus mostrou a Ezequiel o resultado de seu trabalho no futuro. Quem serve ao Senhor precisa acreditar na validade daquilo que faz. Quando trabalhamos com esperança, suportamos bem as dificuldades.

A obra de Deus continua na terra. Nossos dias são outros. As pessoas são outras. Mas o processo é o mesmo. Amém.

19 de novembro

O teu Deus, a quem tu continuamente serves, ele te livrará.
Daniel 6.16

Existe uma canção evangélica cuja letra diz: *Quando Deus opera, leão tem que jejuar*. É um quadro até engraçado! Mas está na Bíblia, precisamente em Daniel 6. E há muitos outros episódios surpreendentes nesse livro.

O livro de Daniel é chamado de *Apocalipse do Antigo Testamento* porque é impregnado de alusões à história mundial futura, inclusive a acontecimentos que não ocorreram até hoje. Há muitos paralelos entre Daniel e o último livro da Bíblia, sendo que muitas partes de um explicam e complementam as do outro.

Uma das mensagens mais marcantes desse livro é a de que Deus cuida do seu povo. Quando foi escrito, a nação de Israel estava em pleno exílio babilônico. No entanto, fica muito claro que ela não estava abandonada ou esquecida por Deus.

O profeta prevê o retorno de Israel para sua terra. Prevê também que haverá muitas lutas no futuro, mas adverte: "... o povo que conhece ao seu Deus se esforçará e fará proezas" (Dn 11.32).

O Deus que cuida do seu povo, coletivamente, cuida dos seus servos, individualmente. O profeta Daniel, que foi levado à Babilônia ainda jovem, chegou lá como um simples escravo e tornou-se Primeiro-Ministro do império, é uma clara demonstração disso.

No primeiro capítulo, ele é protegido diante da pressão para que se contaminasse com as práticas pagãs muito comuns entre os caldeus. No capítulo 2, ele escapa de uma sentença de morte dada pelo próprio imperador. No terceiro, são os companheiros de Daniel — Ananias, Misael e Azarias — que são milagrosamente salvos numa fornalha superaquecida. No capítulo 6, Daniel passa a noite no meio de leões famintos e nenhum deles consegue fazer-lhe qualquer mal. Naquela noite os leões tiveram de jejuar!

Foi o rei Dario que mandou Daniel para a cova dos leões. Fê-lo contra sua própria vontade. Foi traído por pessoas que exploraram sua vaidade pessoal. Acredito que aquela foi uma noite terrível para os leões que não puderam comer nada, mas foi também muito ruim para o rei Dario. Ele passou a noite em claro (6.18). Veja o que está escrito nos versos 19 a 22: "E, pela manhã cedo, se levantou e foi com pressa à cova dos leões. E, chegando-se à cova, chamou por Daniel com voz triste; e, falando o rei, disse a Daniel: Daniel, servo do Deus vivo! Dar-se-ia o caso que o teu Deus, a quem tu continuamente serves, tenha podido livrar-te dos leões? Então, falou Daniel ao rei: Ó rei, vive para sempre! O meu Deus enviou o seu anjo e fechou a boca dos leões, para que não me fizessem dano, porque foi achada em mim inocência diante dele; e também contra ti, ó rei, não tenho cometido delito algum".

Há, no livro de Daniel, muito para se aprender acerca dos livramentos que Deus dá àqueles que nEle confiam. Uma das mais importantes é esta: o Senhor nem sempre impede que entremos em situações problemáticas, mas nunca permite que sejamos destruídos nelas nem por elas. Quem confia no Senhor nunca é decepcionado. Amém!

20 de novembro

E eu, quando o vi, caí a seus pés como morto; e ele pôs sobre mim a sua destra, dizendo-me: Não temas; eu sou o Primeiro e o Último e o que vive; fui morto, mas eis aqui estou vivo para todo o sempre. Amém! E tenho as chaves da morte e do inferno.
Apocalipse 1.17,18

Geralmente se associa à palavra *apocalipse* a idéia de destruição e morte. Isso se deve ao fato de que o último livro da Bíblia, que tem esse nome, contém a narrativa de muitos cataclismas e outras coisas ruins que afligirão o mundo todo no futuro. Contudo, Apocalipse não foi escrito para aterrorizar ninguém. Pelo contrário, o objetivo dele é consolar o povo de Deus. O significado dessa palavra é *revelação*. É uma revelação que o Senhor deu ao apóstolo João, numa hora muito difícil da vida dele, que serviu para renovar sua fé, suas esperanças, sua confiança em Jesus, e que tem servido para alimentar a fé do povo de Deus ao longo dos séculos.

Por causa de sua fé, João fora preso e degredado para Patmos, uma ilha deserta e inóspita. Ali, sozinho e em idade avançada, talvez o *discípulo amado* se sentisse como que abandonado por seu Mestre. Pode ser que seu coração ficasse sobressaltado de dúvidas quanto à ressurreição de Jesus. E, se Cristo o tivesse abandonado, que perspectivas teria para o futuro? É nessa situação que João tem o seu Apocalipse. De repente, ele ouve um som e vê alguém cheio de glória. E cai ao chão como se estivesse morto. Caído ao solo, sem forças, parece que é o fim. Mas rodeado de glória, contemplando algo que até então estivera oculto atrás do véu das limitações humanas, atrás do véu das perseguições e angústias, João ouve uma voz poderosa e muito querida: "Não temas; eu sou..." Sim, é Jesus! É o Mestre Amado. AquEle para quem João tinha vivido desde a sua mocidade. Ele não está morto, não está ausente, não está alheio. O Todo-Poderoso está aqui: "... eu sou o Primeiro e o Último e o que vive; e fui morto, mas eis aqui estou vivo para todo o sempre". E quando parecia que João havia chegado ao fim, começa uma fase nova em sua vida. João vê o céu, o trono de Deus e o futuro. João vê a vitória final de Jesus e dos seus santos. Contempla a derrota das forças contrárias aos servos do Senhor, o castigo dos ímpios, e a completa e definitiva derrota de Satanás.

Meu irmão, seu Cristo vive! Não tenha medo das circunstâncias adversas que, porventura, esteja atravessando. A vitória é de todo aquele que confia no Senhor.

O saudoso evangelista internacional Bernard Johnson gostava de ilustrar todas estas verdades, contando algo de sua infância. Ele dizia que, durante sua infância, gostava de ler livros de aventura quando ia para a cama. Depois de um certo tempo, sua mamãe brigava com ele: *Menino, pare com essa leitura. Já está na hora de dormir. Amanhã você terá que acordar cedo para ir à escola.* Mas ele, empolgado pela leitura que estava fazendo, não conseguia parar. Então, a mãe, já sem paciência, vinha e apagava a luz do quarto. Mas isso acontecia justamente na hora em que a história estava mais interessante. Geralmente, quando o herói era preso pelos inimigos. Bernard Johnson não conseguiria dormir sem saber o final daquilo. Por isso, entrava debaixo do cobertor, tirava uma lanterninha de debaixo do travesseiro e ia para o final do livro. Então, conferia o final da história. E constatava que o herói dominava seus adversários e se saia bem em tudo. Depois, ia dormir tranqüilo.

O Apocalipse é isso, meus amigos. O final da história. Lá está o resultado de tudo. Venceremos! É só uma questão de tempo. O vencedor de todas as batalhas está conosco. É Ele que põe sua mão direita sobre ti e te diz: "Não temas..." Amém.

21 de novembro

Então, me disse: Não temas, Daniel, porque, desde o primeiro dia, em que aplicaste o teu coração a compreender e a humilhar-te perante o teu Deus, são ouvidas as tuas palavras; e eu vim por causa das tuas palavras.
Daniel 10.12

Confesso que durante muito tempo fiquei intrigado com o capítulo 10 do livro de Daniel. Achava a descrição do "homem vestido de linho", dos versículos 5 e 6, muito parecida com a descrição de Jesus contida nos versículos 13 a 16 de Apocalipse 1. Até a reação de Daniel, ao ver esse personagem, é muito parecida com a que teve o apóstolo João na ilha de Patmos. Daniel diz: "... ouvindo a voz das suas palavras, eu caí com o meu rosto em terra, profundamente adormecido" (v. 9). João escreve em Apocalipse 1.17: "E eu, quando o vi, caí a seus pés como morto".

O que me intrigava? A pessoa que diz palavras encorajadoras a Daniel afirma que veio do céu por causa de suas orações. E acrescenta: "Mas o príncipe do reino da Pérsia se pôs defronte de mim vinte e um dias". Eu me perguntava: *Como pode alguém deter Jesus durante vinte e um dias?*

No entanto, agora, graças a Deus, aquela passagem bíblica está clara para mim. Além de Daniel, há duas pessoas ali. Uma é mencionada nos versículos 5 e 6, e depois nos versículos 16 e 17. A outra está nos versículos 10 a 14 e 18 a 21. Tanto é assim que Daniel pergunta, no verso 17: "Como, pois, pode o servo deste meu Senhor falar com aquele meu Senhor?"

Uma das pessoas que vieram confortar Daniel era o próprio Senhor Jesus! A outra era um anjo poderoso, provavelmente Gabriel.

Daniel fez o propósito de orar e jejuar durante vinte e um dias. Assim que começou a orar, Deus deu ordem e um anjo veio atender às petições do profeta. Um emissário das trevas atravessou o caminho do anjo de Deus e o reteve.

Como se sentiu Daniel, orando, sem obter resposta? Não sei. Apenas sei que ele continuou orando. Fez o propósito de orar vinte e um dias e permaneceu firme em seu alvo. Então, Deus enviou o arcanjo Miguel, e tudo se resolveu. Daniel triunfou! Quem permanece firme na batalha da oração sempre triunfa. Amém.

22 de novembro

E disse: Não temas, homem mui desejado! Paz seja contigo! Anima-te, sim, anima-te! E, falando ele comigo, esforcei-me e disse: Fala, meu Senhor, porque me confortaste.
Daniel 10.19

Depois de *aprontar* muita confusão, praticando inúmeros crimes e, assim, ficando bem conhecido da polícia, um bandido se converteu. Contrariando todas as expectativas, ficou firme na fé e não perdia uma reunião da Escola Bíblica Dominical, nem mesmo as vigílias de oração. Rapidamente os irmãos se acostumaram com a sua presença. Ninguém tinha coragem de confessar, mas tê-lo por perto até que dava uma certa sensação de segurança. Todos sabiam que ele lutava e atirava muito bem.

Certo dia, ele voltava de uma reunião de oração, tarde da noite, sozinho, quando encontrou os membros de uma quadrilha, rival da que ele chefiara outrora. A pessoa queria brigar com ele de qualquer maneira, não acreditava, de jeito nenhum, que ele agora fosse crente de verdade. Pensavam que se tratasse de mais uma de suas brincadeiras de mau gosto. Por fim, alguém sugeriu: *Se você é crente mesmo, cante um dos hinos de sua igreja*. Aquela era a única maneira de escapar de uma boa surra. E até que era uma boa saída, porque, àquela altura de sua vida cristã, ele já sabia cantar muitos hinos. Só que deu *um branco* em sua memória e ele não conseguia lembrar-se de um único hino. A impaciência e a ira dos adversários, tão visíveis, só pioravam a situação. De repente, veio-lhe à memória o corinho que as crianças cantavam na Escola Dominical. Então ele encheu o peito e cantou: *Sou uma florzinha de Jesus, / sou uma florzinha de Jesus...* O quadro daquele homenzarrão cantando esse hino *quase matou* seus adversários de rir.

A vida cristã tem dessas coisas. É comum, em nossas igrejas, vermos coronéis e até generais tratando, com todo respeito, pastores que são cabos, sargentos ou oficiais subalternos. Grandes executivos pedem conselhos a pessoas de pouca instrução. O apóstolo Paulo escreveu que "o homem natural não compreende as coisas do Espírito de Deus, porque lhe parecem loucura" (1 Co 2.14). Veja só o que encontramos em Daniel 10.19: Um anjo de Deus, tão cheio de poder e autoridade, com sua simples presença, fez o profeta cair ao chão, totalmente desprovido de forças físicas. E esse mesmo anjo chama Daniel de "homem mui desejado", ou seja, querido. Quem pode entender isso? Só quem tem o Espírito de Deus em sua vida.

Se você o tem, lembre-se disso e alegre-se: as pessoas mais poderosas que existem no universo chamam você de querido. Se ainda não tem o Espírito de Deus, mas deseja ter, submeta-se à obra salvadora de Jesus. Renda-se ao grande amor de Deus. Amém.

23 de novembro

Quem tem ouvidos ouça o que o Espírito diz às igrejas: Ao que vencer, dar-lhe-ei a comer da árvore da vida que está no meio do paraíso de Deus.
Apocalipse 2.7

Os capítulos 2 e 3 de Apocalipse contêm sete cartas que Jesus enviou às sete igrejas da Ásia. Entendemos que essas cartas servem de despertamento e conforto para as igrejas situadas em qualquer lugar do mundo e em qualquer tempo da história.

Em cada uma das cartas que o Senhor Jesus escreveu às suas igrejas, há uma promessa aos vencedores. São coisas que ninguém, além do Cristo vivo, pode conceder. Privilégios reservados aos fiéis seguidores do Salvador.

As promessas de Jesus aos vencedores servem para nos lembrar de que, neste mundo, temos lutas. Ninguém pode vencer sem lutar. As batalhas que enfrentamos nesta vida são oportunidades que o Senhor nos oferece para que conquistemos vitórias. Não é que Deus não saiba que essas lutas existam. Não é que Ele não as possa evitar. É que precisamos enfrentá-las para que possamos ser vencedores.

As promessas de Jesus aos vencedores nos fazem lembrar de que lutar é preciso. Mas elas nos ensinam também que vencer é possível. Sim, todos podemos vencer. Nossa vitória depende de nossa confiança no Senhor. Depende de nossa determinação de não abandonar a luta. É preciso lutar até vencer.

Cada um de nós tem suas próprias lutas. As promessas de Jesus aos vencedores sempre correspondem ao tipo de luta que enfrentaram. Os crentes de Éfeso estavam sendo provados em seu amor por Jesus. O campo de batalha era o coração. O amor de muitos havia esfriado. O Diabo estava ali utilizando artimanhas que faziam com que os crentes deixassem de amar a Jesus. Então, a promessa do Senhor para aqueles que vencessem essa provação era a de viverem com Ele um relacionamento de profunda intimidade e amor, num lugar muito aprazível e de belezas incomparáveis: O paraíso de Deus.

Éfeso era um lugar de muita depravação. Havia muita idolatria, prostituição e feitiçaria. Todas essas práticas eram acompanhadas do ato de comer. Os servos de Jesus eram tentados a comparecer aos banquetes do pecado, afastando-se, assim, de seu Salvador e perdendo o amor por Ele. E Jesus disse aos que vencessem esse tipo de tentação: "Irão participar de uma comida muito melhor. Vão se alimentar do fruto da árvore da vida".

Preste bem atenção: naquilo em que você está sendo tentado, é nisso, principalmente, que o Senhor Jesus vai recompensá-lo. Você está sendo tentado em seus relacionamentos familiares? Pois é aí onde você vai ser mais abençoado. Está sendo tentado nas finanças? Seja fiel ao seu Senhor, resista firme, vença no nome dEle, e tenha certeza de que vai ser muito abençoado na área financeira. Mas não se esqueça: a promessa é para os vencedores. Amém.

24 de novembro

Conheçamos e prossigamos em conhecer o Senhor: como a alva, será a sua saída; e ele a nós virá como a chuva, como chuva serôdia que rega a terra.
Oséias 6.3

Um rapaz estava orando, pedindo direção a Deus para casar-se. Ele não queria se casar com a pessoa errada. Até aquele dia, já havia resistido a todos os impulsos que sentiu de namorar qualquer moça da igreja. Mas já estava cansado de esperar pela orientação do Senhor. Então, enquanto orava, ajoelhado e de olhos fechados, propôs: *Senhor, quando eu abrir os olhos, a primeira moça que eu vir considerarei como sendo a que tu designaste para ser minha esposa.* Quando terminou de orar, a primeira moça que viu foi a que ele considerava a mais feia da igreja. Ele fechou os olhos rapidamente e continuou a orar: *Senhor, eu estou falando sério. Por favor, não brinque comigo!*

Deus escolheu duas esposas para o profeta Oséias. A primeira se chamava Gomer e era prostituta. A segunda era adúltera e o profeta ainda teve de pagar por ela. E Deus não estava brincando com Oséias. E, sabe o que mais? O profeta não devia apenas casar-se com aquelas mulheres, ele tinha de amá-las!

Usando Oséias como ilustração, Deus queria dar uma lição ao seu povo. O Senhor queria que Israel o conhecesse como o Deus que é capaz de amar uma nação infiel.

Como as pessoas sofrem por falta de conhecimento de Deus! O Senhor disse, através do profeta Oséias: "O meu povo foi destruído, porque lhe faltou o conhecimento" (Os 4.6). Diante da situação deplorável de Israel, Deus usa seu profeta, de maneira dramática, para operar uma restauração nacional.

O remédio que Oséias prescreve aos seus concidadãos é este: *Conheçam a Deus.* Isto é o que mais falta às pessoas do nosso tempo.

Quem quiser ser feliz, procure conhecer a Deus. Esse conhecimento é possível, porque o próprio Deus trabalha para realizá-lo em nós. Às vezes, utilizando-se dos recursos mais surpreendentes e inusitados. Deus quer que o conheçamos.

O conhecimento de Deus é algo dinâmico. O profeta diz: "prossigamos em conhecer o Senhor". Sempre há algo novo para se aprender a respeito de Deus. E quanto mais o conhecermos, mais vontade teremos de conhecê-lo.

Esse conhecimento que Deus quer nos dar não é algo meramente intelectual, estéril. Traz resultados práticos, como a chuva produz mudanças na terra quando cai sobre ela. Oséias menciona a chuva serôdia, aquela que serve para complementar a formação dos frutos antes da colheita. O conhecimento de Deus sempre produzirá bons frutos em nossa vida. Amém.

25 de novembro

Não temas, ó terra; regozija-te e alegra-te; porque o Senhor fez grandes coisas.
Joel 2.21

Quem ri primeiro ri bem. Às vezes, ri primeiro porque a situação ficou favorável para ele antes de ficar para os outros. Outras vezes, porque percebeu o motivo para rir antes que os outros percebessem.

Quem ri por último ri melhor. A alegria dos outros já se esgotou e a dele está apenas começando. Muitas vezes o fator que produz a alegria do que ri por último anula os fatores que causaram a alegria dos que riram antes dele. Então, só ele tem motivo para rir.

Mas vou dizer algo novo hoje. Há alguém que ri melhor do que quem ri por último. É quem ri antes de quem ri primeiro.

Um bom exemplo do que estou dizendo é o profeta Joel. Ele sabe que dias difíceis estão para vir sobre o povo de Deus. Então, começa seu livro falando de pragas que atacarão as lavouras. Fala de escassez de alimentos e de carestia. Fala de um "dia de trevas e de tristeza; dia de nuvens e de trevas espessas" (2.2).

No entanto, Joel, pela ação do Espírito de Deus, vê os dias de bênçãos que sucederão aos de angústia e dor. Ele diz: "E o Senhor responderá e dirá ao seu povo: Eis que vos envio o trigo, e o mosto, e o óleo, e deles sereis fartos, e vos não entregarei mais ao opróbrio entre as nações. E aquele que é do Norte farei partir para longe de vós, e lançá-lo-ei em uma terra seca e deserta; a sua frente para o mar oriental, e a sua retaguarda para o mar ocidental; e subirá o seu mau cheiro, e subirá a sua podridão; porque fez grandes coisas" (vv. 19,20).

Após anunciar o livramento que o Senhor ainda dará, o profeta convida o povo e a terra de Israel a se alegrarem, colocando as bênçãos já no passado: "... porque o Senhor fez grandes coisas" (v. 21).

Seja você quem for, quero lhe dizer o seguinte: Deus tem preparado coisas maravilhosas para fazer em sua vida. Esteja receptivo para aquilo que o Senhor quer realizar em você e comece a alegrar-se por isso. Antes que alguém possa ver o que Deus vai fazer, comece a sorrir. Seja você o que ri antes do primeiro. Amém.

26 de novembro

Nada temas das coisas que hás de padecer. Eis que o diabo lançará alguns de vós na prisão, para que sejais tentados; e tereis uma tribulação de dez dias. Sê fiel até à morte, e dar-te-ei a coroa da vida.
Apocalipse 2.10

A igreja de Esmirna, para a qual o Senhor Jesus escreveu a segunda de suas sete cartas, era sofredora, perseguida, e Cristo a adverte de que a luta ainda vai durar mais um pouco. Alguns crentes seriam até lançados na prisão. Mas Jesus diz à sua amada igreja: "Nada temas das coisas que hás de padecer..."

Com a igreja de Esmirna aprendemos que Jesus está atento a tudo o que se passa conosco. Ele conhece as nossas lutas nos mínimos detalhes, e está nos acompanhando; nada o apanhará de surpresa. Ele tem o controle da situação sempre.

Quando Jesus diz: "... tereis uma tribulação de dez dias", Ele está nos dando uma grande lição. Toda a tribulação tem dia marcado para acabar. Nenhuma luta durará indefinidamente. Não. Um dia ela acaba. Chegará o momento em que Jesus dirá: *Acabou. Chega.* Não sei em que dia acabará a luta que você está atravessando. Quem sabe será hoje? Mas com certeza acabará. Um irmão contou ao outro algumas lutas que estava enfrentando, fazia já algum tempo, e depois perguntou: *O que você acha? Será que esta luta vai demorar a acabar?* Ele respondeu: *Toda luta tem três fases: Início, meio e fim. Como você já está nela por um bom tempo, posso lhe dizer uma coisa: Você já está do meio para o fim da luta.*

"Sê fiel até à morte e dar-te-ei a coroa da vida." Isso nos faz entender que, nem quando o crente morre, ele é derrotado. A morte física não é o fim. Na verdade, é o início da verdadeira vida, para quem tem comunhão com Deus. O melhor da vida nos espera depois da morte.

Nem sempre o servo de Deus tem de morrer por causa de sua fé. Todavia, se nem a morte o intimida, ele vai se intimidar com o quê? Com nada. Se for necessário morrer por Jesus, morreremos. Se não, viveremos para a glória dEle. E, vivendo ou morrendo, receberemos a recompensa.

Quem é fiel até à morte recebe a coroa da vida. Ou seja, Jesus nos dará, com abundância e intensidade, o contrário do que o Inimigo fizer conosco. Se ele nos aflige com conflitos, o Senhor nos dá inabalável paz. Se nos maltrata com solidão, o Senhor nos fará companhia. Se nos debilita com doenças, o Senhor nos dará saúde plena. Se tenta nos tirar o pão, nosso Pastor nos prepara um banquete. Como dizem: *Muito mais tem o Senhor para nos dar do que o Inimigo para tirar.*

A promessa é para o fiel. Existe alguém ensinando que, se você pertence a uma certa elite, não importa o que faça, não importa como se comporte diante do seu compromisso com o Senhor, no final tudo dará certo. Não é isso o que está escrito. O que está escrito é: Seja fiel, mesmo que seja necessário morrer, e você terá a recompensa de sua fidelidade. Você nunca perderá por ser fiel a Jesus. Amém.

27 de novembro

Não temais, animais do campo, porque os pastos do deserto reverdecerão, porque o arvoredo dará o seu fruto, a vide e a figueira darão a sua força.
Joel 2.22

Uma idéia muito interessante contida nesta profecia de Joel é a seguinte: Se a economia do país vai mal, os homens sofrem, mas os animais sofrem junto. Se as coisas melhoram para os animais é porque já melhoraram para os seres humanos.

Na verdade, quando não estamos bem, nossos animais de estimação acabam sofrendo conosco. Antigamente, sofriam só os animais silvestres e os bichos da fazenda. Hoje em dia, em nossa sociedade urbanizada, quem está mais perto de nós são os cachorros, os gatos, os pássaros e os peixes ornamentais. E eles são afetados pelo que acontece conosco.

Convivemos com os animais desde quando Adão foi criado. Eles sempre fizeram parte da nossa vida. Em Provérbios 12.10 está escrito: "O justo olha pela vida dos seus animais, mas as misericórdias dos ímpios são cruéis".

Ao falar das bênçãos que caem sobre os fiéis, a Palavra de Deus diz: "Bendito o fruto do teu ventre, e o fruto da tua terra, e o fruto dos teus animais, e a criação das tuas vacas, e os rebanhos das tuas ovelhas" (Dt 28.4).

Deus se preocupa com os nossos animais. Ouvi contar, recentemente, o que se passou com a família de um pastor. Seu filho tinha um cachorrinho de estimação que estava muito doente. O menino pediu ao pai que levasse o animal ao veterinário para que pudesse ser tratado. Quando o pastor disse ao filho que seus recursos mal davam para cuidar da família, o menino pôs-se a orar pelo cachorro. E o Senhor curou o animal!

Talvez você esteja atravessando uma fase difícil em sua vida e isso está afetando os seus animais de estimação ou os de sua chácara ou fazenda. Busque ao

Senhor. Confie nEle. E pode acreditar que as coisas vão melhorar. O Senhor abençoará sua vida e a de todos os que estão ao seu redor. Amém!

28 de novembro

Forjai espadas das vossas enxadas e lanças das vossas foices; diga o fraco: Eu sou forte.
Joel 3.10

É muito difícil alguém chegar à idade adulta sem ter ouvido falar de guerras. Quanto mais se quiser entender o mundo de hoje, mais se terá de estudar acerca das guerras do passado. Elas marcam o início e o fim dos períodos da história de cada país e de toda a humanidade.

Normalmente, as guerras são conhecidas pelo ano em que foram deflagradas, pelo nome do local onde ocorreram ou até mesmo pela sua duração, como é o caso da famosa *Guerra dos Cem Anos*.

Hoje em dia, os governos estão dando nomes que ressaltam características de suas guerras. Uma guerra travada recentemente foi chamada de *A Mãe de Todas as Batalhas*.

Com base na Bíblia, creio que essa guerra ainda está para ocorrer. Foi prevista pelo profeta Joel, que a descreve no capítulo 3 de seu livro, e será travada no vale de Josafá.

Chamo a guerra do vale de Josafá de *Mãe de Todas as Batalhas* porque dela participarão todas as nações da terra. Através de seu profeta, Deus diz: "...congregarei todas as nações e as farei descer ao vale de Josafá"; "movam-se as nações, e subam ao vale de Josafá; porque ali me assentarei, para julgar todas as nações em redor" (vv. 2,12). O profeta exclama nos versículos 14 e 15: "Multidões, multidões no vale da decisão! Porque o dia do Senhor está perto, no vale da Decisão. O sol e a lua se enegrecerão, e as estrelas retirarão o seu resplendor".

Chamo a guerra do vale de Josafá de *Mãe de Todas as Batalhas* também porque, ao instruir seu povo como vencê-la, Deus nos ensina como vencer todas as batalhas em que formos envolvidos.

Todos travamos nossas batalhas particulares ao longo da vida. Queiramos ou não, desde que nascemos estamos envolvidos numa guerra. E, no final, seremos vitoriosos ou derrotados.

Como vencer nossas batalhas? Como terminar a guerra na condição de vitoriosos?

Em primeiro lugar, reconhecendo as armas que Deus já nos deu. Mesmo os instrumentos que parecem não servir para guerrear e as habilidades que parecem não ter nenhuma utilidade podem ser transformados em armas de guerra. É isso que o profeta quer dizer quando instrui: "Forjai espadas das vossas enxadas e lanças das vossas foices..."

Em segundo lugar, é preciso ter uma atitude de vencedor diante das lutas. Quem entra na batalha se sentindo derrotado não tem como vencer. Por maior que seja o combate, é preciso crer na vitória. "Diga o fraco: eu sou forte". É assim que se vence. Vença as batalhas da vida. Aprenda com a *Mãe de Todas as Batalhas*. Amém.

29 de novembro

Quem tem ouvidos ouça o que o Espírito diz às igrejas: O que vencer não receberá o dano da segunda morte.
Apocalipse 2.11

A vida é como um jogo de xadrez. É sempre bom analisar quais são os possíveis desdobramentos de cada decisão que tivermos de tomar.

Os crentes da igreja perseguida, em Esmirna, tinham duas alternativas. Ser fiéis ao Senhor e serem presos e até mortos, ou negarem a Cristo e escaparem dos sofrimentos. Mas, e depois?

As pessoas que negassem a Jesus escapariam da morte física, de maneira imediata. Porém, a verdade é que, mais cedo ou mais tarde, elas haveriam de morrer. No entanto, pode haver morte depois da morte. É o que a Bíblia chama de "segunda morte". Para passar pela primeira, geralmente, a pessoa adoece e sofre dores. Mas as dores físicas cessam com essa morte. Na segunda, as dores não acabam nunca. Essa morte é, exatamente, a separação eterna de Deus, a eterna infelicidade. Conclusão: não vale a pena escapar da primeira morte para sofrer a segunda.

As pessoas que fossem fiéis a Jesus poderiam ser martirizadas. É bem provável que viessem a morrer fisicamente. Todavia, ao perder a vida aqui, passariam a viver eternamente com Cristo. Nunca mais morreriam. A morte física apenas apressaria a ida delas para os braços do Senhor. E se não fossem assassinadas? Serviriam ao Senhor por mais um tempo aqui e depois iriam para o céu. Conclusão: ser fiel a Jesus só traz lucro. Como dizia o apóstolo Paulo: "Para mim o viver é Cristo, e o morrer é ganho" (Fp 1.21).

Podemos colocar essa questão em termos menos drásticos do que viver ou morrer. Você pode ter de escolher entre mentir ou não mentir. Roubar ou não roubar. Adulterar ou não adulterar. Agradar a Deus ou agradar aos seus amigos. Ser fiel à Palavra de Deus ou perder o emprego. Ir ao baile ou perder o namorado.

O resultado será sempre o mesmo. Aquilo que você tenta evitar, sendo infiel ao Senhor, colherá em abundância depois. Ganha o emprego, mas perde tudo o que conquistou depois. Tem breves momentos de prazer, mas sofre dores terríveis por muito tempo depois. Ganha o namorado ou a namorada, mas perde o casamento. Ganha o casamento, mas perde a felicidade. Enfim, não vale a pena.

Quem é fiel ao Senhor, ganha perdendo. Vive para sempre, se perde a vida. Perde um emprego agora, mas ganha um melhor depois. Ou não ganha um emprego: ganha uma empresa. Ou não ganha nada disso, mas tem paz, saúde, e o dinheiro rende mais. Ou vai para um emprego *inferior* que serve de intermédio para um muito melhor depois. Enfim, sempre sai ganhando.

Com Cristo, quem perde ganha. Sem Cristo, quem ganha perde. Ele já nos advertiu: "Quem achar a sua vida perdê-la-á; e quem perder a sua vida por amor de mim acha-la-á" (Mt 10.39). Em que situação você está? Se está do lado de quem ganha perdendo, continue, seja fiel. Se está do outro lado, saia e venha se juntar aos verdadeiros vencedores. Ainda que seja necessário perder algo que represente muito para você. No final verá que é melhor perder agora para ganhar depois. Amém.

30 de novembro

Assim diz o Senhor: Como o pastor livra da boca do leão as duas pernas ou um pedacinho da orelha, assim serão livrados os filhos de Israel que habitam em Samaria, no canto da liteira e na barra do leito.
Amós 3.12

As ovelhas aqui representam os filhos de Israel, mas bem podem nos representar, ovelhas a quem o Bom Pastor, Jesus, ama e quer ter consigo. "Ainda tenho outras ovelhas que não são deste aprisco; também me convém agregar estas", diz Ele em João 10.16.

O leão aqui representa o poder do mal que sempre quis destruir o povo de Israel e que quer destruir a todos nós. "Fiquei livre da boca do leão", diz o apóstolo Paulo em 2 Timóteo 4.17. Esse animal de longe sente o cheiro da ovelha. Procura se aproximar dela, fica à espreita, esperando o momento adequado para atacá-la. Quando ataca, procura devorar primeiro as partes mais tenras da ovelha. Contudo, o leão só destrói a ovelha se ela se afastar do pastor e este não tiver oportunidade de livrá-la.

Após destruir as partes mais tenras, ele tenta devorar as partes que lhe podem dar mais trabalho, como as pernas. Pode ser que, justamente quando o leão estiver ocupado em destruir as partes mais duras, o pastor chegue e o faça fugir. Para o leão, a orelha e outras partes não têm quase nenhum valor. Estas ele vai deixar por último. Para o pastor, cada parte da ovelha é importante. Tudo faz parte do ser a quem ele tanto ama. Se o leão pensa que o pastor vai desistir porque não resta quase nada da ovelha e o que resta aparentemente não tem nenhuma importância, está muito enganado. O pastor não desiste nunca.

O Bom Pastor, Jesus, ama as suas ovelhas. Ele dá valor a tudo o que faça parte de nós, e jamais desiste de lutar por você e por mim. O leão só irá destruí-lo se você se afastar de Jesus e não der a Ele a menor chance de salvá-lo. Amém?

1º de dezembro

E levantar-se-ão salvadores no monte Sião, para julgarem a montanha de Esaú; e o reino será do Senhor.
Obadias 21

Na cidade de Petra, Jordânia, estão as ruínas de antigas civilizações. Há templos, túmulos, casas, tudo cavado em plena rocha. São construções que impressionam pela solidez. Tanto que, passados milênios, aquelas construções ainda estão de pé.

Dentre as civilizações que se desenvolveram na área rochosa que existe ao redor de Petra estão os edomitas. Irmão gêmeo de Jacó, Esaú ou Edom deu origem a um povo que veio a ser um terrível adversário para os israelitas. Povo arrogante, violento, muito autoconfiante, provavelmente por causa da segurança de suas fortalezas construídas na rocha. O versículo 3 do livro de Obadias descreve essa arrogância: "A soberba do teu coração te enganou, como o que habita nas fendas das rochas, na sua alta morada, que diz no seu coração: Quem me derribará em terra?"

Os edomitas causaram muito sofrimento aos israelitas. Várias passagens bíblicas falam disso. Eis o que diz Obadias: "No dia em que estiveste em frente dele, no dia em que os forasteiros levavam cativo o seu exército, e os estranhos entravam pelas suas portas, e lançavam sortes sobre Jerusalém, tu mesmo eras um deles. Mas tu não devias olhar para o dia de teu irmão, no dia do seu desterro; nem alegrar-te sobre os filhos de Judá, no dia da sua ruína nem alargar a tua boca, no dia da angústia" (vv. 11,12).

Deus prometeu que daria livramento ao seu povo contra os edomitas. Era uma promessa que parecia impossível de ser cumprida. Afinal, aqueles adversários eram muito fortes, mas lá estão as ruínas para testemunhar que as promessas do nosso Deus se cumprem. Daquele povo só restaram as ruínas.

Foi até bom que os edomitas tivessem construções tão fortes e resistentes. Foi por causa disso que elas ficaram de pé, por muitos séculos. Elas estão lá, como mais um testemunho de que Deus é fiel e poderoso.

Não fique impressionado se inimigos fortes se levantarem contra você. Não se impressione com a arrogância deles. Deus está permitindo que eles construam fortalezas muito resistentes, porém é para que, depois que forem desmontadas, fiquem seus vestígios, suas ruínas, como lembranças do que o Senhor fez.

O Senhor diz: "E levantar-se-ão salvadores..." O livramento está chegando, e o Todo-Poderoso será glorificado. As forças da adversidade serão eliminadas e prevalecerá a vontade de Deus. E o reino será do Senhor. Amém.

2 de dezembro

Quem tem ouvidos ouça o que o Espírito diz às igrejas: Ao que vencer darei eu a comer do maná escondido e dar-lhe-ei uma pedra branca, e na pedra um novo nome escrito, o qual ninguém conhece senão aquele que o recebe.

Apocalipse 2.17

Os crentes de Pérgamo enfrentavam dois tipos de combate. Um, externo, pois eles viviam no lugar onde estava o trono de Satanás. O ataque infernal não deveria ser pequeno. O outro combate era interno. Havia no interior da igreja pessoas que disseminavam ensinamentos nocivos à fé cristã. Não era fácil ser fiel a Cristo em Pérgamo! Do lado de fora, havia aqueles que queriam explodir a igreja. Do lado de dentro, estavam os que a queriam implodir.

Assentado em seu trono, ali pertinho da igreja de Pérgamo, Satanás ordenava aos seus demônios que a pressionassem para que renegasse o nome de Jesus. Esse nome bendito corresponde ao hebraico *Josué* que quer dizer *Jeová é salvação*. Reter o nome de Jesus significa reconhecer que o homem está perdido e não pode salvar-se a si mesmo. O ser humano necessita de uma salvação que somente Deus pode prover.

Reter o nome de Jesus significa humilhar-se e reconhecer-se pecador perdido. Contudo, Satanás não quer isso. Humildade não combina com ele. Ele é arrogante, presunçoso e quer que os homens o sejam também. Daí o seu ataque ao nome de Jesus. Os crentes da cidade de Pérgamo não se intimidaram. Eles retiveram o nome de Jesus.

Dentro da igreja, fazendo parte dela, havia aqueles que ensinavam os crentes a praticarem o erro. O tema deles era este: *Tudo bem, temos compromisso com Jesus, mas não podemos e nem temos que desprezar os prazeres da carne.* Jesus chamou isso de "doutrina de Balaão". Essa, ainda quando Israel peregrinava pelo deserto, trouxe grandes prejuízos ao povo de Deus (Nm 25). Segui-la é professar um tipo de fé daqueles que têm o coração dividido. Querem o céu, mas também o mundo, isto é, o sistema mundano de vida. Não é a fé que Jesus quer que tenhamos. Glória a Deus porque Cristo disse da igreja de Pérgamo: "... reténs o meu nome e não negaste a minha fé".

O nome de Jesus é misterioso como o maná que Deus enviava, diariamente, ao seu povo no deserto. O maná vinha do céu, mas aparecia na terra. Se fosse deixado de um dia para o outro, apodrecia. Entretanto, o que era colhido na sexta-feira durava dois dias, sem problemas. Havia uma porção, escondida dentro da arca da aliança, que não se deteriorava nunca.

Jesus disse que os que tiverem uma fé genuína nEle vão comer do maná escondido. É algo sobrenatural, maravilhoso, mas que decorre de nossa fidelidade a Ele. Para desfrutar do maná no deserto, os israelitas tinham de fazer as coisas da maneira que Deus ordenava. As instruções tinham de ser seguidas nos mínimos detalhes. O maná escondido é para os que seguem a Jesus, não do modo que imaginam, mas da forma que Ele nos manda seguir.

Aos vencedores de Pérgamo, Jesus fala também de uma pedrinha branca com um nome escrito. É o nome do próprio vencedor, você e eu. Porém é um nome novo e sobrenatural. A idéia é a seguinte: Quem retiver sua fé nesse nome misterioso, diante das lutas e provações daqui, receberá também um novo nome misterioso, em breve.

Vale a pena ser fiel a Jesus diante das tentações e dificuldades. Quem é fiel vence. E quem vence, recebe recompensa. Pense nisso e seja também um vencedor. Amém.

3 de dezembro

Quando desfalecia em mim a minha alma, eu me lembrei do Senhor; e entrou a ti a minha oração, no templo da tua santidade.
Jonas 2.7

Conheci uma moça, Ana Lúcia, criada no evangelho, mas que se desviou dos caminhos do Senhor. Filha de uma mulher piedosa, dedicada à oração, ela se enveredou pelos caminhos do pecado e praticou muitas coisas erradas. Sabe como foi que a Ana Lúcia reencontrou a vereda da vida? Lendo o livro do profeta Jonas. Ela disse-me que ficou, durante uma madrugada, lendo o livro, chorando e rindo. Quando o dia amanheceu, estava transformada.

Jonas foi o profeta que recebeu ordens de Deus para pregar na cidade de Nínive. Em vez de fazer isso, tentou fugir em direção contrária, navegando para Társis. Depois de enfrentar uma tremenda tempestade, Jonas é lançado ao mar e engolido por um grande peixe.

O livro de Jonas é a história de um homem que conhecia a Deus, todavia rebelou-se contra Ele e foi parar no fundo do mar, no ventre de um peixe. Parecia o fim. Tudo escuro, confuso e sufocante. Entretanto, dentro de toda essa situação, Jonas se lembrou do Senhor. O que ele fez? Orou. Pediu misericórdia. E aquela oração, feita no fundo do mar, dentro de um peixe, subiu ao céu. Alcançou o trono da graça de Deus e obteve resposta. Jonas tinha dois grandes problemas: o imenso mar e o peixe. Deus falou com o peixe, e este navegou como um grande submarino e trouxe o profeta desobediente para a praia. Um problema, o peixe, ajudou o profeta a vencer o outro, o mar. Já ouvi um pregador dizer que é sempre bom termos mais de um problema porque um anula o outro. Por exemplo, o mar Vermelho, um conflito para Israel, engoliu o exército de Faraó, o outro problema.

Bem, voltando ao caso do profeta Jonas, Deus ouviu a sua oração. Ele havia desobedecido às ordens do Senhor, era um homem indigno de ser atendido. Sua localização física, o ventre de um peixe no fundo do mar, era um reflexo de sua condição espiritual. Mas Deus ouviu a sua oração. Deu-lhe uma nova oportunidade. E aqui cabe uma bela pergunta, amigo leitor: Por que Deus não ouviria a oração que você faz? Se Ele ouviu a de Jonas, ouvirá a sua também. Faça o que Jonas fez: Clame a Deus, mesmo que você esteja no *fundo do poço*. Deus está no céu e pode ser que você esteja no fundo do mar, não importa, sua oração será ouvida. E o livramento virá. Amém.

4 de dezembro

Tornará a apiedar-se de nós, subjugará as nossas iniqüidades e lançará todos os nossos pecados nas profundezas do mar.
Miquéias 7.19

Qual é a profundidade do mar? O Oceano Atlântico tem uma profundidade média de 3.314m; o Índico, 3.900m e o Pacífico, 4.049m. No entanto, há pontos do Oceano Pacífico que chegam a ter 11.022m de profundidade!

Em que oceano foram lançados os nossos pecados? No Atlântico, no Índico ou no Pacífico? Creio que não foi em nenhum deles. Foi num lugar chamado *Mar do Esquecimento* que é mais profundo que todos os oceanos já mencionados.

Claro que a linguagem bíblica aqui é simbólica. Quando diz que Deus lançou os nossos pecados "nas profundezas do mar" ela quer realçar como é eficaz o perdão com que o Senhor nos agracia. É um perdão muito forte.

Em primeiro lugar, notemos que esse perdão é de iniciativa do próprio Deus. É Ele que sente compaixão de nós, subjuga as nossas iniqüidades e lança os nossos pecados nas profundezas do mar. Ele faz isso porque quer, é bom e misericordioso.

Em segundo lugar, notemos como Deus realmente não quer saber dos nossos pecados. Não estão na sua memória, nem escritos nalgum livro, nem na mente de algum ser angelical. Aqui, por perto de nós, também Deus não quer que estejam.

Não é permitido trazer para a superfície os pecados de ninguém. Não tenho o direito de trazer à tona os pecados de alguém a quem Deus já perdoou. Nem mesmo os meus próprios. Deus os lançou no fundo do mar para que eles fiquem lá mesmo.

É preciosa a exatidão das palavras do profeta: "lançará **todos** os nossos pecados". Não apenas alguns ou quase todos, mas todos. Deus faz isso. Ele é maravilhoso!

Mas, atenção! Esta promessa é para os que se arrependem e se submetem à obra salvadora de Jesus. O texto do Novo Testamento que corresponde àquele do profeta

Miquéias é 1 João 1.7: "Mas, se andarmos na luz, como ele na luz está, temos comunhão uns com os outros, e o sangue de Jesus Cristo, seu Filho, nos purifica de todo pecado".

Se você já se submeteu ao poder do sangue de Jesus, não permita que Satanás, através de qualquer um de seus emissários, o torture com a lembrança de qualquer pecado que você tenha cometido. Mas se ainda não se submeteu, faça-o já e beneficie-se da maravilhosa promessa do Senhor. Deixe Deus subjugar seus pecados com o seu maravilhoso amor. Amém.

5 de dezembro

E ao que vencer e guardar até ao fim as minhas obras, eu lhe darei poder sobre as nações, e com vara de ferro as regerá; e serão quebradas como vasos de oleiro; como também recebi de meu Pai, dar-lhe-ei a estrela da manhã. Quem tem ouvidos ouça o que o Espírito diz às igrejas.
Apocalipse 2.26-29

Alcançar o poder! Eis o maior desejo de muitas pessoas hoje em dia. Mas para que elas querem o poder? Algumas, para satisfazer o ego, o desejo de serem glorificadas. Outras, para terem dinheiro e, com ele, comprarem os diversos tipos de prazer carnal. Outras, para obterem todas estas coisas. Claro que a maioria dessas pessoas jamais declara a verdadeira razão pela qual almejam o poder.

Desejar ter autoridade não é um mal em si mesmo. Quando Deus criou o homem, deu-lhe autoridade. Sem o exercício desta, o mundo seria um caos. Mas a autoridade precisa ser exercida para o verdadeiro bem, a fim de que prevaleça a justiça, a verdade, a paz. O poder deveria ser exercido para combater o mal e, quando necessário, desfazê-lo.

No entanto, quem não sabe exercer autoridade sobre si mesmo, como poderá fazê-lo sobre outras pessoas?

Em Tiatira, os crentes eram testados quanto ao exercício da autoridade sobre si mesmos. Alguém, exercendo liderança no seio da igreja, os convidava a prostituir-se, a envolver-se com idolatria e com outras coisas que desagradavam a Deus. A natureza carnal deles, existente em todo o ser humano, se inclinava a aceitar tais ofertas. Mas eles tinham de exercer autoridade sobre si mesmos e dominar as inclinações da carne. Jesus prometeu, e ainda promete, aos que fossem e forem vitoriosos nesse teste, que lhes daria e dará poder até sobre as nações. Mas é um poder que os vencedores em Cristo têm para desfrutar imediatamente. Os que têm poder sobre si mesmos têm poder sobre os demônios e toda a força que se oponha aos propósitos de Deus.

Agora, Jesus não faz promessas assim, a esmo, como muitos que prometem a outras pessoas até o céu com as estrelas. E por falar em prometer o céu com as estrelas, Jesus prometeu a "estrela da manhã" aos crentes de Tiatira que vencessem a prova pela qual estavam passando. Creio que essa promessa serve também aos vencedores de nossos dias. Mas, volto a dizer, não é uma promessa inconseqüente.

A estrela da manhã é a última a se apagar no céu. Ela brilha na escuridão da noite e só se apaga quando a luz do sol se estabelece. A estrela da manhã é a promessa de que um novo dia vai raiar. É ter esperança quando só há desespero em redor. É ter paz no meio dos conflitos, até que eles cessem e a paz completa encha todo o ambiente. Possuir a estrela da manhã é ter a certeza da vitória quando todas as evidências apontam para o fracasso. Entretanto, essa certeza nos alimenta as forças e nos faz vencedores contra todo tipo de combate.

Se você está sofrendo tentações, se está enfrentando combates à sua fé como aconteceu com os crentes em Tiatira ouça o que o Espírito Santo está prometendo. Ele está dizendo que, caso se mantenha firme na luta, você conquistará a vitória e será recompensado. Amém.

6 de dezembro

O Senhor é bom, uma fortaleza no dia da angústia, e conhece os que confiam nele.
Naum 1.7

Quero lhe contar uma notícia ruim: existe uma data no calendário chamada de dia da angústia. A data não é a mesma para todos. Para umas pessoas, ela cai no mês de janeiro, para outras em fevereiro e assim por diante. Claro que não é uma data para se comemorar, mas, sim, para sofrer. Nessa data, o coração aperta, o semblante fica triste, falta o apetite e o sono foge.

Outra notícia triste: o dia da angústia pode ter mais de 24 horas. Pode ter 24, 48, 240 horas e até muito mais. E o pior é que cada hora do dia da angústia vale por dez dos outros dias.

Mais outra notícia má: todas as pessoas, inclusive as que confiam em Deus, têm o seu dia da angústia. Ninguém escapa dele.

Agora chega de notícia ruim. Vamos falar das boas. Existe um lugar muito agradável e seguro para se passar o dia da angústia. Ele está aberto todos os dias do ano, vinte e quatro horas por dia. Quando alguém, no dia da angústia, se refugia neste lugar, sente paz, tem suas esperanças renovadas, é inundado pela certeza de que as coisas vão mudar, e mudar para melhor. É possível que lá fora as coisas continuem ruins por mais algum tempo, porém, a pessoa escondida no seu lugar de refúgio sabe que tudo é uma questão de tempo. O refúgio seguro para esse dia é o próprio Deus. Ele é uma fortaleza no dia da angústia.

Claro que só entram no refúgio de que estamos falando aqueles que confiam em Deus. E nem é preciso levar ingresso. Deus conhece os que confiam nEle.

Pode ser que alguém esteja lendo estas palavras e dizendo: *Puxa vida, como gostaria de entrar nessa fortaleza. Como preciso entrar nesse lugar de refúgio. Mas não posso. Não é que eu não confie no Senhor. Não confio em mim mesmo. Tenho feito coisas erradas, que desagradam a Deus, e sei que Ele não me receberá.* Para quem está pensando assim, tenho a melhor de todas as notícias: o Senhor é bom! Ele gosta de socorrer as pessoas. Ele é tão bom que socorre até os pecadores. O requisito para ser recebido no abrigo de Deus não é ser perfeito, mas confiar no Senhor.

Aprenda a confiar em Deus primeiramente para ter seus pecados perdoados. Você precisa apenas acreditar no único meio que Deus proveu para isso: o sacrifício de Jesus na cruz do Calvário. Confie em Jesus e ande com Ele.

Se hoje é o seu dia da angústia, apele para Deus. Confie no Senhor, pois Ele é uma fortaleza. Amém.

7 de dezembro

Que pensais vós contra o Senhor? Ele mesmo vos consumirá de todo; não se levantará por duas vezes a angústia.
Naum 1.9

Profetizando para o inimigo. Idéia estranha, não?

No sentido bíblico, profetizar é falar em nome de Deus, como se fosse Deus quem estivesse falando.

À primeira vista, é de se esperar que Deus fale só com quem goste de ouvi-lo. Mas não é bem assim. Ele é uma autoridade, e a maior que existe. Quem tem autoridade fala com os seus subordinados, quer eles queiram ouvir, quer não.

Em toda a Bíblia encontramos Deus falando aos seus adversários e sempre com autoridade: Faraó (Êx 9.1-4), Nabucodonosor (Dn 4.25), Belsazar (Dn 5.26-28) e vários outros homens que se atreveram a contrariá-lo.

Lindo, mesmo, é quando Deus fala contra homens e povos arrogantes para tranqüilizar o seu povo. Agora, imagine a cena: alguém muito poderoso ameaça você. Então, Deus reage forte e incisivamente contra o valentão. Entretanto, o Senhor fala através de você mesmo! Que tranqüilidade isso lhe traz!

O que está acontecendo em Naum 1.9 é exatamente isso. Ele está usando um de seus profetas para repreender os ninivitas, inimigos de seu povo.

Veja a expressão "não se levantará por duas vezes a angústia". Ao mesmo tempo que é uma ameaça para os inimigos é uma promessa para o povo de Deus. O profeta repreende o inimigo e recebe promessa de livramento, simultaneamente.

É bom orar e buscar ao Senhor quando nos sentimos pressionados. É em circunstâncias assim que, muitas vezes, Ele nos usa para profetizar aos inimigos.

Quem conhece ao Senhor não se intimida diante das adversidades. Sabe que sempre pode contar com o socorro de Deus. Antes mesmo que o livramento chegue, é inundado pela certeza da vitória. E, então, se alegra no Senhor na presença dos inimigos (Sl 23.5).

Profetize para o Inimigo. Profetize para essas adversidades. Diga que o fim delas já está chegando e que "não se levantará por duas vezes a angústia". Amém.

8 de dezembro

O que vencer será vestido de vestes brancas, e de maneira nenhuma riscarei o seu nome do livro da vida; e confessarei o seu nome diante de meu Pai e diante dos seus anjos.

Apocalipse 3.5

Coisa boa é ter um herói como fonte de inspiração. É por isso que os países reverenciam seus heróis de guerra, seus desportistas campeões, seus intelectuais de destaque. A idéia é que as pessoas se inspirem neles e se tornem também valorizadas.

Vencer sem ter em quem se inspirar é mais difícil. Ser campeão no meio de uma sociedade de perdedores é complicado. A tendência é nos acomodarmos, aceitar resignadamente a mediocridade.

Na igreja de Sardes, o próprio líder espiritual era um derrotado. Jesus disse a ele: "Tens nome de que vives e estás morto" (Ap 3.2). Os cristãos não podiam tê-lo como um exemplo a ser seguido. Além de derrotado, vencido pelo pecado, ele era hipócrita.

Imagine a situação dos membros de uma igreja cujo líder é um fracasso! Imagine a situação dos filhos quando o pai é viciado, infiel ou ladrão! Imagine a situação de uma cidade ou país cujos líderes são corruptos!

Em Sardes a situação era triste. Muitas pessoas estavam morrendo. Mas, por incrível que pareça, havia vencedores lá. O Senhor Jesus os conhecia muito bem. "Mas também tens em Sardes algumas pessoas que não contaminaram suas vestes", disse Ele (Ap 3.4). O líder espiritual deles aqui na terra vivia com as roupas manchadas, ou seja, levava uma vida reprovável, porém eles próprios mantinham suas roupas limpas.

É possível ser uma pessoa fiel tendo um pai ou uma mãe infiel. É possível ser uma pessoa decente no meio de uma sociedade liderada por pessoas corruptas. Sempre teremos uma pessoa em quem nos inspirar para sermos vencedores contra o pecado.

Em quem os fiéis de Sardes se inspiraram? No Senhor Jesus. Ele é a fonte de inspiração para os verdadeiros cristãos. Ele venceu o Diabo, o mundo e a carne. Ele é o nosso herói.

Jesus, que vive para sempre, gosta de honrar aqueles que o admiram e seguem o seu exemplo. Acerca dos vencedores de Sardes, Ele prometeu: "Comigo andarão de branco" (Ap 3.4). A mesma promessa é válida para os cristãos fiéis de todos os lugares em todos os tempos. É válida para você que sofre tentações e não encontra apoio nas pessoas que poderiam ajudá-lo.

Talvez você nunca viu um membro de sua família, ou de sua igreja ou de qualquer grupo social a que pertença, sendo homenageado como campeão. Prepare-se para ver um: você próprio. Inspire-se em Jesus. Vença as tentações e tenha certeza de que o próprio Rei dos reis e Senhor dos senhores irá convidá-lo a subir no pódio e declarará, diante de Deus Pai e dos santos anjos, que você é um vencedor, um verdadeiro herói. Amém.

9 de dezembro

Porquanto, ainda que a figueira não floresça, nem haja fruto na vide; o produto da oliveira minta, e os campos não produzam mantimento; as ovelhas da malhada sejam arrebatadas, e nos currais não haja vacas, todavia, eu me alegrarei no Senhor, exultarei no Deus da minha salvação.
Habacuque 3.17,18

Há uma famosa e folclórica *lei*, chamada de *Lei da Perversidade Universal de Murphy* que estabelece: *Se, dentro de um conjunto de coisas planejadas ou esperadas alguma é indesejada, é ela que vai acontecer.* Dela decorre uma série de outras *leis* do tipo: *O pão só cai com o lado da manteiga para baixo; se a gente tem uma ferida no corpo, é com ela que esbarramos nas coisas; além de queda, coice,* etc.

Será que essas coisas são, realmente, leis? Há fases na vida em que os acontecimentos parecem insistir em dizer que sim. Há épocas em que tudo dá errado.

O que fazer quando tudo dá errado? A receita do profeta Habacuque é: "Alegre-se no Senhor". Parece loucura, mas não é.

Qual é a verdadeira fonte de nossa alegria quando tudo dá certo? É a figueira cheia de flores, prenunciando a chegada de frutos deliciosos e nutritivos? São os lindos cachos de uva à nossa disposição? São as azeitonas? As ovelhas bem gordinhas? Os baldes cheios de leite? Não. A fonte de nossa alegria é o Senhor, de quem vem todas essas coisas. Não amamos ao Senhor só pelo que Ele nos dá. Acima de tudo, o amamos pelo que Ele é. Uma boa maneira de provar isso é, justamente, quando nos faltam as coisas de que gostamos ou das quais necessitamos. Que boa ocasião para demonstrar que, de fato, amamos ao Senhor e que Ele é a verdadeira razão de nossa felicidade!

É preciso desviar a atenção dos problemas, senão o tempo não passa. Desviar a atenção dos problemas e fixá-la em quê? Em qualquer coisa ou pessoa, menos no problema. Mas haveria algo melhor para nos fixarmos do que em nosso Deus? Claro que não. E ao nos fixarmos nEle, não haverá outro sentimento que nos possa encher o coração a não ser a alegria. Nosso Deus é alegre. Ele é a fonte da verdadeira alegria. Você não pode fixar sua atenção numa pessoa alegre e ficar triste. Não olhe para os problemas. Olhe para o Senhor. Ele encherá de alegria seu coração.

Quem conhece ao Senhor confia nEle, pois sabe que nunca permite que os problemas destruam uma pessoa que o ama. Pelo contrário, o Todo-Poderoso faz com que o mal se transforme em bem. Sabendo disso, quem o conhece já antevê a vitória no meio da própria luta e se alegra e agradece ao Senhor por ela.

Eis porque nos alegramos quando tudo parece estar dando errado: temos a companhia do Senhor e Ele é a nossa salvação. Amém.

10 de dezembro

Naquele dia, se dirá a Jerusalém: Não temas, ó Sião, não se enfraqueçam as tuas mãos.
Sofonias 3.16

É curioso como um susto nos tira as forças. Quando algo nos assusta ou quando passamos por alguma situação que nos cause medo, nossas pernas se enfraquecem, os joelhos ficam batendo um no outro, nossos braços se enfraquecem também. Por muito tempo as mãos ficam tremendo.

Mãos sem forças são um reflexo do que acontece dentro de nós quando estamos com medo.

Uma pessoa dominada pelo medo fica paralisada. Não consegue pensar em algo produtivo, não consegue se concentrar em nada, muito menos fazer.

Há fases de nossa vida que são muito improdutivas. Muitas delas são conseqüências do medo. Medo de perder algo ou alguém, ou de que nos aconteça algum desastre. Medo de inimigos reais ou imaginários. Medo dos demônios, e até de Deus. E o medo nos tira o ânimo. Tira as nossas forças.

Nessas situações, se quisermos produzir algo útil, a primeira coisa a fazer será livrar-se do medo.

Gosto do versículo mencionado acima. Inspirado por Deus, o profeta encoraja as pessoas dando-lhes palavras de ânimo, libertando-as do medo. Em seguida, exorta-as a produzir.

Sofonias viveu em dias muito difíceis. A corrupção estava por todos os lados e o castigo divino iminente. Catástrofes terríveis estavam para acontecer. Mas, diante de perspectivas tão tristes, o Senhor quer que duas coisas fiquem bem claras: o castigo dos ímpios fará bem à sociedade em geral, e os que amam ao Senhor serão preservados e abençoados.

Quem confia no Senhor nunca deve se deixar dominar pelo medo, ainda que esteja atravessando dias difíceis. Sua atenção deve estar concentrada no Deus que sempre tem o controle de tudo. Nessa confiança, deve atravessar os dias de crise trabalhando, produzindo, construindo, abençoando. Mãos que abençoam em nome do Senhor nunca devem se enfraquecer nas crises. Amém.

11 de dezembro

A quem vencer, eu o farei coluna do templo do meu Deus, e dele nunca sairá; e escreverei sobre ele o nome do meu Deus e o nome da cidade do meu Deus, a nova Jerusalém, que desce do céu, do meu Deus, e também o meu novo nome.
Apocalipse 3.12

Das sete cartas que o Senhor Jesus enviou às igrejas da Ásia, a sexta foi endereçada aos cristãos que moravam num lugar de nome muito bonito: Filadélfia, que quer dizer *amor fraternal*. O nome da cidade era muito bonito, mas a luta que os cristãos enfrentavam ali era muito feia.

O ataque que os cristãos de Filadélfia sofriam era desferido diretamente contra suas convicções acerca de seu próprio Salvador. Um grupo de pessoas que se diziam israelitas queria desautorizar a crença em Jesus como Messias. Eles se julgavam muito importantes, cheios de autoridade religiosa e, baseados nisso, tentavam fazer com que os cristãos deixassem de ser fiéis a Jesus. Deviam ser pessoas muito influentes na cidade. Jesus elogiou o fato de os cristãos resistirem às pressões mesmo "tendo pouca força".

Que armas podem ter utilizado contra os servos de Jesus em Filadélfia? Expôlos ao ridículo deve ter sido uma delas. Eles foram chamados de fanáticos, incultos e anti-sociais. Outra arma terrível: ameaças. Disseram que o trabalho deles não prosperaria. Que eles, como indivíduos, também não prosperariam. Enfim, disseram que todas as portas estavam fechadas para eles.

No entanto, os crentes de Filadélfia não se dobram. Para eles, Jesus Cristo é o Senhor (1 Co 12.3) Maravilhoso, Conselheiro, Deus Forte, Pai da Eternidade, Príncipe da Paz (Is 9.6). Para eles, este é o verdadeiro Deus e a vida eterna (1 Jo 5.20b). Em conseqüência disto, eles guardam tudo o que Jesus mandou (Mt 28.20).

Jesus aprecia a fidelidade. O Senhor recompensa os que são fiéis. Ele declara que ninguém pode deter a prosperidade daqueles que nEle confiam. Ele que tem a chave de Davi, que abre e ninguém fecha; e fecha, e ninguém abre, anuncia: "Eis que diante de ti pus uma porta aberta, e ninguém a pode fechar" (Ap 3.8).

Quem, em tempos de confusão religiosa, não se deixa mover pelos "ventos de doutrinas" (Ef 4.14), nem se deixa levar em redor por doutrinas várias e estranhas, é verdadeira coluna no meio do povo de Deus. Esses continuarão sendo colunas no templo de Deus por toda a eternidade.

Quem, no sofrimento e na perseguição, se identifica com o nome de Jesus será identificado com o novo nome que o Senhor, glorificado, recebeu. Terá gravados sobre si o nome do Pai, do Filho e o da nova Jerusalém. Vale a pena ser fiel ao Senhor! Amém!

12 de dezembro

Porque todo o que é nascido de Deus vence o mundo; e esta é a vitória que vence o mundo: a nossa fé.
1 João 5.4

"Vitória que vence o mundo..." Quem pensa que João está, neste versículo, cometendo uma redundância está redondamente errado. Ele está tão correto quanto a terra é redonda. E quem pode ter certeza de que a terra é redonda? Quem crê na Bíblia.

Em Isaías 40.22 está escrito que Deus é "o que está assentado sobre o globo da terra". Ao falar de sua vinda para busca a Igreja, em Lucas 17.34-36, Jesus deixa claro que sua vinda será única, mas ocorrerá em horários diferentes para várias pessoas, o que tem a ver com o fato de a terra ser redonda.

Em nosso texto de hoje, o apóstolo João está falando de nossa fé. Fé que decorre da revelação de Deus que a Bíblia contém. A Bíblia é a Palavra de Deus; é a verdade.

Quando os homens descobriram que a terra é redonda, pensaram que haviam achado algo que desmoralizaria a Bíblia. Que nada! Nem isso era novidade para a Bíblia nem o fato de que ela está solta no espaço. Em Jó 26.7, a Palavra de Deus já diz: "O norte estende sobre o vazio; suspende a terra sobre o nada".

Já que descobriram que o nosso planeta é bem pequenino, se comparado com a Galáxia em que está inserido e com o universo inteiro, pensam que agora, sim, pegaram a Bíblia de surpresa. Pobres coitados! Vamos voltar a Isaías 40: "Eis que as nações são consideradas por ele como a gota de um balde e como o pó miúdo das balanças; eis que lança por aí as ilhas como a uma coisa pequeníssima. Todas as nações são como nada perante ele; ele considera-as menos do que nada e como uma coisa vã" (vv. 15,17).

Se a terra não é nada diante do universo, imagine diante de Deus!

Na terra estão as nações. Ela com os seus moradores formam o que chamamos de *mundo*. Ao olhar para esse mundo, nos sentimos muito pequenos, como se não fôssemos nada. Para complicar as coisas, o evangelho nos conclama a desafiar o mundo. Somos chamados a contrariar o mundo. Temos de encarar esse monstro. Mas como?

Bem, encarar o mundo não é para qualquer pessoa. É para quem nasceu de Deus. Quando nos arrependemos dos nossos pecados e nos apropriamos da virtude salvadora que há na morte e ressurreição de Jesus Cristo, somos feitos novas criaturas.

Quando isso ocorre a pessoa passa a fazer parte do Corpo de Cristo, a Igreja. Fazer parte do Corpo de Cristo é fazer parte de Deus. É fazer parte do grande Deus. É fazer parte daquEle para quem o mundo é como nada.

Em Efésios 2.8, lemos: "Pela graça sois salvos, por meio da fé..." É a fé que nos salva. Então, é ela que nos faz nascer de Deus. Por isso João disse que "a vitória que vence o mundo" é a nossa fé.

A fé é vitória porque nos insere na Igreja vencedora. A fé é vitória que vence porque, uma vez fazendo parte do grupo vencedor, vencemos nossas lutas particulares. Vencemos as tentações, as perseguições, todo tipo de adversidade. Fique certo desta certeza. Amém.

13 de dezembro

Então, Ageu, o embaixador do Senhor, falou ao povo, conforme a mensagem do Senhor, dizendo: Eu sou convosco, diz o Senhor.
Ageu 1.13

Sou agradecido a Deus pelos profetas que Ele tem enviado ao mundo. Tenho um especial apreço por aquele que recebeu o nome de Ageu, nome que significa *alegria* ou *festivo*.

O que aprecio mais no profeta Ageu é que ele era carinhoso com o povo de Deus.

Há quem pense que para ser um profeta autêntico tem que ser rabugento. Só falam para reclamar, apontar pecados, fazer ameaças. Pensam que quanto mais bravos, mais qualificados serão como emissários de Deus.

Tudo bem que, de vez em quando, é necessário entregar mensagens duras. Às vezes, há iniquidades que precisam ser denunciadas. Há momentos em que o povo de Deus precisa ser convocado ao arrependimento. Mas Deus tem muita coisa para tratar com o seu povo. Ele não tem apenas palavras duras para dizer. Tenho certeza de que Deus gosta mais é de elogiar, incentivar, consolar.

O apóstolo Paulo diz que "o que profetiza fala aos homens para edificação, exortação e consolação" (1 Co 14.3). É fácil entender que dois destes termos, edificação e consolação, são suaves. Se *exortação* significasse *espancamento* já seria apenas um termo duro no meio de dois suaves. O mais interessante é que *exortação* significa *ato de animar, estimular*. Então, não sei de onde tiraram a idéia de que toda profecia tem que ser uma reclamação divina.

Alguém pode dizer: *Ah, mas no tempo do profeta Ageu, o povo era bom, santo, sem defeito*. Basta ler a Bíblia para ver que não era bem assim.

Deus ama seu povo apesar dos erros deste. Claro que o Senhor não se agrada do pecado. Claro que denuncia os erros e ensina o que é certo. Mas não é só disso que Deus trata com o seu povo. Ele tem palavras de ânimo para os desanimados, palavras de consolo para os tristes, palavras de instrução e de carinho.

Você faz parte do povo de Deus? Então, ouça a profecia de Ageu: "Eu sou convosco, diz o Senhor". Amém.

14 de dezembro

Ao que vencer, lhe concederei que se assente comigo no meu trono, assim como eu venci e me assentei com meu Pai no seu trono.
Apocalipse 3.21

Conheço um pastor que costuma dizer: *Os meus defeitos são tão grandes que até eu os consigo enxergar*. Como é fácil ver os defeitos das outras pessoas! Por menores que eles sejam, conseguimos vê-los muito bem. Mas como é difícil perceber os próprios erros! O salmista pergunta: "Quem pode entender os próprios erros?" (Sl 19.12)

Existem pessoas que são excessivamente rigorosas consigo mesmas. São salvas, já se submeteram ao poder do sangue de Jesus para receber a purificação dos seus pecados e estão crescendo na fé. No entanto, estão sempre sob o peso do sentimento de culpa. Nunca se sentem felizes. Claro, não foi para viver assim que Jesus nos salvou.

Existem pessoas que vivem no outro extremo: a vida espiritual delas está um desastre e elas pensam que está tudo bem. As pessoas que acreditam que prosperidade material é sinônimo de bem-estar espiritual são as mais susceptíveis a cometer esse equívoco.

O pastor de Laodicéia, representando o estado geral de sua congregação, dizia: "Rico sou, e estou enriquecido, e de nada tenho falta" (Ap 3.17). Jesus diagnosticou assim a condição espiritual dele: "És um desgraçado, e miserável, e pobre, e cego, e nu" (Ap 3.17).

O que o Senhor Jesus tem a dizer para pessoas tão equivocadas? Em primeiro lugar, que as ama. "Eu repreendo e castigo a todos quantos amo", são as palavras de Apocalipse 3.19.

O que mais o Senhor Jesus tem a dizer? Que essas pessoas devem melhorar o seu senso crítico e que Ele as pode ajudar: "Aconselho-te... que unjas os olhos com colírio, para que vejas" (Ap 3.18b).

Jesus também recomenda a que busquem a verdadeira riqueza, que não é deste mundo: "Aconselho-te que de mim compres ouro provado no fogo" (Ap 3.18a). Claro que o verbo *comprar* aqui tem o sentido de *empenhar-se para obter, lutar em busca de*.

Assentar-se com Jesus no próprio trono dEle é a promessa para quem vencer a tentação de confundir prosperidade material com boa condição espiritual. Hoje em dia, diante da *febre* do consumismo, essa tentação é muito comum e forte. É preciso exercer autoridade sobre nós mesmos para que nossa natureza decaída não nos leve a querer transformar bens de consumo em nosso próprio céu. Quem for capaz de exercer essa autoridade hoje mesmo irá participar, com Jesus, do governo de todo o universo. Esta é a promessa do Senhor aos seus amados, mesmo aos que não se encontram em boa condição espiritual. Tudo o que Ele quer é que se arrependam e tomem outro rumo na vida.

"Quem tem ouvidos ouça o que o Espírito diz às igrejas" (Ap 3.22). Amém.

15 de dezembro

Ora, pois, esforça-te, Zorobabel, diz o Senhor, e esforça-te, Josué, filho de Jozadaque, sumo sacerdote, e esforçai-vos, todo o povo da terra, diz o Senhor, e trabalhai; porque eu sou convosco, diz o Senhor dos Exércitos, segundo a palavra que concertei convosco, quando saístes do Egito, e o meu Espírito habitava no meio de vós; não temais.
Ageu 2.4,5

Há pessoas que foram muito prósperas no passado e hoje vivem na pobreza. Há pessoas que foram usadas por Deus de maneira maravilhosa e hoje vivem no pecado, derrotadas.

Há casais que foram muito felizes e hoje não conseguem mais viver em harmonia. Hoje só há conflitos e mágoas.

Como vivem as pessoas que já foram prósperas e felizes, e hoje já não são mais? Algumas vivem somente na saudade. Falam apenas do passado, dos bons tempos que já se foram. Outras vivem amarguradas, chorando e lamentando as perdas que sofreram, ou se martirizando, culpando-se pelos desastres sofridos.

O que Deus tem a dizer a pessoas que vivem assim? O mesmo que disse a Zorobabel, a Josué e aos seus contemporâneos: "É tempo de reconstruir". É tempo de reconstruir vidas, situações financeiras, lares, igrejas; é tempo de reconstruir o que foi destruído.

Todos temos um futuro diante de nós. Por mais que o passado tenha sido bom, o futuro pode ser melhor. Por que não? Até as experiências ruins que tivermos vivido podem contribuir para a construção de um futuro bem melhor.

Uma coisa é certa: viver *curtindo* saudade não ajuda a construir o futuro. Muito menos viver se lamentando ou se culpando. Não olhe para trás nem para o chão; olhe para frente.

Deus está com quem deseja reconstruir sua vida, seu lar, sua igreja. Dá trabalho? Sim. Reconstruir é mais trabalhoso do que simplesmente construir. No entanto, a palavra do Senhor é esta: "Esforçai-vos... e trabalhai". Qual é a melhor motivação para fazer isso? "Porque eu sou convosco, diz o Senhor dos Exércitos".

Ele é um Deus de novas oportunidades e reconstruções. O Todo-Poderoso ajudou aqueles que reconstruíram Jerusalém. Ele também o ajudará. Creia nisso. Não temas. Amém.

16 de dezembro

Minha é a prata, e meu é o ouro, disse o Senhor dos Exércitos. A glória desta última casa será maior do que a da primeira, diz o Senhor dos Exércitos, e neste lugar darei a paz, diz o Senhor dos Exércitos.
Ageu 2.8,9

Senhor, eu quero dar mais dízimo. Quero dar o triplo, o quíntuplo do que estou dando hoje. Que oração é esta? A pessoa está querendo dar 30%, 50%, em vez de 10% do salário para a igreja? Não, ela está querendo ganhar o triplo ou cinco vezes mais do que está ganhando. Então, essa oração está errada? Não necessariamente.

Quando a pessoa deseja ganhar mais com o objetivo sincero de contribuir com um valor maior para a obra de Deus, seu desejo não é ruim. A obra de Deus necessita de contribuintes. Biblicamente falando, nossa contribuição deve ser proporcional ao que ganhamos (1 Co 16.2). Além disso, Jesus disse que o Pai limpa toda a vara que dá fruto para que dê mais fruto (Jo 15.2), ou seja, Ele amplia a condição de quem já está produzindo no seu Reino para que produza cada vez mais.

Entretanto, como saber se uma pessoa está sendo sincera quando diz que quer ganhar mais para contribuir mais para a obra do Senhor? Pela sua fidelidade diante do que já ganha. Jesus disse: "Quem é fiel no mínimo também é fiel no muito; quem é injusto no mínimo também é injusto no muito" (Lc 16.10).

Alguém pode se atrever a contestar o próprio Jesus e dizer: *Não é bem assim. Quem ganha muito tem mais condição de contribuir.*

Lembre-se: contribuir para a obra de Deus será sempre um ato de fé. Por incrível que pareça, contribuir proporcionalmente ao que se ganha, quando se ganha muito, exige mais fé do que quando se ganha pouco. Tanto é assim que os contribuintes mais fiéis nas igrejas são os que ganham pouco.

Porque contribuir para a obra de Deus é um ato de fé, o Senhor desafiou os israelitas do tempo do profeta Ageu a contribuir para a reconstrução do Templo em Jerusalém lembrando-lhes: "Minha é a prata e meu é o ouro. Deus está dizendo: *Contribuam liberalmente. Não vou deixar faltar nada para vocês.*

O que o Senhor queria era que o seu povo desse prioridade às coisas espirituais quando fosse gastar o dinheiro. O que precisavam era confiar na fidelidade do Senhor. Essa confiança tinha de ser demonstrada de maneira prática: destinando uma parte dos seus bens materiais para o culto a Deus.

Qualquer pessoa pode contribuir financeiramente para a obra de Deus, desde que tenha fé. Se formos fiéis, o Senhor, dono do ouro e da prata, nos abençoará certamente. Teremos o privilégio de ver a obra de Deus prosperando na terra. Nosso coração se encherá de alegria e paz. Amém.

17 de dezembro

Há ainda semente no celeiro? Nem a videira, nem a figueira, nem a romeira, nem a oliveira têm dado os seus frutos; mas desde este dia vos abençoarei.
Ageu 2.19

— Pastor, não dou os dízimos porque sou pobre.
— Não, meu irmão, você é pobre porque não dá os dízimos.

A pessoa, diante de uma dificuldade qualquer, prefere ser infiel a Deus, financeiramente, a deixar de pagar a qualquer outro credor. Com esta atitude, ela está dizendo que Deus é o menos importante de todos. Isso é injusto e nem um pouco inteligente porque, a partir daí, a pessoa entra num círculo vicioso.

Por causa de sua infidelidade para com Deus, a pessoa tem dificuldade em honrar os compromissos financeiros. Como quebrar esse círculo? Usando a mente e o coração.

Obviamente, estou falando para quem conhece e ama ao Senhor.

Veja a pergunta do profeta Ageu: "Há ainda semente no celeiro?" Ele sabia que não havia. Tanto que ele afirmou, em seguida, que as plantações todas haviam falhado. Contudo, voltando ao nosso caso, já que a situação está ruim mesmo, há muitos compromissos que não se está conseguindo saldar, que tal deixar piorar um pouco mais as coisas e honrar a Deus com algum dinheiro? Se você tivesse feito isso há muito tempo, não teria chegado ao ponto em que chegou. Por que não piorar logo para melhorar em seguida?

Usar o coração é exercer a fé. Ou confiamos em Deus ou não. Ele não afirma em sua Palavra que abençoará àqueles que o honrarem com suas finanças? Será que a Palavra de Deus funciona em todas as áreas menos nesta? Vamos fazer uma experiência. Vamos tentar quebrar o círculo vicioso.

Os judeus da época da reconstrução do Templo em Jerusalém aceitaram o desafio proposto pelos profetas do Senhor. Eles não se arrependeram. A situação deles mudou para melhor tão logo começaram a honrar a Deus com os poucos recursos materiais que possuíam. Sim, desde aquele momento o Senhor os abençoou e os fez prosperar. O mesmo acontecerá com você. Amém.

18 de dezembro

E eu, diz o Senhor, serei para ela um muro de fogo em redor e eu mesmo serei, no meio dela, a sua glória.
Zacarias 2.5

Não desampara nunca, / nem me abandonará, / se fiel e obediente eu viver; / um muro é de fogo que me protegerá, / até que venha a mim o tempo de morrer. Este é o começo da terceira estrofe do hino 198 da Harpa Cristã.

Poucos sabem que esta parte da canção tem base em Zacarias 2.5. Originalmente as palavras se referem à cidade de Jerusalém, reconstruída após o cativeiro babilônico, mas as bênçãos que representam aplicam-se a todos aqueles que têm comunhão com o Senhor.

Jerusalém tinha seus muros de pedra, mas eram insuficientes para defendê-la dos ataques dos inimigos. Além do mais, em conseqüência das bênçãos do Senhor, viria morar tanta gente naquela cidade que extrapolariam os limites dela, ficando fora do espaço protegido pelos muros. Mas haveria como que um outro muro a proteger todos os moradores de Jerusalém: o muro de fogo.

Deus tinha interesse em proteger a cidade de Jerusalém porque a existência dela era importante para a realização dos planos que Ele tinha para com a humanidade. Por isso a cercou com um muro de fogo.

A segurança que os muros de pedra não podiam garantir, o muro de fogo propiciava.

Também temos os nossos *muros*, nossos dispositivos de segurança. Usamos cintos de segurança nos carros, temos cães de guarda e parafernálias eletrônicas para proteger nossas casas, pagamos seguro de vida, porém essas coisas são insuficientes para nos garantir uma segurança completa.

Se sua vida pertence ao Senhor, Ele tem todo o interesse em protegê-la. Ele não permitirá que sua proteção dependa apenas dos *muros de pedra* construídos por mãos humanas. Além disso, por mais que você se esforce para proteger-se, sempre ficará alguma área desguarnecida, fora até mesmo da proteção desses. Então, Deus nos cerca com um muro de fogo.

Esse muro é invisível para os olhos humanos, mas é real. Ele é contra os males do mundo físico e do espiritual. Se você já está cercado pelo muro de fogo, não saia de sua área de proteção. Se não, venha para dentro de sua proteção, agora mesmo, entregando sua vida a Deus através de Jesus Cristo. Amém.

19 de dezembro

Porque assim diz o Senhor dos Exércitos: Depois da glória, ele me enviou às nações que vos despojaram; porque aquele que tocar em vós toca na menina do seu olho.
Zacarias 2.8

Que rica expressão esta que associa a nossa integridade à *menina do olho de Deus*.

Em primeiro lugar, quem nos agride atinge ao próprio Deus. Isso nos fala de quão intimamente estamos ligados a Ele, de tal forma que é impossível nos atingir sem tocar nEle.

Em segundo lugar, tão rápido quanto alguém protege o próprio olho — e isso é algo que qualquer um faz instintivamente — Deus nos protege. Não esperamos que o nosso olho seja atingido para depois defendê-lo. Não. Nós o protegemos antes que seja atingido. É assim que Deus cuida de nossa integridade.

Qualquer pessoa protege com o máximo cuidado o seu olho, porque, se ele for atingido, todo o corpo ficará vulnerável. Da integridade do olho depende a integridade de todo o corpo.

Aqui está a parte mais profunda da comparação feita pelo profeta Zacarias: se alguém nos atingisse, prejudicaria toda a obra de Deus.

Mas, atenção! O que estamos dizendo aqui não se aplica a qualquer pessoa. Isso tem validade apenas para aqueles que estão intimamente ligados a Deus. Então é para um tipo raro de ser humano? Nem tanto.

Quando qualquer ser humano reconhece que é pecador, que seus pecados são muito ofensivos a Deus, fica tão triste por causa dessa situação a ponto de desejar mudá-la e, para isso, se submete à obra redentora realizada por Jesus. Todos seus pecados são perdoados, seu nome é escrito no Livro da Vida e ele passa a fazer parte do Corpo de Cristo, a Igreja.

Toda pessoa salva por Jesus faz parte do seu Corpo. Isto está escrito, entre outras passagens bíblicas, em 1 Coríntios 12.12-27.

Quando Saulo de Tarso perseguia os cristãos, o Senhor Jesus lhe perguntou: "Saulo, Saulo, por que me persegues?" (At 9.1-4).

Os crentes salvos por Jesus Cristo são pessoas comuns, sujeitas a errar. Em geral, não são compreendidas pelas outras pessoas (1 Co 2.14,15), porém, como já disse, são muito importantes para Deus. O maravilhoso plano de Deus na terra se realiza através delas. Portanto, quem tenta prejudicá-las está entrando em conflito com o próprio Deus. Quer um bom conselho? Não brigue com elas. Quer um conselho melhor ainda? Seja uma delas. Amém.

20 de dezembro

E, projetando ele isso, eis que, em sonho, lhe apareceu um anjo do Senhor, dizendo: José, filho de Davi, não temas receber a Maria, tua mulher, porque o que nela está gerado é do Espírito Santo.
Mateus 1.20

Uma pessoa que desempenhou um papel de grande importância no plano divino para a salvação da humanidade foi José, o pai adotivo de Jesus. As Escrituras falam muito pouco sobre ele, mas, do pouco que fala, podemos extrair muitas lições para a nossa vida.

José era um homem muito simples, carpinteiro de profissão. Homem corajoso, muito disposto e trabalhador. A Bíblia diz que ele era justo, mas a justiça de que ele era imbuído era superior à justiça comum. Era uma justiça que levava a pessoa a dispor-se a ter um prejuízo em lugar de dar prejuízo a alguém.

Apesar de todas as boas qualidades que José possuía, ele passou por uma grande provação. Todos sabemos por qual provação José passou. Ele tinha uma noiva, que certamente amava muito, porém esta apareceu grávida e o filho não era dele. Que aflição este homem deve ter sofrido!

Gostaria de destacar dois aspectos do sofrimento de José. Primeiro, tudo tinha a ver com Jesus. Sem que José quisesse, ele foi envolvido com Jesus e isso lhe trouxe graves conseqüências. Se Jesus não tivesse vindo nascer justamente no lar de José, ele não teria sofrido nada daquilo. Segundo, estava sofrendo, a rigor, simplesmente porque lhe faltavam informações acerca do que estava se passando com ele mesmo. Na verdade, o sofrimento de José não tinha nenhuma razão de ser. A noiva dele estava grávida, o filho não era dele, mas não era de nenhum outro homem também. Sua noiva Maria, não lhe havia sido infiel, mas ele não sabia, e sofria por não saber.

Como Deus não gosta de ver ninguém sofrendo sem necessidade, mandou um anjo falar com José e esclarecer tudo. Quando o anjo lhe dá as informações de que necessitava, José fica liberto do sofrimento. Ou melhor, o sofrimento dele se transforma em prazer. Creio que José considerou um grande privilégio participar, de maneira direta, da salvação de toda a humanidade e, daí em diante, nenhum sofrimento que teve de passar por causa de Jesus lhe pareceu demasiado.

Muitas vezes, também sofremos por causa de Jesus sem saber. Pode ser a perda de uma grande amizade, a perda de muito dinheiro, a perseguição por parte de alguém e até enfermidades, como aconteceu com Jó. Contudo, amigos, sofrer por Jesus é sempre um privilégio. A causa de Jesus é boa, é nobre, é a mais nobre de todas. Quantas pessoas, em toda a história da humanidade, enfrentaram os mais diversos sofrimentos, e até a morte, por causa de um ideal? Não existe ideal mais elevado do que aquele que está associado à obra de Cristo.

A exemplo de José, algumas vezes sofremos sem nenhuma necessidade. Sofremos por não termos todas as informações acerca daquilo que se passa conosco. Quando conhecermos todas as peças do quebra-cabeça vamos entender que está tudo bem, que não há razão para estarmos sofrendo. E quando é que vamos conhecer todas as peças do quebra-cabeça? Talvez daqui a pouco, talvez daqui a mais alguns dias, talvez daqui a alguns anos, talvez só na eternidade. Uma coisa é certa: Não há razão para temer. Não há razão para sofrer. É só esperar e confiar no Senhor. Quero ser para você o porta-voz da mesma mensagem que o anjo levou a José em sonho: *Não temas!* Deus está no controle. Amém?

21 de dezembro

Mas o anjo lhe disse: Zacarias, não temas, porque a tua oração foi ouvida, e Isabel, tua mulher, dará à luz um filho, e lhe porás o nome de João.
Lucas 1.13

Você pede algo a Deus e não é atendido. Então, continua pedindo por anos a fio e... nada. Você sabe que está pedindo a Deus algo que, humanamente falando, é muito difícil de obter. Mas conhece o poder de Deus e continua pedindo. Passam-se dez anos, vinte, e continua sem receber sua bênção. O que você passa a pensar a respeito de si mesmo? Que deve ter cometido algum pecado grave, que se tornou indigno de receber qualquer coisa de Deus, que está merecendo mesmo é castigo em lugar de bênção. Então, um belo dia, você se encontra em um lugar sagrado e se vê, de repente, diante de um anjo de Deus. O que pensa? *Vou morrer. O anjo chegou para o acerto de contas. Ai de mim.* Que alívio você sente quando ouve o anjo pronunciar o seu nome e dizer: *Não temas!*

O sacerdote Zacarias, pai de João Batista, passou exatamente por isso, segundo o que escreve o evangelista Lucas, logo no começo do seu livro. O que Zacarias vinha pedindo a Deus era um filho. Sua mulher, Isabel, era estéril, e ele sabia que só Deus podia resolver o problema. Mas o tempo foi passando, eles envelhecendo e as coisas parecendo cada vez mais difíceis. Até que um dia aconteceu. O anjo de Deus veio com as boas novas e tudo mudou na vida desse casal.

Quando pedimos uma bênção a Deus e não recebemos, ficamos sempre querendo saber por que a bênção não chega. Mas só haverá resposta para essa questão quando ela chegar. No caso de Zacarias, Deus não queria simplesmente lhe dar um filho. Deus queria que o filho de Zacarias ocupasse um papel de grande destaque na história de Israel e no plano eterno de redenção de toda a humanidade. O plano de Deus era que o filho de Zacarias e Isabel fosse o precursor do Messias, aquele que haveria de preparar o caminho para a vinda de Jesus, o Redentor. Zacarias tinha de ajustar sua agenda à de Jesus.

Não seria esse o seu caso? Será que a sua agenda está ajustada à de Jesus? Primeiro: Você já recebeu Jesus como Senhor de sua vida? Ele já entrou, na história de sua existência? Sem Jesus em sua vida, nada do que você está pedindo a Deus faz muito sentido. O que adianta ao homem ganhar o mundo inteiro se perder a sua alma? Mas, se Jesus é o Senhor de sua vida, até que ponto aquilo que você está pedindo tem a ver com Ele? Do ponto de vista dos propósitos que Ele tem para com você, o que está pedindo é bom ou ruim? Será que está mesmo no tempo de você receber o que está pedindo?

O que quero que fique gravado em seu coração hoje é isto: *Não temas!* O fato de você estar pedindo algo a Deus há muito tempo e não ter recebido não significa, necessariamente, que haja algo errado com você. Pode ser que ainda não tivesse chegado o tempo. Quem sabe o tempo é hoje? Mas se não for, é porque o Senhor está preparando algo para você melhor do que o que está pedindo. Não temas. Deus está ouvindo sua oração. Amém.

22 de dezembro

Disse-lhe, então, o anjo: Maria, não temas, porque achaste graça diante de Deus.
Lucas 1.30

Nazaré. Cidade da Galiléia, região onde viviam pessoas de diversas raças, tanto que o profeta Isaías, a chama de "a Galiléia dos gentios" ou das nações (Is 9.1). Região de gente pobre, pescadores, lavradores, operários de profissões de baixa remuneração. Era lá que vivia Maria. Ela era noiva de um carpinteiro.

Um belo dia, Gabriel, um dos mais destacados seres angelicais, é enviado à terra portando a mensagem que qualquer ser celestial teria prazer e se sentiria honrado em conduzir. Mas para quem foi enviada a mensagem? Justamente para Maria, uma moça humilde de Nazaré...

Que tremenda surpresa teve Maria ao ver o glorioso anjo de Deus, e ficou ainda mais surpresa por ouvi-lo pronunciar seu nome: Maria. O anjo diz palavras elogiosas à moça e anuncia que ela foi escolhida por Deus para uma missão de enorme importância para todo o seu povo e para toda a humanidade. Como ficou Maria? Perturbada. É então que o anjo lhe diz: "... não temas". E acrescenta: Tudo isso é porque você achou graça diante de Deus.

Todos sabemos que Maria submeteu-se obedientemente ao plano que Deus tinha para a sua vida e que, assim, o Verbo Eterno de Deus se fez carne no ventre dela. Maria concebeu do Espírito Santo, conduziu em seu ventre o Salvador do mundo até que ela mesma o deu à luz. Por isso o anjo a chamou de "bendita entre as mulheres".

Jesus trouxe para cada ser humano a possibilidade de nascer outra vez, ser gerado pelo Espírito Santo, viver neste mundo dentro da esfera do sobrenatural de Deus, ser um instrumento para libertar pessoas, operar milagres, promover o crescimento do Reino de Deus e viver para sempre. Parece muito? Parece com algo que pode acontecer com qualquer pessoa menos com você? Parece-lhe bom demais para ser verdade? Não temas! Jesus veio a este mundo para salvar pessoas como você e eu. O apóstolo Paulo nos diz em 1 Timóteo 1.15: "Esta é uma palavra fiel e digna de toda aceitação: que Cristo Jesus veio ao mundo, para salvar os pecadores..."

Ser salvo é ser gerado pelo Espírito Santo. É um processo que começa com o ouvir da Palavra de Deus. Quando a pessoa humana se arrepende de seus pecados e se submete à ação salvadora de Deus, ela é gerada pela Palavra de Deus e pelo Espírito Santo. Ela passa a viver as Escrituras. Vive pela Palavra de Deus, alimenta-se dela, é santificada por ela e a ministra a outras pessoas. A pessoa passa a fazer parte do Corpo de Cristo e da grande obra de Deus existente na terra e no céu. É isto o que Deus quer para você. Você se acha indigno de tamanha bênção? Não temas! Você achou graça diante de Deus. Faça como Maria. Diga: *Eis aqui o servo do Senhor; cumpra-se em mim segundo a tua palavra.* Amém.

23 de dezembro

Porque para Deus nada é impossível.
Lucas 1.37

Quando o anjo disse a Maria que ela daria à luz um filho sem se envolver com nenhum homem, estava anunciando algo que nunca havia acontecido antes e, tampouco, haveria de acontecer novamente.

Maria assustou-se e perguntou: "Como haverá de ser isso?" Milagres não têm explicação, muito menos aquele que haveria de ser o maior milagre de toda a história.

Para estimular a fé de Maria, o anjo relatou-lhe um outro milagre, acontecido em sua família, e da mesma natureza do que haveria de ser realizado nela. O milagre ocorrera com sua prima Isabel. Então, o anjo acrescentou: "Porque para Deus nada é impossível".

Milagres só acontecem onde há fé. Mas, muitas vezes, a nossa necessidade de entender como as coisas acontecem bloqueiam a nossa fé. Ficamos nos perguntando: *Como pode ser isso?*, e nos fechamos para o milagre. É nessa hora que precisamos de ajuda. Foi nesse momento que o anjo ajudou Maria.

Também quero ajudar você que está necessitando de um milagre. A primeira coisa que posso lhe dizer, é que, seja lá qual for o milagre que você necessitar, Deus já fez em favor de alguém. Se Ele fez pelos outros, também pode fazer por você. Por que não?

Agora vamos imaginar que você precise de um milagre que nunca tenha sido operado, em nenhum lugar, em favor de ninguém antes. Por mais que pareça ser impossível o milagre de que você necessita, ele jamais será maior do que aquele que Deus operou em Maria. Ali, o Deus imortal se transformou em um homem mortal. O Deus Todo-poderoso se reduziu a uma criancinha totalmente indefesa e dependente. O Deus santo veio viver com os seres humanos pecadores. Você pode dizer: *Mas aquilo aconteceu há dois mil anos e num país que fica a muitos milhares de quilômetros daqui. O que isso tem a ver com a minha vida?* Amigo, aquilo só foi feito por causa de mim e de você; por causa de nossa necessidade. E vou lhe dizer mais: aquela foi a porta que Deus abriu para que todas as nossas necessidades pudessem ser satisfeitas. Ali está a prova de que Deus se preocupa conosco e de que é capaz de fazer qualquer coisa em nosso favor. A pergunta de Romanos 8.32 é esta: "Aquele que nem a seu próprio Filho poupou, antes o entregou por todos nós, como nos não dará com ele todas as coisas?"

Para Deus nada é impossível. Seja qual for a sua necessidade, Ele a poderá suprir milagrosamente. Creia nisso e receba a bênção de Deus. Se você não tem comunhão com Ele, vive escravizado pelo pecado, Deus pode e quer salvar você. Porque para Deus nada é impossível. Creia nisso e receba o maior de todos os milagres, a salvação de sua alma. Amém.

24 de dezembro

Libertados das mãos de nossos inimigos, o servíssemos sem temor.
Lucas 1.74

"[Servir a Deus] sem temor." São palavras de Zacarias, o pai de João Batista. O que ele queria dizer com isso?

Sempre que Israel era dominado por algum outro povo, uma das conseqüências que sofria era a impossibilidade de servir ao seu Deus. Escravos gastando tempo adorando ao seu Deus? Para os dominadores era desperdício. O máximo que permitiam, quando permitiam, é que eles adorassem aos deuses de seus senhores.

No tempo de Zacarias, Israel vivia sob o domínio romano. Embora houvesse uma certa liberdade religiosa, com fins políticos, os dominadores interferiam, sim, no culto que queriam prestar ao seu Deus.

Zacarias cantava acerca dos novos tempos que estavam chegando. Como conseqüência de um grande milagre de Deus, ele e sua esposa Isabel haviam gerado um filho. Ele sabia que aquele filho era precursor do Messias, o grande libertador de Israel e de toda a humanidade. O tempo estava chegando em que não somente o povo de Israel, mas toda a humanidade, haveria de servir ao Deus verdadeiro sem nenhum impedimento!

Algumas pessoas têm medo de servir ao Deus verdadeiro porque, em certo tempo da vida, elas ou seus pais se envolveram com entidades que se opõem a quem delas se afastam. Tais entidades fazem ameaças, deixando os seus antigos adeptos num verdadeiro clima de terror. Se é esse o seu caso, quero dizer-lhe que você não precisa ter medo de nada nem de ninguém. Deus é mais poderoso que qualquer força do mal e, através de Jesus, coloca todo o poder que Ele tem à sua disposição. Sirva a Deus sem nenhum temor.

Muitas pessoas não servem ao Deus verdadeiro porque têm medo da santidade dEle. Essas pessoas se sentem terrivelmente manchadas pelo pecado e têm medo de serem destruídas diante da santidade do Senhor. Jesus veio ao mundo justamente para salvar os pecadores. Ele nos diz, em Mateus 9.13: "... eu não vim para chamar os justos, mas os pecadores, ao arrependimento". Jesus veio a este mundo exatamente para prover o nosso acesso a Deus. O escritor aos Hebreus nos diz em seu livro que agora temos "ousadia para entrar no Santuário, pelo sangue de Jesus" (Hb 10.19). Foi por isso que Zacarias cantou e podemos cantar. O problema dos nossos pecados está resolvido e agora podemos servir a Deus sem temor.

Mesmo uma pessoa convertida, nascida de novo, está sujeita a cometer pecados. Todos os cristãos estão sujeitos a isso. Ocorre que alguns servos de Deus ficam profundamente deprimidos quando incorrem em fraquezas. Satanás, o nosso inimigo, gosta muito de explorar essas situações. Muitas vezes ele consegue convencer o crente faltoso de que não há perdão para ele. Queridos, o mesmo sangue que garantiu o nosso resgate é o que garante a manutenção de nossa comunhão com Deus. Foi para os crentes que o apóstolo

João escreveu, em sua primeira epístola: "Mas, se andarmos na luz, como ele na luz está, temos comunhão uns com os outros, e o sangue de Jesus Cristo, seu Filho, nos purifica de todo pecado" (1 Jo 1.7). Se você caiu, levante-se. Se pecou, peça perdão a Deus e receba a purificação de seus pecados. Foi isso o que Zacarias cantou poucos dias antes do primeiro Natal. Daí em diante, todos os que amam ao Deus verdadeiro podem dizer o mesmo. Libertos de nossos inimigos, servimos a Deus sem temor. Amém.

25 de dezembro

E o anjo lhes disse: Não temais, porque eis aqui vos trago novas de grande alegria, que será para todo o povo.
Lucas 2.10

O Natal é sempre um lindo dia. Na verdade, quando entra o mês de dezembro, a atmosfera muda. Segundo temos sido informados, mesmo nos países em que o cristianismo não é a religião predominante, percebem-se mudanças no ambiente em função do Natal.

É verdade que muitas pessoas, mesmo entre as que se dizem cristãs, estão completamente alheias ao verdadeiro sentido do Natal. Há muitos que só pensam em vender, ganhar dinheiro. Outros só pensam em comer, beber, dançar, enfim, dar vazão aos instintos carnais. Nem se lembram que existe Jesus. Mas que importa? O Natal existe porque Jesus nasceu!

Gostaria de esclarecer que não tenho nada contra as pessoas darem e receberem presentes no Natal. Nada contra as festas realizadas de maneira sadia. Também não tenho nada contra as lojas se enfeitarem. É muito bom que seja assim. É bom que o ambiente físico reflita, o melhor possível, aquilo que o Natal é na esfera espiritual.

Na noite do primeiro Natal, as lojas não tinham vitrines, não existiam letreiros luminosos e os instrumentos musicais eram muito rústicos. Mas não faltou a beleza, nem música, nem alegria. A Bíblia diz que a glória do próprio Deus, diante da qual os mais modernos efeitos luminosos são mais pálidos do que fogo de vela, sim, a glória do Senhor brilhou diante dos olhos dos homens. Um coral constituído por milhares de anjos entoou lindas canções, e uma mensagem de paz vinda do trono de Deus ecoou pelos ares. Foi um espetáculo tão extraordinário que quem o viu encheu-se de medo. Foi quando um anjo de Deus disse: Não temais!

Muitas pessoas não conseguem ver o Natal para além dos seus aspectos externos. Sentem uma certa euforia, uma certa alegria; são dominados por um espírito fraterno, mas não conseguem ir além disso. Se é esse o seu caso, quero desafiá-lo a ter um Natal diferente neste ano. Quero convidá-lo a ter um relacionamento real e profundo com Jesus, aqUele que veio ao mundo para nos salvar. Jesus é uma pessoa real. Ele nasceu em Belém, viveu na Palestina, morreu por nossos pecados, ressuscitou e está presente em todo lugar. Ele quer manter um relacionamento pessoal com você. Foi para isso que Ele veio ao mundo. Talvez você ache isso muito estranho e até tenha medo de buscar essa experiência. Mas lhe digo como o anjo disse no primeiro Natal: Não tenha medo. Essa é a melhor experiência que podemos ter nesta vida. Abra o seu coração para Jesus, convide-o para entrar e a glória de Deus vai encher sua vida. Receba a paz de Deus em seu coração.

Pessoas há que, no Natal, vão ao templo, participam de cerimônias religiosas, mas o seu Natal não passa do cumprimento de certos rituais. Essas pessoas estão à beira do poço, mas não bebem a água. Jesus não veio a este mundo simplesmente para nos dar uma religião. Ele veio para nos dar vida abundante. Ele nos asseverou: "Se alguém crê em mim, como dizem as Escrituras, rios de água viva correrão de seu interior". É isso o que Ele quer que você tenha. Receba isso neste Natal. Não tenha medo. Se você já recebeu Jesus em sua vida, diga-lhe para ficar à vontade e operar em seu ser aquilo que Ele quiser. Ele encherá sua vida de glória e paz. Amém.

26 de dezembro

E há de acontecer, ó casa de Judá e ó casa de Israel, que, assim como fostes uma maldição entre as nações, assim vos salvarei, e sereis uma bênção; não temais, esforcem-se as vossas mãos.
Zacarias 8.13

Um dos princípios básicos da fé evangélica é a liberdade que cada um tem para ler a Bíblia e interpretá-la por si mesmo. Nosso Criador nos deu cérebro para pensar e liberdade para decidir. Deu-nos também sua Palavra escrita por homens e em linguagem bem simples para que qualquer pessoa a possa compreender. Quem quiser impor aos outros sua forma de compreender a Bíblia estará contrariando ao próprio Deus.

É natural que tenhamos dúvidas sobre este ou aquele ponto das Escrituras Sagradas. É natural que peçamos ajuda a quem esteja mais familiarizado com a Bíblia para elucidar algum de seus trechos. É natural que divirjamos na interpretação de uma ou mais de suas partes. O que não podemos, repito, é impor nossa maneira de entender. Também não podemos "torcer as Escrituras" com o objetivo de adequá-la às nossas conveniências ou de enganar às outras pessoas (2 Pe 3.15,16).

Um ponto controverso que tem surgido entre nós, ultimamente, é o que lida com a chamada *Quebra de Maldições Hereditárias*. Em resumo, um grupo crê que a conversão verdadeira nos livra de toda e qualquer maldição que pesasse anteriormente sobre nós, de imediato. Outro grupo, ao contrário, crê que, após a conversão, seja necessária a realização de certas práticas para que toda e qualquer maldição seja extirpada.

Como sempre, o perigo está nos extremos e na exploração dos incautos.

Há quem promova reuniões em que se realizam rituais para *Quebra de Maldições*, com forte apelo às contribuições financeiras.

É óbvio que quando uma pessoa vem da vida de pecados para a Igreja do Senhor, traz consigo hábitos ruins; vícios aos quais pode ter se submetido por muitos anos; feridas na alma, ocasionadas por traumas de diversos tipos; um histórico de relacionamentos familiares conflituosos; enfermidades espirituais, especialmente se viveu em um ambiente carregado de feitiçaria e idolatria; e a tendência de repetir os pecados cometidos por seus pais, uma vez que eles são uma referência que trazemos conosco até inconscientemente.

As mazelas que trazemos da vida do pecado têm de ser tratadas com a Palavra de Deus e com a oração. A cura é um processo. Um ritual de confissão ou coisa que o valha pode ajudar a desenvolver esse processo, mas sozinho não resolverá muita coisa. O grande perigo é a pessoa, já sofrida e maltratada, ser iludida com a idéia de que basta pagar, fazer o ritual e pronto.

Uma coisa é muito certa: há, na cruz do Calvário, provisão suficiente para salvar qualquer pecador. Para transformar qualquer maldição em bênção, fazer com que o ser humano seja abençoado em todas as áreas de sua vida e seja um manancial de bênçãos para outras pessoas. Basta que assim o desejemos e, como disse o profeta Zacarias, que nossas mãos se esforcem. Amém.

27 de dezembro

Porque assim diz o Senhor dos Exércitos: Assim como pensei fazer-vos mal, quando vossos pais me provocaram à ira, diz o Senhor dos Exércitos, e não me arrependi, assim pensei de novo em fazer bem a Jerusalém e à casa de Judá nestes dias; não temais.
Zacarias 8.14,15

Uma pessoa, sob ação hipnótica, faz coisas ridículas. O hipnotizador lhe dá um cabo de vassoura e lhe diz: *Dou-lhe esta metralhadora. Use-a.* Diante dos olhos de todas as outras pessoas, o hipnotizado age como se tivesse, realmente, uma metralhadora na mão, *atirando* para todos os lados. Se o hipnotizador lhe diz: *Você está dirigindo um veículo*, ele apanha um prato, faz dele um volante, e sai *dirigindo*, passando marchas, buzinando e até fazendo curvas.

Há muitas pessoas *hipnotizadas* pelo horóscopo. *Você é do signo de leão. É bravo, impetuoso.* A pessoa assume isso, ataca os outros e a explicação que dá é esta: *Eu sou leão*. Se lhe diz que é peixe, assume uma atitude retraída, serena, como se fosse um peixinho em águas tranqüilas.

Há vários tipos de hipnotismo. Existe, por exemplo, aquele em que a pessoa assume o dever de pagar pelos erros de alguém a quem nunca viu e nem tem idéia dos erros que ele cometeu. Teria sido alguém que viveu numa suposta encarnação, anterior à sua, e vivido em algum lugar do mundo onde, provavelmente, nunca foi. Um diz: *Tenho que pagar pelos pecados de um senador romano chamado Fulano de Tal*. E o outro: *Meu carma é sofrer pelos erros de uma escrava grega*. Por favor, vamos parar com isso!

Existe também aquele hipnotismo bobo que faz com que a pessoa pense que é obrigada a cometer os mesmos erros do seu pai ou da sua mãe. *Meu pai era assassino, eu também sou um*, diz alguém. *Minha mãe era adúltera, eu não posso ser uma pessoa fiel ao meu marido*, diz outra. *Meu pai era mulherengo. É por isso que eu não consigo levar uma vida correta*, assume outro. *O demônio não-sei-quem dominava o meu avô, agora é minha vez de ser possesso*, resigna-se outro. Que coisa absurda e ridícula!

Pode ser que os atos de nossos pais nos influenciem e que o ambiente em que vivemos crie pressões maiores para que cometamos determinados tipos de pecados. Mas uma coisa é certa: se o pecador quiser sair da lama, Deus o ajudará e ele sairá, seja ele quem for. A bênção do Senhor virá sobre sua vida, não importa quão amaldiçoados tenham sido os seus pais, avós ou tataravós.

Deus quer abençoar todos os seres humanos, inclusive você. Creia nisso. Aproprie-se disso. Não temas. Amém.

28 de dezembro

Quem vencer herdará todas as coisas, e eu serei seu Deus, e ele será meu filho.
Apocalipse 21.7

Quando fazemos uma leitura seqüenciada do livro de Apocalipse, ao chegar no capítulo 21 teremos visto muita coisa. Teremos visto guerras, cataclismas, mudanças profundas no mundo político e religioso... Teremos visto, inclusive, o Juízo Final.

A fumaça do lago de fogo e enxofre, mencionado nos capítulos 19 e 20, ainda está subindo quando o anjo mostra a João os novos céus e a nova terra. Parece que o *cicerone celestial* põe a mão no ombro do apóstolo, aponta na direção da Nova Jerusalém, cheia de glória, e lhe diz: *Aquele é o destino dos vencedores*. Em seguida, aponta em direção ao lago de fogo e lhe diz: *Ali é o lugar dos derrotados*.

Quem são os derrotados? Eles são listados no versículo 8 do capítulo 21. Os tímidos, isto é, os vacilantes, são os primeiros a serem mencionados. Timidez, ou seja, indecisão com respeito às coisas espirituais, é muito perigosa. O tempo e as oportunidades para fazer o que é necessário acabam passando sem possibilidade de retorno.

Em seguida, vêm os incrédulos. Incrédulo é quem é incapaz de crer. É imediatista, materialista, insensível às coisas do espírito. O coração fechado para Deus acaba sendo propício para práticas abomináveis aos olhos do Senhor.

Homicidas também são outro tipo de gente derrotada. Parecem ser valentes, mas o que são mesmo é covardes. Entre eles estão os que praticam ou apóiam a prática do aborto.

Os que se dão às práticas sexuais impuras, os fornicários, são pessoas derrotadas. As paixões carnais os vencem. Quem não tem domínio sobre si mesmo vai vencer a quem ou a quê?

É próprio dos derrotados recorrer à feitiçaria e à idolatria. Sabem que estas são coisas que desagradam a Deus, porém os derrotados são pessoas que não se submetem aos critérios estabelecidos pelo Senhor. Quando querem alguma coisa, vão atrás dela, não importam os meios.

Quem vive mentindo também é um derrotado. Conta uma mentira. Depois, conta outra para sustentar a primeira. E depois uma terceira para sustentar a segunda, e assim acaba vivendo uma existência completamente falsa, irreal, irresponsável.

Qual é o destino dos derrotados? O lago que arde com fogo e enxofre.

Deus não quer ver ninguém derrotado. Ele oferece a oportunidade de ser vencedor a todos. Ele tem preparado coisas tão maravilhosas para os vencedores que nem podemos imaginar.

Novos céus e nova terra nos aguardam. Deus aponta para lá e diz a você: "Quem vencer herdará todas as coisas". Reaja às tentações. Lute. Vença. Associe-se ao Deus da vitória. Ele só recebe por filhos aos que vencem. Ele quer receber você. Bem-vindo aos braços do Pai. Amém.

29 de dezembro

Pedi ao Senhor chuva no tempo da chuva serôdia; o Senhor, que faz os relâmpagos, lhes dará chuveiro de água e erva no campo a cada um.
Zacarias 10.1

Houve um tempo na História do Brasil em que o Presidente da República era escolhido por um grupo de representantes do povo chamado de *Colégio Eleitoral*. Dizem que o último homem eleito por esse sistema, quando verificou que tinha boas chances de ser eleito, ousou declarar: *Se eu conseguir o apoio do partido tal, não precisarei nem que Deus me ajude.* Ele conseguiu o apoio que queria, foi eleito, mas nunca tomou posse.

Sempre necessitaremos da ajuda de Deus. Antes de nascer, na infância, na adolescência, na juventude, na idade madura e na velhice. Sempre necessitaremos da ajuda de Deus para idealizar qualquer projeto, iniciá-lo, conduzi-lo e concluí-lo.

Quem tem um mínimo de conhecimento de Deus, facilmente busca a ajuda dEle antes de iniciar algo que considere importante. Também é fácil admitir que dependemos da ajuda de Deus quando nossos projetos não estão andando bem. Mas não é tão fácil reconhecer nossa total dependência do Senhor quando está tudo bem, especialmente se isso já ocorre há muito tempo.

As chuvas, um fenômeno meteorológico comum em quase todo o mundo, sempre servem para lembrar-nos de nossa dependência de Deus.

A Bíblia fala-nos de dois tipos de chuva: a temporã e a serôdia. Temporãs eram as primeiras chuvas do ano. Elas eram muito importantes para o preparo da terra para a lavoura. As chuvas serôdias caíam quando a lavoura já estava adiantada, serviam para que os grãos se formassem e, assim, se pudesse ter boas colheitas.

As chuvas serôdias lembram-nos de que, sem a bênção do Senhor, não poderemos ser bem-sucedidos na conclusão de nenhum projeto.

Se sua lavoura está prosperando, se qualquer outro empreendimento seu está bem adiantado e promissor, não se esqueça de agradecer e confessar ao Senhor que você sempre precisará da bênção e da ajuda dEle.

Faça o que diz o profeta Zacarias: peça ao Senhor o derramamento da chuva serôdia, a provisão do que for necessário para que tudo termine bem. Faça isso quando o noivado já estiver quase transformado em casamento, quando os filhos já estiverem bem encaminhados na vida, quando você já estiver quase concluindo uma carreira profissional bem-sucedida, um ministério longo e frutífero, a construção da casa almejada por tanto anos, enfim, quando estiver prestes a colher algo que plantou e cultivou com tantos sacrifícios.

Deus abençoe sua colheita. Amém.

30 dezembro

Mas para vós que temeis o meu nome nascerá o sol da justiça, e salvação trará debaixo das suas asas; e saireis e crescereis como bezerros do cevadouro.
Malaquias 4.2

O livro de Malaquias é o último do Antigo Testamento por duas razões: por ser um livro profético e por ser o último livro escrito pelos chamados profetas menores. Tanto no Antigo como no Novo Testamento, os livros estão agrupados dentro de três assuntos principais, nesta ordem: história, devoção e profecia.

Profecia não quer dizer, necessariamente, anúncio de acontecimentos futuros. É mais apropriado dizer que é a revelação de coisas ocultas, relacionadas a acontecimentos passados, presentes ou futuros. A manifestação da genuína profecia ressalta o controle de Deus sobre todos os acontecimentos. Também mostra o desejo desse Deus maravilhoso de que entendamos tudo o que se passa ao nosso redor e em todo o mundo, de forma a que administremos bem nossa vida e estejamos sempre seguros.

O livro de Malaquias está associado ao fim de uma etapa na história do povo de Deus. Mas não se vê nele nada que lembre o término de esperanças ou o apagar de luzes. Malaquias trata de reconstrução do que foi destruído e do preparo para dias melhores. Ele não lamenta o fim de uma era ele celebra a chegada de um novo tempo. Anuncia a chegada do Messias, a mais acalentada esperança do povo de Deus até então.

Há sempre uma esperança renovada para aqueles que temem ao Senhor. Quando o crepúsculo de um tempo chega, já se pode antever o alvorecer de um novo dia.

Eis Jesus, o Sol da Justiça, a dissipar as trevas da noite e a nos dar a luz e o calor de uma nova manhã. NEle sempre temos a oportunidade de recomeçar. Com Cristo não há noite eterna.

Quem se abriga sob as asas do Senhor Jesus encontra salvação. NEle há salvação da condenação do pecado, do poder do pecado e de apertos circunstanciais desta vida, sejam eles mais ou menos graves.

O Sol da Justiça vem com bênçãos para os que se submetem aos seus benditos raios. Vem com provisões espirituais e materiais para que, em cada etapa iniciada e vivida com Ele tenhamos alegria, paz, esperança e prosperidade.

Olhe para a direção certa. Olhe para o nascente. Contemple o novo dia que vem chegando. Prepare-se e desfrute das copiosas bênçãos que o Sol da Justiça traz para você. Felicidades em seu novo dia. Amém.

31 de dezembro

A graça de nosso Senhor Jesus Cristo seja com todos vós. Amém!
Apocalipse 22.21

A Bíblia é o livro da bênção. Começa com a bênção da criação de tudo, inclusive do primeiro casal de seres humanos. No seu primeiro capítulo está escrito: "E Deus os abençoou..." (v. 28)

Depois que percorremos todo o texto sagrado, passando por tantas bênçãos, constatamos que as últimas palavras da Bíblia são, exatamente, a formulação de uma bênção.

Apocalipse foi escrito há dois mil anos, com o objetivo de encorajar a Igreja em sua marcha. Ele mostra o nosso destino glorioso e nos diz: *Avante! Siga firme, com a graça de nosso Senhor Jesus Cristo.* Sob esta graça, o povo de Deus tem avançado sempre. Às vezes, em ritmo acelerado; outras vezes, lentamente. Às vezes, em terreno plano; outras vezes, em terreno acidentado. Por estradas lisas e caminhos pedregosos. Sorrindo e chorando. Lutando e vencendo. Plantando e colhendo. A graça de nosso Bendito Pastor nos tem trazido até aqui. E com ela vamos seguindo em frente até o fim.

Até o fim? Não propriamente. O fim da atual etapa da história da Igreja será o começo do nosso verdadeiro destino.

Com o povo de Deus é sempre assim: o fim é sempre o começo. Estamos terminando e começando, sempre com a graça de nosso Senhor Jesus Cristo.

É bom terminar o dia, a semana, o mês, o ano com a maravilhosa graça do Senhor. Também é bom começar o dia, a semana, o mês, o ano com as forças e as esperanças renovadas pela graça de nosso Messias. Ele nos orienta, fortalece, faz prosperar, somente por sua misericórdia. Não porque mereçamos, e sim por sua graça.

Para ver a possibilidade de um novo começo no final de cada etapa da vida, é necessário crer na graça do Senhor. Pode ser que não tenhamos nos conduzido muito bem na etapa que está se findando. Sentimento de culpa pode nos ocupar o coração, provocando outros sentimentos ruins como tristeza e desânimo. Tornamo-nos intolerantes conosco mesmos. Não existe nada melhor para nos restaurar a autoconfiança do que saber que o próprio Deus confia em nós. Sim, porque, se Ele nos dá uma nova oportunidade, é porque acredita em nossa capacidade de aproveitá-la.

A graça de Jesus é conseqüência do seu amor por nós. Essa graça o leva não somente a perdoar os nossos erros, mas também a nos dar forças para enfrentarmos obstáculos, desafios e tentações. A graça cura e dá novas forças. Além disso, orienta e protege.

Com a graça de nosso Senhor Jesus Cristo, siga em frente. Amém.